Q

Vaterland, Muttersprache

Deutsche Schriftsteller und ihr Staat seit 1945

Ein Nachlesebuch für die Oberstufe
Zusammengestellt von Klaus Wagenbach,
Winfried Stephan und Michael Krüger
Mit einem Vorwort von Peter Rühmkorf

Verlag Klaus Wagenbach   Berlin

Die Auseinandersetzungen der Schriftsteller mit dem Staat haben in Deutschland eine lange Tradition. Die vorliegende Anthologie dokumentiert diese Tradition seit 1945. Sie zeigt nicht nur, wie Erich Kästner sagte, daß die Schriftsteller manchmal lieber weniger recht behalten hätten, sondern sie zeigt auch, daß Schriftsteller in unserm Land schlechter gehört werden (oder: sich weniger ›verständlich‹ machen können), blindwütiger angegriffen werden als anderswo.

Das hängt sicher auch mit der bei uns üblichen Trennung zwischen »Politik« und »Literatur« zusammen. Die *Quarthefte* versuchen seit ihrem Bestehen, diese Trennung zu überwinden.

Quartheft 100

1.-30. Tausend

© 1979 Verlag Klaus Wagenbach, Bamberger Str. 6, Berlin 30
Satz und Druck: Poeschel & Schulz-Schomburgk, Eschwege
Bindung: Hans Klotz, Augsburg
Schrift: Kolonel und Borgis Linotype Sabon Antiqua
Umschlag: Katia Wagenbach
Printed in Germany. Alle Rechte vorbehalten
ISBN 3 8031 0100 x
Leser und Freunde sind eingeladen, dem Verlag eine Postkarte zu schreiben; sie erhalten regelmäßig und kostenlos den jährlichen Verlagsalmanach.

Inhalt

Wiederkehr des Alten Wahren

Politik der Stärke

Der Kampf gegen die Bombe

Das Adenauer-Syndrom

Peter Rühmkorf *Vorwort*

1979 – eine ziemlich krumme Zahl auf den ersten Blick, dennoch ein rundes Datum nicht nur für die Bundesrepublik, sondern auch für den Doppelgänger Deutschland-Deutschland. Im Jahre 1949 wurde das Grundgesetz aus der Taufe gehoben und der erste Deutsche Bundestag gewählt. Andererseits – und um dies andrerseits kommt kein Gedanke an Politik in deutschen Landen herum – konstituierte sich auf dem Gebiet der seinerzeitigen sowjetischen Besatzungszone die DDR mit dem Sitz einer Deutschen Volkskammer in Ostberlin. Damit verstaatlichte sich zwar ein lange vorbereiteter Trennungsschaden, doch hielten die Scheidungswehen sehr viel länger an, und ein gewisses Spaltungsirresein ist bis heute nicht aus der Welt. Womit wir es im Jubiläumsjahr zu tun bekommen, sind also nicht bloß verfassungsgeschichtliche Reminiszenzen im engeren Sinne. Was neu zum Bewußtsein kommt, ist auch die geistige Verfassung zweier Gemeinwesen (die hat ihren eigenen kurvenreichen Werdegang), ist das Vorhandensein von unleugbaren Verhaltensstörungen und Identitätsbeschwerden (die sind nicht vom Himmel gefallen) und wer ihnen auf die Schliche kommen möchte, tut gut daran, den Entzweiungsprozeß noch einmal an Hand von unverfänglichen Zeugenaussagen zu studieren.

Daß wir uns für unsere Recherche der Zeugenschaft gerade von Dichtern und Schriftstellern versichern wollen, hat dabei nicht bloß mit Dichtung als einem ›Gedächtnis der Geschichte‹ zu tun. Schriftsteller waren es gewesen, die zahlreich und rechtzeitig vor den Nazis gewarnt hatten und dann von diesen außer Landes oder in den Tod getrieben wurden. Schriftsteller sind es auch, die von Berufs wegen einen besonders feinen Nerv für die Bedrohung freiheitlicher Grundrechte entwickeln: wo die Freiheiten, zu reden, zu schreiben und zu drucken beschnitten werden, sind sie als erste und ganz existentiell betroffen. Und schließlich sind sie über den bewußten Umgang mit der Muttersprache dem Vaterland auf eine beinah mediale Weise verbunden.

Da die Dichter nun einmal dazu neigen, die Sprache für einen wichtigen Teil der Sache zu nehmen, und auch die Lüge sich gemeinhin über die Sprache den Schein der Wahrheit aneignet, reagieren sie unruhig bis aufgebracht immer dann, wenn Sprach- oder Schweigeregelungen das gesellschaftliche Bewußtsein herunterzudeckeln drohen. Was immer man über das komplizierte dialektische Verhältnis von Dichtung und Wahrheit in literarischen Kunstprodukten denken mag – ein beinah zwanghaftes Bedürfnis nach Wahrheit hat den Entwicklungsverlauf der Sprachkunst sowohl begleitet wie ihre Lust an Überhöhung, Veredelung und Bezauberung, und wo man den

Dichtern das Wort abwürgte, konnte man sicher sein, daß es den demokratischen Freiheiten ganz allgemein an die Gurgel ging. Wie ein erlöster Atemzug weht es uns heute noch aus einer Rede Weisenborns (gehalten im Frühjahr 1946) entgegen: »Die Zeit des Schweigens, der Geheimnisse, des Flüsterns ist vorbei. Wir können sprechen. Wir müssen sprechen.« Und als Axel Eggebrecht auf dem ersten und einzigen gesamtdeutschen Schriftstellerkongreß nach dem Kriege verbliebene Gemeinsamkeiten anmahnte, da war es – »Wir Schriftsteller sollten, wenigstens untereinander, dem Wort wieder mehr Glauben schenken« – jene letzthin unverwüstbare Hoffnung auf die Vertrauenswürdigkeit von Wort und Rede, die hier den Ton angab.

Freilich gehört noch etwas anderes in den geheimen Kontext von Vaterland und Muttersprache und somit auch in den Zusammenhang von Wort und Wahrheit. Als sich das zermüllte Vaterland nach dem Krieg noch um ein weiteres zu zerlösen begann und äußere Triebmächte und innere Fliehkräfte den Zusammenhang des Landes überhaupt zu gefährden drohten, da schien die deutsche Sprache eine letzte verbliebene Klammer und ein einig Band von Wörtern, in dem sich die Nation – mit Thomas Mann zu sprechen – aufgehoben fühlen konnte. Damit nähern wir uns natürlich einem Bereich, der Begriffe wie Namenszauber und Identifikationsmagie nahelegen könnte, und gerade Thomas Manns verbindende Betrachtungen zum Goethejahr 1949 sind von solchen magischen Ineinssetzungen nicht frei: »Ich kenne keine Zonen. Mein Besuch gilt Deutschland selbst, Deutschland als Ganzem, und keinem Besatzungsgebiet. Wer sollte die Einheit Deutschlands gewährleisten und darstellen, wenn nicht ein unabhängiger Schriftsteller, dessen wahre Heimat ... die freie, von Besatzungen unberührte deutsche Sprache ist.« Dennoch und trotz des beinah ein wenig degoutant sich enthüllenden Bildes eines Einheits-Darstellers war die vollzogene Doppelverbeugung vor Goethe/Frankfurt und Goethe/Weimar natürlich eine politische Demonstration ersten Ranges und die hämisch-gereizte Antwort eines Friedrich Sieburg alles andere als ein Zufall.

Daß mich der Ehrentitel ›Der Schriftsteller als Gewissen der Nation‹ dabei nachwievor ein bißchen schief ansieht, möchte ich gar nicht verschweigen. Es gibt schon Dichter, die zu nichts besserem auf der Welt scheinen, als einer mißratenen Gesellschaft ein gutes Gewissen anzudichten. Andere Autoren mißverstehen ihren Auftrag als unbestallte Moralisten gern derart, daß sie sich wie persönlich unbeteiligte Schuldeneintreiber aufführen und ihre Adressaten vor sich selbst anzuschwärzen versuchen, was in der Praxis aber selten funktioniert. Gerade die guten Aufklärpädagogen, die statt an die eigene Entlastung an öffentliche Wirkung denken, trachten hingegen danach, die Leute bei deren oft sehr selbstsüchtigen Interessen und Wünschen zu packen und dem Unbehagen an den Zuständen eine bewußte Verfassung zu geben. Nach einer kurzen Zwischenzeit, in der die Schriftsteller vorzugsweise über Bibelzitate mit ihren Lesern konversierten, um sich (»Am Anfang war das Wort«) dann selbst mit Buß- und Bettags- und Bekehrungs-Sprüchen ins Gespräch zu mischen, sehen wir freilich schon bald den Aufklärerflügel erstarken, alte Weltbühnen-Autoren wie Hiller, Kästner, Eggebrecht im unabgesprochenen Verein mit jungen ›Ruf‹-Autoren wie Andersch, Richter, Kolbenhoff, und christliche Friedensstreiter wie Walter Dirks und Reinhold Schneider in gespannter Genossenschaft mit den damals so genannten ›Autoren der anderen Seite‹, sagen wir den Feuchtwanger, Brecht, Arnold Zweig, Anna Seghers und Stefan Hermlin. Nehmen wir die gemeinsamen Sorgen vorweg, dann zeigt sich die Frontlinie dort besonders positiv geprägt, wo die (westdeutsche) Wiederaufrüstung nicht bloß den eben gewonnenen Frieden wieder in Gefahr stellt, sondern gleichzeitig die Aufspaltung Deutschlands in zwei feindlich gegeneinander gekehrte Brückenköpfe zu verewigen droht. Die offensichtlichen, dennoch öffentlich nicht zur Kenntnis genommenen Widersprüche zwischen Friedensbeteuerungen einerseits und unverhohlener Remilitarisierung zum andern, bilden für lange Jahre einen gemeinschaftlich wahrgenommenen Streitgegenstand, und wer es heute immer noch nicht wahrhaben will, wie fließend einmal die Grenzen, wie deutlich abgehoben aber auch die Angriffsflächen waren, der mag sich aus diesem kleinen Geschichtsbuch eines anderen belehren lassen.

Als ein Geschichtsbuch oder als einen Leitfaden durch die eigene Vorgeschichte könnten es auch jene jungen Genossen zur Kenntnis nehmen, die den Vorzug einer eigenen Tradition immer bloß auf dem rechten Parteienflügel vermuten. Obwohl schätzenswerte Prioritätsansprüche und liebgewordene Initiationsverdienste vielleicht nachträglich ein wenig zurückgenommen werden müßten, bliebe doch der Erkenntnisgewinn, daß die Fortschrittsfäden, an denen man mühsam zieht, ihre Herkunftslinien und ihre Anknüpfungspunkte haben, und daß man keineswegs aus dem historischen Nichts heraus in eine nebelhafte Zukunft hinein arbeitet. Wen es bekümmert, daß auch unter dem Titel ›Freiheitliche Grundordnung‹ Zensurmaßnahmen und Ausjurierungspraktiken gedeihen können, der blicke getrost zurück – nicht wie auf verlorene Schlachten, sondern auf einen langen Marsch mit vielen stattlichen Vorläufern und ansehenswerten Bundesgenossen. Wer gelegentlich befürchtet, daß der Kampf um Brokdorf, Grohnde und Gorleben nur mit gutem Willen, besten Gründen und heißem persönlichen Engagement auszufechten sei, der sieht sich nun plötzlich mit alten neuen Argumenten verproviantiert, und ich meine, nicht zuletzt der deutlich abgehobene Hintergrund schafft Perspektive. Das hat mit Nostalgie zunächst und erinnerungsselig beschwingten Rückblicken auf Vergangenes überhaupt nichts zu tun. Wer Politik sagt und nicht zugleich Geschichte, nicht Gewordensein, nicht Überlieferung, dem kann es passieren, daß er bei ein bißchen starkem Wind von vorn bald rückhaltlos auf dem Kreuz liegt.

Auf Dichter als Wahrheitsermittler und Lügendetektoren sich berufen wollen, heißt freilich nicht immer gleich: auf Dichtung. Das krasse Gegenteil erstaunt. Was gerade diese Längsschnitt-Bilanz kennzeichnet – ich möchte sagen: auszeichnet; und dann auch gleich: warum – ist die geringe literarische Haltbarkeit der zahllosen Ad-hoc-Artikel und Eilpost-Zustellungen. Darin mag eine Kompetenzverfehlung erblicken, wer vom Schreibenden immer nur das Bleibende erwartet. Es kann aber, wo es um aktuelle Not-, Miß- und Übelstände geht, der ausgefeilte Text genau um jenen einen Tag zu spät kommen, der ihm die Wirkung gesichert hätte. Das akribische Abwägen von Formulierungsnuancen kann gelegentlich auch einem Protest den Nachdruck nehmen oder einer Sammeladresse die Gefolgschaft. Man hat es ja miterlebt, wie mächtig und zeitraubend sich gewisse Schönschreibtalente manchmal zierten. Man hat dann gesehen, wie Exklusivitäten zu Irrläufern wurden und allzu eifrig auf persönliche Erkennungsmerkmale Bedachte zu großen Unsichtbaren. Wer ›Politik‹ sagt, sagt aber zwangsläufig auch ›Wirkung‹, und wer auf Wirkung reflektiert, sollte die liebe Selbstreflexion ein wenig hintanstellen, der Name kann dann in Gottesnamen irgendwo anders glänzen, *hier,* unter einer für den Tag verfaßten Resolution, beziehungsweise einem auf den wunden Punkt gezielten Einschreiben muß er erstmal da sein. Und im Verein mit anderen. Und rechtzeitig. Den »täglichen Kram« nannte Erich Kästner gern seine gesammelten Bemühungen um Aufklärung und Bewußtseinsdrainage in den ersten Nachkriegsjahren. So weit und so entschieden muß sich ein Dichter gelegentlich zurücknehmen können, der andererseits – in Wirklichkeit, wer weiß? – ein ›linker Melancholiker‹ ist.

Da es hier nicht darum gehen kann, das Inhaltsverzeichnis des Buches und den Gang der Handlung noch einmal kommentierend nachzusingen, sondern Grundfragen der politischen Schriftstellerei zu besprechen, möchte ich dem Problem der literarischen Gewaltenteilung noch einige Gedanken nachhängen. Was zu bedenken und was wirklich noch zu verdauen ist, dürfte ja nicht das politische Engagement für sich sein. Wahrhaft beunruhigend scheint erst diese gewisse Unvereinbarkeit von Dichtung und Wahrheit, von poetischer Verklärungslust und schriftstellerischem Aufklärungsdrang, ein Zwiespalt, der jeden an diesem Zwitter Literaturundgesellschaft Interessierten auseinanderzureißen droht. Angekündigt hatten sich beängstigende Unvereinbarkeitsbedenken bereits im Werk des gerade so eben und dann nicht für lange dem Krieg entkommenen Wolfgang Borchert. Daß der Schriftsteller sich fast zwangsläufig an der Wirklichkeit vorbeidichte, war eine nicht bloß nebenhin von Borchert erörterte These. Daß dem Schreien der Verwundeten und Sterbenden kein Reim angemessen, daß dem Grauen der Abwehrschlachten und dem Schrecken der Trommelfeuer keine Kunstanstrengung gewachsen sei, war eine fürchterliche Einsicht, die eigentlich nur noch den Rückzug ins Verstummen offengelassen hätte. Trotzdem liest sich Borcherts letzte literarische Verlautbarung aber nicht wie ein politischer Offenbarungseid oder wie eine Ohnmachtsurkunde, sondern als ein öffentlicher Aufruf zum Widerstehen.

Programmatisch zugespitzt finden sich solche – nicht sogleich dialektisch zu domestizierenden – Widersprüche in den poetologischen Überlegungen Werner Riegels wieder, wo von dem unversöhnlichen Zwiespalt zweier Schreibantriebe zu lesen ist: der bleibenden Dichterlust, zu bilden und zu fabeln und zu träumen und – dem literarischer Verklärung heftig opponierenden Wahrheitsverlangen. Was Riegel, bewußt pejorativ, auf den heiklen Namen »Schizographie« taufte, scheint mir dennoch alles andere als der Ausdruck einer privaten Verschrobenheit, eine Bewußtseinsanfechtung nämlich von Deutschlands Dichtern allgemein. Zwischen den spontanen Freudenkundgebungen und Wutanwandlungen der Gedichte Hans Magnus Enzensbergers und seinen wohlüberlegten Streitprosen scheint auf den ersten Blick keine gerade plausible Verbindung, und doch haben wir uns damit abzufinden, daß eine Individualität sich erst aus solchen spannungsvollen Gegensätzen aufbaut. Von den immer phantastischen und zeitvergessen an die Welt verlorenen Prosen des Günter Grass scheint gewiß kein geradliniger Weg zu des SPD-Werbungsreisenden Ochsentouren durch die deutschen Wahlprovinzen zu führen, und doch sehen wir den Dichter durch deutschen Straßen- und Aktenstaub sich mühen, als ob kein Kunstanspruch zu was verhülfe und dann wieder drauflosfabulieren, als ob das beschwerliche Tagewerk nur eitles Menschentrachten gewesen sei. Auch von einem Mythendichter wie Hans Henny Jahnn wäre der Sprung in die politische Arena gewiß nicht ohne weiteres zu erwarten gewesen, nur daß es in den Jahren der großen Atomdebatten 1956-59 gerade dieser ausgefallene und schwierige Charakter war, der sich an der vordersten Front den übelsten Anfeindungen und Verleumdungen aussetzte. Es ist schon recht seltsam, daß die erlesensten Geister unter unseren Kunstschriftstellern den widrigen Kontakt mit der Tageswirklichkeit nicht scheuten und nur die matteren Talente ihre kleinen Gaben klug beiseite hielten – ein Anlaß, zu erörtern, ob Dichtung und Wahrheit sich nicht doch auf eine höchst bedenkliche und noch nicht genügend aufgeklärte Art bedingen und ergänzen.

Ein scheinbar bloß technisches Problem – die Frage nach den Austragungsörtern und Verbreitungsmedien – eröffnet in diesen Zusammenhängen dann allerdings doch noch Dimensionen, die ich, beiläufig, moralische nennen möchte. Eine kühne ausgefallene Meinung haben, und die dann in die weit aufgerissenen Kameras hineinverkünden, ist schließlich noch keine Kunst und auch kein Ausdruck von

Charakter. Die Bewährungsprobe für den Berufsveröffentlicher beginnt denn auch eigentlich erst dort, wo die geläufigen Druckbetriebe, sonst stets zu Diensten, sich ihm plötzlich verschließen. Wo der Weg in die Öffentlichkeit zum Schleichweg wird. Wo die gewohnten Ton- und Bildtransporter die unzensierte Weitervermittlung verweigern und sogenannte Kommunikationsmittel sich als Entmündigungsmedien erweisen. Hier galt es und gilt immer wieder, auf den ganzen ehrenwerten Verbreitungskomfort zu verzichten und eine unbequeme Wahrheit, unerwünschte Ansicht, nicht konforme Meinung in eigene Regie zu nehmen und auch den mühsamen Selbstvertrieb nicht zu scheuen. Solche Gedanken mögen vorindustriell anmuten – sie gelten aber für Zeiten, in denen sich die angesprochenen Industrien einfach sperren. Das taten sie in den neuerlich viel zitierten Fünfziger Jahren aber en bloc, und wer die immer beengten und sicher nie ganz koscheren Vertriebswege studieren möchte, der halte sich an die hier eher beiläufig als methodisch massierten Adressenangaben. In der Tat bescherten die sagenhaften Fuffziger uns ja nicht bloß den sattsam bekannten Wohlstand, sondern einen heute beinahe nicht mehr begreiflichen ideologischen Stillstand, und wer ihn durchbrechen wollte, der mußte sich rühren. Wo die Versammlung von Gleichgesinnten und die Veröffentlichung von nicht konformer Meinung gleichermaßen behindert wurden, bildeten sich folgerichtig Gegenzirkel, Protestkreise, Abweichbewegungen, zu denken etwa an den ›Grünwalder Kreis‹, die Aktion ›Kampf dem Atomtod‹, die ›Paulskirchenbewegung‹, den ›Ostermarsch‹, die ›Erklärung der Göttinger 18‹, das ›Komitee gegen Atomrüstung‹, den Kongreß ›Notstand der Demokratie‹. Trotzdem bedurften gerade diese öffentlich nur gering zur Kenntnis genommenen Initiativfronden natürlich der demokratischen Rückkopplung und der Unterstützung durch Meinungsträger – ein Kardinalproblem in einer Zeit, als jeder Gedanke an Gegenöffentlichkeit zum Kloß im Hals erstarrte oder nur noch zum Gedicht gerann. Es ist ein wahrhaft historisches Verdienst des Verlegers Kurt Desch, daß er in diesen beengten und beängstigenden Jahren eine Hauszeitung seines Verlages, ›Die Kultur‹, vorbehaltlos für die Veränderungsideen der ›Grünwalder‹ zur Verfügung stellte; es wird ein Thema für künftige Annalenschreiber sein, wie der mit Anziehungskräften wie Abstoßvermögen gleichermaßen begabte Studentenzeitungsredakteur Klaus Röhl die in Gegen-, Neben- und Oberstimmen beinah hoffnungslos zerstreuselte Opposition in der Zeitschrift ›konkret‹ zu sammeln verstand. Etwa zehn Jahre lang widerstand die Zeitschrift den unterschiedlichsten Befehdungen wie ein einsames Blatt im Wind, dann erst war der Boden bereitet, das Klima geschaffen, die politische Atmosphäre soweit aufgeladen, daß neue Publikationen mit einem neuen Publikum rechnen konnten und neue Unternehmungen mit unternehmungslustigen Neulingen in der politischen Freiluftarena. Der ehemalige Fischer-Lektor Klaus Wagenbach begründete ein eigenes, kritisches und den Konzernierungskräften der Zeit entzogenes Verlagsunternehmen; Hans Magnus Enzensbergers ›Kursbuch‹ verhalf den reichlich und richtungslos kursierenden Veränderungsideen zu neuen Perspektiven und auch die von Fritz J. Raddatz redigierte ›aktuell‹-Reihe im Rowohlt Taschenbuchverlag tat das ihre, die Aufklärungsblitze einer neuen Saison, die eben keine bloße Saison mehr war, zu bündeln und in die Öffentlichkeit zu lenken. Damit war ein locker verbundenes Trägersystem geschaffen worden, das aus bislang kaum beachteten Protestnoten wirksame Projektile machen konnte und aus abweichenden Meinungen öffentliche Ansichten: ein gesellschaftspolitisch aktives Instrumentarium, das der ApO von 1967 und später erst den nötigen Rückhalt und den richtigen Nachdruck zu verleihen imstande war.

Da das Buch von den Deutschen und ihren Dichtern mit Vorbedacht Beiträge zur Tagespolitik zur Kenntnis bringt, wohl um den alten Aberglauben von der Unverträglichkeit der engagierten und der reinen Künste, im Extremfall dem unüberbrückbaren Gegensatz von Poesie und politischer Publizistik zu entkräften, bleiben natürlich so interessante Fragen wie die nach dem Verbleib des Zeitromans, des Wirkungstheaters, der Agitationspoesie vergleichsweise randständig. Hier wäre vielleicht noch beizutragen, daß der Einfluß von Hochhuths und Peter Weiss' Befragungs-Dramen auf die öffentliche Meinungsbildung überhaupt nicht hoch genug eingeschätzt werden kann: das unbefleckte Erdenregiment des römischen Klerus war *vor* dem »Stellvertreter«-Trauerstück überhaupt keine Frage und der Deal zwischen KZ- und Konzernwirtschaft *vor* der »Ermittlung« kein öffentlicher Erregungsgegenstand. Wer kann, darüberhinaus, aber noch ermessen, wie tief und heftig Wolfgang Koeppens »Tauben im Gras« in das Bewußtsein des Fünfzigerjahre-Restauratoriums hineinwirkten. Wer weiß noch, welche nachhaltige Bewegung der Gemüter von Arno Schmidts »Steinernem Herzen« ausging, diesem 1956 erschienenen »Historischen Roman aus dem Jahre 1954«?! Was die notwendig sprunghafte Längsschnittdokumentation auch nur mehr oder minder zufällig preisgibt, ist zudem das ebenfalls sprunghafte und zu unterschiedlichen Zeiten unterschiedlich heftige Engagement von unterschiedlichen Schriftstellern. Verglichen etwa mit dem acht Jahre jüngeren Hans Magnus Enzensberger ist zum Beispiel der 1921 geborene Erich Fried ein ausgesprochener Latecomer auf den politischen Bühnen, und Heinrich Böll ist es schon gar. Andererseits sahen so allgemein bewegte Zeiten wie die ApO-Jahre den sehr früh und gewissermaßen in der eigenen Vorzeit fast nur politisch argumentierenden Alfred Andersch deutlich in Reserve, wohingegen ein 29-er Feinschreib-Veteran wie Reinhard Lettau jetzt erst zu seinem Damaskus-Erlebnis fand. Und zuguterletzt – nicht zuletzt – scheinen zahlreiche junge Talente mit der Studentenbewegung erst zu einer Art von politischem Eigenleben erwacht, punktuelle Erhitzungen, deren Haltbarkeit und Dauerhaftigkeit schon wieder in Frage steht in einer Zeit, in der die Perspektiven sich erneut auf das bekannte Fuffziger-Format hin zuengen und – ein Beispiel für die sehr persönlichen Fluktuationen und persönlichen Beständigkeiten – ein Kampfcharakter und eine Kunstnatur wie Alfred Andersch noch einmal in der vordersten und ersten Widerstandsfronde zu finden ist. Ich führe das alles nicht an, um von mir aus Plus- oder Minuspunkte zu verteilen. Ich erwähne diese Beobachtungen eigentlich nur, um junge Leser rechtzeitig stutzig zu machen und sie vor unbilligen Forderungen an die Literatur – Jetzt will ich aber das Werk! jetzt will ich Wirkung! – zu warnen und ihr Augenmerk auf eine bislang im Verborgenen gebliebene Dialektik zu lenken. Die jüngere deutsche Literatur, die sich als ganze weder so noch so zu rechtfertigen hat, läßt sich im einzelnen nur ungern bedrängen und zu gerademal erwünschten Parteinahmen bewegen, egal, ob sich ein Autor dadurch einen guten Ruf oder ein schönes Gewissen machen kann. Zum andern legt gerade dieses Längsschnittdokument einen geheimen roten Faden bloß, der als ein demokratischer Leitfaden die gesamte Nachkriegsliteratur durchzieht und mit dessen Zuverlässigkeit selbst derjenige noch rechnen kann, der den scheinbar in anderer Sphäre handelnden Hauptbüchern mißtrauisch oder einfach ignorant begegnet.

Öde Gegend mit Menschen

Thomas Mann   *Deutsche Hörer!*

Wie bitter ist es, wenn der Jubel der Welt der Niederlage, der tiefsten Demütigung des eigenen Landes gilt! Wie zeigt sich darin noch einmal schrecklich der Abgrund, der sich zwischen Deutschland, dem Land unserer Väter und Meister, und der gesitteten Welt aufgetan hatte!

Die Sieges-, die Friedensglocken dröhnen, die Gläser klingen, Umarmungen und Glückwünsche ringsum. Der Deutsche aber, dem von den Allerunberufensten einst sein Deutschtum abgesprochen wurde, der sein grauenvoll gewordenes Land meiden und sich unter freundlicheren Zonen ein neues Leben bauen mußte, – er senkt das Haupt in der weltweiten Freude; das Herz krampft sich ihm zusammen bei dem Gedanken, was sie für Deutschland bedeutet, durch welche dunklen Tage, welche Jahre der Unmacht zur Selbstbesinnung und abbüßender Erniedrigung es nach allem, was es schon gelitten hat, wird gehen müssen ...

Möge die Niederholung der Parteifahne, die aller Welt ein Ekel und Schrecken war, auch die innere Absage bedeuten an den Größenwahn, die Überheblichkeit über andere Völker, den provinziellen und weltfremden Dünkel, dessen krassester, unleidlichster Ausdruck der Nationalsozialismus war. Möge das Streichen der Hakenkreuzflagge die wirkliche, radikale und unverbrüchliche Trennung alles deutschen Denkens und Fühlens von der nazistischen Hintertreppen-Philosophie bedeuten, ihre Abschwörung auf immer. Man muß hoffen, daß das Mitglied des deutschen Kapitulations-Komitees, Graf Schwerin-Krosigk, nicht nur dem Sieger zum Munde reden wollte, als er erklärte, Recht und Gerechtigkeit müßten fortan das oberste Gesetz deutschen nationalen Lebens sein und Achtung vor Verträgen die Grundlage internationaler Beziehungen ...

Ich sage: es ist trotz allem eine große Stunde, die Rückkehr Deutschlands zur Menschlichkeit. Sie ist hart und traurig, weil Deutschland sie nicht aus eigener Kraft herbeiführen konnte. Furchtbarer, schwer zu tilgender Schaden ist dem deutschen Namen zugefügt worden, und die Macht ist verspielt. Aber Macht ist nicht alles, sie ist nicht einmal die Hauptsache, und nie war deutsche Würde eine bloße Sache der Macht. Deutsch war es einmal und mag es wieder werden, der Macht Achtung, Bewunderung abzugewinnen durch den menschlichen Beitrag, den freien Geist.

(10. 5. 1945)

Paul Celan *Todesfuge*

Schwarze Milch der Frühe wir trinken sie abends
wir trinken sie mittags und morgens wir trinken sie nachts
wir trinken und trinken
wir schaufeln ein Grab in den Lüften da liegt man nicht eng
Ein Mann wohnt im Haus der spielt mit den Schlangen der schreibt
der schreibt wenn es dunkelt nach Deutschland dein goldenes Haar
Margarete
er schreibt es und tritt vor das Haus und es blitzen die Sterne er
pfeift seine Rüden herbei
er pfeift seine Juden hervor läßt schaufeln ein Grab in der Erde
er befiehlt uns spielt nun zum Tanz

Schwarze Milch der Frühe wir trinken dich nachts
wir trinken dich morgens und mittags wir trinken dich abends
wir trinken und trinken
Ein Mann wohnt im Haus und spielt mit den Schlangen der schreibt
der schreibt wenn es dunkelt nach Deutschland dein goldenes Haar
Margarete
Dein aschenes Haar Sulamith wir schaufeln ein Grab in den Lüften
da liegt man nicht eng

Er ruft stecht tiefer ins Erdreich ihr einen ihr andern singet und spielt
er greift nach dem Eisen im Gurt er schwingts seine Augen sind blau
stecht tiefer die Spaten ihr einen ihr andern spielt weiter zum Tanz auf

Schwarze Milch der Frühe wir trinken dich nachts
wir trinken dich morgens und mittags wir trinken dich abends
wir trinken und trinken
ein Mann wohnt im Haus dein goldenes Haar Margarete
dein aschenes Haar Sulamith er spielt mit den Schlangen

Er ruft spielt süßer den Tod der Tod ist ein Meister aus Deutschland
er ruft streicht dunkler die Geigen dann steigt ihr als Rauch in die Luft
dann habt ihr ein Grab in den Wolken da liegt man nicht eng
Schwarze Milch der Frühe wir trinken dich nachts
wir trinken dich mittags der Tod ist ein Meister aus Deutschland
wir trinken dich abends und morgens wir trinken und trinken
der Tod ist ein Meister aus Deutschland sein Auge ist blau
er trifft dich mit bleierner Kugel er trifft dich genau
ein Mann wohnt im Haus dein goldenes Haar Margarete
er hetzt seine Rüden auf uns er schenkt uns ein Grab in der Luft
er spielt mit den Schlangen und träumet der Tod ist ein Meister aus
Deutschland
dein goldenes Haar Margarete
dein aschenes Haar Sulamith   (1945)

Marie Luise Kaschnitz   *Von der Schuld*

»Und was tatest Du?«

Allerorten hören wir jetzt diese Frage, die uns seltsam anmutet aus Menschenmund, weil sie in ihrem schweren und tiefen Klang doch eigentlich jener höheren Prüfung zusteht, die sich am Ende allen Lebens vollzieht und die wir das Jüngste Gericht nennen. Da sie uns aber von Menschen vorgelegt wird, widerstrebt es uns fast, uns rechtfertigen zu sollen. Denn wir verstehen, daß mit unserer Tat nichts anderes gemeint ist als unser Kampf gegen das Böse schlechthin. Und nur allzu rasch will sich ein Trotz erheben gegen die Frager, diese von der Geschichte aufgerufenen Zwischenrichter, von denen nicht einer ohne Sünde sich weiß.

Solchem Trotz Raum zu geben, steht uns nicht an ... die Anklage der Duldung des Unrechts und der Bewahrung des eigenen Lebens bleibt unabwendbar bestehen.

Gegen die Anklage mag es mancherlei Rechtfertigung geben. Vergegenwärtigen wir uns die Erfahrung eines Menschen, der auf einsamer Wanderung plötzlich in einiger Entfernung Hilferufe und alle Laute des Schreckens und der Qualen vernimmt. Er nähert sich einem einsam liegenden Haus, späht durch ein Fenster und begreift, daß dort drinnen ein schauerliches Morden sich vollzieht. Schon will er eingreifen, Einhalt gebieten, zum mindesten schreien. Aber die Absonderlichkeit des Vorgangs, bei dem in den Formen einer geheimnisvollen und schrecklichen Justiz mittelalterliche Folterung verübt wird, läßt ihn erstarren und über solchem Staunen wird der Augenblick des spontanen Zuhilfeeilens versäumt. Die Einsamkeit des Ortes, die Überzahl der dort drinnen ihres schauerlichen Amtes waltenden Männer macht sich geltend, ein Druck, der von andern Mächten herzurühren scheint als von der eigenen Todesangst, lähmt die Glieder des Zuschauers, ein mehr als selbstsüchtiges Entsetzen schnürt ihm die Kehle zu. Und während er bisher unbemerkt blieb, wird er nun plötzlich noch einbezogen in das düstere Geschehen. Eine Verbindung wird hergestellt zwischen drinnen und draußen, hergestellt von einem Paar Augen, dessen Blicke nicht mehr von ihm lassen, das ihn verfolgt, starr, glühend, aus einem erloschenen Gesicht. Und nun verfällt er der furchtbar bannenden Macht der Geister, welche denen, die unwillentlich ihr Reich betreten, ewiges Schweigen gebieten. Er erfährt die unmißverständliche Mahnung: Du bist der Nächste. Du mit allem, was Du auf Erden gewollt hast, mit allem was Dir anhängt und was Dir teuer war. Hier wird Dein blühender Leib gemartert und zu Staub zerrieben, hier wirst Du für immer zum Schweigen kommen, ehe der leiseste Hall Deiner Stimme ein menschliches Ohr erreicht.

Und dieser Augenzeuge, dieser einsame Wanderer stürzt nicht hinein in den nun schon von den Schatten des Abends verhüllten und von seltsamen Gesängen widerhallenden Raum. Er schreit nicht, rennt nicht um Hilfe und – einmal zurückgekehrt in seine friedliche erleuchtete Kammer, erzählt er: nichts.

Ich bin mir bewußt, daß in diesen unter dem Eindruck der ersten verächtlichen Vorwürfe niedergeschriebenen Gedanken keine genügende Erklärung zu finden ist für die wunderliche und erschreckende Passivität derer, die weiter sahen und schmerzlicher zu erkennen verstanden. Und ich weiß auch, daß gerade der Mangel solcher Erklärung die Welt erbittert und verstimmt. Aber ich glaube doch, daß niemand uns maßregeln und erziehen kann, der nicht tiefer als es der Tag erfordert in die geheimnisvolle Zweiheit von Aktivität und Besinnung einzudringen vermag. Wer richtet, muß eine Ahnung haben von der Zerrissenheit einer Seele, von Todessucht und Lebenswillen, von Grausamkeit und Traum. (1945)

Stephan Hermlin *Aus dem Lande der Großen Schuld*

Es sind nicht die hohläugigen Fassaden, auf denen die narbigen Diagonalen der Einschüsse verwittern. Nicht die ungeheuren Wüsten aus Asche, verdrehten Wasserleitungen und Eisenträgern, stinkenden Abfällen (überragt von einem handgemalten Schild: Schuttabladen verboten!). Nicht die Schlangen vor den Läden. Nicht die verwahrlosten Landstraßen, auf denen sich Schlagloch an Schlagloch reiht. Nicht die im Regen rostenden ausgebrannten Züge auf den totenstillen Bahndämmen (»Räder müssen rollen für den Sieg!«). All dies ist so, wie es sein muß, wie wir es kennen oder erwarteten. Nicht darum kreisen unsere Ideen, Befürchtungen, Hoffnungen. Wir suchen den Menschen.

Aber der Mensch entzieht sich uns. Er flüchtet durch die traumhaften Wüsten des Entsetzens, wir sehen ihn, wie er sich entfernt vor unserem Anruf, und schon verschlingt ihn der Horizont . . .

Die deutschen Antifaschisten stellen die deutsche Schuld vor das ganze Volk wie einen ungeheuren, von geronnenem Blut verdunkelten Opferstein. Niemand mehr wird über dieses Mahnmal hinwegsehen können. Denn wir werden unsere Städte nie wieder aufrichten können noch unsere Herzen ohne die Übernahme der Schuld in ihrem ganzen Ausmaß. Der deutsche Organismus wird ohne das Gegengift des Entsetzens nicht mehr gesund werden.

Heute bemühen sich Millionen von »unschuldigen« Deutschen darum – Deutsche, die nicht mordeten und quälten, aber die Mörder und Folterer duldeten – ihr Leben zu normalisieren, die »peinliche« Episode von 12 Jahren zu vergessen und die »Anderen«, die Besieger des deutschen Faschismus, zu kritisieren für jene Akte, die gerade den Beginn der Tilgung unserer Schuld bedeuten.

In einem Artikel von Pierre Emmanuel las ich dieser Tage die folgenden so wahren Worte: »Zu schnell ist man von der Ebene der Fakten zu der der Ideen übergegangen, vom Lager Mauthausen zur Universität Tübingen. In der Zwischenzeit lebt die nazistische Seele weiter, nach einigen Tagen der Angst hat sie sich wieder gefangen, nimmt die alte Fährte auf. In einigen Monaten wird das gute Gewissen der Deutschen wieder vollständig hergestellt sein.«

Das gilt es zu verhindern. Was wir Deutschen brauchen – ich möchte es »die Große Wende« nennen. Inmitten unserer Ruinen, umgeben von den schwarzumflorten Bildern unserer Väter, Söhne, Brüder, die ewig von den Wänden auf uns herniederlächeln, während ihre Leiber in der Ukraine und der Normandie verwesen, soll für eine Generation das Schicksal unserer russischen, französischen, jugoslawischen, holländischen Brüder – die wir hüteten wie Kain den Abel – unsere Herzen bedrängen.

Man mißverstehe mich nicht: wohl spreche ich von Gefühlen, aber ich glaube daran, daß jedes starke Gefühl Akt wird. In einer kleinen süddeutschen Stadt befahl der französische Kommandant der Bevölkerung die Aufbringung von 1500 Anzügen für bedürftige ausländische Zwangsarbeiter, widrigenfalls Sanktionen verhängt werden würden. Das Wohlfahrtsamt, das von Antifaschisten verwaltet wird, brachte in einer Umlage die Kleidungsstücke zusammen. Die Umlage wurde in der Form durchgeführt, daß zunächst die Familien der flüchtigen oder verhafteten Parteibonzen, SS-Mörder etc. geschröpft wurden, dann kamen die übrigen PG's und die anderen Nazis an die Reihe. Nach Durchführung der befohlenen Aktion wandte sich das Wohlfahrtsamt mit einem Aufruf an die antifaschistische Bevölkerung der Stadt, sie möge *freiwillig* Anzüge für die Fremdarbeiter spenden, für die Nazis sei die Abgabe von Kleidern Zwang gewesen, für die freiheitliche Bevölkerung sei sie Ehrenpflicht. 600 Anzüge wurden auf diese Weise aufgebracht, die meisten davon von den Armen der Stadt. Ich führe dieses Beispiel an um zu zeigen, in welchem Geiste die Deutschen leben sollten – für immer …

Wenn die deutschen Antifaschisten gegen manche Maßnahmen und Taten alliierter Behörden oder Personen Einwände erheben, dann handelt es sich nicht um Maßnahmen oder Akte im Sinne der Wiedergutmachung. (Selbst das, was man uns abverlangt an Lebensmitteln, Rohstoffen, Maschinen – die Antifaschisten möchten es hingeben wie ein Geschenk.) Die deutschen Antifaschisten, die sich mit ganzem Herzen für die Beschlüsse von Yalta und Potsdam einsetzen, in denen sie die einzige Garantie für die Wiedergewinnung der bei Vercors und Lidice verlorenen deutschen Ehre sehen, werden nur gegen solche Maßnahmen protestieren, die das Werk von Potsdam gefährden …

Sie werden vor allem immer wieder darauf hinweisen, daß die Durchführung des Potsdamer Beschlusses, der die Zulassung von demokratischen Parteien und Gewerkschaften betrifft, die entscheidende

Garantie der Aktivierung der amorphen Masse ist, die wichtigste Voraussetzung für die totale Säuberung und Wiedergutmachung. Unverständlich ist für uns die Mitteilung General Koenigs, er halte die Zulassung antifaschistischer Tätigkeit für verfrüht, und die Potsdamer Beschlüsse hätten für die französische Zone keine Geltung.

Wenn heute die polnische Regierung Millionen von Deutschen aus den besetzten Ostgebieten ausweist, so begreifen die deutschen Antifaschisten diese Maßnahme. Die polnische Nation, die so unsäglich unter dem Nazifaschismus gelitten hat, hat das Recht und die Pflicht zur Sicherung ihrer künftigen Existenz. Aber möge die demokratische Regierung Polens die Formen prüfen, in denen die Ausweisung sich vollzieht. Das Massensterben auf den Straßen des Ostens muß aufhören! Die infamen Werwolf-Feiglinge suchen nach Argumenten, um die richtungslose Masse auf das faschistische Gleis zu lenken. Beiläufig erwähnen sie, die Zeit der Nazimaßnahmen sei mit dem Verschwinden der Nazis nicht abgeschlossen ...

Die deutschen Antifaschisten stehen allein. Sie sind noch wenige. Sie haben kein Recht auf viele Worte. Aber sie sind unter Aufbietung all ihrer Kräfte an ihrer Aufgabe, die sie sich nicht geringer wünschen. Sie sind lange Zeit Opfer gewesen – das verringert die ihre gegenüber der allgemeinen Schuld. Heute versuchen sie, die ganze Schuld zu tilgen, indem sie Erbauer sind. Sie verlangen keine »Gnade« oder »Erleichterung« sondern Verständnis für ihren Kampf.

Die Erschwerung der Arbeit der demokratischen Kräfte in Deutschland geht Hand in Hand mit jener verlogenen Rechtfertigung Deutschlands inner- und außerhalb unserer Heimat (z. B. in manchen neutralen Ländern), vor der Pierre Emmanuel warnt. Ich wiederhole: das Bewußtsein unserer Schuld ist die conditio sine qua non des Weiterbestehens Deutschlands – anderenfalls wird da wohl irgendetwas sein, ein Gelände ohne Trost, erfüllt von widerwärtigen, mißtrauischen, apathischen Geschöpfen, mit Haß und Verachtung von den zivilisierten Völkern beobachtet.

Der Herbstregen schwärzt den Schutt unserer Städte, unter dem noch die Toten liegen. Bald wird es Winter sein – die Zeit der Bewährung. Deutschland ist ohne Recht auf Erbarmen, aber es besitzt ein großes und stärkendes Recht auf die Tilgung einer Schuld. In den Kaminen der Zimmer wird kein Feuer brennen, aber vielleicht werden viele Herzen die Schalen der Zeit gegeneinander wägen und, um sie nie mehr zu vergessen, die Namen von John Schehr und Gabriel Péri, Guy Mocquet und Edgar André – sie stehen hier für Millionen – in sich vereinigen.

(Oktober 1945)

Franz Werfel   *An das deutsche Volk*

Deutsche Menschen! Es ist eine furchtbare Prüfung, durch die ihr durchgehen müßt, eine Prüfung ohne Muster und Beispiel in der Weltgeschichte. Nicht daß eure stolzen Armeen zerschlagen und gefangen sind, nicht daß eure blühenden Städte in Trümmern liegen, nicht daß Millionen von euch, aus ihren verkohlten Wohnstätten vertrieben, obdachlos und hungrig über die Landstraßen wandern, nicht in all diesem materiellen Elend, so grauenhaft es auch ist, liegt die furchtbare Prüfung, der ihr unterworfen seid. Dasselbe Elend, das euch jetzt hohläugig durch Ruinen jagt, habt ihr den anderen Völkern Europas kalten Herzens selbst bereitet und habt euch nicht einmal umgesehen nach dem Jammer, der euer Werk war. Die Völker haben diesen Jammer überdauert, und auch ihr werdet den Jammer überdauern, unter einer einzigen Bedingung freilich, daß ihr eure Seele rettet. Und das ist die furchtbare Prüfung und die große Frage: »Wird Deutschland seine Seele retten?« Es geht um die objektive Erkenntnis des Geschehenen und um die subjektive Erkenntnis der Schuld. Deutsche Menschen! Wißt ihr, was durch eure Schuld und Mitschuld geschehen ist in den Jahren des Heils 1933 bis 1945, wißt ihr, daß es Deutsche waren, die Millionen und Millionen friedfertiger, harmloser, unschuldiger Europäer mit Methoden umgebracht haben, die den Teufel selbst schamrot machen würden, kennt ihr die Bratöfen und Gaskammern von Maidanek, den Jaucheberg verwesender Mordopfer in Buchenwald, Belsen und hundert anderen Höllenlagern ... Das Verbrechertum des Nationalsozialismus und die unsagbare Verrohung des deutschen Wesens sind logische Folgen der frechen Teufelslehren, die vom »Recht des Stärkeren« schwärmen und behaupten, Recht sei einzig und allein das, was dem Volke, das heißt ein paar Bonzen und Gaunern, nützt ...

Deutsche Menschen! In dieser schrecklichen Stunde der Prüfung gedenket mit Demut und Dankbarkeit eurer heiligen und großen Meister, die in der Ewigkeit für euch zeugen. Sie allein können die Schmach von euch nehmen – im Angesichte Gottes, der alles vorüberläßt und so auch diese Stunde ...

(25. 5. 1945)

Leitsätze des Kulturbunds zur demokratischen Erneuerung Deutschlands

Vernichtung der Naziideologie auf allen Lebens- und Wissensgebieten. Kampf gegen die geistigen Urheber der Naziverbrechen und der Kriegsverbrechen. Kampf gegen alle reaktionären, militaristischen Auffassungen. Säuberung und Reinhaltung des öffentlichen Lebens von deren Einfluß.

Bildung einer nationalen Einheitsfront der deutschen Geistesarbeiter. Schaffung einer unverbrüchlichen Einheit der Intelligenz mit dem Volk. Im Vertrauen auf die Lebensfähigkeit und die Wandlungskraft unseres Volkes: Neugeburt des deutschen

Geistes im Zeichen einer streitbaren demokratischen Weltanschauung. Zusammenarbeit mit allen demokratisch eingestellten weltanschaulichen, religiösen und kirchlichen Bewegungen und Gruppen.

Überprüfung der geschichtlichen Gesamtentwicklung unseres Volkes, und damit im Zusammenhang Sichtung der positiven und negativen Kräfte, wie sie auf allen Gebieten unseres geistigen Lebens wirksam waren.

Wiederentdeckung und Förderung der freiheitlichen humanistischen, wahrhaft nationalen Traditionen unseres Volkes.

Einbeziehung der geistigen Errungenschaften anderer Völker in den kulturellen Neuaufbau Deutschlands. Anbahnung einer Verständigung mit den Kulturträgern anderer Völker. Wiedergewinnung des Vertrauens und der Achtung der Welt.

Verbreitung der Wahrheit. Wiedergewinnung objektiver Maße und Werte.

Kampf um die moralische Gesundung unseres Volkes, insbesondere Einflußnahme auf die geistige Betreuung der deutschen Jugenderziehung und der studentischen Jugend. Tatkräftige Förderung des Nachwuchses und Anerkennung hervorragender Leistungen durch Stiftungen und Preise. (November 1945)

Alfred Döblin *Als ich wiederkam*

Am Bahnhofsplatz in Straßburg sehe ich Ruinen wie im Inland: Ruinen, das Symbol der Zeit.

Und da der Rhein. Was taucht in mir auf? Ich hatte für ihn geschwärmt, er war ein Wort voller Inhalte. Ich suche die Inhalte. Mir fällt Krieg und strategische Grenze ein, nur Bitteres. Da liegt wie ein gefällter Elefant die zerbrochene Eisenbahnbrücke im Wasser. Ich denke an die Niagarafälle, die ich zuletzt drüben, dahinten in dem verschwundene großen, weiten Amerika, sah, die beispiellos sich hinwälzenden Flutmassen. – Still, allein im Coupé fahre ich über den Strom ...

Du siehst die Felder, wohlausgerichtet, ein ordentliches Land. Man ist fleißig, man war es immer. Sie haben die Wiesen gesäubert, die Wege glatt gezogen. Der deutsche Wald, so viel besungen! Die Bäume stehen kahl, einige tragen noch ihr buntes Herbstlaub (seht euch das an, ihr Californier, ihr träumtet von diesen Buchen und Kastanien unter den wunderbaren Palmen am Ozean. Wie ist euch? Da stehen sie).

Hier wird es deutlicher: Trümmerhaufen, Löcher, Granaten- oder Bombenkrater. Da hinten Reste von Häusern. Dann wieder (bunte Reihe) Obstbäume, kahl, mit Stützen. Ein Holzschneidewerk intakt, die Häuser daneben zerstört.

Auf dem Feld stehen Kinderchen und winken dem Zug zu. Der Himmel bezieht sich. Wir fahren an Gruppen zerbrochener und verbrannter Wagen, verbogenen und zerknitterten Gehäusen vorbei. Drüben erscheint eine dunkle Linie, das sind Berge, der Schwarzwald, wir fahren weit entfernt von ihm an seinem Fuße hin.

Dort liegen in sauberen Haufen blauweiße Knollen beieinander, auch ausgezogene Rüben. Dieser Ort heißt »Achern«. Da stehen unberührt Fabriken mit vielen Schornsteinen, aber keiner raucht. Es macht alles einen trüben, toten Eindruck. Hier ist etwas geschehen, aber jetzt ist es vorbei.

Schmucke Häuschen mit roten Schindeldächern. Der Dampf der Lokomotive bildet vor meinem Fenster weiße Ballen, die sich in Flocken auflösen und verwehen. Wir fahren durch einen Ort »Ottersweier«, ich lese auf einem Blechschild »Kaisers Brustkaramellen«, friedliche Zeiten, in denen man etwas gegen den Husten tat. Nun große Häuser, die ersten Menschengruppen, ein Trupp französischer Soldaten, eine Trikolore weht. Ich lese »Steinbach, Baden«, »Sinzheim«, »Baden-Oos«. Der Bahnhof ist fürchterlich zugerichtet; viele steigen um: Baden-Baden; ich bin am Ziel.

Am Ziel; an welchem Ziel? Ich wandere mit meinem Koffer durch eine deutsche Straße (Angstträume während des Exils: ich bin durch einen Zauber auf diesen Boden versetzt, ich sehe Nazis, sie kommen auf mich zu, fragen mich aus).

Ich fahre zusammen: man spricht neben mir deutsch. Daß man auf der Straße deutsch spricht! (1946)

Carl Zuckmayer *Mit travel-order nach Deutschland zurück*

Berlin. Wenn ich das Wort in den Papieren las, packte es mich wie ein heißkalter Schauer: ähnlich dem, mit dem wir die Radioberichte über die Bombennächte und die Zerstörung der deutschen Städte gehört hatten. Drei Tage später landete das Flugzeug, das mich direkt von Paris nach Berlin-Tempelhof hätte bringen sollen, auf dem Flughafen Rhein-Main. Es war ein trüber Nachmittag, feuchter Nebel braute sich zusammen, bald rieselte es aus tiefstreichenden Wolken, an Weiterflug war nicht zu denken.

In der nächsten Nacht fuhr ich nach Berlin, in einem Militärzug, denn alle Flughäfen waren des Nebels wegen gesperrt. Er hielt in einer kleinen Außenstation, da alle größeren Bahnhöfe zerstört waren. Von dort wurde man in einem Autobus zum Sitz der Militärregierung in Dahlem gefahren. Diese Ankunft, diese Fahrt durch die Ruinen, am kahlgeschlagenen Tiergarten entlang – die alten Bäume waren längst zu Brennholz gemacht, sogar die Strünke ausgerodet, es war da nur noch ein riesiger ausgedehnter Kartoffelacker, über den man hinblickte wie über eine Wüste –, von einem Trümmerfeld zum anderen. Die erste Zeit in der frierenden Hungerstadt. Wenn ich das niederschreibe, weiß ich nicht, ob ich das wirklich erlebt habe. Das liegt alles hinter einem grauen wolkigen Schleier. Man kann ihn wegreißen, wie einen Rauch zerblasen, aber auch dann bleibt etwas Trübes, Verschwommenes, Dunkles vorm Gesicht. Aufgehellt, erleuchtet vom Erlebnis des Wiedersehns mit Freunden. Aber dennoch, als sei man im Hades gewesen, in den man nicht zurückblicken darf. Daher kommt wohl auch jenes unerklärliche Vergessen, das mich heute immer wieder bei vielen Menschen in Deutschland überrascht. Als hätten sie in dieser Notzeit gar nicht wirklich gelebt, als wären sie wie Schlafwandler durch diese jammervollen Jahre gegangen.

Es war der kälteste Herbst und Winter der Nachkriegszeit, es war der Tiefpunkt des Mangels, der sich erst jetzt, nachdem er zum Dauerzustand geworden, nachdem der unmittelbare Kriegsschrecken vergangen war, mit voller Härte fühlbar machte. Außer den wenigen von Bomben verschonten Außenvierteln, wie Dahlem, ein Teil von Grunewald und Lichterfelde, welche die westlichen Alliierten durchweg für sich beschlagnahmt hatten – es hieß, man hätte solche Bezirke vorsätzlich zu diesem Zweck, als Hauptquartiere der geplanten Besatzung, verschont –, gab es in der großen Stadt kaum eine unzerstörte Straße oder Häuserflucht. Wo Häuser noch ganz oder zum Teil bewohnbar waren, sah man aus jedem Fenster etwas wie schwarze Schneckenhörner herausragen, das waren die Rohre der in den Zimmern aufgestellten Kanonenöfchen, denn mit Ausnahme der stets bis zur Unerträglichkeit überheizten Besatzungsquartiere gab es in der ganzen Stadt keine Zentralheizung mehr und auch nur so wenig Heizmaterial, daß die Notöfchen bestenfalls einige Stunden am Tage brennen konnten. Auch dann erwärmten sie nur einen kleinen Teil des Raums, in dem sich die Bewohner und Besucher zusammendrängten, während in der anderen Ecke, nach den Fenstern zu, die Eiskristalle an der Wand glitzerten.

So habe ich in vielen Städten mit vielen Freunden viele Abende verbracht, um das langsam erlöschende Öfchen versammelt, dann in Mänteln, mit hochgestelltem Kragen. Jeden Morgen in diesem Winter sah man in Berlin vor den von den Amerikanern eingerichteten Nothydranten lange Schlangen von Frauen mit Wassereimern stehen, denn fast überall und fast immer war die Wasserleitung eingefroren. Die Frauen trugen dicke wollene Männerhosen, vielfach an den Knöcheln mit Lappen umwickelt, und ein Schuhwerk, das von den Schistiefeln aus vergangenen Winterurlauben bis zu Filzschuhen und Holzpantinen ging. Fast an jedem Abend gab es Stromsperre, und man saß bei einem blakenden Stearinstummel. Alte Leute und Kinder starben, wenn sie krank wurden. Soweit es für die Deutschen überhaupt Spitäler gab, waren sie überbelegt und hatten weder genügend Medikamente noch Pflegepersonal. Berlin, das einstmals von Leben durchbrauste, war eine Totenstadt geworden. Daran wurde durch den tobenden Lärm, der in den wenigen, für die Besatzung eingerichteten Vergnügungslokalen herrschte, nichts geändert. An einem Abend, nach Einbruch der Dunkelheit, stand ich allein in der Nähe der Kaiser-Wilhelm-Gedächtniskirche, von deren Ruine ein geborstener Turm in die Luft ragte. Hier war der Kreuzungspunkt von

Tauentzienstraße und Kurfürstendamm, die Hauptverkehrslinie der Stadt zwischen Bahnhof Zoo und dem gesamten Westen, hier hatten die großen Kinopaläste gestanden, hier war früher am Abend alles in Licht getaucht, vom Tosen eines nie abreißenden Auto- und Passantenstromes erfüllt. Jetzt war, bis auf eine trübe Notbeleuchtung an den Straßenecken, alles stockfinster und grabesstill. Man sah weit und breit keinen Menschen, hörte keinen Laut. Bis hinunter zum ausgebrannten Kaufhaus des Westens, bis hinauf zur Kreuzung der Joachimsthaler Straße, schien alles ausgestorben. Nur da und dort, wo in den Häusertrümmern ein halbes Stockwerk wie ein Schwalbennest hängengeblieben war, flackerte Kerzenlicht. Plötzlich ein Geräusch, ein Ächzen und Klappern. Quer über die Straße, auf der um diese Zeit kaum ein vereinzelter amerikanischer Dienstwagen vorüberglitt, zerrte ein Junge in abgerissenen Kleidern einen kleinen Handwagen hinter sich her, mit Sparrenholz beladen, das er wohl irgendwo aus den Trümmern herausgeklaubt hatte. Seine Holzschuhe klapperten laut auf dem rissigen Pflaster, ich hörte sie noch lange, während er seinen Karren in der Richtung zum Wittenbergplatz davonzerrte. Sonst hörte man nichts. Das war im November 1946 ...

Robert Wolfgang Schnell   *Wuppertal 1945*

Ich traf als ersten August G., einen Mann, der Gemüsehändler gewesen war, und 1935 aufgrund seiner Mitgliedschaft in der NSDAP Beamter im Rathaus wurde. Auf dieselbe Art wie er hineingekommen war, war er wieder herausgeflogen. Er hielt mir einen Vortrag über Ungerechtigkeit.

Ich traf Hermann H., aus Buchenwald zurück. Wir weinten, als wir uns sahen. Er wollte nie wieder arbeiten. Jetzt sollten mal die aufbauen, die alles kaputt gemacht hätten. Er war nicht bereit, mit mir zu diskutieren, zeigte nur Fotos aus dem Lager.

Auf einem kleinen Bahnhof der Rheinischen Eisenbahn, der unzerstört war, lief ich auf eine nahe Verwandte zu, die gerade abfahren wollte. Sie sagte zu mir, der ich sie freudig begrüßen und küssen wollte, wie man jeden Überlebenden damals begrüßte: »Du hättest dich auch rasieren können!«

Ich kam in die zwei kleinen Zimmer, in denen meine Eltern nun wohnten, nachdem sie zweimal ausgebombt worden waren – ich lese gerade: ausgebombt. So nannte man das wohl damals. Dort hing ein Foto meines Bruders, nun mit einem schwarzen Flor. In Berlin hatten wir uns vor seinem Einrücken alle noch gesehen, und mein Vater sagte zu ihm: »Ich freue mich, daß du nun auch das deutsche Ehrenkleid trägst.« Über der kleinen Kommode neben dem Spülstein in der Ecke hing eine vergrößerte Zeichnung von Menzel, darstellend

Friedrich II., wieder schwarz gerahmt. Vater bat sich von mir das Kommunistische Manifest aus, er wollte es doch einmal lesen. Ich gab es ihm. Nach der Lektüre sagte er: »Ganz gut geschrieben, aber dein Großvater, der kannte Engels noch, das ist alles nur aus Wut gemacht, weil er als Schriftsteller in Barmen nicht angekommen ist, darum hat er auch den Emil Rittershaus so runtergemacht. Als Bankfachmann muß ich dir sagen, daß der Sozialismus völliger Unsinn ist. Aber ihr jungen Leute wißt ja alles besser!«

Mein Onkel R., nun krank mit seiner Frau in einem kleinen Zimmerchen lebend, sagte: »Ich habe ja immer gesagt, die Leute hätten auf Stresemann hören sollen!«

Und Tante Mathilde aus Freudenberg schließlich meinte: »Die sündige Stadt mußte untergehen, aber ich habe gehört, daß auch einige fromme Leute umgekommen sind. Gottes Ratschluß ist eben unerforschlich!«

Dazwischen meine Mutter, das Mutterkreuz, von ihr »Hurenabzeichen« genannt, in den Mülleimer werfend. Sie machte aus einer Einbrenne und etwas Knochenbrühe eine leckere Suppe und sagte: »Wer wirklich kochen kann, kann aus allem etwas machen.« ...

Ich ging zwischen ihnen herum mit dem Gefühl des Orpheus unter den Lemuren. Alle sagten: »Du hast dich verändert, wie hast du dich verändert!« Sie sahen es. Ich war fröhlich. Ich atmete. Sie glaubten, nicht mehr atmen zu können, sie hatten sich nicht verändert.

Ich las eine Notiz von Brecht, geschrieben anläßlich einer falsch aufgefaßten Darstellung seiner Mutter Courage als einer schicksalsgetriebenen Niobe. Dort hieß es: »Der Mensch lernt durch Katastrophen soviel wie das Versuchskaninchen über Biologie.«

Schon 1945 bei meinem Wuppertal-Besuch begrub ich meinen jakobinischen Traum von einem durch Furien moralisch gefestigten Deutschland und irrte unter den Aufgescheuchten umher, für die der damalige geschichtliche Zustand eine unangenehme Unterbrechung ihres Erwerbslebens war. »Dies Volk ist hoffnungslos«, las ich bei Heinrich Mann. Das traf mich zwischen stehengebliebenen Schornsteinen und Brandmauern.

Hans Erich Nossack   *Aus einem Brief 1945*

Ich versprach Ihnen, einmal etwas persönlicher zu schreiben. Aber ich komme kaum dazu. Bedenken Sie bei all meinen Briefen, unter welch abnorm schweren Umständen sie geschrieben werden. Meine Angestellten sitzen um mich herum und wollen Antwort, Telefon und Maklerbesuche unterbrechen mich. Vor allem ist da aber die Kälte, die Gedanken verwirren sich darüber, man vergißt das meiste und ein vielleicht vernünftig begonnener Brief verläuft im Sande. Es ist kaum zu schildern und eigentlich auch nicht nötig, was wir im November schon unter der Kälte auszustehen hatten. Auch Neher's Heizmaterial kommt nicht zur Verteilung, vielleicht einmal ein Hektoliter Holz, aber was ist das schon. Die meisten Menschen laufen mit geschwollenen Fingern und offenen Wunden umher, und es lähmt alle Tätigkeit. Zum Überfluß hatten wir schon Frost und Schnee, im Augenblick ist es allerdings wieder etwas wärmer geworden. – Unser Tag beginnt um 1/2 6 Uhr, wir werden dann durch unsre Mitbewohner geweckt, die ohne es nötig zu haben, vor lauter Übermut um diese Zeit aufstehen. Von 8 bis 3 Uhr halte ich im Geschäft aus, – erst ab 3 Uhr gehn die Verkehrsmittel wieder, – bin dann aber auch so erfroren, zumal ich nur zwei Scheiben trocknes Brot mitnehmen kann, daß ich kaum mehr gehen kann. Und dann beginnt ein harter Kampf um die U-Bahn. Inzwischen hat meine Frau morgens Stunden gegeben, eilt mittags eine Stunde weit, um das Essen aus der Volksküche zu holen, worauf wir mangels Gas, Elektrizität und Kochgelegenheit angewiesen sind, obwohl die meisten Lebensmittelmarken dabei drauf gehn, und die notwendigsten Besorgungen sind erledigt. Gegen 3 Uhr macht sie auf der Brennhexe unser Essen warm, dadurch wird das Zimmer ein wenig verschlagen. Nach dem Essen gibt es für mich immer zu handwerken oder Holz zu verkleinern etc. Zwischen 5 und 6 Uhr versuche ich zu schlafen, um einen Vorhang vor den bisherigen Tag zu ziehen und die fehlenden Kalorien gleichzeitig zu ersetzen. Später nehmen wir noch etwas Teeartiges und einen kleinen Imbiß zu uns, und sitzen uns dann, wenn nicht gerade Besuch verabredet ist, arbeitend bei 15 Watt-Kerze gegenüber. Um 10 Uhr heult die Sirene 3 mal, um 10 1/4 zweimal und 10 1/2 einmal; dann ist, wie es hier heißt »curfew«, also Ausgehverbot. Ich selber sitze meist in Decken gehüllt noch bis 1 Uhr auf, um dann erfroren ins Bett zu kriechen. Für einen Mann, der gewohnt ist, beim Schaffen im Zimmer auf und ab zu wandeln, sind diese Decken ein ärgerliches Problem. Da haben Sie ein Durchschnittsleben ...

Friedrich Wolf   *Zur Eröffnung des Nürnberger Prozesses*

Meine Landsleute! Gerade angesichts des großen »Nürnberger Prozesses« wurden hier und da Stimmen laut: »Wir wollen die ewige Schuldfrage nicht mehr hören! Wir stellen einfach das Radio ab und damit fertig!« Ist das aber eine unserer würdige Haltung, wenn wir wie Kinder uns die Decke über den Kopf ziehen; und nun ist die Umwelt für uns nicht mehr da?

... Dieser Mangel, einer Sache auf den Grund zu gehen, eine Sache ernsthaft bis zu Ende zu denken, ist eine der Hauptursachen unserer mangelnden Selbsterkenntnis und Selbstkritik, ist eine der Ursachen, weshalb wir zur Frage unserer Schuld und unserer Verantwortung so schwer die richtige Einstellung finden können. Ich gebe zu, es gehört zu diesem aufrichtigen Denken nicht wenig Mut. Ich bin im Ersten und in diesem Zweiten Weltkrieg oft genug im Feuer gestanden; und ich weiß, es gehört weitaus mehr Mut dazu, auf sein Gewissen zu horchen, einen Gedanken zu Ende zu denken und ihn gegen eine barbarische Umwelt zu vertreten, als gegen ein feuerndes feindliches MG anzurennen.

Heute aber ist ein Tag der Rechenschaft und der Abrechnung! Heute stehen die 23 Hauptangeklagten der Naziverbrecherbande vor den Richtern des internationalen Gerichtshofes. Sie stehen vor dem Richterforum der ganzen Welt. Eine tieftragische Tatsache ist es, daß gerade unser Volk sich das Recht verwirkt hat, selbst über diese furchtbaren Verbrecher aus der eigenen Mitte zu Gericht zu sitzen.

Dennoch – hinter den Richtern des Interalliierten Gerichtshofes steht mit leeren Augenhöhlen und blutverkrusteten Stirnen neben all den Scharen der Ermordeten anderer Länder auch das Millionenheer der grauen Schatten der gefallenen deutschen Soldaten. Und diese erheben eine furchtbare stumme Anklage gegen die herzlose Nazimörderbrut, gegen diese schändlichen Volksverderber und Volksbetrüger! Aber dieses graue hohläugige Millionenheer, es schaut auch auf dich und mich, es schaut auf uns alle: ob wir etwas von dieser furchtbaren Lehre begriffen haben, ob wir die rechten Konsequenzen aus diesem Hitlerkriege zogen, ob wir in uns selbst zu Gerichte saßen, ob wir in uns selbst den entscheidenden Prozeß vollzogen, ob wir die Reste der modriggiftigen und mit Blutgeruch behafteten Lüge aus unseren Herzen hinausfegten und die frische Luft einer kühnen Selbsterkenntnis hineinließen?

Nur dann werden wir die stumme Frage unserer gefallenen Söhne und Brüder, die als Zeugen und Ankläger im Nürnberger Gerichtssaal hinter den Richtern stehen, beantworten können – jene brennende Frage: »War denn alles umsonst?« Wenn wir die braune Schmach wirklich vom Angesicht unseres Volkes abgewaschen haben, dann erst können wir unseren Toten antworten: »Ihr seid nicht umsonst gestorben! Euer Tod war der Stachel, der unsere verhärteten Herzen zum Bluten, unsere eingefrorenen Gehirne wieder zum Nachdenken und zur Selbstbesinnung brachte! Durch die Höllenfahrt dieses Hitlerkrieges sind uns wie in einem grellen Feuerschein die Schuld, die Verantwortung und die Gefahren unseres Wesens klar geworden: unsere blinde Selbstgerechtigkeit, unsere verhängnisvolle Überheblichkeit, unser mangelnder Wahrheitsmut, die fehlende Zivilcourage, Selbsterkenntnis und Selbstbesinnung.«

(Rede auf einer Veranstaltung des ›Kulturbund‹ in Berlin, 25. 11. 1945)

Alfred Andersch   *Notwendige Aussage zum Nürnberger Prozeß*

Liebeserklärungen können in Gesten, in Andeutungen, ja im Schweigen selbst bestehen. Überfällig gewordene Haß-Erklärungen müssen – wir wiederholen es – formuliert werden. Das ist der Grund, warum wir die politischen Betrachtungen dieser Zeitschrift mit einer Haß-Erklärung beginnen ...

Jeder Einzelne hat in Minuten und Stunden letzter Erkenntnis diesen Haß aus verratener Ehre wirklich erlebt. Der Soldat, der, vor einem alliierten Offizier stehend, mit ihm in eine Diskussion über Grundprinzipien des Völkerrechts und der Menschenbehandlung geriet und dabei immer schweigsamer werden mußte. Der junge Offizier, der, über sein Wissen um die Untaten der deutschen Führung befragt, mit nichts als einem knappen »Ich weiß von nichts!« antworten konnte. Der Vorgesetzte jeden Grades, der die verwunderten Blicke seiner Männer auf sich spürte, weil die Befehle, die er befehlen mußte, ihn zum Dummkopf stempelten. Der Deserteur, den die politische Erkenntnis in den ungeheuerlichsten Gewissens- und Charakterkonflikt seines Lebens trieb. Auch der sogenannte Generalfeldmarschall Keitel hatte einen Moment solchen Erlebens. Als der englische Anklagevertreter ihm eine Anzahl belastender Dokumente vorlegte, antwortete Keitel: »Wenn die deutsche Wehrmacht davon gewußt hätte, dann hätte sie sich zur Wehr gesetzt.«

Aber er, Keitel, hat davon gewußt.

Auf der dunklen Folie des Verbrechertums steht eine Gruppe in düsterem und unheimlichem Glanz. Es sind diejenigen, die mit den roten Streifen der Generaluniform und mit allen Orden und Insignien angetan sind, die Macht verleihen kann. Ihnen gilt der Haß der Jugend doppelt und dreifach. Die anderen waren die Verbrecher aus Instinkt und Anlage oder die Narren oder die berauschten Kleinbürger. Sie aber waren die Wissenden, und sie wurden zu einer Sorte säbelrasselnder Pharisäer. Sie sprachen unter sich mit einem bösen Augurenlächeln und den Soldaten gegenüber mit kalter Maske von Pflicht, weil sie zu feige waren, dem Verbrechen in die Arme zu fallen. Sie sind die eigentlich Verantwortlichen. Sie haben die besten Eigenschaften des Volkes, seine Treue, seine Tapferkeit, seine mystische Inbrunst benutzt, die Nation in die Ehrlosigkeit zu führen.

Wir hüten uns vor Verallgemeinerungen. Wir sagen nicht: die Generale. Die Männer des 20. Juli sind uns unantastbar. Die historische Forschung und die Zeugen seien hiermit zu eiliger Arbeit aufgerufen. Wer da verschleiern will, ist schon gerichtet. Aber selbst die gerechteste und vorurteilsloseste Forschung wird nur zu einer Bestätigung der Schande führen, mit der die Keitel und Dönitz das letzte Kapitel der Geschichte deutscher Heerführung geschrieben haben.

(Aus der ersten Nummer der Zeitschrift ›Der Ruf‹, 15. 8. 1946)

Erik Reger   *Das Weltgericht in Nürnberg*

... Welch ein Beispiel besserer Gesinnung, die das Beste aus ehemaligen Zeiten hätte ansprechen können, welche Demonstration neu erwachter Gesetzlichkeit, eines freier und stärker schlagenden Gewissens, eines empörten Nationalgefühls lauterster Prägung wäre es gewesen, wenn sich aus dem blutigen Nebel mißhandelten Stolzes und betrogener Hoffnungen, in dem die Masse des Volkes sich wälzt, der ruhige Kopf eines deutschen Richters erhoben und, die Zunge als Schwert gebrauchend, die Verlesung der Anklage mit den Worten eines Görres begonnen hätte: »Indem sie jedesmal, wenn die aufgeregten Leidenschaften sich einigermaßen beruhigen wollten, zu schicklicher Zeit für einen neuen Antrieb und Reiz gesorgt; indem sie mit glücklicher Gewandtheit bei jedem die schwache Seite aufgespürt und geschickt alle Vorkommnisse der Zeit benutzt, um mit scharfer Schneide sie gegen die wunden Stellen hin zu richten: haben sie das Geheimnis wirklich aufgefunden, alle aufzubringen, daß ein gemeinsames Gefühl des Unmuts von einem Ende des Vaterlandes zum anderen geht ...«

Das Schicksal hat es anders gewollt, es hat uns nicht für würdig befunden, daß wir uns selbst befreiten, und wer nicht die Kraft zur Freiheit fand, kann auch kein Urteil sprechen ...

Zugegeben, der Nürnberger Prozeß stellt ein Novum dar. Zum ersten Male wird Bestrafung erfolgen wegen Straftaten, die in aller Herren Ländern, einschließlich Deutschlands, begangen sind. Zum ersten Male wird es nicht als Privatsache jenseits von Gut und Böse betrachtet, wenn ein Krieg vorbereitet und begonnen wird. Zum ersten Male unterliegt der Bruch internationaler Verträge der Strafgerichtsbarkeit. Zum ersten Male haben sich die führenden Nationen der Welt zusammengetan, um einen Staat anzuklagen, der viele Jahre lang bewußt seine ganze Kraft dem Ziele gewidmet hat, die moralischen Werte der zivilisierten Menschheit zu zerstören. Bis jetzt existierte kein internationales Strafrecht, kraft dessen Strafen gegen Individuen verhängt werden konnten. Das internationale Völkerrecht beschäftigte sich mit Staaten, nicht mit den Trägern der Staatsgewalt. Jede Entscheidung, die in diesem Prozesse getroffen wird, fällt daher nur mittelbar in die juristische Zone. Sie ist ein Akt der hohen Politik. Ein Präzedenzfall also? Glücklich die Nachfahren, daß er geschaffen wurde. In aller Welt muß jeder kleine Defraudant für seine Vergehen einstehen. Für die Zukunft ist auch jeder Staatsmann, jeder General, jeder Fabrikant, jeder hetzerische Schreiber und Redner gewarnt. Die Völkerrechtler der Zukunft werden darauf ein neues internationales Strafrechtssystem gründen und den Geltungsbereich des reinen Rechtes erweitern können ...

Wir sind nicht sicher, ob die Mehrzahl der Deutschen, die seltsamerweise in solchen Fällen an Formalitäten kleben, dies begreifen wird. Von vielem anderen abgesehen, ist die Unerfahrenheit in diesem Lande zu groß ...

Je weniger das Nürnberger Gericht sich in die Toga formalen Rechtes hüllt, je ehrlicher das politische Element zum Ausdruck kommt, desto größer und belehrender wird sein Urteil vor der Geschichte dastehen, desto mehr wird der Ort, an dem es stattfindet, aus der Sphäre eines gesuchten Symbols in die einer sittlichen Kraft, der Überwindung des Bösen, rücken. Die Resonanz, die die Verhandlungen im deutschen Volke finden, ist noch schwer abzuschätzen. Man erkennt ein gewisses neugieriges Interesse, zuweilen auch zweifelndes Staunen, selten echte Befriedigung. Es mag auch daher rühren, daß bis jetzt nur wenige die ganze Erbärmlichkeit ihrer »Führer« begriffen haben, die vor ihrem eigenen Volke wie vor sich selber davonliefen ...

Von den Richtern hängt vieles ab. Es ist kein Zweifel, daß der Prozeß mit äußerster Korrektheit geführt wird. Dazu muß das politische Fluidum kommen, das auch die Deutschen von heute mitzureißen imstande ist. Denn wenn der Prozeß sich auch in erster Linie vor der Weltöffentlichkeit abrollt, so hat er doch daneben den Sinn, auf die Deutschen zu wirken. Hier kann viel gewonnen und alles verloren werden. Die Richter zeigen Charaktere, nichts Zeitfernes, Verzopftes. Sie zeigen neben einem fundamentalen juristischen Wissen, neben dem unbeugsamen Willen, Recht nicht zu sprechen, bevor Recht wirklich gefunden ist, neben einer langen Erfahrung in gerichtlicher Praxis auch den starken politischen Einschlag, die Erkenntnisfähigkeit in allen über das Juristische hinausgehenden Dingen, die für Nürnberg eine zwingende Notwendigkeit ist. Daraus darf man das Vertrauen schöpfen, daß es gelingen wird, diesen Prozeß so zu führen, daß er auch für das deutsche Volk nicht das Gepräge einer reinen Sensation, sondern einer fruchtbringenden Lehre haben wird. »Aber einst, wenn aus Abend und Morgen der letzte Kampf entschieden ist«, so möchte man mit einem Worte Droysens dieses Kapitel beschließen dürfen, »dann wird die Ruhe des schweigenden Anfangs wieder sein und die Geschichte hinwegeilen in eine neue Welt.«

(Januar 1946)

Erich Kästner   *Ist Politik eine Kunst?*

... Die Staaten und die Völker sind mindestens aus Gußeisen. Man kann sie so dilettantisch, so roh, so unvorstellbar behandeln, daß den Geschichtsbetrachter eine Gänsehaut nach der anderen überläuft – die Staaten und die Völker gehen nicht entzwei. Man kann sie in die abgründigsten Abgründe stürzen – sie bleiben ganz.

Das deutsche Volk ist in einen solchen Abgrund gestürzt worden.

Und nicht nur Deutschland, sondern der gesamte Kontinent. Ob Europa diesmal »ganz« geblieben ist, wird sich erst herausstellen müssen. Wir hoffen es klopfenden Herzens. Noch sind wir dabei, uns in dem gemeinsamen Abgrund umzuschauen. Wir mustern die steilen Felswände rund um uns. Wir prüfen, während uns noch alle Rippen schmerzen, ob und wie wir wieder emporkommen können. Damit uns, wenn wir tatsächlich noch einmal herauskämen, dann die nächsten Staatsmänner, die künftigen politischen Künstler, erneut anpakken können, wie sich nicht einmal ungelernte Transportarbeiter erlauben würden, eine Kiste voll Bierdeckel anzufassen . . .

In jedem anderen Beruf, und wäre es der simpelste, muß der Mensch, bevor man ihm sein Teil Verantwortung zuschiebt, etwas lernen. In welchem anderen Gewerbe, von den Künsten ganz zu schweigen, hätte sich ein Dilettant wie Göring, ein Phrasendrescher wie Goebbels, ein Hasardeur wie Hitler auch nur ein halbes Jahr halten können, ohne in hohem Bogen auf die Straße geworfen zu werden?

Dabei bedenke man, ohne daß einem das Herz vor Schreck stillsteht, noch Folgendes: Wenn diese Männer ihren Größenwahn auch nur etwas bezähmt, wenn sie ein paar Verträge weniger gebrochen und bloß um einige Nuancen realistischer gedacht und gehandelt hätten, regierten sie uns womöglich heute noch! Wenn sie, nachdem Österreich und das Sudetenland »heimgekehrt« waren, ihre weiteren Expansionsgelüste bezähmt und die Danziger Frage diplomatisch gelöst hätten?

Sie hätten ungestört, in sonntäglicher Friedhofsruhe, ihre inneren Gegner bis zum letzten Mann und bis zum letzten männlichen Gefühl ausrotten können, ohne daß jenseits der Grenzen ein Hahn danach gekräht hätte. Ein paar Millionen wären noch draufgegangen. Die anderen wären willenlose, stumpfsinnige zweibeinige Maschinen geworden. Ein Volk dressierter Hunde. Wer die vergangenen zwölf Jahre aufmerksam in Deutschland verbracht hat, weiß zur Genüge, wie den Menschen, wenn man den Erziehungskursus nur unerbittlich genug betreibt, auch der letzte Wirbel ihres seelischen Rückgrates gebrochen werden kann.

Wir wollen diese infernalische Vorstellung von uns abschütteln. Es ist gekommen, wie es kommen mußte. Aber ich werde den Gedanken nicht so bald loswerden, daß jene Hasardeure nur ein wenig inkonsequent, nur etwas vernünftig, nur einen Zentimeter menschlicher hätten zu werden brauchen, und sie säßen heute nicht auf Anklagebänken. Sondern unsere Enkel könnten in ihren Geschichtsbüchern für die Mittelstufe nachlesen, von was für großen Staatsmännern, von welchen Meistern der Politik Deutschland in der Mitte des zwanzigsten Jahrhunderts regiert worden wäre.

Wenn nun, nach erfolgreicher Lektüre, ein bis zwei Leser ausriefen: »Da haben wir's! Sogar ein antifaschistischer Journalist zieht in Betracht, daß es an einem Haar gehangen habe und Hitler wäre an der Macht geblieben!« so hätten sie mit erstaunlichem Takt und Zartgefühl jeden einzelnen Satz ungefähr dreimal mißverstanden. Lawinen haben nicht die Gewohnheit, auf halbem Wege stillzustehen und Vernunft anzunehmen. Das ist eines der wenigen historischen »Naturgesetze«, die sich haben entdecken lassen.

Im vorliegenden Falle war der Weg in die Tiefe insbesondere zwangsläufig vorgezeichnet. Denn die erste Revolutionsgarnitur blieb, das ist eine Ausnahme, bis zuletzt an der Macht. Kurzum: so wenig Politik eine Kunst ist, so sehr wäre das angedeutete Mißverständnis ein Kunststück. (21. 12. 1945)

Ernst Wiechert   *An die Jugend!*

... Der Krieg kam, er begann mit Lüge und Gewalt, mit Heimtücke und nackter Brutalität, mit Prahlerei und Fanfaren. Das Volk wußte, daß es ein verbrecherischer Krieg war, aber Millionen dieses Volkes stürzten sich in den Kampf. Wie der Räuber nur die Beute sieht, so sahen sie nur Länder, Städte, Erz, Getreide, Silber, Öl und Gold. Sie fragten nicht, wem es gehörte, sie fragten nicht, ob es Recht sei, sie fragten nicht, ob Frauen und Kinder und Kranke verdarben, sie wollten nur haben, nichts als haben ...

Indessen sahen wir zu, wie ein Volk den letzten Rest seines sittlichen Gutes verlor und verdarb, wie die sogenannte »Volksgemeinschaft« der fadenscheinige Mantel war, der über einen Abgrund von Neid, von Mißgunst, von Haß, von Diebstahl und Hehlerei gespannt war ...

Wir sahen zu, wir wußten von allem, auch von dem, was in den Lagern geschah. Wir zitterten vor Empörung und Grauen – aber wir sahen zu. Wir können zu leugnen versuchen, wie es einem feigen Volke zukommt, aber es ist nicht gut, zu leugnen und die Schuld damit zu verdoppeln. Wir sahen auch das Ende, und das Ende legt auch die letzten Masken ab. Es war des Anfangs wert. Das Ende des Übermenschen, wie er sich in Hüllen und Verkleidungen in die Einöden schlich oder in den Selbstmord stahl.

Erinnert euch des Vogels im Märchen, der alle tausend Jahre kommt, um ein Körnchen aus dem Diamantberge zu brechen. Erinnert euch daran, was vor euch steht, und daß es in der ganzen Weltgeschichte niemals eine größere Aufgabe gegeben hat als die eurige, das Blut eines Volkes zu erneuern und die Schande von dem Gesicht eines ganzen Volkes abzuwaschen. Glaubt nicht an die jahrtausendalte Lüge, daß Schande mit Blut abgewaschen wurde, sondern an die junge Wahrheit, daß Schande nur mit Ehre abgewaschen werden kann, mit Buße, mit Verwandlung, mit dem Wort des verlorenen Sohnes: »Vater, ich habe gesündigt, und will hinfort nicht mehr sündigen.«

Klagt nicht, daß wir barfuß gehen werden, daß wir hungern werden, daß der Richter über uns sitzen wird bei Tag und bei Nacht. Blickt dem Schicksal in die Augen, wie die Märtyrer der Lager es getan haben. (1945)

Manfred Hausmann   *Jugend zwischen Gestern und Morgen*

Vor einem Menschenalter erfüllte es sich zum letzten Male, daß die Jugend als große Einheit, als junge Generation sich selbst entdeckte. Die Zeitläufte waren damals allerdings wesentlich beruhigter und glücklicher als heute, wo gleichsam eine apokalyptische Stunde angebrochen ist. Damals strömten die jugendlichen Sucher und Entdecker bewegten, brennenden Herzens auf dem Hohen Meißner zusammen, dem breit hingelagerten Berg dort im hessischen Märchenlande, um der Lehre und Haltung der Erwachsenen abzuschwören und aufzubrechen ins eigene Reich.

»Die deutsche Jugend will ihr Leben unter eigener Verantwortung und in innerer Wahrhaftigkeit selbst bestimmen. Für diese innere Freiheit tritt sie unter allen Umständen geschlossen ein.«

Das war eine Sprache, wie man sie bislang noch nicht vernommen hatte. Die Erwachsenen wußten nicht, ob sie wettern oder spotten sollten. Der Jugend war es gleich. Sie hatte sich gefunden und lebte, unbekümmert um Zustimmung oder Tadel, ihr neues, leuchtendes, überschäumendes Leben. Eine unsagbar beschwingte Zeit brach an. Mit dem eigenen Jungsein entdeckten diese jungen Menschen auch die Jugend ihres Volkes. Mysterienspiele, alte Musik, Volkslieder, Fastnachtsschwänke, Tänze, in denen sie das zum Ausdruck brachten, was in ihnen jubelte, grübelte und weinte, wurden aus ihrem Schlaf erweckt und erneuert ...

Wie herrlich wäre es, wenn sich heutigentags etwas Ähnliches begeben wollte! Natürlich keine Nachahmung des Gewesenen. Das wäre ungefähr das Verkehrteste, was sich denken ließe. Die Tage der unbeschwerten Wandervogelromantik sind ein für allemal dahin. Die Jugend, die jetzt an der Reihe ist, sieht sich furchtbar anderen Fragen gegenüber. Und so wird sie auch nicht umhin können, anders zu antworten. Mit Volksliedern und Ringelreihen ist es heute nicht getan. Vor allen Dingen darf die Jugend die größte Torheit derer, die vor dreißig Jahren jung waren, nicht wiederholen. Sie darf es nicht ablehnen, sich um Politik zu kümmern, denn die Politik kümmert sich auf jeden Fall um sie. Das haben die Unpolitischen von damals genugsam erlebt. Sie muß sich über das innere und äußere Schicksal ihres Volkes und aller Völker, über Staatskunst, Wirtschaft und Kultur ihre Gedanken machen. Ein unpolitischer Mensch ist überhaupt kein Mensch. Nein, ähnlich kann nur die Entschiedenheit des Umbruchs, die Begeisterung in der Hingabe, die Kraft des Willens, die Lust des Schöpfertums sein. Die Substanz der neuen Welt wird eine andere, eine überaus andere Beschaffenheit haben. Niemand ist imstande, darüber etwas auszusagen, außer der Jugend selbst. Nur sie weiß oder ahnt, was für Geheimnisse sich zuinnerst in ihr rühren.

(1946)

Johannes R. Becher   *Deutsches Bekenntnis*

Demokratie, Sozialismus und Christentum stellten gegen die Hitlertyrannei die leidenschaftlichsten Kämpfer, und so müssen diese Mächte auch hervorragend beteiligt sein an der weltanschaulich-moralischen Neugeburt unseres Volkes, an dem größten Reformationswerk unserer Geschichte, das wir zu vollbringen haben. Wir können uns dabei freilich die Sorge nicht verhehlen, daß nach wie vor reaktionäre Kräfte im Spiel sind, um die wesenhafte Einheit dieser drei Mächte zu stören und sie einander zu entfremden. Jeder, dem Deutschlands Sache die seine ist und dem Deutschland sein ein und alles ist, kann nicht anders, als die Einheit aller demokratischen Kräfte zu wahren und sie aufs entschlossenste zu verteidigen gegen alle Anfeindungen und Störungsversuche.

Wir glauben an die Lebensfähigkeit und Wandlungskraft unseres Volkes, so bekennen wir. Deutschlands Auferstehung ist uns Gewißheit ...

Das Reformationswerk, zu dem wir aufrufen, soll die geistig-moralische Grundlage bilden, auf welcher der dauerhafte Bau eines neuen freiheitlichen Reiches sich erheben kann. Wir stehen, wenn wir diesem hohen Werk uns weihen, auf der Lichtseite unserer Geschichte, verbündet mit den Besten unseres Volkes und im Bunde zugleich mit allem Besten, was die Menschheit je geschaffen hat. Auf unserer Seite steht die Wahrheit. Wir stehen in ihrem Lichte. Im Geiste der Freiheit, im Geiste einer streitbaren Wahrheit gehen wir ans Werk. In diesem Zeichen bauen wir auf. In diesem Zeichen auferstehen wir.

(1945)

Ilse Aichinger *Aufruf zum Mißtrauen*

Ein Druckfehler? Lassen Ihre Augen schon nach? Nein! Sie haben ganz richtig gelesen – obwohl Sie diese Überschrift unverantwortlich finden, obwohl – – Sie finden keine Worte. Ist es nicht gerade die schwerste und unheilbarste Krankheit dieser tastenden, verwundeten, von Wehen geschüttelten Welt? Ist es nicht die Sprengladung, welche die Brücken zwischen den Völkern in die Luft wirft, dieses furchtbare Mißtrauen, ist es nicht die grausame Hand, welche die Güter der Welt ins Meer streut, die den Blick der Menschheit überschattet und lauernd verwirrt? Ist es notwendig, diese Ursache aller Qualen neuerlich zu rufen und aus ihrer Höhle zu locken? Haben wir nicht lange genug aneinander vorbeigeschaut, haben geflüstert anstatt zu sprechen, sind geschlichen anstatt zu gehen? Sind wir nicht lange genug, von Furcht gelähmt, einander ausgewichen? Und wo sind wir heute? Bespötteln wir nicht jede Instanz über uns, jede Behörde, jede Maßnahme, die wir nicht ergriffen, jedes Wort, das wir nicht gesagt haben? Wir sind erfüllt von Mißtrauen gegen Gott, gegen den Schleichhändler, bei dem wir kaufen, gegen die Zukunft, gegen die Atomforschung und gegen das wachsende Gras. Und nun? Nein, es ist kein Irrtum, hier steht es klar und deutlich: Aufruf zum Mißtrauen! Aufruf zur Vergiftung also? Aufruf zum Untergang?

Beruhigen Sie sich, armer, bleicher Bürger des XX. Jahrhunderts! Weinen Sie nicht! Sie sollen ja nur geimpft werden. Sie sollen ein Serum bekommen, damit Sie das nächste Mal um so widerstandsfähiger sind! Sie sollen im kleinsten Maß die Krankheit an sich erfahren, damit sie sich im größten nicht wiederhole. Verstehen Sie richtig. An sich sollen Sie die Krankheit erfahren! Sie sollen nicht Ihrem Bruder mißtrauen, nicht Amerika, nicht Rußland und nicht Gott. *Sich selbst müssen Sie mißtrauen!* Ja? Haben Sie richtig verstanden? Uns selbst müssen wir mißtrauen. Der Klarheit unserer Absichten, der Tiefe unserer Gedanken, der Güte unserer Taten! Unserer eigenen Wahrhaftigkeit müssen wir mißtrauen! Schwingt nicht schon wieder Lüge darin? Unserer eigenen Stimme! Ist sie nicht gläsern vor Lieblosigkeit? Unserer eigenen Liebe! Ist sie nicht angefault von Selbstsucht? Unserer eigenen Ehre! Ist sie nicht brüchig vor Hochmut?

Sagten Sie nicht, Sie hätten lieber im vorigen Jahrhundert gelebt? Es war ein sehr elegantes und vernünftiges Jahrhundert. Jeder, der einen vollen Magen und ein weißes Hemd hatte, traute sich selbst. Man pries seine Vernunft, seine Güte, seine Menschlichkeit. Und man bot tausend Sicherungen auf, um sich gegen die Schmutzigen, Zerrissenen und Verhungerten zu schützen. Aber keiner sicherte sich gegen sich selbst. So wuchs die Bestie unbewacht und unbeobachtet durch die Generationen. Wir haben sie erfahren! Wir haben sie erlitten, um uns, an uns und vielleicht auch in uns! Und sind doch schon wieder bereit, selbstsicher und überlegen zu werden, zu liebäugeln mit unseren Tugenden! Kaum haben wir gelernt, den Blick zu heben, haben wir auch schon wieder gelernt, zu verachten und zu verneinen. Kaum haben wir stammelnd versucht, wieder »ich« zu sagen, haben wir auch schon wieder versucht, es zu betonen. Kaum haben wir gewagt, wieder »du« zu sagen, haben wir es schon mißbraucht! Und wir beruhigen uns wieder. Aber wir sollen uns nicht beruhigen!

Trauen wir dem Gott in allen, die uns begegnen, und mißtrauen wir der Schlange in unserem Herzen! Werden wir mißtrauisch gegen uns selbst, um vertrauenswürdiger zu sein! (1946)

Wolfdietrich Schnurre   *Unterm Fallbeil der Freiheit*

Furchtbar ist das mit mir. Immer habe ich das Gefühl, ich bin nur auf Urlaub zu Hause. Wenn es klingelt, bekomme ich Herzklopfen. Dauernd habe ich Angst, es könnte einer kommen, der mir die Abfahrt befiehlt oder mich verhaftet, weil das Datum gefälscht ist auf meinem Schein. Neulich mußte ich nach Nauen, Kartoffeln besorgen. Ich bin fast verrückt geworden während der Fahrt. Ich kann keinen Zug mehr sehen. Ich denke immer, ich sitze im Fronturlauber nach Lemberg. Diese Unrast macht einen kaputt. Ich zittre um jede Kleinigkeit. Ich bin unfähig, klare Entschlüsse zu fassen. Ich brauche Ewigkeiten, um mich zu etwas aufzuraffen. Die mich kennen, nennen das willensschwach. Bestimmt haben sie recht; aber hilft einem das?

Neuerdings zucke ich auch wieder vor Uniformen zusammen. Eine Weile war es weg; aber jetzt ist es wiedergekommen. Ich kann nichts dagegen tun. Denn das bin ich nicht selber, das ist der Muschkote in mir. Vor dem bin ich machtlos. Ja, er meldet sich wieder; er hat ausgeschlafen, er war gar nicht tot. Ich merke es, wenn ich mich unterhalte; wie er da beipflichtet; wie er sich da an die Wand drücken läßt, der Strolch. Ständig habe ich Minderwertigkeitskomplexe durch ihn. Er macht mich unfähig, im andern einen Gleichgestellten zu sehen. Es gibt keinen Gleichgestellten, es gibt nur Überlegene, Besserwisser und Vorgesetzte für ihn: Korporale, Feldwebel, Offiziere. Vor denen preßt er die Hände an die Schenkel und schlägt die Hakken zusammen.

Ich bin kein Psychiater. Aber man will sich auch nicht aufgeben. Ich begehe infolgedessen das Dümmste, was man in so einem Fall nur tun kann; ich versuche mehr aus mir zu machen, als ich bin. Hinterher dann könnte ich mich ohrfeigen und sterbe beinah vor Scham. Das Ergebnis: Ich kapsle mich ab. Ich werde menschenscheu. Statt nun aber, wie es logisch wäre, mich selber zu hassen, hasse ich die andern; die »Kameraden« vor allem, die »Kumpel«, die ewigen Du-Sager.

Ich weiß, gerade in ihnen sehe ich mich selber. Ich rede mir zwar ein, ich will nicht an die Vergangenheit erinnert werden. Aber ich spüre: Dieser hohlwangige Stoppelbart, dieser zotenselige Einbeinige, dieser schweißstinkende Weißt-du-noch-Mann, sie sind ja auch alle in mir. Ihre Unsicherheit ist meine Unsicherheit. Ihre Verkommenheit ist meine Verkommenheit. Ihre Erlebnisse sind meine Erlebnisse. Ich gehöre zu ihnen.

Aber ich *will* nicht zu ihnen gehören. Ich will wieder »ich« und nicht dauernd »wir« denken müssen. Ich will raus aus der Herde. Ich habe sie satt, die Kameradschaft der Unseligen. Ebenso wie ich die Heilgebliebenen satt habe, die Sicheren, vor deren Forschheit mein letzter Rest Selbstbewußtsein zur Farce gefriert.

Soweit mußte es kommen. Und wie habe ich mich früher danach gesehnt, wirklicher Menschenliebe teilhaft zu werden. Wie wollte ich im andern den Bruder, den Nächsten erblicken. Und jetzt? Wie soll man leben mit diesem chaotischen Haß, mit dieser verkarsteten Härte im Herzen? . . .

(1946)

Rückkehr zu den Dagebliebenen?

Günther Weisenborn   *Wir bitten um Eure Rückkehr!*

(Aus einer Gedächtnisrede für Ernst Toller)

... Aber unser Volk hörte nicht auf seine Dichter, es hörte auf die gestiefelten Scharlatane, denn diese besaßen Blechmusik, und unser Volk war die Begriffe des militanten Kapitalismus gewohnt, während die Dichter und Redner der neuen Zeit ihm sehr neuartige Begriffe beizubringen versuchten. Welche begabte Schar, welche mitreißenden Männer: diese Dichter! Und welches Elend wartete auf sie, auf Hasenclever, Stefan Zweig, Kurt Tucholsky, Ernst Weiß, die alle wie Ernst Toller in der Verbannung, von ihrer Heimat verflucht und ausgebürgert, Selbstmord begingen.

Es ist eine furchtbare Liste, die nur allmählich bekannt wird, die Totenliste der deutschen Literatur in der Emigration.

Im Exil starben: Bruno Frank, Sigmund Freud, Stefan George, Hellmuth von Gerlach, Alfons Goldschmitt, Franz Haessel, Werner Hegemann, Arthur Holitscher, Ödon von Horvath, Arno Höllriegel, Georg Kaiser, Harry Graf Keßler, Monty Jakobs, Robert Musil, Max Hermann-Neiße, Rudolf Olden, Josef Roth, Arthur Ernst Rutra, René Schickele, Else Lasker-Schüler, Jakob Wassermann, Franz Werfel, Alfred Wolfenstein, Paul Zech.

Und hier im Land starben eines furchtbaren Todes: Egon Friedell, Ernst Blaß, Reinhard Goering, Erich Knauf, Adam Kuckhoff, Erich Mühsam, Carl von Ossietzky.

Welche Verwüstung von Genie, Kraft, Reinheit, die herrlichen Prosaisten, die ergreifenden Lyriker, die glänzenden Dramatiker: unsere Nation, die Goethe ständig im Mund führt, verlachte, verstieß sie, tötete sie in barbarischer Vergeudung. Hier liegt das schrecklichste Sensenfeld des deutschen Geistes. Sie würden alle zu uns sprechen, uns leiten, uns die Wege weisen, sie sind tot, und kaum ein anderes Volk der Erde wird solche Verluste in seiner Literatur haben.

Jetzt ist es an uns, da die Klügeren, Erfahreneren, die Älteren dahingegangen sind, das Erbe der verwaisten Stühle der Literatur anzutreten. Wir schauen uns in all dem Jammer um und suchen die Beispiele in dieser beispiellosen Zeit. Wir, die nachrückende Generation, die jetzt in Amt und Aufgabe hineinzuwachsen hat. Wir sind gehärtet im Krieg, geklärt nach mancher Wirrnis, und von Toten umgeben, die uns ständig zur Seite gehen und mit uns die unsichtbaren Dialoge der späten Erkenntnis führen. Wir suchen die Beispiele, sage ich, und ein Beispiel war Toller.

In der Nacht des Reichstagsbrandes ging ich mit Ernst Toller lange durch die Straßen des Berliner Westens. Einige Stunden später reiste er ab. Wahrscheinlich bin ich der letzte, mit dem er in seinem Vaterland ein Gespräch hatte. Der tief Beunruhigte sprach davon, daß sein Leben nichts weiter gewesen sei, als eine Auseinandersetzung mit dem Krieg. Die deutschen Warner gegen den Krieg, in sich uneins, verspielten die Macht damals an die organisierten Herolde des Militarismus. Die Kriegslust eroberte mit rosenumranktem Schwert, mit den horizontweiten Verheißungen der feldgrauen Romantik das alte Wutherz aller schlecht weggekommenen Germanen. Sie kam mit Trommelton, Ordengeklimper, mit nationaler Disziplin, mit der blonden Strammheit des Jagdfliegerideals, und unser Volk erlag. Immer mehr wurden die redlichen Warner an die Wand gedrängt, beschimpft, verlacht, gefesselt, bis diese Nacht des ersten Brandes gekommen war. Toller hatte die Partei der Menschlichkeit, der Humanität, des Friedens ergriffen und das ist in unserer Nation die bitterste aller Aufgaben.

Ich sehe das noble Gesicht des Toten noch unter einer Laterne, bleich, sehr ernst, sehr ruhig. Wir blickten nach der Richtung des Reichstages.

Er verstand nicht mehr, wie eine Nation sich mit solchem Jubel in das bare Entsetzen stürzen konnte. Er spürte wie ein Seismograph die ungeheure Gefahr, die dort heranwuchs in jener bangen Nacht. Drüben entstand die erste Ruine des Militarismus . . .

Es waren die Dichter, die gewarnt haben. Das stelle ich vor der Geschichte fest. Und wir sollten aus diesem gewaltigen Beispiel die eine, die notwendige, die entscheidende Erfahrung ziehen: Hört auf die Dichter!

Es gibt einen Todfeind des Menschen in der Welt, das ist der Militarist, und es gibt einen Todfeind der deutschen Dichtung, das ist die »Deutschland-über-alles-Literatur«.

Hört auf die Stimmen der Dichter. Wir sind so reich an ihnen. Wir sind und bleiben, und das sag' ich voller Freude, das Volk, das einen Hölty, einen Goethe, einen Büchner, einen Heine, einen Hölderlin, einen Rilke geboren hat. Unser Volk ist reich, wenn es sich auf sie besinnt und auf die Dichter der Gegenwart! Diese lebten zersprengt und fatal verschlagen in allen Ländern, aber es ist die Stunde gekommen, in der wir sie zurückrufen müssen, damit sie uns mit ihrer Welterfahrung helfen, den rechten Weg zu finden. Wir entsinnen uns ihrer und ihres Schicksals stets voller Dankbarkeit.

Und ich glaube im Namen aller verantwortlich Denkenden zu sprechen, wenn ich meine Stimme erhebe, um sie zu rufen.

Hier im Ruinenmeer Berlins, lebend in Kälte und Elend, rufen wir feierlich die Schriftsteller unserer Nation!

WIR BITTEN UM IHRE RÜCKKEHR AUS ALLEN
LÄNDERN DER WELT:
Stefan Andres, Ernst Bloch, Bertolt Brecht, Hermann Broch, Ferdinand Bruckner, Friedrich Burschell, Albert Ehrenstein, Lion Feuchtwanger, Leonhard Frank, Maria Gleit, Oskar Maria Graf, Paris Gütersloh, Heinrich Hauser, Wieland Herzfelde, Hermann Hesse, Richard Huelsenbeck, Alfred Kerr, Kurt Kläber, Joe Lederer, Rudolf Leonhard, Harald Landry, Ludwig Marcuse, Thomas Mann, Heinrich Mann, Walter Mehring, Paul Meyer, Joachim Maas, Hermynia zur Mühlen, Alfred Neumann, Robert Neumann, Balder Olden, Heinz Pol, Hans Josef Rehfisch, Erich Maria Remarque, Anna Seghers, Albrecht Schaeffer, Maximilian Scheer, Herbert Schlüter, Wilhelm Speyer, Fritz von Unruh, Bodo Uhse, Berthold Viertel, Ernst Waldinger, Otto Zoff, Arnold Zweig und alle anderen, deren Namen uns noch nicht erreicht haben.

Es ist das andere Deutschland, das ruft.

Wir, die wir gegen Hitler gekämpft haben, schicken unsere Stimme über Grenzen und Meere und rufen sie, damit sie uns helfen in der schwersten Stunde dieses Volkes, zu dem wir im Elend uns bekennen.

(1946)

Ein ähnlicher Aufruf, an die emigrierten Hochschullehrer, kam von *Alfred Andersch,* am 1. 1. 1947:

Vorder- und Hintergründe der Vorgänge auf der Münchner wie auf anderen Universitäten zu durchschauen, ist uns unmöglich. Tatsache ist, daß man z. B. in München achtzehn Monate nach dem Waffenstillstand, nach achtzehn Monaten intensiven »Denazifizierens« also, erneut dreiunddreißig Professoren entließ und damit unmittelbar vor Semesterbeginn die Universität zu einem wissenschaftlichen Torso machte, von dem niemand weiß, wann und wie die fehlenden lebenswichtigen Stücke ergänzt werden . . .

Angesichts dieses Zustandes machen wir einen Vorschlag. Eigene Erfahrung wie die aufmerksame Lektüre vieler Zeitungen und Zeitschriften haben uns darüber belehrt, welche wissenschaftlichen Reserven Deutschland im Ausland besitzt. Wir meinen die seit 1933 aus politischem und rassischen Gründen emigrierten Wissenschaftler. Nachstehend drucken wir eine Liste solcher Emigranten. Wir empfehlen sie für den Gebrauch, besonders in deutschen Kultusministerien (oder sollen wir sagen: im bayerischen Kultusministerium?) und Universitätsrektoraten. Wir empfehlen, daß sich die leitenden Männer dieser Ämter mit den zuständigen Offizieren und Beamten der Besatzungsmacht zusammensetzen und beantragen und zu klären versuchen, ob die genannten ausgewanderten Gelehrten nicht für mehrsemestrige Gastvorlesungen in Deutschland zu gewinnen wären. Wir empfehlen nicht, plump und gründlich, wie man das in Deutschland zu sein pflegt, die sofortige und bedingungslose Heimkehr dieser Leute zu fordern (man hat das so taktvoll im Falle Thomas Manns besorgt!), obgleich wir selbst im »Ruf« immer grundsätzlich die Rückkehr der Emigration fordern werden. Wir können uns jedenfalls denken, daß die Besatzungsmacht eine Initiative dieser Richtung seitens deutscher Stellen erwartet. Unvorstellbar wirkungsvoll auf das Ausland wäre es, wenn etwa die Studentenschaft in größeren Zusammenkünften die Rückkehr der deutschen Wissenschaft aus dem Ausland anregen würde. Die Studenten würden sich damit selbst den größten Dienst erweisen . . .

Schließlich können wir uns nicht versagen, darauf hinzuweisen, daß hinter der augenblicklichen Lage der deutschen Universitäten und unserem aktuellen Lösungsvorschlag das eigentliche Problem der deutschen Hochschulreform seiner Lösung harrt. In dem Bericht der amerikanischen Erziehungskommission über das deutsche Schulwesen, über den wir an anderer Stelle des »Ruf« berichtet haben, wird in vorzüglicher Weise der Klassencharakter des deutschen Bildungssystems enthüllt. Höchst merkwürdig, daß man sich dennoch nicht entschließt, diesen Klassencharakter preiszugeben!

Es ist höchste Zeit, daß der Typus des bürgerlichen Studenten, der das anachronistische Bild der deutschen Universität so penetrant bestimmt, eine Konkurrenz erhält durch den Zuzug junger Menschen aus neuen gesellschaftlichen Schichten . . .

Es wäre denkbar, daß ein Teil der deutschen Gelehrten im Ausland seine Rückkehr geradezu von einer Reform des Bildungssystems in Deutschland abhängig macht. Schließlich hat die reaktionäre Stagnation des deutschen Bildungswesens (in der es noch immer verharrt) ihr Teil zum Aufkommen Hitlers und damit zur Vertreibung des besten Teiles der deutschen Wissenschaft beigetragen. Sollte eine solche Reform aus allzu durchsichtigen Gründen und trotz wohllautender Deklamationen nicht durchgeführt werden, so müßten die progressiven Kräfte Deutschlands, die in allen Lagern, von der CDU bis zu den Kommunisten und in dem riesigen Lager der nicht mit einem Etikett Versehenen zu finden sind, ernsthaft die Bildung demokratisch-sozialistischer Universitäten ins Auge fassen, die ab sofort allen geeigneten Kräften der deutschen Jugend offen ständen.

(Die erwähnte Liste enthält 42 Namen emigrierter Professoren, die an ausländischen Hochschulen lehrten. Der Aufruf Anderschs wurde von der ›Neuen Zeitung‹ nachgedruckt. Die Iniative wurde vom bayerischen Kultusministerium abgewiegelt; in einer der folgenden Nummern des ›Ruf‹ kommentierte Alfred Andersch diese Haltung: »Wenn man erreichen will, daß die deutschen Wissenschaftler zurückkehren, dann muß man vor aller Öffentlichkeit demonstrieren, daß man ihre Rückkehr wünscht. Man muß das also in aller Öffentlichkeit gemeinsam mit den Studenten aussprechen. Derartige Möglichkeiten tauchen natürlich auf den verschlungenen Aktenpfaden einer Behörde nicht auf.«)

Walter von Molo *Offener Brief an Thomas Mann*

Mit aller, aber wahrhaft aller Zurückhaltung, die uns nach den furchtbaren zwölf Jahren auferlegt ist, möchte ich dennoch heute bereits und in aller Öffentlichkeit ein paar Worte zu Ihnen sprechen: Bitte, kommen Sie bald, sehen Sie in die vom Gram durchfurchten Gesichter, sehen Sie das unsagbare Leid in den Augen der vielen, die nicht die Glorifizierung unserer Schattenseiten mitgemacht haben, die nicht die Heimat verlassen konnten, weil es sich hier um viele Millionen Menschen handelte, für die kein anderer Platz auf der Erde gewesen wäre als daheim, in dem allmählich gewordenen großen Konzentrationslager, in dem es bald nur mehr Bewachende und Bewachte verschiedener Grade gab . . .

Bitte, kommen Sie bald und zeigen Sie, daß der Mensch die Pflicht hat, an die Mitmenschen zu glauben, immer wieder zu glauben, weil sonst die Menschlichkeit aus der Welt verschwinden müßte. Es gab so viele Schlagworte, so viele Gewissensbedrückungen, und so viele haben alles vor und in diesem Kriege verloren, schlechthin alles, bis auf eines: Sie sind vernünftige Menschen geblieben, ohne Übersteigerung und ohne Anmaßung, deutsche Menschen, die sich nach der

Rückkehr dessen sehnten und sehnen, was uns einst im Rate der Völker Achtung gab ...

(13. 8. 1945)

Dazu *Frank Thiess* am 18. 8. 1945:

> »Walter von Molos offener Brief an Thomas Mann enthält eine wiederholte Aufforderung an diesen, nach Deutschland zu kommen und selber das Gesicht des Volkes zu betrachten, an das er während der 12¼ Jahre des nationalsozialistischen Infernos von Amerika aus seine Botschaften gesandt hat. Ich möchte dieser Aufforderung nachdrücklich zustimmen und sie auf die Persönlichkeiten unter den Emigranten ausdehnen, die sich heute noch als Deutsche fühlen ...
>
> Nach Ebermayers Bericht soll Thomas Mann ihn aufgefordert haben, Deutschland zu verlassen, weil die Emigration als der einzige klare Ausdruck einer Nazi-Gegnerschaft angesehen werden könne. Ebermayer antwortete: als deutscher Schriftsteller bedürfe er des deutschen Raums, der deutschen Erde und des Widerhalls deutscher Menschen ...
>
> Das war richtig, denn die Welt, auf die wir innerdeutschen Emigranten uns stützten, war ein innerer Raum, dessen Eroberung Hitler trotz aller Bemühung nicht gelungen ist ...
>
> Auch ich bin oft gefragt worden, warum ich nicht emigriert sei, und konnte immer nur dasselbe antworten: falls es mir gelänge, diese schauerliche Epoche (über deren Dauer wir uns freilich alle getäuscht hatten) lebendig zu überstehen, würde ich dadurch derart viel für meine geistige und menschliche Entwicklung gewonnen haben, daß ich reicher an Wissen und Erleben daraus hervorging, als wenn ich aus den Logen und Parterreplätzen des Auslands der deutschen Tragödie zuschaute.«

Thomas Mann *Offener Brief für Deutschland*

Nun muß es mich ja freuen, daß Deutschland mich wieder haben will – nicht nur meine Bücher, sondern mich selbst als Mensch und Person. Aber etwas Beunruhigendes, Bedrückendes haben diese Appelle doch auch für mich, und etwas Unlogisches, sogar Ungerechtes. Nicht Wohlüberlegtes spricht mich daraus an. Sie wissen nur zu gut, lieber Herr von Molo, wie teuer Rat und Tat heute in Deutschland sind bei der fast heillosen Lage, in die unser unglückliches Volk sich gebracht hat. Und ob ein schon alter Mann, an dessen Herzmuskeln die abenteuerliche Zeit doch auch ihre Anforderungen gestellt hat, direkt, persönlich, im Fleische noch viel dazu beitragen kann, die Menschen dort aus ihrer tiefen Gebeugtheit, die Sie so ergreifend schildern, aufzurichten, scheint mir recht zweifelhaft. Dies nur nebenbei. Nicht recht überlegt aber scheinen mir bei jenen Aufforderungen auch die technischen, bürgerlichen, seelischen Schwierigkeiten, die meiner »Rückwanderung« entgegenstehen. Sind diese zwölf Jahre und ihre Ergebnisse denn von der Tafel zu wischen, und kann man tun, als seien sie nicht gewesen? Schwer genug, atembeklemmend genug war Anno 33 der Schock des Verlustes der gewohnten Lebensbasis von Haus und Land, Büchern, Andenken und Vermögen, be-

47

gleitet von kläglichen Aktionen daheim, von Ausbootungen, Absagen. Nie vergesse ich die analphabetische und mörderische Radio- und Pressehetze gegen meinen Wagner-Aufsatz ... Schwer genug war, was dann folgte: das Wanderleben von Land zu Land, die Paßsorgen, die täglich aus dem verlorenen, verwildernden, wildfremd gewordenen Lande herüberdrangen. Das haben Sie alle, die Sie dem »charismatischen Führer« (entsetzlich, entsetzlich, die betrunkene Bildung) Treue schworen und unter Goebbels Kultur betrieben, nicht durchgemacht. Ich vergesse nicht, daß Sie später viel Schlimmeres durchgemacht haben, dem ich entging. Aber das haben Sie nicht gekannt: das Herzasthma des Exils, die Entwurzelung, die nervösen Schrecken der Heimatlosigkeit ...

Ja, Deutschland ist mir in all diesen Jahren doch recht fremd geworden. Es ist, das müssen Sie zugeben, ein beängstigendes Land. Ich gestehe, daß ich mich vor den deutschen Trümmern fürchte, daß die Verständigung zwischen einem, der den Hexensabbat von außen erlebte, und euch, die ihr mitgetanzt und Herrn Urian aufgewartet habt, immerhin schwierig wäre ... Es mag Aberglaube sein, aber in meinen Augen sind Bücher, die von 1933 bis 1945 in Deutschland überhaupt gedruckt werden konnten, weniger als wertlos und nicht gut, in die Hand zu nehmen. Ein Geruch von Blut und Schande haftet ihnen an. Sie sollten alle eingestampft werden ...

»Unter Leuten«, sagte ich mir, »die zwölf Jahre lang mit diesen Drogen gefüttert worden sind, kann nicht gut leben sein. Du hättest«, sagte ich mir, »zweifellos viele gute und treue Freunde dort, alte und junge, aber auch viele lauernde Feinde, geschlagene Feinde wohl, aber das sind die schlimmsten und giftigsten.«

Und doch, lieber Herr von Molo, ist dies alles nur eine Seite der Sache, die andere will auch ihr Recht – ihr Recht auf das Wort ... Ein amerikanischer Weltbürger – ganz gut. Aber wie verleugnen, daß meine Wurzeln dort liegen, daß ich trotz aller fruchtbaren Bewunderung des Fremden in deutscher Tradition lebe und wese, möge die Zeit auch meinem Werk nicht gestattet haben, etwas anderes zu sein als ein schon morbider, schon halb parodistischer Nachhall grossen Deutschtums. (28. 9. 1945)

Diese Antwort an von Molo führte zu einer umfangreichen öffentlichen Kontroverse, auf die *Thomas Mann* noch einmal antwortete:

Ich habe ehrlich und vertrauensvoll gesprochen und kann es nicht hindern, daß Bosheit und Dummheit meine Worte mißbrauchen, verstümmeln und sie als ein Dokument des Egoismus, der Wehleidigkeit, Abtrünnigkeit und schnöden Vorteils hinstellen ...

Mich hat der Teufelsdreck, der sich Nationalsozialismus hieß, den Haß gelehrt, zum erstenmal in meinem Leben den wirklichen, tiefen, unauslöschlichen, tödlichen Haß, einen Haß, von dem ich mir mystischerweise einbilde, daß er nicht ohne Einfluß auf das Geschehen gewesen ist. An dem Untergang dieses menschheitsschändenden Unfugs habe ich in meiner Seele gearbeitet, vom ersten Tage an. Nicht nur durch meine Radiosendungen nach Deutschland, die eine einzige inbrünstige Aufforderung an das deutsche Volk waren, sich seiner zu entledigen. Und um was, glaubt ihr denn, war es mir u. a. wenigstens dabei zu tun? Wenigstens um das, was man heute, da es zu spät geworden, von mir verlangt, um meine Heimkehr. Heimkehr, wie habe ich jahrelang als Gast der Schweiz darauf gehofft, davon geträumt, mit welcher Begierde jedes Zeichen aufgenommen, daß Deutschland seiner Erniedrigung satt sei. Wie anders hätte alles sich dargestellt, wäre es Deutschland gegeben gewesen, sich selbst zu befreien. Wenn zwischen 1933 und 1939 bei euch die rettende Revolution ausgebrochen wäre, glaubt ihr, ich hätte den übernächsten Zug abgewartet und nicht den nächsten genommen, um heimzukehren . . .

Wem es längst vor den Bergen von Haß gegraut hat, die rings um Deutschland sich auftürmten, wer längst in schlaflosen Nächten sich ausgemalt hat, wie furchtbar das entmenschte Tun der Nazis auf Deutschland werde zurückschlagen müssen, der kann jetzt mit Erbarmen in dem, was Deutschen von Russen, Polen und Tschechen geschieht, nichts anderes sehen als die mechanische und unvermeidliche Reaktion auf Untaten, die ein Volk als Ganzes geübt, bei der es leider nicht nach individueller Gerechtigkeit, nicht nach Schuld und Unschuld des einzelnen geht. Besser hier draußen sich einsetzen für die Europahilfe, für die Errettung deutscher Kinder vom Hungertode, als drüben eine Milderungsagitation übernehmen, von der man nie weiß, ob sie nicht dem deutschen Nationalsozialismus dient, denn ich bin kein Nationalist . . .

(30. 12. 1945)

Frank Thiess:

Mann hat uns sehr deutlich zu verstehen gegeben, warum er nicht mehr nach Deutschland zurückkehren will. »Nach dem verwüsteten Deutschland ziehen? Um sich selber verwüsten zu lassen?« rief er aus. Und erging sich weiter in Haßausbrüchen gegen den Nationalsozialismus, mit denen er uns nur insofern Neues gesagt hat, als darin für meine Ohren ein neuer Haß hervorklang, ein wahrhaft fürchterlicher und schrecklicher, der Haß gegen Deutschland . . .

Wer das besiegte, zertrümmerte und verarmte Deutschland nicht gesehen hat, kann es sich nicht vorstellen. Auch ein Dichter nicht, obwohl recht eigentlich seiner Natur die Gabe verliehen ist, sich auch in solche Zustände zu versetzen, die er selber nie mit Augen geschaut hat. Nein, auch ein Thomas Mann könnte es sich nicht vorstellen, und das Erlebnis eines solchen Besuchs seiner alten Heimat müßte – so dachte ich – für ihn so fürchterlich sein, daß er darüber nie mehr in seinem Leben hinwegkäme. Er würde es schmerzlich bereuen, ein Volk als Ganzes verurteilt zu haben, das nun so hilflos am Boden liegt wie nie zuvor während seiner tausendjährigen Geschichte. Und er würde sich vielleicht fragen was dieses irregeführte, verratene, schreckliche und große Volk ihm getan hat, daß er auch heute noch die Pfeile seines Zorns in seine Wunden schießt. Dieses Noch-in-die-Wunde-Schießen war es, was mich zu meinen Entgegnungen veranlaßte und die Schärfe meines Zorns, gegen die sich Thomas Mann mit verächtlicher Phrase wendet, hervorgerufen hatte . . .   (5. 1. 1946)

Erich Kästner   *Betrachtungen eines Unpolitischen*

Die ganze Sache, der ganze Streit, liebe Kinder, ist die Folge eines fast tragischen Mißverständnisses. Und es wird gut sein, wenn ich euch kurz erkläre, wie es zu diesem Mißverständnis kam und kommen konnte. – Es war so: Deutschland hatte den Krieg verloren. Europa war durch Deutschlands Schuld eine einzige, riesige Ruine geworden. Die Welt zeigte mit Fingern auf Deutschland. Jene Deutschen, die den Krieg und Hitler nicht gewollt hatten, die beides aber auch, trotz allem Bemühen und aller Pein, nicht hatten verhindern können, sahen sich hilfesuchend um. Denn jetzt brauchten sie wie nie zuvor Hilfe. Sie brauchten jemanden, der in der ganzen Welt berühmt und makellos und unverdächtig dastand ... Ich will es ganz einfach sagen: sie brauchten einen Mann.

So kamen sie auf Thomas Mann, liebe Kinder. Und das war der Fehler. Der verhängnisvolle Fehler. Versteht mich recht. Es war nicht der Fehler Thomas Manns, daß er der Mann dazu nicht war. Es war einzig der Fehler der Menschen, die ihn riefen. Sie bewunderten ihn. Sie verehrten ihn. Sie brauchten ihn. Sie riefen ihn. Sie streckten die Hände nach ihm aus. Und er kam nicht ...

Und nun, liebe Kinder, war das Tragische und Vertrackte, daß die Deutschen ihre Hände nach einem Mann ausstreckten, der Thomas Mann nicht war, der aber auch nicht hinter ihm stand – nach einem Mann, den es, so sehr sie ihn brauchten und noch brauchen, nicht gibt. Das ist in mehrfachem und auch im tiefsten Sinne »Künstlerpech«. Den Deutschen fehlt der große, der überlebensgroße Dichter und Denker, der sich schützend, sammelnd und die Welt beschwörend hinstellt und die Arme ausstreckt wie ein zweiter lieber Gott. Thomas Mann ist kein lieber Gott, der erste nicht und auch nicht der zweite. Sondern er ist, wie gesagt, der bedeutendste und berühmteste unter den lebenden deutschen Dichtern. Und es ist sehr bedauerlich, daß ihn andere, weniger berühmte, trotzdem bedeutende deutsche Dichter so lange gebeten und gebettelt haben, bis er böse wurde. Sie haben sich ein bißchen dumm benommen. Wenn ich jemanden um hundert Mark bitte, der nur zehn Mark bei sich hat, wenn ich ihn wieder bitte und weiter bitte, muß er mit der Zeit wütend werden. Das ist ja klar ... Dazu kommt, daß er ein alter Herr ist und noch manches für ihn und uns wichtige Buch schreiben will. Wie könnte er das zwischen unseren Nöten, die man ihm in die Ohren brüllen würde? Und dazu kommt, daß er in Amerika für Europa und für jenes Deutschland, das er nicht haßt, sondern liebt, besser werben und bitten kann und wird, als wenn er in seinem ehemaligen Vaterland wäre. Es war Torheit, ihn zu rufen ...

In Amerika lebt zur Zeit noch ein anderer großer Deutscher, der Schauspieler Albert Bassermann. Ein herrlicher Schauspieler und ein herrlicher Mensch. Als ihm die Berliner Schauspieler kabelten, ob er nicht in die Heimat zurückkehren wolle, depeschierte er vier Worte: »Ich komme. Albert Bassermann.« Als ich die vier Worte las, habe ich alter Schafkopf beinahe geheult. Seht ihr, liebe Kinder, das ist eben ein anderer Mann als Thomas Mann. Nur darf man das dem Thomas Mann nicht zum Vorwurf machen, daß er nicht ein Mann wie unser Bassermann ist. Das wäre sehr, sehr ungerecht.

(14. 1. 1946)

(Bei seinem ersten Besuch in Deutschland 1949 spielte Thomas Mann in seiner ›Ansprache im Goethejahr‹ noch einmal auf die Auseinandersetzung an: »Ich weiß, daß der Emigrant in Deutschland wenig gilt, — er hat noch nie viel gegolten in einem von politischen Abenteuern heimgesuchten Lande. Es versteht sich wohl, daß diese Ablehnung eines jeden, der sich lossagte, nicht wenig beitrug zu der Scheu, die mich vier Jahre nach der Vollendung des Unheils von Deutschland ferngehalten hat. Und auch sonst mag es Erklärungen geben für diese Scheu. Man zögert, die Grenze eines Landes wieder zu überschreiten, das einem durch lange Jahre ein Alpdruck war; von dessen Fahne, wo sie sich im Auslande zeigte, man mit Grauen den Blick wandte und wo, wäre man dorthin verschleppt worden, ein elender Tod einem sicher gewesen wäre. Dergleichen wirkt nach, es ist nicht so leicht aus dem Blut zu bringen. Die Sorge der Entfremdung, der Gedanke an die Verschiedenartigkeit der Erlebnisweise, des Lebensstandpunktes, die Furcht, daß man nicht mehr dieselbe Sprache spreche, daß die Verständigung schwer geworden sein möchte zwischen euch drinnen und uns draußen, — dies alles trägt bei zu der Scheu, die mich fesselte, und die mit Unversöhnlichkeit, feindseliger Überheblichkeit und bösen Wünschen so gar nichts zu tun hatte . . .«)

Hermann Hesse   *Brief an eine junge Deutsche*

(Dieser Brief, im Frühjahr 1946 geschrieben, war an Luise Rinser gerichtet. Er erschien in zahlreichen Tageszeitungen als ›Offener Brief‹.)

Merkwürdig ist das mit den Briefen aus Ihrem Lande! Viele Monate bedeutete für mich ein Brief aus Deutschland ein überaus seltenes und beinahe immer ein freudiges Ereignis. Er brachte die Nachricht, daß irgendein Freund noch lebe, von dem ich lange nichts mehr erfahren und um den ich vielleicht gebangt hatte. Und er bedeutete eine kleine, freilich nur zufällige und unzuverlässige Verbindung mit dem Lande, das meine Sprache sprach, dem ich mein Lebenswerk anvertraut hatte, das bis vor einigen Jahren mir auch mein Brot und die moralische Rechtfertigung für meine Arbeit gegeben hatte. Ein solcher Brief kam immer überraschend, immer auf wunderlichen Umwegen, er enthielt kein Geschwätz, nur Wichtiges, war oft in großer Hast der Minuten geschrieben . . .

Dann wurden die Briefe häufiger und länger . . . und unter diesen Briefen waren schon viele, die mir keine Freude machten und die zu beantworten mir bald die Lust verging . . .

Ein Gefangener in Frankreich, kein Kind mehr, sondern ein Industrieller und Familienvater, mit Doktortitel und guter Bildung, stellte mir die Frage, was denn nach meiner Meinung ein gut gesinnter anständiger Deutscher in den Hitlerjahren hätte tun sollen? Nichts habe er verhindern, nichts gegen Hitler tun können, denn das wäre Wahnsinn gewesen, es hätte ihn Brot und Freiheit gekostet, und am Ende noch das Leben. Ich konnte nur antworten: die Verwüstung von Polen und Rußland, das Belagern und dann das irrsinnige Halten von Stalingrad bis zum Ende sei vermutlich auch nicht ganz ungefährlich gewesen, und doch hätten die deutschen Soldaten es mit Hingabe getan. Und warum sie denn Hitler erst von 1933 an entdeckt hätten? Hätten sie ihn nicht zum mindesten seit dem Münchenner Putsch erkennen müssen? Warum sie denn die einzige erfreuliche Frucht des Ersten Weltkrieges, die deutsche Republik, statt sie zu stützen und zu pflegen, fast einmütig sabotiert, einmütig für Hindenburg und später für Hitler gestimmt hätten, unter dem es dann allerdings lebensgefährlich geworden sei, ein anständiger Mensch zu sein?

... Da sind nun zum Beispiel alle jene alten Bekannten, die mir früher jahrelang geschrieben, damit aber in dem Augenblick aufgehört haben, als sie merkten, daß man sich durch Briefwechsel mit mir, dem Wohlüberwachten, recht Unangenehmes zuziehen könne. Jetzt teilen sie mir mit, daß sie noch leben, daß sie stets warm an mich gedacht und mich um mein Glück, im Paradies der Schweiz zu leben, beneidet hätten, und daß sie, wie ich mir ja denken könne, niemals mit diesen verfluchten Nazis sympathisiert hätten. Es sind aber viele dieser Bekenner jahrelang Mitglieder der Partei gewesen. Jetzt erzählen sie ausführlich, daß sie in all diesen Jahren stets mit einem Fuß im Konzentrationslager gewesen seien, und ich muß ihnen antworten, daß ich nur jene Hitlergegner ganz ernst nehmen könne, die mit beiden Füßen in jenen Lagern waren, nicht mit dem einen im Lager, mit dem anderen in der Partei ...

Dann gibt es treuherzige alte Wandervögel, die schreiben mir, sie seien damals, so etwa um 1934, nach schwerem inneren Ringen in die Partei eingetreten, einzig, um dort ein heilsames Gegengewicht gegen die allzu wilden und brutalen Elemente zu bilden und so weiter.

Andere wieder haben mehr private Komplexe und finden, während sie im tiefen Elend leben und von wichtigeren Sorgen umgeben sind, Papier und Tinte und Zeit und Temperament im Überfluß, um mir in sehr langen Briefen ihre tiefe Verachtung für Thomas Mann auszusprechen und ihr Bedauern oder ihre Entrüstung darüber, daß ich mit einem solchen Manne befreundet sei.

Und wieder eine Gruppe bilden jene, die offen und eindeutig all die Jahre mit an Hitlers Triumphwagen gezogen haben, einige Kollegen und Freunde aus früheren Zeiten her. Sie schreiben mir jetzt rührende und freundliche Briefe, erzählen mir eingehend von ihrem Alltag, ihren Bombenschäden und häuslichen Sorgen, ihren Kindern und Enkeln, als wäre nichts gewesen, als wäre nichts zwischen uns, als hätten sie nicht mitgeholfen, die Angehörigen und Freunde meiner Frau, die Jüdin ist, umzubringen und mein Lebenswerk zu diskreditieren und schließlich zu vernichten. Nicht einer von ihnen schreibt, er bereue, er sehe die Dinge jetzt anders, er sei verblendet gewesen. Und auch nicht einer schreibt, er sei Nazi gewesen und werde es bleiben, er bereue nichts, er stehe zu seiner Sache. Wo wäre je ein Nazi zu seiner Sache gestanden, wenn diese Sache schief ging? Ach, es ist zum Übelwerden.

Eine kleinere Zahl von Briefschreibern erwartet von mir, ich solle mich heute zu Deutschland bekennen, solle hinüberkommen, solle an der Umerziehung mitarbeiten. Weit größer aber ist die Zahl derer, die mich auffordern, draußen in der Welt meine Stimme zu erheben und als Neutraler und als Vertreter der Menschlichkeit gegen Übergriffe oder Nachlässigkeit der Besetzungsarmeen zu protestieren. So weltfremd, so ohne Ahnung von der Welt und Gegenwart, so rührend und beschämend kindisch ist das!

... Ich bin alt und müde geworden, und die Zerstörung meines Werkes hat meinen letzten Jahren den Grundton von Enttäuschung und Kummer gegeben. Zu den guten Dingen, für deren Aufnahme und Genuß ich noch Organe habe, die mir Freude machen und das Dunkle übertönen können, gehören die seltenen, aber eben doch vorhandenen Zeichen für das Weiterleben eines echten geistigen Deutschland, die ich nicht in der Betriebsamkeit der jetzigen Kulturmacher und Konjunkturdemokraten Ihres Landes suche und finde, sondern in solchen beglückenden Äußerungen der Entschlossenheit, Wachheit und Tapferkeit, der illusionslosen Zuversicht und Bereitschaft, wie Ihr Brief eine ist. Dafür sage ich Ihnen meinen Dank. Hütet den Keim, bleibt dem Lichte und Geiste treu. Ihr seid sehr Wenige, aber vielleicht das Salz der Erde!

Luise Rinser *Antwort an Hermann Hesse*

... Es ist alles wahr, was Sie schreiben. Keiner will es gewesen sein, jeder will entnazifiziert werden ... Genau so wenig wie man arisiert werden kann, kann man entnazifiziert werden. Für mich ist Nazismus Charakter gewesen, unverleugbare Charaktereigenschaft.

Wie kann man durch eine Verfügung einer Spruchkammer von einem Makel befreit werden, der im WESEN liegt! Man kann durch eine lange harte Wandlung sich befreien, das ist etwas anderes. Besonders abscheulich finde ich, wenn diese Leute nun sagen: Ich bin doch nur ein Mitläufer gewesen. Ich würde mich zu Tode schämen, das zu sagen. Lieber noch ein böser echter Nazi, vom Teufel getrieben, als bloß ein Mitläufer. Welcher Mangel an Stolz und Einsicht! ...

Es gibt noch viel schlimmere Dinge bei uns, von denen Sie nichts schreiben. Das ist beispielsweise die Angst vor dem Sozialismus, der die Wandlung im Großen und Kleinen verlangt. Diese Leute triefen von schönen Worten: Freiheit, Ehrfurcht, Schönheit, deutsche Kultur ... und die nicht gesonnen sind, die reale Welt zu sehen. Ich war kürzlich eingeladen zu einem Kongreß der Jugend in Frankfurt a. M. Man sprach zu dieser armen, verwirrten, zu Krüppeln geschossenen, blassen Jugend, die keine Zukunftshoffnung hat, kein Geld, nur Schwierigkeiten aller Art, man sprach ihr von einer neuen Verfassung, von Gotterfülltheit des Lebens, ... und die Jugend saß da und schwieg. Man will einen zweiten »Hohenmeissner« machen, künstlich von den Universitätsprofessoren arrangiert. Man will die Jugend damit abziehen vom wirklichen politischen Leben. (Und heute ist ALLES Politik ...) Man macht in deutschem Idealismus, aber wenn es darum geht, etwas Realpolitisches zu tun, schreckt man zurück. So habe ich kürzlich in einer Rede in München von der Not der Jugend gesprochen und verlangt, daß man Heime für die gefährdeten deutschen »Besprosonis« [jugendliche Obdachlose] schafft. Man sagte mir offiziell, daß man erst die Lösung des deutschen Währungsproblems abwarten müsse. Aber ich bohrte weiter und spielte die Bayerische Regierung gegen die Großhessische aus, und heute steht in der Neuen Zeitung, daß wirklich Heime geschaffen werden.

Es ist sehr schwierig hier zu leben ... aber überall sind Kräfte am Werk ... Viele Frauen sind es, die klarer als die Männer die Wirklichkeit sehen. Die Männer schmollen, weil man sie nicht mehr Soldaten spielen läßt ... Sie haben mir in Ihrem schönen Brief Klugheit und einen wachen Blick zugeschrieben. Vertrauen Sie nun, bitte, diesem Blick, wenn ich Ihnen sage, daß es eine wenn auch zahlenmäßig nicht große, aber in der geistigen Vitalität und in ihrem politischen Rüstzeug beachtliche Schicht gibt, die am Frieden mitarbeitet ...

Zonen, Staaten, Einheit

Alfred Andersch *Das junge Europa formt sein Gesicht*

In dem zerstörten Ameisenberg Europa, mitten im ziellosen Gewimmel der Millionen, sammeln sich bereits kleine menschliche Gemeinschaften zu neuer Arbeit. Allen pessimistischen Voraussagen zum Trotz bilden sich neue Kräfte- und Willenszentren. Neue Gedanken breiten sich über Europa aus. Der auf die äußerste Spitze getriebenen Vernichtung entsprang, wie einst dem Haupt des Jupiter die Athene, ein neuer, jugendfrischer, jungfräulich-athenischer Geist. Die Bedrohung, die hinter uns liegt, und diejenige, die uns erwartet, hat nicht zur lähmenden Furcht geführt, sondern nur unser Bewußtsein dafür geschärft, daß wir uns im Prozeß einer Weltwende befinden.

Die Träger dieses europäischen Wiedererwachens sind zumeist junge, unbekannte Menschen. Sie kommen nicht aus der Stille von Studierzimmern – dazu hatten sie keine Zeit –, sondern unmittelbar aus dem bewaffneten Kampf um Europa, aus der Aktion. Ihr Geist ist der Geist der Aktion. In Frankreich scharen sie sich um die Gruppe der »Existentialisten« und deren Mentor Jean Paul Sartre, zu dem sich Albert Camus und Simone de Beauvoir gesellen, oder sie bilden Experimentierzellen in den bestehenden Parteien, so etwa Emanuel Mounier mit dem »Esprit« in der jungen Partei Bidaults oder Aragon bei den Kommunisten. Ihr Leben in den letzten Jahren war gleichbedeutend mit dem Leben der französischen »résistance«. Kristallisationspunkt des jungen Italiens sind der aus der Emigration zurückgekehrte Dichter Ignazio Silone, der eine Synthese von Sozialismus und religiösem Denken versucht, oder Ferruccio Parri, der Leiter der Aktionspartei. Der Sieg der Labour Party in England ist nicht denkbar ohne die innere Erneuerung der Arbeiterbewegung durch ihre jungen Kräfte. Skandinavien gab seine besten Geister in diesem Krieg: den dänischen Pfarrer Kaj Munk und den jungen norwegischen Dichter Nordahl Grieg, der über Berlin abstürzte. Diese Namen sind nur die äußerlichen Zeichen einer Bewegung, in der sich, wenn auch noch zögernd und unklar, so doch schon in großer Tiefe und Breite, die europäische Jugend manifestiert.

Das Gesetz, unter dem sie antritt, ist die Forderung nach europäischer Einheit. Das Werkzeug, welches sie zu diesem Zweck anzusetzen gewillt ist, ist ein neuer, von aller Tradition abweichender Humanismus, ein vom Menschen fordernder und an den Menschen glaubender Glaube, ein sozialistischer Humanismus.

Sozialistisch – das meint in diesem Fall, daß Europas Jugend »links« steht, wenn es sich um die soziale Forderung handelt. Sie vertritt wirtschaftliche Gerechtigkeit und weiß, daß diese sich nur im Sozialismus verwirklichen läßt. In einem wirklichen Sozialismus, nicht in »sozialen Reformen«. Der Menschengeist hat eine Stufe erreicht, in dem ihm der private Besitz von Produktionsmitteln ebenso absurd erscheint wie vor 2000 Jahren die Sklaverei. Die sozialistische Forderung schließt die Forderung nach einer geplanten Wirtschaft und eine – trotz allem – Bejahung der Technik ein. »Links« steht dieser Geist ferner in seiner kulturellen Aufgeschlossenheit, seiner Ablehnung nationaler und rassischer Vorurteile, seiner Verhöhnung des provinziellen Konservativismus.

Humanistisch aber ist Europas Jugend in ihrem unerschöpflichen Hunger nach Freiheit. Humanismus bedeutet ihr Anerkennung der Würde und Freiheit des Menschen – nicht mehr und nicht weniger. Sie wäre bereit, das Lager des Sozialismus zu verlassen, wenn sie darin die Freiheit des Menschen aufgegeben sähe zugunsten jenes alten orthodoxen Marxismus, der die Determiniertheit des Menschen von seiner Wirtschaft postuliert und die menschliche Willensfreiheit leugnet. Fanatismus für das Recht des Menschen auf seine Freiheit ist kein Widerspruch in sich selbst, sondern die große Lehre, welche die Jugend Europas aus der Erfahrung der Diktatur zieht. Sie wird den Kampf gegen alle Feinde der Freiheit fanatisch führen.

Eine starke Wurzel dieses doppelten Suchens nach Freiheit und sozialer Gerechtigkeit liegt in dem religiösen Erlebnis, das die junge Generation aus dem Kriege mitbringt. Echte religio ist nicht möglich, wo der Mensch Bluts- oder Klassengesetzen unterstellt wird, die er angeblich nicht durchbrechen kann. Nichts beweist die Freiheit des Menschen mehr als seine freie Entscheidung für oder gegen Gott.

Der Inhalt des jungen Denkens bedingt die Haltung seiner Träger. Sie fordern nicht nur richtiges Denken, sie fordern auch das dazugehörige Leben. Sie können es fordern, weil sie sich für ihre Grundsätze eingesetzt haben, weil viele von ihnen dafür ihr Leben hingegeben haben. Besonders Sartre und die jungen Kämpfer aus der »résistance« fordern diese Übereinstimmung von Tat und Gedanken, die bruchlose Existenz.

Von hier aus spannt sich ein dünnes, sehr gewagtes Seil über einen Abgrund hinweg zu einer anderen Gruppe junger Europäer, die sich in den letzten Jahren ebenfalls unter rücksichtsloser Hingabe ihrer ganzen Person eingesetzt hat. Wir meinen das junge Deutschland. Es stand für eine falsche Sache (und sie war nicht nur falsch, weil sie jetzt verloren ist). Aber es stand. In durchaus jenem existentiellen Sinne, den Sartre und seine französischen Kameraden meinen. Das dünne Seil, das die feindlichen Lager verknüpft, heißt also *Haltung*. Gemeinsamkeit der Haltung und des Erlebens, unabhängig von Ideologie und Ethos. Eines Tages werden einige waghalsige Seiltänzer versuchen, über den Abgrund zu kommen, neue Taue zu knüpfen, vielleicht eine stabile Brücke zu errichten, auf der die jungen Deutschen in das gemeinsame europäische Lager kommen können. Uns scheint – trotz aller Verbrechen einer Minderheit – der Brückenschlag zwischen den alliierten Soldaten, den Männern des europäischen Widerstandes und den deutschen Frontsoldaten, zwischen den politischen KZ-Häftlingen und den ehemaligen »Hitlerjungen« (sie sind es schon längst nicht mehr!) durchaus möglich. Eher möglich jedenfalls als der zwischen den neuen, aus dem Kampf geborenen Tendenzen Europas und dem Denken der älteren deutschen Generation, die in der Unverbindlichkeit ihres Toleranzbegriffs, ihrem Zurückschrecken vor dem letzten Einsatz, dem Unhold seinen Gang zur Macht erlaubte.

Wir sehen im großen ganzen nur zwei Mittel, mit Hilfe derer ein solcher Brückenbau möglich wäre. Eines ist heute in aller Munde. Es heißt »reeducation«. Kein schönes Wort. Jedenfalls nicht sehr viel schöner als das nationalsozialistische Wort von der »Umschulung«. Hat man sich einmal wirklich vorgestellt, *wen* man zurückerziehen will? Können junge Menschen, die sechs Jahre lang fast ununterbrochen dem Tod gegenüberstanden, noch einmal zu Objekten eines Erziehungsprozesses gemacht werden? Soll Erziehung, Bildung, Belehrung hier konkurrieren mit einer Erlebnissphäre, in der in jeder Stunde die ganze menschliche Existenz aufs Spiel gesetzt wurde?

Vielleicht geht es. Aber nur, wenn dann wirklich der ganze Enthusiasmus der angelsächsischen Völker für Erziehung wie eine alles mitreißende Woge über das Land geht. Wenn wirklich die besten Lehrer, Erzieher, Künstler und Jugendführer nach Deutschland kommen. Wenn Bildung nicht Belehrung bleibt, sondern zum tiefsten Erlebnis wird, zu einem Erlebnis, welches das andere große Erlebnis, den Tod, in sein Schattenreich zurückdrängt. Daß so etwas möglich ist, beweist das große Experiment, daß man mit 30 000 deutschen Kriegsgefangenen in den USA angestellt hat. Ob man den Versuch im großen wiederholen wird, wissen wir nicht; wir können ihn uns wünschen, aber wir können ihn nicht fordern.

Es bleibt also nur der andere Weg, der selbständige, der, den die junge Generation Deutschlands allein zu gehen hat. Die Wandlung als eigene Leistung ...

Denn diese junge deutsche Generation, die Männer und Frauen zwischen 18 und 35 Jahren, getrennt von den Älteren durch ihre Nicht-Verantwortlichkeit für Hitler, von den Jüngeren durch das Front- und Gefangenschaftserlebnis, durch das »eingesetzte« Leben also – sie vollziehen die Hinwendung zum neuen Europa mit leidenschaftlicher Schnelligkeit. Das Ausland hat diese Entwicklung noch nicht bemerkt, zum Teil, weil es sie nicht bemerken will, zum Teil, weil es die Symptome falsch deutet. Die Negation, in der heute die jungen Deutschen leben, ist nicht das Zeichen eines endgültigen

Triumphs des Nihilismus, sondern sein Gegenteil. Die negierende Haltung aller »Belehrung« gegenüber beweist, daß man das *Erlebnis* der Freiheit sucht, daß man den radikalen Neubau will. Der neue Geist der deutschen Jugend drückt sich auch in dem unermeßlichen Hunger aus, die geistige Entwicklung der letzten Jahre nachzuholen. Aber eben nicht im Sinne einer nachzuholenden Schule, sondern eines zu lebenden Lebens. Dazu müssen die neuen Gedanken Europas in Deutschland freilich erst bekannt gemacht werden. Die Bestrebungen, in Kontakt zu kommen, sind zahllos. Gruppen von europäisch sehr fortgeschrittenen jungen Menschen beeinflussen die redaktionelle Gestaltung der »Gegenwart«, des »Aufbaus« und der »Wandlung« oder verschaffen sich unmittelbar Ausdruck in »Ende und Anfang«. Die europäische Bewegung zur Einheit in sozialistischer Praxis und humanistischer Freiheit wird gerade von den jungen Kräften in den beiden größten deutschen Parteien unermüdlich vorwärtsgetrieben. So entsteht langsam ein Bild, das sich von dem üblen Klischee, das man mit dem Wort von der »verlorenen Generation« schuf, wesentlich unterscheidet.

Es wird nicht lange mehr dauern, bis die junge Generation Deutschlands »aufgeholt« haben wird. Ihre Losung lautet schon jetzt: Die Erzieher müssen überholt werden. Auf keinen Fall wird sich das junge Deutschland von dem jungen Europa abschneiden lassen. Es wird auch nicht schwerfällig und widerstrebend dahinterher trotten. Schon deshalb nicht, weil das junge Europa ohne das junge Deutschland nicht existieren kann.

(15. 8. 1946)

✗ Walter Dirks   *Europa, Arbeiter, Christen*

Gleich die erste und elementarste unter den Bestimmungen, die wir nicht überspringen dürfen, scheint unsere ganze Bemühung oder vielmehr ihr deutsches Subjekt in Frage zu stellen; denn sie heißt: *Europa*. Wir proklamieren das Ende des souveränen Nationalstaates. Wir können es um so mehr, als wir es *sind*, dieses Ende: nur müssen wir es auch wollen, um aus der Not der Stunde wahrhaft eine Tugend zu machen.

Europa, der arme Kontinent, kann nur gelten und bestehen, wenn er sich zusammenrafft: wenn er seine Bodenschätze, seine Produktionsmittel und seine Arbeitskraft *planmäßig organisiert*.

Wer soll der Träger des Planes sein? Nicht eine Clique (von Kapitalisten, Nazis, Bürokraten, Parteiführern), nicht der Staat (er nur »federführend«, jeweils vorläufig, stellvertretend und partiell), sondern das Volk. Das bedeutet technisch-organisatorisch so etwas wie »Wirtschaftsdemokratie«. (Wir haben nicht vergessen, daß die Demokratie von 1918 auch deshalb machtlos war, weil sie nur den Staat, nicht aber die Wirtschaft zu demokratisieren unternahm.) Aber jenes schwache Wort begreift die epochale Wendung nicht ein, die das bedeutet, nicht die elementaren und tiefen Forderungen, die sie an den Menschen, seine Moral, seine Lebensführung stellt. Wir wissen ja, daß die europäischen Völker, wenn sie ihre Wirtschaft planmäßig organisieren und diesen Plan in hundert Formen und Stufen und Arten im Volk verwurzeln, in eine neue geschichtliche Epoche eintreten – in die des verwirklichten *Sozialismus*.

Träger, »Realisationsfaktoren« dieser Zweiten Republik sind die Arbeiter und die Christen.

Warum »Christen« und nicht »Bürger«? Zunächst, weil sowohl der wirtschaftliche Begriff des Bürgers (Existenz durch Arbeit mit eigenen Produktionsmitteln) als auch der allgemeinere (»Besitz und Bildung«) mit jener Phase der großen sozialen Umwälzung, die wir seit Jahrzehnten erleben, fragwürdiger geworden sind. Sodann, weil die Bürger als solche keine Bürgen des Sozialismus, keine originären Sozialisten sein können, wenn auch durchaus Mitträger, sogar rechte und gute. Dasselbe gilt von den Bauern. Sie haben beide, wenn sie es recht verstehen, ein vitales Interesse am Sozialismus, denn ohne planmäßige und demokratische Organisation der Wirtschaft (und das heißt ja Sozialismus) kommt das Ganze nicht in Ordnung, von dessen Gedeihen das wirtschaftliche Heil des Bauerntums und der bürgerlichen Gruppen durchaus abhängt. Aber dieses ihr vitales und reales Interesse ist nicht unmittelbar, sondern mittelbar ...

Die Arbeiter und Christen, – damit ist ein altes und nur mit Trauer zu lesendes Kapitel deutscher Geschichte aufgeschlagen. Wir fordern ein Bündnis, – aber ist da nicht eine Kluft? Wir fordern Freundschaft, aber sind sie nicht Feinde? Es gibt Arbeiter, die Christen, und Christen, die Arbeiter sind, eine Schicht, die weder ihr Christentum noch ihr Arbeitertum verraten hat. Aber diese starke Brücke zwischen den beiden Gruppen hat nicht verhindert, daß sich die Arbeitermassen in einem Sozialismus organisiert haben, von dem sowohl Leo XIII. wie Bebel mit gleicher Schärfe geurteilt haben, daß er mit dem Christentum unvereinbar sei. Niemand kann wissen, ob das so bleibt.

Der Sozialismus ist aus dem Proletariat erwachsen. Der Proletarier – wir denken an die ersten hochkapitalistischen Jahrzehnte in den industriellen Bezirken – der Proletarier dieses schrecklichen halben Jahrhunderts war der radikale Nicht-Bürger. Er war fast noch nicht positiv definierbar, sondern nur durch das, was er verloren hatte. Er war nicht nur ausgeplündert, sondern geradezu »ausgesetzt«, fast eine leere Möglichkeit. War es seine Schuld, daß er auch das Christentum verlor? Ein Christentum, auf das sich am Ende gar die Ausbeuter unter der beifälligen Zustimmung der bürgerlichen Zuschauer beriefen, um die Methoden der Ausplünderung zu rechtfertigen und ihn, der an seinen Ketten zerrte, als Feind der heiligen

Ordnung ins Unrecht zu setzen? Wo die Schuld lag und wie sie verteilt war, das weiß nur Gott allein.

Niemand kann etwas darüber sagen, ob die Christen »besser« oder »frömmer« geworden sind, auch das weiß nur Gott allein, aber das ist sicher, daß das Christentum reiner, tiefer, ernster, echter geworden ist, nicht durch Verdienst, sondern kraft jenes Scheideprozesses, der die bürgerliche Schlacke vom Erz des Glaubens besser trennte. Nun vermögen sie zu den Arbeitern zu sprechen, die bürgerlichen Christen, als Ausgesetzte zu Ausgesetzten, im gleichen Geschick. Nun vermögen proletarische Ohren die christliche Verkündigung wieder zu vernehmen.

Das ist eine Möglichkeit, mehr nicht. Weder weiß man, ob die Christen sprechen werden, noch ob die Arbeiter hören wollen. Es ist nur ein Hindernis weggefallen. Es hat sich ein Weg aufgetan, der lange versperrt war. Noch weiß niemand, ob sie ihn gehen werden, die Arbeiter und die Christen. Aber diese bloße Möglichkeit hat geschichtlichen Rang.

(April 1946)

Hans Werner Richter *Die Wandlung des Sozialismus – und die junge Generation*

Eine Generation steht heute vor der Aufgabe, Staat und Wirtschaft über kurz oder lang in einem Land zu übernehmen, dem die wirtschaftliche Existenzbasis genommen und dessen staatliches Leben zerschlagen wurde. Es ist eine Generation, die durch die Strapazen eines fast sechsjährigen Krieges gegangen ist ... Sie kehren zurück von den Schlachtfeldern und aus den Konzentrationslagern der Vergangenheit und sie kehren täglich zurück aus den Gefangenenlagern der Gegenwart. Sie stehen vor einer Aufgabe, die fast unlösbar erscheint ...

Wenn es heute in einer älteren Generation nun plötzlich Mode geworden ist, Sozialist zu sein, so vermag sie zugleich auch die Verwaschenheit der Vorstellung zu erkennen, von denen diese neuzeitlichen Modesozialisten bewegt sind. Überzeugt von der Notwendigkeit der Planung, der Sozialisierung, und der größeren Ordnung auf wirtschaftlichem Gebiet im nationalen und internationalen Bereich, ist sich diese heimkehrende junge Generation bewußt, daß der Sozialismus zu einer Lebensfrage für sie geworden ist. Sie weiß, daß es keine Neuordnung in Deutschland und in Europa ohne großzügige Sozialisierungsmaßnahmen und ohne wirtschaftliche Planung geben wird.

... Da aber die Grundrechte des Menschen, die der Sozialismus auf seine Fahne schrieb, durch dessen eigene Entwicklung gefährdet

60

erscheinen, erhebt sich die Kritik und beginnt jene Rebellion der Sozialisten, die mit der wirtschaftlichen Planung zugleich die Freiheiten des Menschen gewahrt sehen will.

Hier an diesem Wendepunkt der Ideen trifft sich das Wollen einer jungen, aus Krieg und Gefangenschaft heimkehrenden Generation mit der Wandlung des Sozialismus. Wo diese um die theoretische Synthese zwischen individueller Freiheit und wirtschaftlicher sozialistischer Gebundenheit ringt, sucht jene aus ihrer Erlebniswelt und aus ihrer Erkenntnis heraus den praktischen Weg, der aus dem unvermeidlichen bürokratischen Erstickungstod in der absolut geplanten Gesellschaft zu einer elastischen Ordnung führt, in der die sozialistische Planung sich mit der Freiheit des Menschen verbinden kann. Denn diese junge heimkehrende Generation hat nichts zu verlieren als ihre Freiheit und sie hat nichts anderes zu gewinnen als ihre Freiheit ...

Sie, diese Generation von Landsknechten des zwanzigsten Jahrhunderts, ist bereit sich einzuordnen, wenn ihr die Freiheit nicht erneut gestohlen wird. Sie mag rauh und unerträglich, sie mag hart und für eine ältere Generation nicht mehr begreiflich sein, aber sie besteht weder aus Spekulanten noch aus Börsenjobbern, weder aus gerissenen Geschäftsleuten noch aus Ausbeutern fremder Arbeitskräfte. Ihr Erlebnis waren die Massenorganisation, die Arbeitslager, der Krieg und die Front. Ihre geistige und seelische Struktur wurde aus diesem Erlebnis geformt. Mit ihr ist vielleicht aus den tiefgreifenden Umwälzungen dieser Jahre, aus den Irrungen und Wirrungen der Politik, die dennoch der große Schmelztiegel unserer Zeit war, der sozialistische Mensch geboren worden. Bevor dies die alten Theoretiker einer vergangenen Zeit begreifen, wird vielleicht die junge Revolution des Sozialismus die Brücke zu ihnen, den jungen Praktikern des Sozialismus, gefunden haben. Die Wandlung des Sozialismus – das ist der Weg zur jungen Generation – die Wandlung der jungen Generation – das ist der Weg zum Sozialismus.

(1. 11. 1946)

Eugen Kogon *Die deutsche Revolution* ✗

Die einzige Revolution der Deutschen seit den Bauernkriegen, der *Nationalsozialismus,* eine Revolution nicht des Geistes, sondern der Barbarei, nicht des sozialen Fortschritts, sondern der Organisation des Robotertums in einem nationaldrapierten Zuchthaus – mit geregelter Freizeitbelustigung im Gefängnishof, knapp vor dem kommandierten gemeinsamen Ausbruch in den Tod –, ist Wirklichkeit geworden. Das politische Aufbegehren des liberalen Bürgertums im vergangenen Jahrhundert war keine Revolution. Ab 1849 verschrieb es endgültig sein Leben, seine Aufmerksamkeit und seine Kräfte dem Kapitalismus und dem Nationalismus, die mit den alten Mächten schließlich zu einem nationalen Kollektiv verschmolzen, überwölbt von der »deutschen Bildung«, unterhöhlt von der latenten »sozialen Frage«. Daß 1918, in Weimar, nur eine militärische Niederlage auf schwache Formeln gezogen, der teilweise Zusammenbruch des früheren Machtgefüges nicht zum Anlaß einer wirklich umgestaltenden Volksbewegung genommen wurde, braucht nicht dargestellt und zum soundsovielten Male wiederholt zu werden. Auch das Proletariat in Deutschland war eben ein *deutsches Proletariat*, trotz allen Unterschieden, die es von den herrschenden Schichten des Adels und des Bürgertums trennte, war deutsch, trotz Marxismus und Internationalität, insofern es politisch ohne Kraft war. Die deutsche Republik entstand, aber nicht als Tat, sondern als blasse Folgeerscheinung; die Demokratie war da, aber nur als Friedensbedingung ...

Die Geschichte der gegen den Nationalsozialismus gerichteten Staatsstreichversuche – mehr war es nie, weil das Gewicht einer langen und tiefsitzenden deutschen Entwicklung beim Regime lag, nicht bei seinen Gegnern: *Revolten gegen eine Revolution* – kann wohl erst in Jahren geschrieben werden.

Stand hinter dem 20. Juli 1944, dem letzten, jedermann sichtbar gewordenen Versuch, den Ablauf des deutschen Schicksals zu mildern oder aufzuhalten, eine *revolutionäre Idee*? Nein. Stauffenberg, Yorck, Moltke, Delp und manche andere waren von Gerechtigkeit erfüllt, frei von falschem Ehrgeiz, in hohem Grade sozialdenkend. Verbindung mit dem Volk hatten sie nicht und konnten sie nicht haben; dieses Volk, das bei einer völlig unbehinderten Wahl vier Jahre vorher, nach dem Sieg über Frankreich, ohne Zweifel sich mit überwältigender Mehrheit aus freiem Entschluß hinter Hitler und sein Regime gestellt hätte, war auch 1944 unpolitisch genug, um einem erfolgreichen Staatsstreich gegenüber abwartend zu bleiben. Sie hätten es für Klugheit gehalten ...

Zum zweiten Mal ist nunmehr, wie mir neulich ein deutscher Dichter ahnungslos, ohne jede Ironie sagte, dem deutschen Volk nach seiner militärischen Niederlage von den Siegern die *Demokratie als Strafe* auferlegt worden. Möchten wir doch aus der Bürde ein Instrument der Freiheit machen! Es wäre die größte Revolution, die in Deutschland jemals stattgefunden hätte, eine Revolution nun endlich ohne Unterdrückung, eine Revolution ohne Blut, eine Revolution der Gerechtigkeit, eine politische und soziale Revolution von unabsehbaren Folgen des Guten, deine und meine Revolution, die wir tagtäglich vollziehen können, weil sie im Alltag, hier – dort – überall Gestalt annähme: auf der Straße, in den Schulen, in den Ämtern, an den Schaltern, in den Gemeinden, in Kreistagen, in Parlamenten, in den Gerichtssälen, den Fabriken und Wohnungen, in den Zeitungen, Zeitschriften und Büchern, rechts und links, oben und unten: die Revolution des freien, selbstbewußten Mannes, der freien, selbstbewußten Frau, die um ihr Recht und um ihre Bedeutung wissen, die ihre Gemeinschaftspflichten kennen, die ein Herz für den andern haben und das Argument gelten lassen, groß auch im Kleinsten sind, real, verständnisvoll, weltoffen, Menschen, Sozialisten, Europäer – also Deutsche.

Die *Revolution der Wiederbegegnung von Geist und Politik in Deutschland*: laßt den Traum nun Wirklichkeit werden!

(Juli 1946)

Hans Werner Richter   *Die östliche Grenzfrage*

... Dem Leid, das sich mit der Vertreibung von Millionen Menschen aus ihrer Heimat erheben mußte, gesellt sich zugleich eine Sorge zu, die das innerdeutsche politische Leben für die kommenden Jahrzehnte überschatten wird. Die Sorge nämlich, daß diese Grenzziehung niemals von der deutschen Bevölkerung hingenommen wird, ganz gleich, wohin und wozu man sie auch immer zu erziehen beabsichtigt. An dieser Grenzregelung wird und muß sich der nationale Revanchegedanke erneut entzünden. Die Last eines solchen politischen Zündstoffes werden ausschließlich jene Kräfte zu tragen haben, die eine Politik der Verständigung und des Friedens wünschen. Es ist deshalb in ihrem und ausschließlich in ihrem Interesse, wenn diese Grenzregelung eine gesunde Lösung erfährt, bevor es zu spät ist. Was heute versäumt wird, kann morgen die schwelende Gefahr einer erneuten Explosion nicht verhindern. Angesichts einer solchen Gefahr, angesichts des wachsenden Elends in Europa, das nicht zuletzt durch die Zerstörung des mitteleuropäischen Wirtschaftsraumes seinen latenten Charakter erhält, wirkt neben der politischen Regelung von heute die Entscheidung, die 1919 in dem so viel gelästerten Versailles getroffen wurde, wie von hoher politischer Weisheit getragen. Damals bemühte man sich noch, den historischen, ethnologischen und wirtschaftlichen Gegebenheiten Rechnung zu tragen. Pommern und Schlesien gehören bei der Berücksichtigung solcher Gegebenheiten immer zu Deutschland. Beide Provinzen sind seit 1157 von Polen unabhängig. Sie sind ausschließlich von Deutschen besiedelt und sie sind wirtschaftspolitisch das agrarische Hinterland des industriellen deutschen Westen. Die Provinzen Posen und Pommerellen gehörten dagegen bis 1772 den Polen. Sie sind vorwiegend von Polen besiedelt und gehören zum polnischen Wirtschaftsgebiet. Der Anspruch Deutschlands auf sie ist ebenso strittig wie der Anspruch Polens auf Pommern und Schlesien. Die immer wiederholte Aufteilung Polens – zuletzt 1939 zwischen Sowjetrußland und dem Dritten Reich –, die dem polnischen Volk niemals seine staatliche Souveränität beließ, kann heute nicht durch eine Aufteilung Deutschlands wettgemacht werden. Sie würde nur neues nationales Unglück für beide Völker zur Folge haben.

Das deutsche und das polnische Volk stehen am Scheidewege. Es ist nicht ein geschlagenes und ein siegreiches Volk, sondern es sind zwei geschlagene Völker, die sich hier gegenüber stehen. Beide könnten vielleicht eine Einigung finden, wenn man ihnen den Weg zum Verhandlungstisch freimachen würde. Deutschland müßte vielleicht Ostpreußen und Oberschlesien preisgeben, um Pommern und Schlesien, auf die es nie verzichten kann, wieder zu gewinnen. Polen würde sich um Oberschlesien, Posen, Pommerellen und Ostpreußen erweitern. Eine Erweiterung, die immer noch unnatürlich wäre und für Deutschland eine schwere Belastung bedeutet. Trotzdem, die Möglichkeiten einer Verhandlungsbasis sind gegeben. Aber beiden sind die Hände gebunden. Denn über dem deutsch-polnischen Problem der Gegenwart steht das Wort Winston Churchills »Von Stettin an der Ostsee bis Triest an der Adria ist ein eiserner Vorhang quer über den Kontinent niedergegangen«. Das »Ja« Stalins auf die Frage, ob er die Westgrenze Polens als endgültig betrachte, ist das »Nein« der östlichen Welt an die westliche. Dennoch bleibt es den progressiven Kräften Deutschlands vorbehalten, diese Forderung, die einem natürlichen nationalen Selbsterhaltungstrieb entspricht, immer wieder vorzutragen, wenn diese Kräfte vor der politischen Wirklichkeit der Zukunft Bestand haben wollen. (1. 12. 1946)

Redaktion des ›Ruf‹ (Alfred Andersch/Hans Werner Richter)
Eine Kardinalfrage – und eine Forderung

Wir wiederholen unsere Warnung. Wir sehen akute Gefahr in einer Bestimmung der Verfassungsvorschläge, die allen drei Ländern der amerikanischen Zone gemeinsam ist. Scheinbar eine reine Formalität, und als Bagatelle von den Verfassungsausschüssen behandelt, geht es in Wirklichkeit um eine Kardinalfrage, die über Wohl und Wehe zukünftigen deutschen politischen Lebens entscheiden kann. Es handelt sich um die Beibehaltung des Verhältniswahlrechts — jener verhängnisvollen Erbschaft der Weimarer Republik, gegen die »Der Ruf« bereits warnend seine Stimme erhob.

Jetzt hat die Heidelberger »Wandlung« die Initiative fortgeführt und eine Aktion gegen die Beibehaltung des Verhältniswahlrechts eingeleitet. Im Bewußtsein der Verantwortung, die für die politische Zukunft Deutschlands von der jungen Generation getragen wird, macht sich »Der Ruf« mit aller Entschiedenheit die Heidelberger Forderungen zu eigen.

Das Verhältniswahlrecht war eine der Ursachen für das Versagen der Weimarer Republik.

Das Verhältniswahlrecht wird auch weiterhin die Gesundung des politischen Lebens und die Regeneration des Parlamentarismus verhindern – die 10%- bzw. 5%-Klausel gegen die Bildung von Splitterparteien allein ist ungenügend. — Denn:

1. Das Verhältniswahlrecht unterbindet den direkten Kontakt zwischen den Wählern und ihren Abgeordneten – eine der unerläßlichen Voraussetzungen einer lebendigen Demokratie. Das Verhältniswahlrecht zwingt den Wähler, sich für eine Liste zu entscheiden statt für einen Kandidaten, für eine Partei statt für eine Person, für Ideologien und Schlagworte statt für den konkreten Mann seines Vertrauens.

2. Das Verhältniswahlrecht verhindert die Entstehung einer echten politischen Elite.

Es gestattet den Parteien, ihre Listen mit diensteifrigen und gehorsamen Partei-beamten zu füllen, statt in einzelnen profilierten politischen Persönlichkeiten vor die Wähler zu treten und so ihr Vertrauen zu erringen. An die Stelle einer durch-sichtigen Gliederung des politischen Lebens setzt das Verhältniswahlrecht die Herr-schaft einer anonymen Parteibürokratie oder die Diktatur ehrgeiziger Partei-»Führer«.

3. Das Verhältniswahlrecht mechanisiert die Demokratie. Es hüllt die politische Wirk-lichkeit in den Nebel der Anonymität und unterwirft sie dem Flackern der Schlag-worte. So bereitet das Verhältniswahlrecht den Boden für jene Enttäuschungen, aus denen die »Sehnsucht nach dem starken Mann« entspringt — die mächtigste Trieb-kraft politischen Abenteurertums.

Die Gefahren sind tödlich. –

Wir ersuchen die Staatsregierungen, zu veranlassen, daß die Frage des Wahlverfah-rens aus den Verfassungen ausgeschieden und darüber von den Wählern in gesonder-ter Abstimmung entschieden wird. (1. 12. 1946)

Alfred Andersch *Die freie deutsche Republik als Brücke*

Der deutsche Nationalismus – zweifellos gehört er zu den Gefah-ren der Zukunft – nährt sich aus dem anscheinenden Unvermögen der Mächte, eine Friedensregelung für Deutschland zu finden. Die Langsamkeit der Verhandlungen hat ja nicht nur für den Deut-schen etwas Groteskes. Was ihm die Einsicht in das Verfahren jedoch so besonders widerwärtig macht, ist die Argumentation, mit der es begleitet wird. Sie läuft auf den Vorwurf hinaus, die Deut-schen hätten ein Interesse daran, die Verständigung zwischen den Mächten zu erschweren, um aus den sich ergebenden Gegensätzen Vorteile für sich selbst zu erringen. Dieser Vorwurf muß einmal mit aller Deutlichkeit als das bezeichnet werden, was er ist: als eine Un-gerechtigkeit großen Stils. Nirgends ist der Wunsch nach Ausgleich zwischen West und Ost nämlich stärker beheimatet als in Deutsch-land. Nirgends weiß man besser als in diesem Lande, daß eine ge-deihliche Zukunft gerade auch für Deutschland nur gefunden wer-den kann, wenn Westen und Osten zu einer gemeinsamen Lösung der deutschen Frage sich aufraffen. Ein derartiger Vorwurf erscheint also dem deutschen Volk als eine künstliche Verschleierung der wirklichen Ursachen, die zu den Differenzen zwischen den früheren Kriegspart-nern geführt haben. Mehr noch: man glaubt hierzulande, in der Lage zu sein, aus eigener Kraft eine deutsche Zukunft gestalten zu können, die sowohl den Forderungen des Westens und des Ostens gerecht wird: man ist sich bewußt, daß man die Synthese wird finden kön-nen, die der Welt not tut; man weiß, daß Deutschland das Verbin-dungsstück ergeben muß zwischen zwei Welten, die sonst unheilbar auseinanderklaffen würden – aber man sieht sich durch die vollstän-dige politische Ohnmacht, in der man gehalten wird, an jeder Aktion in dieser Richtung gehindert. Das deutsche Freiheitsstreben hat in

dieser Hinsicht ein sehr konkretes und dem Frieden der Welt dien-
liches Ziel. Übrigens erweist sich an der Einstellung zu dem Gegensatz zwischen West und Ost sehr deutlich der Unterschied zwischen
einem deutschen Freiheitskämpfer und einem deutschen Nationali-
sten: während der eine die freie deutsche Republik als Brücke zwischen den divergierenden Kräften erstrebt, ist der andere heute – je
nach Zonenzugehörigkeit – entweder hemmungsloser Churchill-An-
hänger oder Träger aller »rechten Abweichungen« innerhalb der
SED.

Der Gegensatz zwischen den Siegerstaaten spiegelt im übrigen nur
die Gegensätze, die innerhalb der Siegerstaaaten herrschen. Indem
man sich immer wieder an diese Gegensätze erinnert, sich ihrer bewußt wird, fertigt man den innerdeutschen Nationalismus ab und
schafft gleichzeitig Raum für eine erfolgreiche deutsche Außenpolitik . . .

Eine so fundierte Opposition gehört zu den unabdingbaren Notwendigkeiten demokratischer Formung in Deutschland. Sie befindet
sich in einem aussichtslos erscheinenden Kampf an zwei, nein, an drei
Fronten: gegen das dumpf nationalistische, aus der Not geborene
Ressentiment der Massen, gegen die offen antideutschen Strömungen
des Auslandes, gegen die verzweifelten Nihilisten unter den deutschen demokratischen Kräften, die nur noch den Ausweg der Macht
sehen. Aber so schwer auch ihre Aufgabe ist: sie ist im Besitz der einzigen Konzeption, die in die Zukunft weist.

(1. 12. 1946)

Hans Werner Richter   *Die versäumte Evolution*

Fast zwei Jahre nach diesen gewaltigen Erschütterungen unseres
Lebens, geschieht das Wunder unserer Zeit. Kabinette und Kabinett-
chen entstehen, Regierung und Regierende werden geboren, Staats-
maschinen werden gleichsam in Modellform in Betrieb gesetzt. Fast
scheint es so, als erlebe das liberale Bürgertum, das 1848 so kläglich
versagte, eine verspätete Renaissance. . . .

Das ist das Wunder unserer Zeit. Es hat sich vieles verändert. Nur
auf dem Gebiet der Politik scheint bei uns die Zeit stillzustehen. Die
Kriege sind in der preußisch-deutschen Geschichte gekommen und gegangen. Sie führten zu Siegen und zu Niederlagen. Sie brachten
keine Fortschritte, es sei denn die beschleunigte Entwicklung der
Technik. Ihnen wurden Hekatomben von Menschen geopfert. Die
Revolutionen aber zeigten sich nur aufleuchtend am politischen Fir-
mament der deutschen Geschichte. Sie führten weder zu Siegen noch
zu Niederlagen. Sie erloschen ruhmlos und ohne Erfolg. Wohl waren sie eine bittere Notwendigkeit für die politische Entwicklung

unseres Volkes. Aber wir fürchteten sie und ließen statt ihrer die Kriege zu. Dem Moloch Krieg opferten wir Millionen von Menschen, der Revolution nahmen wir die Fensterscheibe übel, die auf ihrem Wege zerschlagen wurde. ...

Wir waren keine Phantasten, als dieser Krieg zu Ende ging. Wir haben keine Revolutionen erwartet, weder von dem Bürgertum, das 1848 versagte, noch von dem Proletariat, das 1918 frühzeitig aufgab und 1933 seine größte Niederlage erlebte. Wir glaubten nur, daß es in Deutschland, infolge der fast schon überdimensionalen Erschütterungen durch den Krieg, gelingen müßte, auf legalem und vielleicht konstruktivem Wege sich der großen Evolution unserer Zeit anzupassen. Erschüttert stehen wir nun vor dem Ergebnis. Auch diese Evolution scheint versäumt zu sein. ...

Der revolutionäre Gedanke scheint in Deutschland endgültig verstorben zu sein. Der Evolution der Sachen steht kein Äquivalent der handelnden Menschen gegenüber. ...   (15. 1. 1947)

Alfred Döblin   *Illusionen*

Besonders hier im Lande sind in den letzten 12 Jahren die Leute völlig von den Realitäten festgehalten und mit Wahnideen gefüttert worden, und dabei sind sie nicht geneigt, sich um diese zu kümmern, sondern glauben, es genügt, die Realität der eigenen Wünsche und Ansprüche, ihre Forderungen mit Gesang und Musik und eventuell mit Drauflosschlagen vorzutragen. Aber man hat gesehen, was dabei herauskommt und daß die Realität sich dagegen spröde verhält. Und nachdem man so lang in den Wolken herumspaziert ist, wird man jetzt genötigt, ja gezwungen sich herab zu bemühen.

Die Wahrheit, die man sehen muß. Aber da lese ich, wieder einmal abgedruckt, ein Gedicht eines überschätzten Schriftstellers namens Bergengrün, der sich mit den 12 Jahren befaßt. Er gibt da ein pathisches Gerede zum Besten. Der Titel ist: »An die Völker der Erde«. Da hören Sie Verse wie folgende: *Völker, ihr zählt was an Frevel in diesem Jahrzwölft geschehen, Was gelitten wurde hat keiner von Euch gesehen, Keiner die Taufe, darin wird getauft, die Buße zu der wir erwählt.*

Eine andere Stelle wird noch deutlicher:
Völker, wir litten für Euch und Euer Verschulden mit, Litten, behaust auf Europas uralter Schicksalsbühne, Litten stellvertretend für alle ein Leiden der Sühne. Völker der Welt, der Abfall war allgemein.

Ich frage, kann man noch falscher, noch empörender, noch mehr herausfordernd sprechen? Das Gedicht endet:

Völker der Erde, der Ruf des Gerichts gilt uns allen.
Alle verklagt das gemeinsam Verratene, das gemeinsam Entweihte. Das gemeinsam Verratene, das gemeinsam Entweihte, behauptet dieser Mann. Tatsächlich haben sich die Länder um Deutschland in jenen 12 Jahren völlig friedlich und geradezu erschreckend ahnungslos verhalten.

Frankreich machte das als einen großen sozialen Reformversuch, und jeder erinnert sich an die schon phantastisch kindliche rührende Reise des englischen Ministerpräsidenten Chamberlain, jenes mit dem Regenschirm, der um des Friedens willen sich geradezu demütigte und nach Godesberg fuhr. Und dann weiß jeder, wie man sich nach München begab und dem Diktator Konzessionen machte, nur damit er nicht losschlug. Und da spricht dieser Versemacher: alle verklagt das gemeinsam Verratene, gemeinsam Entweihte. War Dachau, Auschwitz und Buchenwald von allen gemacht, erbaut und geleitet, von Engländern, Franzosen, Amerikanern, und nicht vielmehr allein in jener schrecklichen Welt von den Nazis? Wie darf sich ein pathetisch unwahres freches Pathos so an der Öffentlichkeit breitmachen, entgegen allem Sinn der Forderung nach Erziehung? Aber das ist es, das ist eine deutsche Stimme und von allen Seiten erfährt man: Wie verhärtet sich im Lande der Geist, wie ist man versteckt. Das Faule in sich, das Schlechte der Vergangenheit sollte man aber nicht entschuldigen. Man soll verfahren wie es in der Schrift heißt: Wenn Dich ein Glied ärgert, reiße es ab.

Keine Schönfärberei, keine Entschuldigung, die Wahrheit sage ich und wiederhole ich, nur die Wahrheit hilft weiter und hilft aus dem Sumpf. Der große Umbruch, nachdem sich ein schlechter früher vollzogen hat, muß sich vollziehen.   (20. 4. 1947)

Johannes R. Becher   *Bitte um Zulassung eines deutschen PEN*

(Johannes R. Becher und Erich Kästner nahmen als Gäste an der Tagung des Internationalen PEN-Club im Herbst 1947 in Zürich teil; Becher hielt die folgende Rede, Kästner überbrachte die untenstehende Resolution des bayerischen Schriftstellerverbandes.)

Es ist bedauerlich, daß vor der Eröffnung der Diskussion über die Zulassung eines deutschen PEN-Clubs nicht einem in Deutschland lebenden Schriftsteller die Gelegenheit geboten war, über die Lage in Deutschland zu berichten. Denn nur solch ein realistischer Bericht hätte die Grundlage abgeben können für die Entscheidung der Frage, ob es schon an der Zeit sei, einen deutschen PEN-Club zuzulassen oder nicht. Es führt zu nichts, wenn man über die deutschen Verhältnisse urteilt, ohne sie zu kennen und wenn man sich bei solch einer Beurteilung Affekten und Ressentiments hingibt. Wir Deutsche dürfen wohl heute, zwei Jahre nach Beendigung der Kriegshandlungen, verlangen, daß man uns sachlich und nüchtern beurteilt und daß man uns gegenüber Objektivität, Gerechtigkeit und Vernunft walten läßt. Herr Vercors hat hier aufs eindringlichste geschildert, welche Untaten die Nazis in den von ihnen okkupierten Ländern begangen haben und hat in erschütternder Weise der Millionen Opfer gedacht, die dem Hitlerkrieg zum Opfer gefallen sind. Das, was Herr Vercors sagte, ist die Wahrheit. Und dieser furchtbaren Wahrheit haben wir Deutsche, die gegen Hitler standen, uns nie verschlossen. Wir haben die Untaten Hitlers in Wort und Schrift gebrandmarkt und haben nicht zuletzt auch durch unser Verhalten und unsere Handlungen der Hitlerherrschaft Widerstand geleistet. Was Herr Vercors sagte, ist die Wahrheit, aber es ist nicht die ganze Wahrheit. Die ganze Wahrheit ist, daß auch Hunderttausende Deutsche dem Hitlerterror zum Opfer gefallen sind, und die Welt muß endlich zur Kenntnis nehmen, daß es auch in Deutschland eine Resistance gab.

Die Namen, die Thomas Mann genannt hat, wären um ein Mehrfaches zu ergänzen, aber ich will Abstand nehmen, hier Namen aufzuzählen und Ihnen nur die Versicherung abgeben, daß ein deutscher PEN-Club heute in Deutschland zu bilden wäre, der voll und ganz den Richtlinien des PEN-Clubs entspricht und der nur Schriftsteller aufnimmt, die bewährt sind. Offen gesagt: Es hat mich tief schmerzlich berührt, daß man die Gründung eines deutschen PEN-Clubs von einer Garantiekommission abhängig machen will. Ich finde diesen Vorschlag ebenso unsinnig wie unmenschlich. Diejenigen, die in Deutschland geblieben und in diesen zwölf Jahren anständige Menschen geblieben sind, haben jede nur irgendwie denkbare menschliche Prüfung bestanden, und mir scheint, daß diejenigen, die eine solche Garantiekommission verlangen, sich nicht im klaren darüber sind, welch furchtbarer Art diese Prüfungen waren, die diese Menschen zwölf Jahre lang unter der Naziherrschaft in Deutschland erlitten haben. Ich spreche hier zu Schriftstellern, und so darf ich wohl an Ihr Einfühlungsvermögen und Ihre Phantasie appellieren, wenn ich Sie bitte, sich vorzustellen, was es bedeutet, zwölf unendliche Jahre lang Tag und Nacht der ständigen Gefahr ausgesetzt zu sein, durch eine unbedachte Bemerkung, durch irgendeine Denunziation verhaftet und in das Konzentrationslager gebracht und ohne jede Art von Verteidigungsmöglichkeit dem Fallbeil oder dem Strang überliefert zu werden. Es ist etwas anderes, mit der Waffe in der Hand gegen Hitler zu kämpfen, als dem Terror in Deutschland Widerstand geleistet zu haben, der ja nicht nur mit massiven Mitteln, sondern auch mit den raffiniertesten Propagandamethoden der Düpierung und der Verführung arbeitete. Wie gesagt, es erscheint mir ebenso unsinnig wie unmenschlich, solche Menschen unter Kontrolle zu stellen. Sie haben das Recht auf unser vollstes Vertrauen, man muß ihnen ohne Einschränkung die Vollmacht erteilen, in Deutschland wieder den PEN-Club ins Leben zu rufen.

Ich hatte nicht die Absicht, hier zu sprechen, und wollte mich mit der Rolle des Beobachters, die mir zugewiesen war, bescheiden. Aber die Rede Vercors hat mich nicht schweigen lassen, um nicht mitschuldig zu werden an einer ungerechten Behandlung der in Deutschland verbliebenen Schriftsteller, und so hielt ich mich für verpflichtet, der ich zwölf Jahre in der Emigration war und seit zwei Jahren wieder in Deutschland lebe, Zeugnis abzulegen von dem heldenmütigen Märtyrertum derer, die innerhalb Deutschlands dem Übel widerstanden haben. Lassen Sie mich diese kurzen Ausführungen, auf die ich mich nicht vorbereitet habe, schließen mit einem Wort des größten Schweizer Dichters, denn das Wort Gottfried Kellers über Deutschland hat auch heute noch seine Gültigkeit:

»Denn ich erkannte, ja, du bist ein Grab,
jedoch ein Grab voll Auferstehungsdrang.«

Resolution des bayerischen Schriftstellerverbandes

Diejenigen unter den deutschen Schriftstellern, die sich freigehalten haben von den Verführungen der autoritären Herrschaftssysteme und ihrer Unmenschlichkeit ... beklagen aufs tiefste die zwei Jahre nach Beendigung der Kriegshandlungen noch immer unlösbar scheinenden Schwierigkeiten, die einem wirklichen Frieden entgegenstehen. Sie sehen in einer möglichst freien Kommunikation der gutwilligen Menschen aller Nationen ein besseres Mittel, erträgliche Lebensumstände herbeizuführen, als im unkontrollierten Wirken einer immer formalistischer werdenden Bürokratie, die ...

das Leben zu ersticken droht und nun, nach der Vernichtung Hitlers, mehr und mehr seinem Ungeist verfällt. . . . Von der Einsicht der deutschen Schriftsteller erwarten sie Verständnis für die hohe Aufgabe, die ihnen auch heute noch im Kampf gegen jede überlebende Gesinnung der Rechtlosigkeit und Unmenschlichkeit erwächst. Von der Einsicht der Schriftsteller in den anderen Ländern erhoffen sie, daß sie in ihren . . . Völkern die Erkenntnis verbreiten, wie allein der Gefährdete zu retten ist: nämlich durch einen allgemeinen, nicht in Worten, sondern aus Taten bestehenden Akt der Humanität, der den ersten Schritt zum angestrebten Ziel, zur Aufrichtung einer besseren Welt darstellen würde.

Ricarda Huch *Nationalgefühl?*

(Begrüßungsansprache zum ersten – und letzten – gesamtdeutschen Schriftstellerkongreß im Oktober 1947 in Berlin.)

Es ist mir ein Bedürfnis, meine Freude darüber auszusprechen, daß Schriftsteller sich aus allen Zonen zahlreich eingefunden haben. Das gibt das Gefühl, in Deutschland zu sein, nicht nur in einem Teil, sondern im ganzen, einigen Deutschland. Die Dichter und Schriftsteller haben eine besondere Beziehung zur Einheit, nämlich durch die Sprache. Die Sprache scheidet ein Volk von anderen Völkern, aber sie hält auch ein Volk zusammen. Die Schriftsteller sind die Verwalter der Sprache, sie bewahren und erneuern die Sprache. Sie bewegen durch ihre Sprache die Herzen und lenken die Gedanken. Durch die Sprache sind sie auch Verwalter des Geistes; denn »*die Sprache ist ja die Scheide, in der das Messer des Geistes steckt.*« In der Zeit als Italien von vielen fremden Fürsten regiert war, errichteten die Italiener in allen Städten ihrem größten Dichter *Dante* Denkmäler: es war das Symbol ihrer Einheit, die politisch nicht bestand. Wir Deutschen hätten es nicht so leicht: die beiden größten Meister unserer Sprache, *Luther* und *Goethe*, werden nicht von allen Deutschen gleicherweise gekannt und geliebt. Aber wir wollen jetzt absehen, von den großen Dichtern der Vergangenheit – jede Zeit hat ihre besonderen Probleme, Gefahren und Nöte, und die lebenden Schriftsteller müssen die Probleme erfassen und diesen Gefahren begegnen.

Kaum je in unserer Geschichte ist die Aufgabe der geistigen Führung so schwer gewesen, wie jetzt. Es hat wohl auch früher scharfe Konflikte gegeben – im Zeitalter der Glaubensspaltung, zur Zeit des Dreißigjährigen Krieges und in der letzten vergangenen Zeit; aber am schwersten ist es doch in einer Zeit, in der fast alles fragwürdig geworden ist, und wo alle Bemühungen auf Hoffnungslosigkeit, Verbitterung, die Gleichgültigkeit der Entkräftung stoßen. In welchem Sinn nun die Aufgabe durchgeführt wird, das muß der Überzeugung und dem Gewissen eines Jeden überlassen bleiben; man kann nur wünschen. Wenn ich Wünsche äußern darf, so bezieht sich einer auf das Nationalgefühl, von dem in letzter Zeit oft gesprochen und geschrieben wurde.

Man hat den Deutschen ein zu starkes Nationalgefühl vorgeworfen; ich möchte eher sagen, wir hätten ein zu schwaches oder besser ein teils zu schwaches, teils zu starkes. Das hängt, wie ich glaube, mit dem historischen Erbe zusammen, das uns zuteil geworden ist. In den Anfängen unserer Geschichte übernahmen die Deutschen vereint mit den Italienern den römischen Weltreichgedanken und waren demzufolge universal und partikularistisch eingestellt; Universalismus und Partikularismus pflegen zusammenzugehen. Das Einheitsgefühl war schwach, die deutschen Kaiser mußten sich jeweils ihr Reich erst erobern, und keiner hat es ganz in seine Hand bekommen. Allmählich bildeten sich die anderen Nationen, zum Teil an Deutschland angrenzend, zu Einheitsstaaten mit starkem Nationalgefühl. In den Beziehungen zu diesen bekam der deutsche Universalismus einen anderen Charakter – er wurde zur Schwäche, beinahe zur Charakterlosigkeit. Man weiß, daß lange Zeit nur die unteren Volksklassen deutsch sprachen, die höheren Schichten sprachen französisch. Ein preußischer König sagte von sich selbst, er spreche deutsch wie ein Kutscher. Noch Napoleon verhöhnte die Deutschen, sie seien leicht in die Netze gegangen, die er ihnen gestellt habe, befehdeten sich untereinander und merkten den äußeren Feind nicht. Als dann endlich, von Preußen unterbaut, ein deutscher Einheitsstaat mit entsprechendem Nationalgefühl entstand, waren die Deutschen voll Glück und Stolz, daß sie nun auch das besaßen, was die anderen schon lange hatten, und äußerten ihren Stolz wohl etwas prahlerisch. Das Ausland, das sich durch diese Veränderung einer neuen Kombination gegenübergestellt sah, empfand das Neue als störend und beinahe unberechtigt, und es gab auch Deutsche, die dem so stark betonten Nationalgefühl gegenüber zurückhaltend waren, zum Teil, weil sie es nicht mitempfanden, zum Teil, weil sie den lauten Patriotismus geschmacklos fanden. Es blieb etwas Unorganisches; auf der einen Seite die Neigung, fremde Nationen schwärmerisch zu bewundern und die eigene herabzusetzen und zu bemäkeln, auf der anderen im Gegensatz dazu ein heftig hervorbrechendes, herausforderndes Nationalgefühl. Hier wäre eine Besserung wünschenswert. Allerdings ist es außerordentlich schwer, etwas zu lehren oder beizubringen, was naiv sein soll, was eigentlich seine Berechtigung daraus zieht, daß es natürlich und selbstverständlich ist. In der Bibel ist uns gesagt: *liebe deinen Nächsten wie dich selbst*. Es gilt auch von den Nationen; daß jede sich selbst liebt, ist selbstverständliche Voraussetzung. Über die Selbstliebe sollte sich dann die Liebe zu den anderen entfalten. Die Schriftsteller müßten wohl, um ihrer Aufgabe zu genügen, ihre Lehren weniger vorschreiben als vorleben, indem sie Weltbürger werden, aber zugleich und in erster Linie Deutsche.

Axel Eggebrecht *Kritik und Verbindlichkeit*

(Schlußrede auf dem Schriftstellerkongreß 1947)

... Ich weigere mich entschieden zuzugeben, daß es irgendwann auf irgendeine Art schädlich sein kann, eine durchdachte Wahrheit öffentlich darzulegen und zu begründen. Sollte sie sich als Irrtum herausstellen, so dient diese Klärung endlich doch wieder nur der Wahrheit, die zuletzt eins und unteilbar ist. Deshalb kommt sie aber nicht chemisch rein auf die Welt, als Homunkulus sozusagen. Sie muß erkämpft werden, geistig erkämpft; und sie entwickelt sich, sie wächst organisch heran.

Freilich, den Namen Wahrheit darf sie nur beanspruchen, wenn sie nicht gegen das Leben selbst gerichtet ist. Wenn sie also nicht der Hemmung, der Behinderung, der Reaktion dienen soll. Im selben Augenblick, wo sie das tut, gibt es einen Ruck, einen kurzschlußartigen Schlag, den jedermann spürt; ganz besonders aber jeder Schriftsteller, wie ich glaube. Ich fürchte, diesen Ruck mußten wir manchmal hier im Saale spüren. Und zwar, wie ich mit Nachdruck hinzusetze, auf beiden Seiten der verfluchten geheimen Front, welche sich insgeheim hie und da wieder zwischen uns aufrichtete.

Die Frage der Gewalt ist ohne Zweifel eine von denen, die wir anders beantworten als ihr. Einig sind wir, glaube ich im Ziel, das nur Aufhebung aller Gewalt heißen kann; und vielleicht niemals ganz erreicht werden kann. Aber darf deshalb der Geist die Macht grundsätzlich billigen? Sicherlich gibt es eine Wirkung der Gewalt auf die Literatur; das ist eine Frage der Politik. Keinesfalls darf es sie innerhalb der Literatur geben und unter Schriftstellern selber. Das aber ist hier in einigen Fällen geschehen; und es haben sich, kaum dreißig Monate nach dem Kriegsende, Verteidiger der Gewalt gefunden, deren vollkommen schlüssige dialektische Darlegungen überall in der Welt gelten, nur nicht in einem Saale, in welchem Schriftsteller debattieren.

Unser Freund Wolfgang Harich hat auseinandergesetzt, daß die Anwendung von Gewalt unter Umständen gerechtfertigt, ja notwendig sei. Dagegen ist weder von der Logik, noch von der Ethik her etwas einzuwenden, so lange der Beweis in sich allein geschlossen dasteht, ohne Bezug auf die ganze Realität. Denken wir aber an die Wirklichkeit des Atomzeitalters, dann wird dieser Beweis für die Gewalt mit einem Male unverbindlich. Denn kann die Gewalt, wenn sie das Leben völlig auszulöschen imstande ist, noch irgend eine Rechtfertigung im Sinne des Lebens haben? Aber lassen wir die Theorie von der Gewalt. Denken wir an die erlebte Erfahrung. Hat Harich vergessen, daß eine der großen historischen Entscheidungen unserer Tage wesentlich durch aktive Enthaltung von der Gewalt erreicht wurde: die Befreiung Indiens nämlich?

Wunderts euch, daß sich nun eine Gegenpartei formierte, welche mit genau derselben Ungerechtigkeit und Unduldsamkeit die wunderbar echten, inhaltschweren Worte Johannes R. Bechers als schöne Fassade abtat?

Wir Schriftsteller sollten, wenigstens untereinander, dem Wort wieder mehr Glauben schenken. Wozu eigentlich schreiben, wenn wir nicht einmal das mehr vermögen? Hier liegt eine Wurzel unseres Unheils.

... Aber es gab den Augenblick, als Johannes R. Becher in seiner großen Rede den Irrtum als eine besonders menschliche Möglichkeit ausdrücklich anerkannte und mit besonderer herzbewegender Betonung das uralte ›errare humanum est‹ leise in den totenstillen Saal voller Ergriffener hinein sprach. Da endlich waren wir alle von jeglichem ›Totalitarismus‹, oder wie scheußlich immer man diese schlimme Sache nennen mag, weltenweit entfernt und einem wahren, tätigen Humanismus ganz nahe.

Errare humanum est: vielleicht ist dies die Erkenntnis und das Resultat unserer Tagung. Es wäre gar kein so ganz schlechtes Ergebnis. Vielleicht irre ich mich, wenn ich als Schriftsteller euch nun zum Schluß beschwöre, die Tat des einzelnen Schriftstellers nicht ganz so gering abzutun, wie das hier vielfach geschah. War denn nicht Zolas J'accuse, war nicht Dimitroffs Haltung in Leipzig, war nicht jede geistige Entscheidung von jeher zunächst (oder meinetwegen auch: zuletzt) Tat des Einzelnen? Vielleicht irre ich mich auch, wenn ich gerade den, der sich nicht stramm einordnet, für einen besonders wertvollen und treuen Mitkämpfer halte; vorausgesetzt natürlich, daß er überhaupt ein Kämpfer ist. Ja, und vielleicht (viele von euch werden jetzt denken: ganz sicher!) irre ich mich, wenn ich Intoleranz, Unduldsamkeit für eine ebenso schwere Grundsünde gegen den Geist halte, wie die Unverbindlichkeit, über deren verderbliche Rolle wir alle übereinstimmen. Errare humanum est. Vielleicht also, ich wiederhole es, irre ich mich. Vielleicht irren andere von uns. Ganz gleich, auch wenn sie irren, bleiben sie meine Kampfgenossen in der kommenden Zeit, die uns noch unendlich schwierige Kämpfe bringen wird. Sie zu bestehen, braucht es die lebendige, gewachsene – und nicht nur eine geordnete oder gar angeordnete Einheit aller deutschen Schriftsteller.

Entschließen wir uns dazu. Nicht in Beschlüssen, sondern in einem Entschluß, der für alle gilt und von jedem allein gefaßt und befolgt werden muß.

Drei Manifeste des Ersten Deutschen Schriftstellerkongresses, 1947

»Zum erstenmal seit der Überwindung der Barbarei in Deutschland haben sich in Berlin Schriftsteller aus allen Teilen des Landes in Freiheit versammelt. Es sind Schriftsteller, die, sei es in der Heimat, sei es in der Emigration, die Würde der deutschen Literatur gewahrt haben. Sie haben über viele grundsätzliche Probleme beraten, die als Fragen der deutschen Sprache und der deutschen Kultur Angelegenheiten des ganzen Volkes sind. Sie haben sie besprochen im Bewußtsein, die deutsche humanistische Tradition zu verwalten und fortzuführen. Sie sehen in unserer Sprache und unserer Kultur die Gewähr für die unveräußerliche Einheit unseres Volkes und Landes und das Bindeglied über alle Zonengrenzen und Parteiungen hinweg.

Als Wortführer der freiheitsliebenden und friedensliebenden Deutschen erkennen wir Schriftsteller aller Zonen die Verpflichtung an, das moralische Bewußtsein der Verantwortlichkeit für die Schäden und Leiden wachzuhalten, die das Hitlerregime den Völkern der Welt zugefügt hat. Wir hoffen, daß diese aufrichtige Bekundung helfen wird, unser Volk aus seiner politischen und geistigen Isolierung hinauszuführen. Diese Hoffnung wird bestärkt durch die Tatsache, daß zum erstenmal zu diesem Kongreß nicht nur deutsche Schriftsteller aus dem Ausland, sondern auch ausländische Schriftsteller zu uns gekommen sind.

Inmitten des Trümmerfeldes von Berlin erkennen wir deutschen Schriftsteller, daß unser Volk nur in einem dauerhaften und aufrichtigen Frieden mit den anderen Völkern der Erde gesunden kann. Wir wissen, daß ein neuer Krieg den völligen Untergang unseres Landes nach sich ziehen würde. Wir deutschen Schriftsteller geloben, mit unserem Wort und unserer Person für den Frieden zu wirken – für den Frieden in unserem Lande und für den Frieden der Welt.«

»Der Einbruch der Barbarei in die Bezirke des geistigen Lebens hat Deutschland in eine Zerstörung hineingeführt, die ohnegleichen ist in unserer Geschichte. Es bedarf der äußersten Anstrengung, der heiligsten Verpflichtung gegenüber dem Worte, der unerbittlichen Suche nach Wahrheit, des ständigen Bewußtseins unserer Verantwortlichkeit und der erzieherischen Aufgabe, die alles Geschriebene in sich birgt. Es bedarf unserer hingebungsvollen Arbeit und unseres wachen Gewissens, um, soweit es an uns Schreibenden liegt, der Kulturzerstörung Herr zu werden. Aber schon zeigt sich eine neue, würgende Gefahr der Zertrümmerung und Atomisierung dessen, was eine Grundlage unseres Schaffens sein kann. Wir sehen Kräfte am Werk, die den Begriff ›Deutschland‹ aus der Geographie und Geschichte auslöschen wollen, und es wäre leichtsinnig bis zur Vermessenheit, wenn wir diese Gefahr in den Wind schlagen wollten. Sie besteht in der Tat. Schon bemerken wir nicht allein ein politisches und wirtschaftliches Auseinandergehen der Besatzungszonen, auch auf den Gebieten des Denkens und der Weltbetrachtung ist es, als treiben Sprengkraft oder Fliehkraft die Menschen dieser Zonen auseinander. Ja, es mehren sich in manchen Bezirken die Stimmen, die ein Auseinanderfallen, eine Aufspaltung Deutschlands für unabwendbar annehmen und sich mit ihr abfinden wollen. Es ist hier nicht der Ort, die Dinge vom politischen oder wirtschaftlichen Gesichtspunkt aus zu betrachten. Eingedenk des Unheils, das das nazistische Regime über die Welt gebracht hat, ist es unser Wunsch, unseren Beitrag zu einer Aussöhnung zwischen Ost und West zu leisten. Dies aber wissen wir, daß wir in völlige Kulturlosigkeit versinken müßten, gäbe es nicht mehr das Bewußtsein des einen lebenden Deutschlands. Aus diesem Bewußtsein ist die große deutsche Klassik gewachsen, es war die Treibkraft unseres Lebens seit zwei Jahrhunderten, und es kann nimmermehr ersetzt werden durch ein Zonenbewußtsein. Wenn wir uns zu Deutschland als zu unserer unvergänglichen Heimat bekennen, so sprechen wir nicht im Sinne eines erneuerten, engen Nationalismus. Wir sind Bürger dieser Welt und verdammen die Überheblichkeit, mit der die Schlechten unserer Nation das Deutsche als etwas Höheres zu bezeichnen wagten. Nein, unser Bekenntnis zu Deutschland geschieht im Geiste jenes großen Mannes, der am 13. Dezember 1797, also vor 150 Jahren, das Licht der Welt erblickte. Dieser große Deutsche, Heinrich Heine, hat ausgesprochen, was unser Empfinden und unsere Hoffnung ist, als er sagte: ›Deutschland hat ewigen Bestand, es ist ein kerngesundes Land, mit seinen Eichen und Linden werde ich es immer wiederfinden.‹ Ja, wir glauben an die unvergängliche Gemeinschaft derer, die die deutsche Sprache sprechen, derer, die durch die Landschaft Walthers von der Vogelweide und Wolframs von Eschenbach, Goethes und Hölderlins angeregt und geformt worden sind. ›Deutschland hat ewigen Bestand‹, aber nur, wenn wir uns nicht selbst aufgeben. Die Erfahrung hat gezeigt, daß Kultur und Menschenwürde sich nur in einem demokratischen Regime, das die Freiheit der Persönlichkeit garantiert, entfalten kann. Und darum geloben wir, daß Deutschland unser

Gewissen sein soll. Wir werden tun, was uns irgend möglich ist, um das Bewußtsein dieses ewigen Bestandes zu stärken und zu erhalten. Wir werden in unseren Werken und unserem Wirken dafür eintreten. Insbesondere soll es unser Bestreben sein, durch enge Verbundenheit zwischen den Geistesschaffenden aller Gegenden Deutschlands die Gefahr des Auseinanderlebens zu bannen. Jeder praktische Weg, der dazu eingeschlagen werden kann, sei es der des Austausches von Schriften, des Studienaufenthalts in anderen Zonen oder was sonst immer, wird von uns begrüßt werden. Unser Streben soll es sein, als Arbeitende unter Arbeitenden am erneuerten, wahren und freiheitlichen Deutschland zu bauen.«

»Die auf unserem ersten Kongreß versammelten deutschen Schriftsteller halten es für ihre Pflicht, vor aller Welt einmütig zu bekunden, daß der Antisemitismus eine der furchtbarsten Schandlehren des nazistischen Deutschlands war.

Wir deutschen Schriftsteller werden darüber wachen, daß sich in keiner, sei es auch noch so versteckter Form eine antisemitische Tendenz wieder in die deutsche Literatur hineinwagt.

Wir deutschen Schriftsteller werden mit allen Mitteln dafür wirken, unser Volk von der Pest des Antisemitismus zu befreien und die Zeit eines neuen deutschen Humanismus herbeizuführen suchen.«

Elisabeth Langgässer *Zwei Formen der Anpassung*

... Ich muß aber auch die beiden riesigen Gefahren nennen, denen der Schriftsteller während der Hitler-Diktatur ausgesetzt war, und denen selbst die Besten nicht immer entgangen sind: die Esoterik und das Spiel mit sechserlei Bällen. Zunächst die Esoterik oder der Elfenbeinturm, wie man den Ort ihrer Aussage genannt hat, der dazu meistens noch ein Türmchen war und nicht einmal aus Elfenbein sondern aus ganz gewöhnlichem Rinderknochen wie die hübsch gedrehten, aber wertlosen Federhalter aus unserer Kinderzeit, die man uns aus fernen Kurorten mitgebracht hatte, und die einen Glasknopf enthielten, in dem ganz Kissingen oder ganz Trieberg im Schwarzwald enthalten war. Mit dieser Art Federhalter schrieb die Sorte der Esoteriker, und während sie angestrengt und hypnotisiert in den Glasknopf starrte, verengerte sich ihre Welt auf das Idyllische hin, auf das Lokale, das falsche Sichbescheiden oder auf tiefsinnige Afterlegenden und romantische Seifenblasen. Es ist klar, daß nicht alles geschmacklos war, nicht unkünstlerisch, nicht unpoetisch; es hatte durchaus keinen »Blutgeruch«, dieses anakreontische Tändeln mit Blumen und Blümchen über den scheußlichen, weit geöffneten, aber eben mit χ diesen Blümchen überdeckten Abgrund der Massengräber – – doch es war vollkommen unverbindlich, weltlos und deshalb verabscheuungswürdig ...

Gemessen an den Naturträumen der Ausweicher und Aufweicher war das Spiel mit mehreren Bällen die schlimmere Verhaltensweise, denn sie involvierte nowendigerweise den ungeheuerlichsten Selbstbetrug, der sich jemals auf dem Gebiet der deutschen Dichtung und Schriftstellerei vollzogen hat, und es ist nicht von ungefähr, daß es heute kaum einen Schriftsteller gibt, der sich nicht als mehr oder weniger geschundenes Opfer der Hitlerzeit empfindet oder sich wenigstens von seinem Verleger widerspruchslos als ein solches bezeichnen läßt. Verzeihen Sie mir: diese Worte klingen sehr hart, aber sie sollen ja nur einer Gewissenserforschung dienen und eine Art von Beichtspiegel sein, in den jeder von uns um so ehrlicher und furchtloser blicken sollte, je mehr er sich dem Spiel der sechs Bälle hingegeben hat. Sie kennen dieses Spiel: »Ja«, sagt Herr X., »wenn Herr Goebbels nicht so dumm und die Herren des Propagandaministeriums nicht so verblendet gewesen wären, hätten sie natürlich merken müssen, was ich eigentlich mit dieser oder jener Figur gemeint habe. Übrigens hat man mir natürlich auch immer weniger über den Weg getraut, man hat mich sehr scharf beobachtet, eigentlich war ich ganz unerwünscht, denn ›eigentlich‹ ist meine ganze Dichtung nur eine Ablehnung ihrer Weltanschauung gewesen, gerade weil ich mich anscheinend ihrer Ausdrücke bedient habe, und ›eigentlich‹ ist es mein Glück gewesen, daß nachher alles drüber und drunter ging, sonst –« usw. usw. Ich sage noch einmal, verzeihen Sie mir! Es ist eine große, eine unverdiente Gnade gewesen, wenn Gott einem Menschen den Arm festgehalten hatte; nüchterner ausgedrückt: wenn er es fügte, daß er auf Grund unqualifizierbarer Vorfahren oder irgendeiner Temperamentsäußerung, über die er selber hinterher erstaunt war, beizeiten aus der sogenannten Reichsschrifttumskammer herausgeworfen wurde, bevor er noch in die Versuchung kam, mit diesem Gesindel einen Pakt zu schließen, von welchem der 25. Psalm sagt: »An ihrer Hand klebt Freveltat, gefüllt ist ihre Rechte mit Geschenken.« Hier ist nichts zu rühmen, sondern nur zu danken, denn es kann erst etwas zur Versuchung werden, wenn es die Möglichkeit der Realisierung in sich getragen hat.

Aber mögen auch Einsichten gewonnen und Verfehlungen eingestanden werden – sie nützen nichts, wenn man versäumt, die richtigen Konsequenzen an dem richtigen Zeitpunkt aus ihnen zu ziehen. Noch liegt ein fast unübersehbares Trümmerfeld des Geistes vor uns, ein unaufgeräumter Gebäudekomplex, auf dem sich Säulen und Architrave ebensowohl wie niedergebrochene Bunkerteile und eingestürzte Kasernenmauern wahllos übereinanderschieben. Noch glaubt man vielerorts, eine Sprache und Ausdrucksweise ungeprüft übernehmen zu können, die einmal in den Händen von entsetzlichen Verbrechern und fürchterlichen Dummköpfen der Vernichtung und dem Untergang unseres Kontinents gedient haben, und wie spielende Kinder gräbt man überall scharf geladenes Zeug aus und ahnt nicht die unermeßliche Gefahr, die das falsch gebrauchte Wort, die unentgiftete und unentschärfte Sprache in sich birgt. Man glaube doch nicht, daß man neuen Wein in alte Schläuche füllen kann – weder in die von 1933 noch in die von 1923! Vor allem aber gönne man der Sprache eine Zeit der Ruhe und des Schweigens.   (Oktober 1947)

Wolfgang Borchert *Dann gibt es nur eins!*

Du. Mann an der Maschine und Mann in der Werkstatt. Wenn sie dir morgen befehlen, du sollst keine Wasserrohre und keine Kochtöpfe mehr machen – sondern Stahlhelme und Maschinengewehre, dann gibt es nur eins:
Sag NEIN!

Du. Mädchen hinterm Ladentisch und Mädchen im Büro. Wenn sie dir morgen befehlen, du sollst Granaten füllen und Zielfernrohre für Scharfschützengewehre montieren, dann gibt es nur eins:
Sag NEIN!

Du. Besitzer der Fabrik. Wenn sie dir morgen befehlen, du sollst statt Puder und Kakao Schießpulver verkaufen, dann gibt es nur eins:
Sag NEIN!

Du. Forscher im Laboratorium. Wenn sie dir morgen befehlen, du sollst einen neuen Tod erfinden gegen das alte Leben, dann gibt es nur eins:
Sag NEIN!

Du. Dichter in deiner Stube. Wenn sie dir morgen befehlen, du sollst keine Liebeslieder, du sollst Haßlieder singen, dann gibt es nur eins:
Sag NEIN!

Du. Arzt am Krankenbett. Wenn sie dir morgen befehlen, du sollst die Männer kriegstauglich schreiben, dann gibt es nur eins:
Sag NEIN!

Du. Pfarrer auf der Kanzel. Wenn sie dir morgen befehlen, du sollst den Mord segnen und den Krieg heilig sprechen, dann gibt es nur eins:
Sag NEIN!

Du. Kapitän auf dem Dampfer. Wenn sie dir morgen befehlen, du sollst keinen Weizen mehr fahren – sondern Kanonen und Panzer, dann gibt es nur eins:
Sag NEIN!

Du. Pilot auf dem Flugfeld. Wenn sie dir morgen befehlen, du sollst Bomben und Phosphor über die Städte tragen, dann gibt es nur eins:
Sag NEIN!

Du. Schneider auf deinem Brett. Wenn sie dir morgen befehlen, du sollst Uniformen zuschneiden, dann gibt es nur eins:
Sag NEIN!

Du. Richter im Talar. Wenn sie dir morgen befehlen, du sollst zum Kriegsgericht gehen, dann gibt es nur eins:
Sag NEIN!

Du. Mann auf dem Bahnhof. Wenn sie dir morgen befehlen, du sollst das Signal zur Abfahrt geben für den Munitionszug und für den Truppentransport, dann gibt es nur eins:
Sag NEIN!

Du. Mann auf dem Dorf und Mann in der Stadt. Wenn sie morgen kommen und dir den Gestellungsbefehl bringen, dann gibt es nur eins:
Sag NEIN!
Du. Mutter in der Normandie und Mutter in der Ukraine, du, Mutter in Frisko und London, du, am Hoangho und am Mississippi, du, Mutter in Neapel und Hamburg und Kairo und Oslo – Mütter in allen Erdteilen, Mütter in der Welt, wenn sie morgen befehlen, ihr sollt Kinder gebären, Krankenschwestern für Kriegslazarette und neue Soldaten für neue Schlachten, Mütter in der Welt dann gibt es nur eins:
Sagt NEIN! Mütter, sagt NEIN!

Denn wenn ihr nicht NEIN sagt, wenn IHR nicht nein sagt, Mütter, dann:
dann:
In den lärmenden dampfdunstigen Hafenstädten werden die großen Schiffe stöhnend verstummen und wie titanische Mammutkadaver wasserleichig träge gegen die toten vereinsamten Kaimauern schwanken, algen-, tang- und muschelüberwest den früher so schimmernden dröhnenden Leib, friedhöflich fischfaulig duftend, mürbe, siech, gestorben –
die Straßenbahnen werden wie sinnlose glanzlose glasäugige Käfige blöde verbeult und abgeblättert neben den verwirrten Stahlskeletten der Drähte und Gleise liegen, hinter morschen dachdurchlöcherten Schuppen, in verlorenen kraterzerrissenen Straßen –
eine schlammgraue dickbreiige bleierne Stille wird sich heranwälzen, gefräßig, wachsend, wird anwachsen in den Schulen und Universitäten und Schauspielhäusern, auf Sport- und Kinderspielplätzen, grausig und gierig, unaufhaltsam –
der sonnige saftige Wein wird an den verfallenen Hängen verfaulen, der Reis wird in der verdorrten Erde vertrocknen, die Kartoffel wird auf den brachliegenden Äckern erfrieren und die Kühe werden ihre totsteifen Beine wie umgekippte Melkschemel in den Himmel strecken –
in den Instituten werden die genialen Erfindungen der großen Ärzte sauer werden, verrotten, pilzig verschimmeln –
in den Küchen, Kammern und Kellern, in den Kühlhäusern und Speichern werden die letzten Säcke Mehl, die letzten Gläser Erdbeeren, Kürbis und Kirschsaft verkommen – das Brot unter den umgestürzten Tischen und auf zersplitterten Tellern wird grün werden und die ausgelaufene Butter wird stinken wie Schmierseife, das Korn auf den Feldern wird neben verrosteten Pflügen hingesunken sein wie ein erschlagenes Heer und die qualmenden Ziegelschornsteine, die Essen und die Schlote der stampfenden Fabriken werden, vom ewigen Gras zugedeckt, zerbröckeln – zerbröckeln – zerbröckeln –

dann wird der letzte Mensch, mit zerfetzten Gedärmen und verpesteter Lunge, antwortlos und einsam unter der giftig glühenden Sonne und unter wankenden Gestirnen umherirren, einsam zwischen den unübersehbaren Massengräbern und den kalten Götzen der gigantischen betonklotzigen verödeten Städte, der letzte Mensch, dürr, wahnsinnig, lästernd, klagend – und seine furchtbare Klage: WARUM? wird ungehört in der Steppe verrinnen, durch die geborstenen Ruinen wehen, versickern im Schutt der Kirchen, gegen Hochbunker klatschen, in Blutlachen fallen, ungehört, antwortlos, letzter Tierschrei des letzten Tieres Mensch – all dieses wird eintreffen, morgen, morgen vielleicht, vielleicht heute nacht schon, vielleicht heute nacht, wenn – – wenn – –

wenn ihr nicht NEIN sagt.

(Oktober 1947)

Johannes R. Becher   *Offener Brief an die UNESCO und den Internationalen PEN-Club*

Der Kulturbund zur demokratischen Erneuerung Deutschlands ist im amerikanischen und britischen Sektor Berlins verboten worden. Als Deutsche, die in Deutschland oder im Exil viele Jahre lang gegen die Nazibarbarei gekämpft haben, appellieren wir an Sie, uns in unserem Bestreben, zur moralischen und geistigen Erneuerung Deutschlands beizutragen, zu unterstützen.

Der Kulturbund, im Juni 1945 auf breiter demokratischer Grundlage ins Leben gerufen, ist die überparteiliche Organisation von Künstlern, Schriftstellern, Professoren, Wissenschaftlern. Er zählt gegenwärtig etwa 120 000 Mitglieder. Er hat seine kulturellen und pädagogischen Aufgaben seit über zwei Jahren erfüllt. Scheinbar auf Grund einer Meinungsverschiedenheit zwischen den Besatzungsmächten wurde der Kulturbund von den britischen und amerikanischen Besatzungsbehörden in ihren Berliner Sektoren verboten. Nach der Übernahme der Befugnisse durch die Alliierte Kommandantur in Berlin war die vom seinerzeitigen Stadtkommandanten dem Kulturbund erteilte Lizenz von allen vier Besatzungsmächten anerkannt worden. Jetzt verlangen jedoch die amerikanischen und britischen Besatzungsbehörden, daß der Kulturbund um eine neue Lizenz ansuche, während die Sowjetbehörden auf dem Standpunkt stehen, daß die seinerzeit erteilte Lizenz unverändert gültig ist. Der Kulturbund ist dadurch praktisch in die Zwangslage versetzt worden, in dieser Meinungsverschiedenheit zwischen den Besatzungsmächten Partei zu ergreifen. Wir zweifeln nicht daran, daß eine Übereinkunft rasch erzielt werden könnte, wenn alle alliierten Besatzungsmächte an einer Lösung interessiert wären.

Die Gründe, die uns für das überraschende Verbot des Kulturbundes in den amerikanischen und britischen Sektoren von Berlin angegeben werden, erscheinen uns als ein Vorwand, um die führende und auf unangreifbar demokratischer Grundlage aufgebaute Organisation liberaler und freiheitlicher Intellektueller zu ächten. Im Namen von 120 000 demokratischen Deutschen, auf deren Organisation keine der bestehenden Parteien Einfluß genommen hat, rufe ich Ihre Hilfe an, damit wir fortfahren können in unserem Bestreben, Deutschland wieder in die Gemeinschaft der zivilisierten Nationen zurückzuführen. Es wäre eine tragische Entmutigung von Tausenden der besten und aktivsten deutschen Humanisten, wenn das Verbot des Kulturbundes in den britischen und amerikanischen Sektoren Berlins aufrechterhalten würde; und es wäre zugleich eine Ermutigung jener, die auf ein Neuaufleben des Nazismus in Deutschland hoffen.

Wir glauben, daß Sie die weitreichenden Konsequenzen, die das Verbot des Kulturbundes in sich birgt, erkennen und daß Sie zugunsten der Fortführung der freien Arbeit des Kulturbundes in allen Sektoren von Berlin Ihren Einfluß geltend machen werden.

(November 1947)

»Festzuhalten ist: Die Entfremdung, die Verbote und Schikanen gingen vom Westen Deutschlands aus — der Osten hielt noch lange am Gesamtdeutschen fest.« (Konrad Franke, Die Literatur der Deutschen Demokratischen Republik. München 1974, p. 32)

Fritz von Unruh *Rede an die Deutschen*

(Rede in der Frankfurter Paulskirche, 18. 3. 1948)

Wir Deutsche aller Zonen, zu welcher Pflicht ruft uns heute die Liebe auf? Jener Amor Dei, der uns Staubgeborenen den lebendigen Hauch in die Nase geblasen hat? Zu welcher Pflicht ruft uns dieser Odem aus dem Geheimnis der Liebe auf?

Denn, wenn mein Hiersein auch nur den allergeringsten Sinn haben soll, so kann es doch nur der sein, daß meine Lippen es aussprechen, was sich viele selbst in der stillsten Zelle ihrer Selbsterkenntnis noch immer scheuen einzugestehen. Nämlich: »Wie schlecht wir es machten, als wir noch handeln konnten ...« Es sei denn, wir erkennen selbst im Ruinenstaub der »Braunen Häuser« noch immer nicht die Tatsache an, daß jeder Einzelne von uns ja in seinem Innersten frei gewesen war, sich zu entscheiden ... für »Gut« oder »Böse«. Für »Recht« oder »Chaos«.

... Widerstehen wir den Versuchern!, in welch güldenen Bechern immer sie uns den roten Wein der Verführung kredenzen. Widerstehen wir, wenn uns die ewigen Kompromißler und Ablaßkrämer unserer Epoche das Gewissen wieder einlullen und korrumpieren wollen! Wenn sie uns von rechts und links zukreischen: »Stecke deinen Wahlzettel in unseren Kasten hinein. Dann werden wir dir alle begangenen Sünden erlassen.«

Hinweg mit ihnen aus »diesen heiligen Hallen«, wo uns Liebespflicht zur Tempelreinigung ruft. Hinaus mit diesen feilen Wechslern geistiger Werte!

Das ganze Rudel der Mitläufer, Beamten, Professoren und Generale, die gestern pro Hitler und vorgestern pro Weimar und vorvorgestern pro Kaiser waren – und heute schon wieder mit den Zonenbefehlshabern liebäugeln, *hinweg mit ihnen!* Hinweg auch mit jenen, die da von draußen hier hereinreisen in das verwüstete Land und plötzlich schmeicheln: »Keiner ist schuld. Ihr wart alle unter dem Zwang.« *Hinweg mit dem ganzen Geschmeiß,* das uns das *Recht auf unsere Zerknirschung,* das uns die *Pflicht zu unserer Erneuerung,* das uns die *Hoffnung auf Gnade* fortschwatzen will aus der Brust, – weil es das politische Schachspiel der Gegenwart schon wieder mal so erheischt. Dieses macchiavellistische, gesinnungslose Spiel gegen eine Einigung aller Frieden ersehnenden Völker. Hinweg mit ihnen, die immer sagen: »Hier stehe ich, ich kann auch anders.« Aber her zu uns alle, die da sprechen:

»*Hier stehe ich! Ich kann nicht anders.*«

»Der Einzelwille?« höre ich da Marxisten und preußische Generalstäbler vor und hinter dem »Eisernen Vorhang« höhnen! »Was vermag ein Einzelwille?«

Nun, wir Erstlinge einer neuen Erkenntnis! Wir wissen es: Denn wenn es möglich ist, daß ein Atom Uranium, von Neutronen zersplittert, Kräfte entfesseln kann, kosmische Kräfte, die den Fortbestand unseres Planeten bedrohen, – was vermag da ein Atom Freiheit, wenn der Geist es zersplittert? Zersprengen würde es die totalitären Reiche und Tummelplätze der Diktatoren für immer, – solch eines Einzelwillens winziges Atom!

Aber, – wer macht den Anfang? Wer traut es sich zu, diese Zwingburg des Ur-Tiers zu stürmen? Die Wollust dieser Bestie im Ich?!

Als die Internationale Brigade erfolglos 1905 gegen die Boxer in Tientsin anstürmte, erließ der englische Admiral Seymour den Befehl: »The Germans to the Front.« Lassen Sie uns in diesem Augenblick und an dieser Stelle diesen Befehl in unserem innersten Herzen an uns selber erteilen: Die Deutschen an die Front!

Sollte dann nach hundert Jahren in dieser Paulskirche etwa wieder einer stehen zur Feier einer »Deutschen, Demokratischen Republik« –, so möge er von uns berichten können, daß wir in der Weltregierung der Völker, die dann inzwischen jedem Einzelnen den Paulskirchen-Traum: »*Das eigene Leben*« wohl garantiert haben wird, – daß wir hier *eine erste Zelle der Entsühnung und Versöhnung mit dem Geist gebildet haben! Eine Zelle der Einigung und*

Kraft! Daß wir in diesem erhabenen Moment, heute am 18. Mai 1948,
aus dem Abgrund unserer Not – wieder in die Gnade fanden.

(Fritz von Unruh hielt diese Rede im Zusammenhang mit der Hundertjahrfeier
der Märzrevolution. In den gleichen Wochen fand in Frankfurt ein Schriftstellerkongreß statt, auf dem auch Theodor Plievier sprach.)

Theodor Plievier   *Wille zur Freiheit*

Von dem noch verbliebenen Willen zur Freiheit wird es abhängen
und davon, daß dieser Wille sich zu einer alle Völker der Erde umfassenden politischen Macht erhebt, daß der verhängnisvolle Weg
nicht zu Ende gegangen wird. Feierliche Deklarationen und Dokumente der Freiheit haben wir gehabt. Das letztemal waren es die
Thesen der Atlantic-Charta, und klopfenden Herzens haben wir damals vernommen, daß die Menschheit sich durch den Mund ihrer
berufenen Vertreter noch einmal auf ihre Grundlage besinnt. Heute
handelt es sich um die Praxis der Freiheit . . .

Aber wir haben die Erfahrung und wissen es nun, daß Freiheiten
sich nicht einfach deklarieren lassen, daß sie in jeder Stunde aufs
neue zu befestigen und aufs neue zu verteidigen sind, und hier ist die
vornehmste Aufgabe aller fortschrittlichen Kräfte und insbesondere
auch der Gewerkschaften und der Arbeiterbewegung. Ohne solchen
organisierten Willen und ohne die Bereitschaft, die schon errungen
und die schon wirksamen Freiheiten in jeder Lage und in jeder
Stunde zu verteidigen und zu befestigen, waren die Gesetzestafeln
vom Berge Sinai bedeutungslos geworden, wäre das Kreuz auf Gol-
gatha vergeblich gewesen, hätten alle Scheiterhaufen für nichts ge-
brannt, verdorrte der Halm auf dem Felde und sängen die Vögel
nicht mehr . . .

Der Strom beginnt mit dem Tropfen. Die Wiedergeburt beginnt
mit der Zelle. Sie beginnt im Individuum, in der Gruppe, im Volk
und mündet in der Gemeinschaft der Völker . . . Der Inhalt der Völ-
kergemeinschaft kann nicht Gewissenszwang, nicht Intoleranz, nicht
Sklaverei sein. Die neue Gesellschaft kann nur auf Gewissensfreiheit,
auf Toleranz, auf Humanität, auf Recht und Gerechtigkeit, auf Freiheit, geeint mit geistiger Gebundenheit, begründet sein.

Karl Valentin   *Die Geldentwertung*

Vortrag, gehalten von Herrn Heppertepperneppi, der sich in ange-
heitertem Zustand befindet.

Die Worte meines Vorredners, ich möchte es unterlassen, mich zu
Worte zu melden, da ich betrunken sei, ist nicht wichtig. – Ich bin –

das verneine ich nicht – nicht betrunken –, sondern – ich gebe zu – etwas – angeheitert. Wer kann bestreiten, daß ein heiterer, vielmehr angeheiterter Mensch nicht auch ernste Angelegenheiten zu debattieren imstande sein kann – wie viele Redner waren schon nüchtern und haben einen furchtbaren Papp zusammengepappt – vielmehr gepappelt. Zu meinem heutigen Thema über die Geldaufwertung – oder Ab- oder Entwertung möchte ich die Erklärung konstatieren, daß es sich um eine finanzielle Angelegenheit handelt. Es ist ein schmieriges – Verzeihung – ein schwieriges Problem von fantastischer – ah, fanatischer Bedeutung. Die Aufwertung hat mit einer Stabilität nichts gemein – gemein wäre das, wenn die Entwertung oder Auswertung einer Aufwertung gleichkäme, dann ist eine Installation unausbleiblich. Eine Auflockerung, vielmehr Auflockerung des Wirtschaftslebens wird nur dann konfisziert, oder besser gesagt kompliziert, wenn das Ausland Kompromißemanzipationen entgegennimmt. Unsere Mark stinkt – ah, sinkt in dem Moment, wenn … jetzt weiß ich nicht mehr, was ich hätt sagen wollen – aber es ist so. Was ist heute eine Mark? – Ein Papierfetzen. Außerdem sind es nur zwei Fuchzgerln. Fuchzgerln aus Hartgeld, und das ist ein schäbiges Blech, genannt Amilinium. Warum werden heute keine Goldmünzen mehr geprägt? – Sehr einfach, weil wir kein Gold mehr haben. Wir haben keins mehr, weil das ganze Gold zu Goldplomben verarbeitet wurde. Die Ursache – das Volk hat schlechte Zähne, weil wir vor dem Krieg zu viel Süßigkeiten genossen haben. Alles wollte nur Goldplomben nach dem wahren Sprichwort: Morgenstund hat Gold im Mund. Jetzt ist es zu spät für Goldplomben – es ist sogar heute nicht mehr möglich, sich Zementplomben machen zu lassen, weil es auch keinen Zement mehr gibt. Daher wieder Papiergeld. Raus mit den braunen Tausendern, die braune Farbe hat gar nichts zu tun damit, die waren schon braun im achtzehnten Jahrhundert, damals waren wir noch gar nicht verbrannt. – Also, wertet die braunen Tausender wieder auf, man braucht sie nur zu suchen, die sind alle vergraben – raus mit dem Papiergeld – wir brauchen kein Hartgeld – das Geld ist sowieso hart zu verdienen – oder schafft das Geld ganz ab und damit zugleich auch die Kriege ab – denn Geld regiert die Welt, das weiß jedes junge Kind. Geld ist ein Kapitel für sich – Kapital ist die Ursache jedes Krieges – also nieder mit dem Kapital! – Es lebe der Krieg – ah – nieder mit dem Krieg! Nieder mit dem Krieg – es lebe das Kapital. – Nieder mit dem Finanzamt – es lebe die Geldentwertung. – Nieder mit dem Hartgeld – es lebe das Weichgeld. – Nieder mit den Lebendigen – es leben die Toten. – Nieder mit den Hohen – es leben die Niedrigen. – Nieder mit den Niedrigen – es leben die ganz Niedrigen. – Nieder mit dem Verstand – es lebe der Blödsinn.

(1946)

Arnold Zweig *Spaltgeist*

Deutschlands Unglück begann immer mit Deutschlands Spaltungen. Die Deutschen haben nur schwache zentripetale, nach Innen zusammenhaltende Kräfte; sie genießen es förmlich, auseinandergerissen zu werden, Beute ihrer zentrifugalen Beschaffenheit zu sein. Kirchenspaltung, Fürstenrivalitäten, Österreich gegen Preußen, Konservative gegen Liberalismus, beide gegen Sozialismus, schließlich Reformsozialismus gegen den echten tätigen Marxismus – all das nimmt im deutschen Sprachraum den Charakter haßvoll gefochtener und genossener Fehden an. Indianerspielende Kinderhorden toben so ihre Jugendtriebe aus; an Ernsthaftigkeit und innerer Überzeugtheit kann sie dabei niemand übertreffen. Das wissen Eltern, Pädagogen und Fabrikanten von Kinderspielzeug.

Hier nun scheint es tunlich einen Blick zu werfen auf jene Ziele und Parolen, die im Verlauf der menschlichen Geschichte spaltend wirkten und deren Ausfechten und Überwinden ganze Seen von Menschenblut kosteten – die uns aber heute so selbstverständlich erscheinen, daß man die Erschütterung erst heraufbeschwören muß, mit der uns diese Aufzählung erfüllt. Ob Gott und sein Sohn Christus einander wesensgleich seien oder nur wesensähnlich? Ob das Abendmahl in beiderlei Gestalt genossen werden dürfe oder nicht? Ob Sklaven nur Sachen seien oder auch Personen? Ob Frauen eine Seele hätten? Ob Kinder zur Ausübung von Arbeiten gemietet werden dürfen gegen ein Taschengeld für die notleidenden Eltern? Ob Landeskinder zum Dienst in Heer und Flotte gepreßt, geworben, verkauft oder geraubt werden dürfen – mit der Aussicht, in Kolonialkriegen zu fallen? Ob Landarbeiter freizügig sein dürften? Ob Steuern von allen Ständen des Landes gleichmäßig erhoben werden sollten? Ob Schauspieler, Juden und »Fahrendes Volk« die Menschen- und Bürgerrechte genießen sollten; und ob Frauen sich zum Zwecke geschlechtlicher Liebe verkaufen dürften und gleichzeitig dafür besteuert und geächtet werden? All das und noch weit mehr dergleichen diente zum Anlaß heftigster, leidenschaftlich ausgefochtener Kämpfe und Wirren. In diese Liste wird später einmal auch die Frage eingereiht werden, ob menschliche Arbeitswilligkeit, -freude und -geschicklichkeit unter dem Druck wirtschaftlicher Klassennöte ausgebeutet werden dürften von anderen privaten oder juristischen Personen, die einen Mehrwert abschöpfen wollen; und ob es solchen Gruppen erlaubt sein solle, Krisen, die ihr Wirtschaftssystem heraufbeschworen hat, zu »lösen«, nämlich abzulenken durch die Entfesselung von Kriegen und das Erbeuten von Rohstoffen, welche schwächeren oder schlechter bewaffneten Gruppen gehören ...

In das Kraftfeld solcher Spaltungen reihe man jetzt auch den Riß ein, der Deutschland west-östlich aufteilen soll. Das Kampfgeschrei gegen den Bolschewismus verhüllt nur schlecht die Drähte, an welchen die Interessen der »Erwachsenen« ziehen, aber es befriedigt aufs tiefste den Narzißmus, das kindhafte Indianerspiel der Wort- und Sachführer. Dabei steht man kopfschüttelnd vor der Tatsache, daß die Trennung der Deutschen durch die Mainlinie erst vor zwei Generationen überwunden wurde und daß sie hinreichenden Zündstoff lieferte, um im neunzehnten Jahrhundert Unruhe zu verbreiten, von der französischen Grenze bis weit in die Türkei. Hoffen wir, daß die unerschütterliche Friedensbereitschaft, Friedensentschlossenheit aller reifen europäischen Klassen und Völker die Gefährlichkeit des Spiels erkennen werde, dem sich die Infantilen so berauscht hingeben. Unser Schicksal soll nicht noch einmal vom Brandy oder Fusel der Triebbesoffenheit entschieden werden; der Rest unserer Kultur und Zivilisation nicht wieder in jene Müllgrube fahren, in welcher er verschwinden würde – diesmal ohne Aussicht, in diesen Landstrichen wieder zu erstehen. Über ihnen würde dann nur der Wolkenpilz der Atombomben die Stelle jenes Gesteins einnehmen, von welchem Heinrich von Kleists Vers verkündet: »Und ein Gestein sagt dir von ihm: er war.«   (März 1949)

Thomas Mann   *Fremdherrschaft*

Klar muß ich mir sein darüber, und bei jedem Schritt, den ich hier tue, springt es mir in die Augen, daß die Umstände der Genesung Deutschlands, seinem Weg nach Europa weit eher entgegen sind, als daß sie sie begünstigten. Trümmer umgeben mich, welche die nationale Katastrophe sinnfällig zurückgelassen, und ich finde das Land zerrissen und aufgeteilt in Zonen der Siegermächte, und ich verstehe nur zu wohl den patriotischen Gram, die bittere Ungeduld, aus der, laut oder leise, das Wort »Fremdherrschaft« bricht. Lassen wir es wahr sein, daß die Herrschaft des Ungeistes, die zwölf Jahre lang über Deutschland lag, und aus der dies alles hervorging, schlimmere Fremdherrschaft war. Was nun ist, schmerzt und reizt und lastet doch schwer genug, und die Sehnsucht, es möchte enden, wäre keinem Volke auf Erden fremd. Eines Tages muß und wird es enden. Mir aber, wie ich hier stehe, gilt es schon heute nicht. Ich kenne keine Zonen. Mein Besuch gilt Deutschland selbst, Deutschland als Ganzem, und keinem Besatzungsgebiet. Wer sollte die Einheit Deutschlands gewährleisten und darstellen, wenn nicht ein unabhängiger Schriftsteller, dessen wahre Heimat, wie ich sagte, die freie, von Besatzungen unberührte deutsche Sprache ist? Gewähren Sie, meine Zuhörer, dem Gast aus Californien diese Repräsentation und lassen Sie ihn den Augenblick unbekümmert vorwegnehmen, den Goethes Faust seinen letzthöchsten nennt: den Augenblick, wo der Mensch, wo auch der Deutsche »auf freiem Grund mit freiem Volke steht« ...

(25. 7. 1949; aus der ›Ansprache im Goethejahr‹, die Mann in Frankfurt und Weimar hielt — er handelte sich dafür zahlreiche Zensuren ein, z. B. von Friedrich Sieburg: »... es erscheint uns kein Zufall, daß gerade Thomas Mann der Gegenstand dieser Konfrontierung geworden ist. Die absolute Glücklosigkeit seines Verhältnisses zu Deutschland erreicht damit eine neue Stufe ...« [›Die Gegenwart‹, 1949/14]. Mann antwortete diesen Kritiken noch einmal kurz, indem er darauf hinwies, »... daß mein Besuch dem alten Vaterlande als Ganzes gilt und daß es mir unschön schiene, mich von der Bevölkerung der Ostzone fern zu halten, sie gewissermaßen links liegen zu lassen.« [Frankfurter Rundschau‹, 28. 7. 49])

Arnold Zweig   *An den Militärkommandanten des amerikanischen Berliner Sektors*

... Der Übereifer einer im Straßendienst beschäftigten Polizei und die zufällige Gestaltung der Berliner Sektorengrenzen hat es vor einigen Tagen mit sich gebracht, daß das Heft 1 des dritten Jahrgangs unseres ausgezeichneten monatlichen Magazins OST UND WEST, das Januar-Heft, auf dem Wege von der Buchbinderei zur Druckerei beschlagnahmt wurde.

Wir alle bemühen uns, auch durch diese Zeitschrift die Brücke wieder herzustellen, die vom Anfang dieses Jahrhunderts bis in die letzten Lebenstage der Weimarer Republik reichte und das deutsche geistige Leben mit dem aller anderen fortschrittlichen Nationen verband. Daß diese Brücke vom Hitler-Faschismus seit der Ermordung Liebknechts und Luxemburgs, Erzbergers und Rathenaus gehaßt und gefürchtet wurde, weiß die Welt und ebenso, daß ihr Abbruch vor nun genau sechzehn Jahren die Epoche des totalen Krieges einleitete, des Krieges gegen alle schöpferischen Elemente der Erdbevölkerung. Als Rückschlag dieses totalen Krieges erheben sich jetzt rund um die Bewohner hunderter von europäischen Großstädten Ruinenfelder ...

Ich wäre Ihnen dankbar, sehr geehrter Herr, wenn dieser mein Brief dazu beitrüge, das kleine Versehen schleunigst wieder gutzumachen. Als Vater eines Ihrer GI im hoffentlich letzten Weltkrieg und als Mitglied des PEN-Clubs, das 1939 noch die unvergeßliche Gelegenheit hatte, Ihrem großen Präsidenten Franklin D. Roosevelt im Weißen Haus die Hand zu drücken, halte ich mich für legitimiert, Sie darum zu bitten.

Lassen wir, sehr geehrter Herr, die kurzsichtigen Tagespolitiker ihre Streitigkeiten untereinander ausfechten — es sind »querelles allemandes«, die schnell genug verdunsten werden, und helfen wir Soldaten und Intellektuelle jenen dauerhaften Frieden herzustellen, ohne den weder Ihre Staaten noch die unseren imstande sind, unsere Pflichten zu erfüllen der heutigen Generation gegenüber wie allen kommenden.

(27. 1. 1949 — Viertausend Exemplare der von Alfred Kantorowicz herausgegebenen Zeitschrift ›Ost und West‹ waren beim Durchqueren einer Spitze des amerikanischen Sektors beschlagnahmt worden; die Beschlagnahme wurde nicht rückgänig gemacht. — Ein knappes Jahr später ordneten die DDR-Behörden die Einstellung der Zeitschrift an — der Titel ›Ost und West‹ paßte in keine der ›politischen Landschaften‹.)

Wiederkehr des Alten Wahren

Reinhold Schneider   *Verantwortung für den Frieden*

... Haben wir wirklich in uns die letzte, noch so begreifliche Regung erstickt, die dem Frieden entgegen ist? Die Antwort kann einem jeden nur sein Gewissen geben. Fragen des Gewissens können von keinem für keinen beantwortet werden. Aber sie dürfen auch nicht überhört werden, und sei es zugunsten eines noch so erstrebenswerten Zieles.

Darauf kommt alles an: daß wir den Frieden zu einer Sache unseres Gewissens machen, und daß wir nicht aufhören, uns zu fragen vor unserem Gewissen, ob es erlaubt ist, irgendeine Hoffnung auf den Krieg oder die Fortdauer dem Kriege ähnlicher Zustände zu setzen. Um es ganz klar zu sagen: es ist eine Angelegenheit des Gewissens, ob wir eine Verpflichtung eingehen dürfen, die es von uns verlangen kann, daß wir töten. Und zwar handelt es sich um das Töten in jedem Sinne: nicht der allein tötet, der seinen Bruder erschlägt; es tötet auch, wer die Waffe ersinnt oder auf irgendeine Weise dazu hilft, daß sie hergestellt wird und als Urheber der Waffe anderen deren Gebrauch überläßt oder zumutet. Noch einmal: die Antwort kann nicht vorweggenommen, nicht übernommen werden. Aber ein jeder sollte dahin gelangen, daß ihm sein Gewissen diese Frage in ihrem ganzen Todesernst stellt.

Und nun möchten wir einen Glauben aussprechen; denn Glaube allein, so sehr er auch angefochten ist, kann es vermöge seiner irrationalen Kraft wagen, die Ungeheuerlichkeit unseres Daseins anzutreten. Wo die Gefahren von Jahr zu Jahr sich vervielfachen, die wesentlichsten Probleme ungelöst bleiben, rettet nur eine Zuversicht höheren Ursprungs. Wenn ein jeder bei dem, was ihm am heiligsten ist, dem Frieden sich unbedingt verpflichtete, so würde sich eine gewaltige Macht der Friedfertigen bilden ...

Ist nicht jetzt die Stunde? Die moderne Wissenschaft, deren Entfaltung ohne den Zusammenhang mit kriegerischen Absichten kaum zu verstehen ist, hat der Menschheit gezeigt, in welchem Maße sie verloren ist im All. Sie hat der Menschheit auch Kräfte überantwortet, deren gleichen sie noch nie in ihrer Gewalt hatte ...

Welch unbegreiflicher Widerspruch! Verloren auf einem Stern im Grenzenlosen, belastet mit der Möglichkeit, alles Leben auf diesem Stern zu zerstören, ihn selber vielleicht zu zersprengen, unterworfen der Flüchtigkeit der Zeit, faßt die Menschheit das Herz nicht, an sich selber zu glauben und einen Bund zu schließen, der das Vertrauen, die Gemeinsamkeit der Erfahrungen und Gefahren über alle Verträge setzt! Niemals wurde die Einheit so unabweislich gefordert; niemals war es so unwidersprechlich klar, daß nur Brüder auf diesem schönen, so sehr gefährdeten Stern sich behaupten können.

Der Friede fängt an in einem jeden von uns, ganz tief in uns selbst. Er beginnt als Gelöbnis; dieses braucht nicht ausgesprochen zu werden, es muß da sein. Ist es da, so wird es sich auch auswirken, die Lebensführung bestimmen ... Und ist ein Volk Bote und Zeuge des Friedens im uneingeschränkten Sinne, so ist es des Friedens wert. Wie unheimlich das Antlitz der Zeit auch erscheinen mag: dieses Volk wird bestehen vor diesem Antlitz, unter dem Frieden seines Gewissens. Man wird es nicht allein lassen. Man darf es nicht. Der Wille zum unbedingten Frieden: dies ist die Leistung, die die Welt vom deutschen Volk fordern kann. Es ist die Leistung, die das deutsche Volk zurückführen muß in die Welt. (Mai 1949)

Walter Kolbenhoff *Kompromiß-Christentum*

Hoffentlich sind Sie mir, liebe Frau Langgässer, nicht böse, wenn ich offen zu Ihnen spreche. Was nützt es, wenn ich um die Sache herumrede?

Mit dem Begriff »Gott« habe ich mich überhaupt erst in der letzten Zeit zu beschäftigen begonnen. Ich wurde freireligiös erzogen, mein Vater hatte die Entscheidung, und es stand für mich ein ganzes Leben lang fest, daß die Kirche und der in ihr verkörperte Begriff »Gott« eine Einrichtung seien, die der Verdummung der Massen dienten ...

Vor einiger Zeit nun schenkte mir jemand das »Neue Testament«, und ich las zum ersten Mal in meinem Leben die Bergpredigt. Es war ein großes, ich möchte beinahe sagen, ungeheures Erlebnis für mich ...

Kennen Sie den Roman »The Power and the Glory« von Graham Greene? Auch dieses Buch erschütterte mich tief. Aber der Verfasser hat etwas Wesentliches nicht gesagt. Ich glaube an den gejagten Priester, ich glaube, sagen wir, an Jesus Christus in ihm. Ich habe aber in diesem genial geschriebenen Roman nichts über die empörende Rolle der katholischen Kirche zur bewußten und gewissenlosen Verdummung und Unterdrückung des mexikanischen armen Volkes gelesen, die dieser zum Tode bereite Priester bis zuletzt verteidigt. Die Kirche hat in diesem unglücklichen Lande immer auf der Seite der reichen Gutsbesitzer und Magnaten gestanden, nahm sie doch in deren Reihen den größten Platz ein. Ich weiß, ich berühre jetzt philosophische Fragen, es gibt zum Beispiel die Frage, ob es überhaupt für das Heil eines Menschen wesentlich ist, daß er etwas besitzt oder nicht. Liebe Frau Langgässer, meine Eltern sind Arbeiter und bitter arm gewesen, ich habe, wenn ich die zerschundenen, gekrümmten Hände meiner Mutter sah, tausendmal gewünscht, daß es ihr besser gehen soll. Ich bin mit einer Vertröstung auf irgendein späteres Heil auch heute noch nicht zufrieden. Meine Mutter ist eine einfältige, gute Katholikin, immer noch. Und jetzt möchte ich Ihnen gerne etwas sagen, das Sie vielleicht erstaunen wird: Sie ist jedoch der Typ, der, lebte sie in den Abruzzen, ihre Stimme Togliatti oder Nenni geben, lebte sie in Spanien, gegen den durch Reichtum und unchristlichen Lebenswandel korrumpierten, mit den Feinden des Volkes paktierenden Klerus kämpfen, lebte sie in Mexiko, genau das tun würde, wogegen sich der Priester Graham Greenes wehrt ...

Ich habe schon sehr lange das Bedürfnis gehabt, in diesen Fragen Klarheit zu suchen und vielleicht auch zu finden. Ihr Jesus Christus, sagen wir Ihr »Gott«, würde mich sofort als einen seiner aufrichtigsten Anhänger gewinnen können, wenn er in unserer Zeit auf der Seite des unterdrückten, ausgeplünderten Volkes stehen würde. Er steht dort aber nicht. Ihn als unabhängig von uns lebenden Menschen zu betrachten, fällt mir sehr schwer. Er steht sehr deutlich bei dem Kultusminister Alois Hundhammer, dem Bankier von Schröder und dem Parteivorsitzenden Konrad Adenauer ... X

Sie haben recht, viele Schriftsteller genieren sich heute, von dem, was Sie »die tiefsten und verborgensten Dinge« nennen, zu sprechen. Der Grund dafür dürfte zu erklären sein: Auch sie, diese »tiefsten und verborgensten Dinge«, sind zur Schablone geworden, an die man nicht mehr glaubt. Ein Christentum der kompromißlosen, im wahrsten Sinne des Wortes selbstlosen Tat dagegen wäre etwas Reales, die Rolle der Kirche heute als Sprecherin des gepeinigten Volkes, würde diese Generation zum Reden bringen.

(Oktober 1949. – ›Offener Brief‹ an Elisabeth Langgässer)

Ernst Jünger   *Beschränktes Personal*

... [Hans Speidel] hatte, als ihn das Schicksal in jenen Posten stellte, schon eine an Arbeit und Verantwortung reiche Laufbahn hinter sich. Er hatte in früher Jugend die Schlachtfelder und die Niederlage des Ersten Weltkrieges gesehen. Soldatischer Dienst, historische Studien und diplomatische Missionen hatten in seinem Leben gewechselt; er hatte Jahre in fremden Ländern zugebracht. Er hatte in Angriffs- und Kesselschlachten, auf Vormärschen und Rückzügen geführt. Er kannte die fremden Heere und viele ihrer Männer nicht minder als die politische Struktur des eigenen Landes, und zwar die sichtbare sowohl als die verborgene. Das alles mußte ihn befähigen, Entscheidungen zu treffen, bei denen die Mannigfaltigkeit der Nachrichten und Unterlagen sich im Befehl zu klären hat. Es mußte ihn aber auch, über die strategische Erwägung hinaus, dem Ganzen gegenüberstellen, der Frage nach dem Sinn des Werkes, an dem er beschäftigt war.

Es hat sich an jene verhängnisvollen Tage eine Fülle von Legenden und Irrtümern geknüpft. Daher ist zu begrüßen, daß sie durch einen Geist geschildert werden, der sie in ihren Einzelheiten kennt. Die Tatsachen sind spannender. Doch wird dem Leser noch ein anderer Gewinn erwachsen als jener, den der Einblick in ein bedeutendes historisches Ereignis gewähren kann. Und das ist folgender:

Der Eindruck des Neuen und Überraschenden in der Geschichte wird durch ihren Wandel hervorgebracht. Im Grunde aber handelt es sich bei ihrem Wechsel um eine Wiederkehr, zu der die Zeit die Dekorationen gibt. Das große Welttheater spielt mit beschränktem Personal. Es treten im Kostüme der Epochen und mit ihren Gedanken ausgerüstet die stets gleichen Figuren auf und tragen die alten Konflikte aus.

(In einem Vorwort zu den Erinnerungen des Generals Speidel, ›Invasion 1944‹, Tübingen 1949. – Ein Beispiel für das Denkraster zahlreicher konservativer deutscher Schriftsteller von Geschichte als ›Wiederkehr des Gleichen‹. Vgl. dazu auch die ›Marktanalyse‹ von Erich Kästner: »Der Kunde zur Gemüsefrau: ›Was lesen Sie denn da, meine Liebe? Ein Buch von Ernst Jünger?‹ Die Gemüsefrau zum Kunden: ›Nein, ein Buch von Gottfried Benn. Jüngers kristallinische Luzidität ist mir etwas zu prätentiös. Benns zerebrale Magie gibt mir mehr.‹«)

Gegen das ›Schmutz- und Schundgesetz‹

Das PEN-Zentrum Deutschland wendet sich mit Entschiedenheit gegen Maßnahmen und Tendenzen in allen Teilen Deutschlands, die das freie literarische Schaffen beeinträchtigen. Die direkte oder indirekte Zensur widerspricht der internationalen PEN-Charter. Wir protestieren auch heute schon gegen die Einführung eines sogenannten Schmutz- und Schundgesetzes, weil wir seine mißbräuchliche Anwendung fürchten.

(18. 11. 1949. – An der Wiege der Bundesrepublik stand – die folgenden Texte erinnern daran – die Amme der Zensur: Die Druckfarbe des Grundgesetzes war noch frisch, als die Meinungsfreiheit mit einem ›Schmutz- und Schundgesetz‹ wieder eingeschränkt werden sollte. Der außerordentlich breite Widerstand gegen das geplante Gesetz überraschte die Bundesregierung; einziger Effekt: Man verschob das Gesetz ein wenig und – auch das Tradition bis heute – gab ihm einen anderen Namen: ›Gesetz über den Vertrieb jugendgefährdender Schriften‹.)

Erich Kästner   *Der trojanische Wallach*

...Hinter dem Gesetz verbirgt sich eine Tartüffelei. Man will nicht nur dem weiblichen Akt an die Gurgel. Man will dem natürlichen Menschen zuleibe. Zur Bekämpfung des Vertriebs eindeutiger

Zweideutigkeiten genügen, auch nach Meinung namhafter Juristen, nach wie vor die einschlägigen Paragraphen des Strafgesetzbuchs, der Staatsanwalt und die Polizei. Die Antragsteller und die Auftraggeber wollen ein Kuratelgesetz gegen Kunst und Literatur zuwege bringen. Sie sagen »Schmutz« und meinen »Abraxas«. Da zwar für sie beides ein und dasselbe ist, nicht aber fürs Strafgesetzbuch, brauchen sie ein Sondergesetz zur Entmündigung moderner Menschen. Da helfen keine Schwüre, das Gesetz werde großzügig gehandhabt werden. Nicht einmal dann, wenn es keine falschen Schwüre wären. Denn der jetzigen Regierung werden andere folgen. Vielleicht solche, denen es noch viel besser in den Kram paßt, die Kunst, die Bürger und den Feierabend zu dressieren.

Die freien Künste dürfen nicht zum staatlich betriebenen Flohzirkus werden. Um nicht im Bilde zu bleiben: Daß es bestimmte Kreise juckt, aus der Wiege unserer Verfassung das schönste Patengeschenk, die Freiheit, wegzuzaubern, liegt in der Natur, genauer, in der Unnatur der Sache, um die es diesen Kreisen und ihren Kreisleitern geht. Sie wurde schon einmal und fast von den gleichen Leuten in den zwanziger Jahren unseres fatalen Jahrhunderts betrieben.

Damals, zwischen Inflation und Hitlerei, gelang es ihnen, durch ein ähnliches Gesetz mit dem gleichen ungezogenen Titel, das Ansehen der freien Künste in den Augen der Bevölkerung so herabzusetzen, daß es etliche Jahre später keiner sonderlichen Anstrengungen bedurfte, angesichts von Bücherverbrennungen und Ausstellungen »entarteter« Kunst das erforderliche Quantum Begeisterung zu entfachen.

Nun holt man also wieder zu einem ganz gewaltigen Streiche aus, zu dem gleichen Schildbürgerstreich wie 1926. Herrn Brachts fromme Erfindung, die geschlechtslose Badehose mit dem Zwickel, werden wir, gelingt der Streich, in der Sommersaison gleichfalls wiedersehen. Uns tun jetzt noch die Lachmuskeln weh. Aber wenigstens eins haben wir im letzten Vierteljahrhundert hinzugelernt: Lächerlichkeit tötet *nicht*! Es sei denn die Lacher. Deshalb dürfen wir uns diesmal nicht mit Gelächter begnügen.

Die Geschichte vom Trojanischen Pferd ist bekannt. Das Schmutz- und Schundgesetz ist ein neues Trojanisches Pferd. Man hat, züchtig gesenkten Blicks, an dem hölzernen Sagentier ein bißchen herumgehobelt. Bis ein sittlicher Wallach draus wurde. Nun steht der Trojanische Wallach, mit Kulturkämpfern bemannt, vor den Toren. Die Stadt heißt diesmal nicht Troja. Sie heißt *Schilda*.

Wären's nur die Reaktionäre verschiedener Fehlfarben, die das Schundgesetz fordern, ginge es noch an. Denn in Bonn sitzen auch andere Leute. Aber es kommen weitere Fürsprecher hinzu: die sogenannten *Dünnbrettbohrer*. Wenn's schon nicht gelingt, die tatsächlichen Probleme zu lösen, die Arbeitslosigkeit, die Flüchtlingsfrage, den Lastenausgleich, das Wohnungsbauprogramm, den Heimkehrerkomplex, die Steuerreform, dann löst man geschwind ein Scheinproblem. Das geht wie geschmiert. Hokuspokus – endlich ein Gesetz! Endlich ist die Jugend gerettet! Endlich können sich die armen Kleinen am Kiosk keine Aktphotos mehr kaufen und bringen das Geld zur Sparkasse! Dadurch werden die Sparkassen flüssig, können Baukredite geben, Arbeiter werden eingestellt, Flüchtlinge finden menschenwürdige Unterkünfte, und die Heimkehrer werden Kassierer bei der Sparkasse. Ja?

... Prostituieren sich junge Mädchen, die es in normalen Zeiten gewiß nicht täten, deshalb, weil man ihnen Magazine zeigt, worin andere junge Mädchen, aus ähnlichen sozialen Anlässen, die kaufkräftige Öffentlichkeit, vor allem natürlich ärmliche Kinder und Waisen, anschaulich damit überraschen, daß sie den Busen vorn und nicht auf dem Rücken haben? Sind Menschen, die dergleichen zu glauben vorgeben und deswegen ihr Schand-, nein, ihr Schundgesetz durchpeitschen wollen, ehrliche Leute?

Sie bohren das Brett an der dünnsten Stelle. Das ist das ganze Geheimnis. Ein paar tausend Maler, Schauspieler, Schriftsteller, Bildhauer und Musiker, die dagegen protestieren, braucht man nicht sonderlich ernst zu nehmen. Das Volk der Dichter und Denker hat seine Dichter und Denker nie ernst genommen. Warum sollten's die Volksvertreter tun?

Wenn das Schmutz- und Schundgesetz – man sucht übrigens krampfhaft nach einem weniger blamablen Namen – ratifiziert sein wird, werden die Antragsteller den Dünnbrettbohrern zeigen, was sie meinten, als sie für die Jugend in den Kampf zogen.

Der Trojanische Wallach steht vor den Toren. Klopft, ihr Toren, dem Tier auf den Bauch! Er ist hohl aber nicht leer.

(Anfang 1950. – *Abraxas:* Ballett von Werner Egk, das als ›pornografisch‹ angegriffen und an einigen Orten verboten worden war.)

Stefan Andres   *Warum nicht ein anderes Gesetz?*

Stellen wir uns doch einmal vor, man ginge plötzlich daran, den jetzt bestehenden Paragraphen konsequent durchzuführen. Ein Buchhändler z. B. müßte sich nunmehr von jedem jugendlichen Käufer das Alter bescheinigen lassen, es müßte auch ferner eine Instanz geben, die ein Verzeichnis a) der unzüchtigen, b) der schamlosen Bücher der ganzen Welt, der uralten, vor allem aber der laufenden Neuerscheinungen, verfaßt. Dieses Verzeichnis müßte der Buchhändler genau verfolgen und vor jedem Buchverkauf befragen. Und ist nun die unfehlbare Moralinstanz, welche das staatsmoralische *nil obstat* erteilt, endlich gebildet, und sind die Buchhändler dieser Organisation alle angeschlossen und lesen sie allwöchentlich das Verzeichnis der als unzüchtig und schamlos und überhaupt als verwerflich angezeigten Bücher, dann öffnet sich der Buchladen und es tritt ein Siebzehnjähriger ein und kauft das bedenklichste der in der letzten Woche im Index der verbotenen Bücher angezeigten Werke und gibt es seinem sechzehnjährigen Vetter, der vor der Tür des Buchladens wartet.

Überall, wo wir dem Staat einen Machtzuwachs gewähren, müssen wir fürchten, daß er diesen Zuwachs zu anderen Zwecken gebraucht, als wir es wollten. Auf keinem Felde aber ist ein Vordringen der Staatsmacht gefährlicher als dort, wo der Staat beobachtet und die Würde und der Selbstand des Menschen verteidigt wird, und das ist das Feld der freien Meinungsäußerung seitens der dazu Berufenen: der Dichter, Philosophen, der Künstler und Künder aller Art.

Ein Schmutz- und Schundgesetz aber, wie es geplant ist, hat alle Entwicklungsmöglichkeiten in sich, geheime und ganz geheime Ziele unter vorgeblichen zu verfolgen. Und der Ausgangspunkt für ein solches Gesetz, mit dem man eines Tages ohne Mühe die verantwortlichsten Stimmen der Nation zum Schweigen bringen könnte, wäre die moralisch gefährdete Jugend gewesen, der man, da sie um ihre Ideale betrogen, um ihre Zukunft beraubt, dastand, mit einem Paragraphen helfen wollte.

Aber warum nicht! Schaffen wir einen Paragraphen für die Jugend! Gewähren wir darin jedem jungen Menschen ehrbare Eltern oder Pflegeeltern, ein Bett zur alleinigen Benutzung in einem Zimmer, darin täglich wenigstens drei Stunden die Sonne scheint. Und gewähren wir ihr hinreichend Speise und Trank und – das vor allem: einen Arbeitsplatz. Und gewähren wir den jungen Leuten Heiterkeit und Freude bei Gleichaltrigen und freundliches Verstehen von den erwachsenen Freunden. Gewähren wir ihr eine berechtigte Hoffnung auf die Zukunft. Dann wachsen diese jungen Leute wie von selber heran zur Selbstachtung und zur Ehrfurcht vor den heiligen Institutionen.

Ja, arbeiten wir alle, von privater und staatlicher Seite an der Hervorbringung eines solchen Paragraphen – und versuchen wir vor allem, ihn so konsequent und rücksichtslos zu verwirklichen, als handelte es sich um die Durchführung eines Moralparagraphen.

(Ende 1950. – Aus einem Referat vor einer ›Kommission‹ des Bundestags, die Stefan Andres und Erich Kästner als Sachverständige ›anhörte‹.)

Nach der Annahme des Gesetzes im Oktober 1952 protestieren nochmals zahlreiche Schriftsteller:

Luise Rinser:

Ich halte dieses Gesetz für eines der dümmsten, die es gibt. Jugendkriminalität ist nicht die Folge unmoralischer Bücher, sondern die Folge von Kriegen und schlechten sozialen Zuständen! Wo übrigens soll die Grenze zwischen Erlaubtem und Verbotenem sein? Militaristische Bücher werden erlaubt sein; Filme, die »moralisch« sind, aber Jugendliche zu verlogenen Wunschträumen aller Art verleiten, werden erlaubt sein ...

Wird man nicht auch konsequenterweise alle Aktbilder in den Museen verhüllen?
Wird man den Frauen eine bestimmte Art von Kleidung vorschreiben?

Hans Erich Nossack:

Immer beruft man sich auf das Wohl der Jugend, wenn die Karre im Dreck steckt; es ist auch so viel bequemer, als die Karre aus dem Dreck zu ziehen, die nicht durch die Schuld der Jugend dorthin geraten ist. Geben wir doch lieber zu, daß unser wirtschaftlicher und gesellschaftlicher Rahmen nicht mehr intakt ist, weil wir, die elterliche Generation, versagt haben und ins Taumeln geraten sind. Nur dadurch wird es für skrupellose Geschäftemacher lohnend, sich mit der Herstellung und dem Vertrieb minderwertiger Schriften zu befassen.

Die Jugendkriminalität mit der Lektüre solcher Erzeugnisse erklären zu wollen, ist nichts als ein billiger, sentimentaler Advokatentrick.

Günther Weisenborn:

Alle Schriftsteller, Poeten, Schreiber und Bildner sollten öffentlich auf Plätzen zusammentreten, reuig bekennen, daß sie die Jugend »sittlich gefährdet« haben, ihre »sittlich gefährdenden« Werke auf einen Haufen schichten und sie diesmal selber . . . anzünden.

Wolfgang Koeppen:

Das sogenannte Schund- und Schmutzgesetz kehrt keinen Schund und Schmutz aus unserer Bundesrepublik. Die Dunkelmänner im Lande und in den Fraktionen werden Geisteskritiker, der Staatsanwalt und der Polizist Kunstrichter. Was unsittlich sei, bestimmen sie, und was ihnen unbequem ist, wird verboten. Die Vernebelung der Köpfe wird gefördert. Erst wird man die Dummen sich regen lassen, aber bald werden die Unterdrücker da sein. Nicht die Freiheit des künstlerischen Schaffens, die Freiheit selbst ist in Gefahr. Die Periodika des Blödsinns, der dummen Lüsternheit, der Leserbriefe von Familien-Sadisten, der Äußerung falscher Gefühle, der kloakohistorischen Erinnerungen »aus großer Zeit« locken selbstverständlich weiterhin von den Kiosken. Unter dem Vorwand, die Jugend zu schützen, wird ein Weg beschritten, der schon einmal gegangen wurde und der heute, wie einst im Weimar-Staat, zu den Tafeln des Stürmers führte, zur öffentlich angeschlagenen und in den Schulen vorgelesenen Pornographie von Staats und Mordes wegen.

PEN-Zentrum der Bundesrepublik:

Das Deutsche PEN-Zentrum der Bundesrepublik hat das Schmutz- und Schundgesetz zu verschiedenen Malen als überflüssig, gefährlich und nicht durchführbar gebrandmarkt. Nachdem es nun doch gegen den Willen der Schriftsteller, Verleger und Buchhändler und auch vieler anderer Sachverständiger durchgesetzt worden ist, teilweise aus unsittlicher Prüderie, hat das PEN-Zentrum der Bundesrepublik beschlossen, seine Mitglieder aufzufordern, die Durchführung und Anwendung dieses Gesetzes in allen Einzelheiten gewissenhaft und kritisch zu überprüfen. (8. 12. 1952)

Arnold Zweig   Die wichtigste gesellschaftliche Funktion des Schriftstellers

. . . Hätten die Deutschen verstanden, nämlich sich vorstellen können und in ihrem Gefühlsleben als Wirklichkeit vorwegnehmen, was es bedeutete, die werktätige Bevölkerung mit ihren Ausbeutern und Aussperrern, so lange diesen die politische und militärische Macht gehorchte, in einem Ständestaat zusammenzukoppeln, so hätten alle politisch geschulten Gruppen dieses Grundprogramm des Faschismus durchschaut und in den Boden gelacht. »Wir sind keine Kinder von Hameln«, hätten sie in den Versammlungen diesen Demagogen zugerufen, »wir lassen uns von keiner Flöte und keinem Rattenfänger in einen hohlen Berg locken.« Und gar, wenn in dem Jahrzehnt der Weimarer Republik die gegen den Krieg als Gesellschaftsprozeß gerichteten Romane, Dramen und Gedichte zu einem Publikum gekommen wären, in dessen Schulbüchern und Lesestoff statt der jahrhunderte alten Verherrlichung des Krieges sein wirkliches Porträt zu finden gewesen wäre, des Angriffskrieges nämlich in all seiner Unbrauchbarkeit auf lange Sicht, vergeblichen Grausamkeit und Vernichtungsfunktion – unmöglich hätten sich dann hunderttausende junger Menschen von der Parole fangen lassen können: »Nach Ostland wollen wir reiten« ...

Heute sehen wir, wie Kommunistenfurcht und Bolschewistenschrecken auf der ungeschulten Phantasie von Millionen musizieren dürfen und musizieren können, weil der zeitgenössische Leser und Filmbesucher von den Verteidigern und Dienern des Großkapitals beliebig geknetet und gemodelt werden kann. Keine gesellschaftliche Veränderung, die ja von Menschen getragen und erfüllt wird, läßt sich in Bewegung setzen, ohne daß man der Masse die Ziele, Aufgaben und Leistungen als begehrenswert und erfüllbar darstellt und ausmalt, die sie zu erreichen verspricht; kein Programm einer politischen Partei kann wirkungsvoll vorgebracht werden, ohne sich an die Phantasie der Massen zu wenden und ihnen wünschenswert und erreichbar vorgestellt zu werden. Auch die Umwandlung der kapitalistischen Gesellschaft in die sozialistische bleibt unablösbar an die Wirkung der menschlichen Phantasie gebunden. Sie allein erfüllt die Thesen und Programme mit Leben, Wärme und Leuchtkraft und vermag den Menschen zu überzeugen, daß er sich auf dem Wege, den diese Sätze fordern und verkünden, zu einem sinnvollen und glücklicheren Leben durchkämpfen kann.

Zum anderen aber ist die menschliche Phantasie der einzige Weg, sich in das innere Sein des Nebenmenschen zu versetzen. Wer liest oder Theaterstücke sieht, dem wird erhellt, was um ihn her vorgeht und womit er sich täglich herumzuschlagen hat – schlecht und recht, und wenn er ungeschult bleibt, erfolglos ... Wenn wir die sprühende Heiterkeit mitgenießen, welche von Rabelais, Swift, Voltaire oder Heinrich Heine, zuletzt von Anatole France über die Dummheiten der menschlichen Geschichte und ihre falschen Vergesellschaftungsformen ausgegossen wird, so erfaßt uns eine wohltätige Beschämung. Wie schlecht haben wir Europäer es bisher gemacht, und wieviel Anstrengungen hat es erfordert, aber auch wie lohnende, uns endlich von den großen Denkern des Sozialismus auf eine bessere Bahn des Zusammenlebens führen zu lassen.

(März 1950)

Manifest des ›Kongreß für kulturelle Freiheit‹

1. Wir halten es für eine axiomatische Wahrheit, daß die Freiheit des Geistes eines der unveräußerlichen Menschenrechte ist.

2. Diese Freiheit besteht in erster Linie im Recht des Einzelnen, eigene Meinungen zu bilden und zu äußern, und zwar namentlich auch dann, wenn sie von den Meinungen der Obrigkeit abweichen. Der Mensch wird zum Sklaven, wenn er des Rechtes beraubt wird, »nein« zu sagen.

3. Freiheit und Friede sind untrennbar verbunden. In jedem Lande, unter jedem Regime, fürchtet die überwältigende Mehrheit des Volkes den Krieg und lehnt ihn ab. Die Kriegsgefahr ist gegenwärtig, sobald eine Regierung die Organe der Volksvertretung knebelt und damit das Volk außerstande setzt, zum Krieg »nein« zu sagen.

Der Friede kann nur gesichert werden, wenn jede Regierung ihre Handlungen erstens der Kontrolle ihres Volkes unterwirft und sie zweitens, insofern sie den Frieden bedrohen können, einer internationalen Autorität unterstellt, deren Beschlüsse sie als bindend anerkennt.

4. Wir glauben, daß die Hauptursache der gegenwärtigen weltweiten Unsicherheit durch die Politik von Regierungen entsteht, die sich mit Worten zum Frieden bekennen, sich aber weigern, die grundlegenden Bedingungen einer solchen doppelten Kontrolle auf sich zu nehmen. Die Geschichte lehrt, daß man Kriege unter jedem beliebigen Schlagwort vorbereiten und führen kann, auch unter dem Schlagwort des Friedens . . .

5. Freiheit beruht darauf, daß der Ausdruck abweichender Meinungen geduldet wird. Es ist logisch unmöglich und moralisch nicht annehmbar, sich auf den Grundsatz der Duldsamkeit zu berufen, um eine Praxis der Unduldsamkeit zu rechtfertigen.

6. Keine politische Ideologie, keine ökonomische Theorie kann sich das allgemeine Recht anmaßen, den Begriff der Freiheit zu bestimmen. Vielmehr muß der Wert aller Ideologien und Theorien nach dem Ausmaß der praktischen Freiheit beurteilt werden, die sie dem Einzelnen gewähren. Wir glauben ferner, daß keine Rasse, Nation, Klasse oder Glaubensgemeinschaft das ausschließliche Recht beanspruchen darf, die Idee der Freiheit zu verkörpern oder irgendeiner Gruppe von Menschen im Namen einer noch so edlen Theorie die Freiheit vorzuenthalten.

Jede menschliche Gemeinschaft kann und soll nach dem Maß und der Art der Freiheit bewertet werden, die sie ihren Mitgliedern einräumt . . .

9. Wir glauben, daß es keine Sicherheit in der Welt geben kann, solange die Menschheit in bezug auf die Freiheit in Habende und Habenichtse aufgeteilt bleibt. Die Verteidigung der bestehenden Freiheiten und die Wiedereroberung der verlorenen Freiheiten ist ein einziger, unteilbarer Kampf . . .

11. Wir glauben . . . daß Theorie und Praxis des totalitären Staates die größte Bedrohung darstellen, der sich der Mensch in seinem geschichtlichen Dasein bisher gegenübergesehen hat.

12. Gleichgültigkeit und Neutralität kämen angesichts einer solchen Drohung einem Verrat an den wesentlichsten Werten der Menschheit gleich, einer Abdankung des freien Geistes. Von unserer Antwort auf diese Bedrohung hängt es ab, ob das Menschengeschlecht den Weg zum Konzentrationslager-Staat oder zur Freiheit einschlagen wird.

(Der ›Kongreß‹ fand im Juni 1950 in Westberlin statt. Fast alle bedeutenden westdeutschen Autoren nahmen nicht an ihm teil; sie hofften immer noch – wie die meisten ihrer ostdeutschen Kollegen – auf ein wiedervereinigtes Deutschland, einen gesamtdeutschen Friedensvertrag. – Die Skepsis war freilich schon groß – als Beispiel zwei Sätze von Walter Dirks [›Frankfurter Hefte‹, September 1950]: »Die Völker Europas haben weder den militärischen Zusammenbruch noch den militärischen Sieg zu nutzen verstanden. Angst, Bedürfnis nach Sicherheit und Bequemlichkeit waren stärker als Mut, Wahrheit und Opfer, und so leben wir denn in einem Zeitalter der Restauration.« – Bertolt Brecht hatte an den ›Kongreß‹ einen ›Offenen Brief‹ gerichtet: »Sie sind zusammengekommen, um über die Zukunft der Freiheit zu beraten, der kulturellen, wie ich höre, und der politischen und ökonomischen, wie ich hoffe. Eine solche Beratung, ja eine unablässige Folge solcher Beratungen ist durchaus nötig, denn in vielen Ländern, den meisten, lebt der Großteil der Bevölkerung, der arbeitende, noch in absoluter, wenn auch verdeckter Knechtschaft und hat nicht die Freiheit, etwas zur Änderung und Besserung des Lebens in ökonomischer Hinsicht zu unternehmen. Es wird Ihre Aufgabe sein, darüber zu beraten. Die Freiheit, sein Leben zu verbessern – das Wort ›Leben‹ im einfachsten Sinn verstanden –, ist die elementarste aller Freiheiten des Menschen. Von ihr hängt die Entwicklung der Kultur ab, und es hat keinen Sinn, über Freiheit und Kultur zu sprechen, wenn nicht diese Freiheit, das Leben zu verbessern, besprochen wird. Die erste Bedingung eines besseren Lebens ist dann der Friede, die Sicherheit des Friedens. Lassen Sie uns doch alle gesellschaftlichen Systeme, an die wir denken mögen, zu allererst daraufhin untersuchen, ob sie ohne Krieg auskommen. Lassen Sie uns zu allererst um die Freiheit kämpfen, Frieden verlangen zu dürfen. Sage keiner: Erst müssen wir darüber sprechen, was für ein Friede es sein soll. Sage jeder: Erst soll es Friede sein. Dulden wir da keine Ausflucht, scheuen wir da nicht den Vorwurf, primitiv zu sein! Seien wir einfach für den Frieden! Diffamieren wir alle Regierungen, die den Krieg nicht diffamieren! Erlauben wir nicht, daß über die Zukunft der Kultur die Atombombe entscheidet!

Man hat gesagt, die Freiheit entsteht dadurch, daß man sie sich nimmt. Nehmen wir uns also zu allererst die Freiheit, für den Frieden zu arbeiten!«)

Alfred Andersch   *Skandal der deutschen Reklame*

Sollte in etwa zweihundert Jahren ein Kulturhistoriker auf die Idee kommen, die soziale Situation des Jahres 1950 in Deutschland nach den Reklame-Veröffentlichungen der deutschen Firmen zu beurteilen, so würde er zu überraschenden Schlüssen kommen. Das deutsche Volk unserer Zeit würde ihm dann als eine vornehmlich in Fracks und Abendkleidern auftretende Spezies erscheinen, als eine Nation eleganter, reichlich dekolletierter Damen mit dreifach geschlungenen Perlenketten um die entzückenden Hälschen, breit, aber gut gebauter älterer Herren mit silbernen Schläfen und graumelierter englischen Bärtchen und hochgewachsener jugendlicher Roués in Seidenrevers und Smoking-Hemden mit mattschimmernden Manschettenknöpfen. Aus den Gesprächs-, Verzeihung: Konversationsthemen dieser festlich gekleideten Menge könnte er etwa folgende Brocken erhaschen: »Reichlich ungalant, mit einer Zigarette im Munde ...«, plaudert da eine jüngere Dame schelmisch-indigniert einem Super Clark Gable zu, der ihr gerade in den Hermelin hilft. »Verzeihung«, entschuldigt der Beau sich, »diese ›Letzte‹ als Ausklang eines langen Abends ist – last not least –« (man beachte die englischen Sprachkenntnisse!) »eine ...« – worauf der Name der Zigarette folgt. Lassen wir die Fiktion eines zukünftigen Sittenforschers fallen und mischen wir uns selbst unter die frohe Gesellschaft dieser offensichtlich in Permanenz tagenden Cocktail-Party. Dann belauschen wir einen weiteren dieser jungen Männer im Gespräch mit einem der schon erwähnten älteren Herren, der in puncto Eleganz einer Binding-Novelle, und was Jovialität betrifft, einer Industrie- und Handelskammer entsprungen scheint. »Sehr zum Wohl,

97

Papa«, prostet der Sohn gönnerhaft und maßlos scharmant, »du hast doch immer famose Ideen und weißt, was gut ist.« »Ja, mein Junge«, wird ihm zur Antwort, »das habe ich schon von deinem Großvater gelernt. Der trank mit Andacht und meinte, in jedes gute Haus gehöre XYZ-Schnaps.« So restaurieren sich die »guten Häuser«, wenigstens in der Reklame. (12. 1. 1951)

Thomas Mann   *Aberglauben und free enterprise*

... Wanja und Sam oder Jim wollen einander nicht an die Kehle, weil ihre Landesverfassungen divergieren. Die Grundprinzipien der Demokratie divergieren: Freiheit und Gleichheit. Sie widersprechen einander und können nie zu idealer Vereinigung gelangen, denn Gleichheit trägt in sich die Tyrannei und Freiheit die anarchische Auflösung. Die Aufgabe der Menschheit ist heute, ein neues Gleichgewicht zwischen ihnen zu finden, sie eine neue Verbindung eingehen zu lassen, in der sich freilich nicht die Tatsache wird verleugnen können, daß Gerechtigkeit die herrschende Idee der Epoche, ihre Verwirklichung, soweit sie in Menschenkräften steht, eine Angelegenheit des Weltgewissens geworden ist. Die bürgerliche Revolution muß sich ins Ökonomische fortentwickeln, die liberale Demokratie zur sozialen werden. Jeder weiß das im Grunde, und wenn Goethe gegen das Ende seines Lebens erklärte, jeder vernünftige Mensch sei doch ein gemäßigter Liberaler, so heißt das Wort heute: Jeder vernünftige Mensch ist ein gemäßigter Sozialist. Nun weiß ich wohl, daß gerade der »gemäßigte«, der humanistisch gezügelte, der liberale Sozialismus, also die Sozialdemokratie, den totalitären Kommunismus am allerbittersten haßt. Das ist in Amerika nicht anders, als es in Deutschland war. Und doch glaube ich, daß schon die Bereitwilligkeit in unserem Lager, einzuräumen, daß eine soziale Reform der Freiheit fällig und geboten ist, schon die Abkehr von dem Aberglauben, man müsse überall in der Welt den Sozialismus niederhalten und lieber sich mit dem Faschismus verbünden, als zuzulassen, daß irgendwo free enterprise Schaden nehme, – ich glaube, daß schon dies eine solche Veränderung der Atmosphäre mit sich bringen würde, daß dem russisch-amerikanischen Gegensatz viel, ja Entscheidendes von seiner Schärfe genommen wäre ... (1950)

Gustav Heinemann   *Deutsche Sicherheit*

(Am 31. 8. 1950 tritt der erste Innenminister der BRD, Gustav Heinemann – damals CDU – zurück. Grund: Der Bundeskanzler Konrad Adenauer hatte in einem Interview mit der ›New York Times‹ vom 18. 8. von der »Notwendigkeit starker deutscher Verteidigungskräfte« gesprochen und am 29. 8. dem amerikanischen Hohen Kommissar ein ›Sicherheitsmemorandum‹ mit ähnlichen Überlegungen übergeben, das er erst zwei Tage später dem Kabinett vorlegte. Der Text von Heinemann begründet seinen Rücktritt.)

Es ist nicht unsere Sache, eine deutsche Beteiligung an militärischen Maßnahmen nachzusuchen oder anzubieten. Wenn die Westmächte unserer Mitwirkung zu bedürfen glauben, so mögen sie an uns herantreten und dabei verbindlich sagen, welches die Grundlagen einer etwa von ihnen gewünschten deutschen Mitwirkung sein sollen. ... nachdem die Alliierten in fünfjähriger Besatzungszeit alles darauf angelegt haben, ... das deutsche Volk zu einer jedem Militärwesen abholden Geisteshaltung zu erziehen, haben wir allen Anlaß, auf gegenteilige Aufforderungen so zurückhaltend wie nur möglich zu reagieren. Dies wird für unsere Nachbarvölker im Westen wie im Osten der eindrücklichste und immer noch notwendige Beweis für die doch unleugbare Gesinnungsänderung des deutschen Volkes sein. Wenn wir anders handeln, kann nur der alte Verdacht gegen unseren Militarismus und die aus ihm folgende Mißachtung unseres Volkes verhängnisvoll belebt werden ...

Die Aufstellung deutscher Truppen bedeutet eine schwere Belastung unserer sozialen Gestaltungsmöglichkeiten. Wenn es bisher nicht gelangt hat, den Ostvertriebenen und Kriegsbeschädigten, den Wohnungslosen und Sozialrentnern, der Jugend und manchen anderen Gruppen unseres Volkes zu geben, was ihnen zusteht, so werden Rüstungsausgaben ihre Situation nicht erleichtern. Wo ist die soziale Generalstabsarbeit, die hier eine Antwort vorbereitet?

Die andere Belastung erwächst unserer jungen Demokratie. Die militärische Macht wird nahezu unvermeidlich wieder eine eigene politische Willensbildung entfalten ...

Natürlich kann Deutschland jederzeit von den anderen zum Schlachtfeld gemacht werden. Aber wir legitimieren unser Deutschland selbst als Schlachtfeld, wenn wir uns in die Aufrüstung einbeziehen. Ich weiß, daß es z. Zt. irreal ist, an eine Verständigung unter den Weltmächten über Deutschland oder an eine UNO-Lösung für Deutschland zu denken. Wer aber vermöchte zu sagen, daß es auch morgen irreal sein wird? Es kommt darauf an, daß die Chance für eine friedliche Lösung nicht verloren geht. Unsere Beteiligung an der Aufrüstung würde das Aufkommen einer solchen Chance kaum mehr offen lassen ...

Der Bundeskanzler denkt in den Formen autoritärer Willensbildung und des stellvertretenden Handelns. Streiten wir dabei nicht um Verfassungswortlaute. Wo ein Wille zur Mitbeteiligung des Volkes vorhanden ist, gibt es auch Wege, um diese Mitbeteiligung aufzuschließen. Wir werden unser Volk nur dann demokratisch machen, wenn wir Demokratie riskieren. Wenn in irgendeiner Frage der Wille des deutschen Volkes eine Rolle spielen soll, dann muß es in der Frage der Wiederaufrüstung sein ...

Mein Rücktritt aus der Bundesregierung ist erfolgt, weil ich die Verantwortung nicht tragen kann, die einem Bundesminister zugemutet wird. Wo die dem Kanzler obliegende Bestimmung der politischen Richtlinien so verstanden wird, daß eine gemeinsame echte Willensbildung nicht stattfindet, und wo jeder nur mit Vorwürfen zu rechnen hat, der sich den Richtlinien nicht willig fügt, möchte und kann ich keine Mitverantwortung tragen.

Mein Ausscheiden aus der Bundesregierung möge das deutsche Volk vor die Frage führen, wie es sich Demokratie denkt und was es von seinen Ministern erwartet. Es möge die deutschen Männer und Frauen insbesondere in der vor uns stehenden sachlichen Frage der Wiederaufrüstung veranlassen, selber nachzudenken und ihren Willen deutlich zum Ausdruck zu bringen.

Stephan Hermlin *Wir wollen zusammenhalten ...*

Manche Skeptiker behaupten, die Völker lernten nichts aus der Geschichte. Die Tatsachen geben den Skeptikern nicht recht. Auch im Fall Deutschland nicht. Man muß schon über die monumentale Ahnungslosigkeit der Leute staunen, die glauben, fünf Jahre nach der Erstürmung der Reichskanzlei die Deutschen unter den alten Nazi-Parolen gen Osten treiben zu können ...

Inzwischen hat Adenauer Grotewohls Angebot abgelehnt. Sowohl die Form als auch der Inhalt der Ablehnung verraten, daß hier dem Druck amerikanischer Interessenten und einiger ihrer deutschen Sachwalter nachgegeben wurde. Teilweise war man in Bonn selbst entsetzt darüber, wie leichtfertig hier über die Sehnsucht des deutschen Volkes nach nationaler Einheit hinweggegangen wurde ... Unzweideutig ist die Sprache der Tausende und Abertausende, die dem Brief Otto Grotewohls zustimmen. Unzweideutig ist die Sprache bedeutender deutscher Schriftsteller, von Mitgliedern des PEN-Clubs und anderen, die die Prinzipien jenes Briefes bejahen.

Alfred Döblin schreibt an Arnold Zweig und Johannes R. Becher zu ihrem Vorschlag eines ständigen Kontaktes: »Da ich dieser Anregung prinzipiell bejahend gegenüberstehe, begrüße ich die Fortführung dieser Unterhaltung und möchte wünschen, da Sie Ihren Brief enden mit dem Wort ›Es wird nicht schwer sein, einige Vorschläge auszuarbeiten, daß wir sie gemeinsam verwirklichen können‹, Sie möchten mir zunächst schriftlich einige solcher Vorschläge mitteilen. Ich werde sie hier mit meinen Freunden durchsehen, und Sie werden sehen, daß der Geist des Friedens und der Toleranz bei uns keine Phrase sondern ein aktives und lebendiges Element ist.«

Von Emil Belzner lesen wir in der »Rhein-Neckar-Zeitung« unter der Überschrift »Der deutschen Zwietracht mitten ins Herz!«: »Wie ein General wissen mußte, daß es im Winter an der mandschurischen Grenze bitter kalt ist, so wäre es auch ein Versäumnis, das Interesse der europäischen Völker an neuen Schrecken zu optimistisch einzuschätzen. Und vor allem: Es wäre ein Fehler zu glauben, die deutsche Zwietracht ›löse‹ den Knoten. Der Knoten der Weltkonflikte ist exemplarisch nur zu lösen, indem man die beiden Teile, behutsam und helfend wegen der geschlagenen Wunden, wieder zueinanderfügt.«

Walter von Molo schreibt einem Journalisten: »Wie gerne verhandelten heute die vielen Millionen Toter miteinander, hätte sie nicht der Krieg, der nie Glück schaffen kann, dahingemordet.«

Wir finden die Namen von Ernst Penzoldt und Johannes Tralow, dazu die des Puschkin-Übersetzers Johannes von Guenther und des Münchner Lyrikers Georg Schwarz unter einer Adresse an Adenauer, in der es heißt: »Wir sind überzeugt, daß trotz aller Gegensätze zwischen Ost- und Westdeutschland die Wurzel der Kriegsgefahr nicht im deutschen Volk selbst liegt. Darum muß es möglich sein, das Angebot des Ministerpräsidenten Otto Grotewohl an Bundeskanzler Dr. Adenauer zur Besprechung über die Wiederherstellung der deutschen Einheit sachlich zu erörtern und anzunehmen. Wir wenden uns mit diesem Ruf zur Verständigung an alle Deutschen, damit sie –

wo immer sie stehen – gleich uns an die verantwortlichen Politiker
Westdeutschlands die Forderung richten, die dargebotene Verhand-
lungsmöglichkeit nicht auszuschlagen.«

(Februar 1951)

(Grotewohl: Der DDR-Ministerpräsident hatte der Bundesregierung am 30. 1.
1951 zur Wiederherstellung der deutschen Einheit die Bildung eines ›Gesamtdeutschen
Rates‹ vorgeschlagen.)   ✗

Lion Feuchtwanger   *Jeder Deutsche*

Jeder Deutsche, ob innerhalb oder außerhalb der Grenzen, spürt
mit Zorn und Schmerz das Unrecht, das seinem Volke angetan wird
durch die künstliche und mit Anwendung zynischer Mittel ins Endlose verlängerte Spaltung der Heimat. Der Appell der Volkskammer
des östlichen Deutschland an den Bundestag des westlichen spricht ✗
die Sprache gemeinen Menschenverstands und ehrlichen Herzens. Er
muß jedem Deutschen willkommen sein.

Es war ein Deutscher, der während des Dreißigjährigen Krieges
das Wort prägte:»Eine Unze Frieden ist mehr wert als eine Tonne
Sieg.« Dieses Wort ist auch heute der ungeheuern Mehrheit des
Deutschen Volkes aus dem Herzen gesprochen.   (März 1951)

Hans Henny Jahnn   *Was sagen die Lehrer?*   ✗

In der unglückseligen deutschen Vergangenheit haben zahllose
Lehrer begeistert den Militarismus in unseren Schulen predigt. Sie
haben die großen Beispiele in der deutschen Geschichte von Freiheits-
helden und Widerstandskämpfern verschwiegen oder verfälscht.
Dann kam eine Generation von nazistischen Lehrern, betrogenen Be-
trügern, die ihren Zöglingen aufs Schlachtfeld vorausging.

Es war vielleicht zum erstenmal in der Geschichte, daß auch die
Erziehung der Jugend, auch der Lehrerstand, bei einem politischen
Abkommen in Betracht kam, als nach diesem Krieg die Alliierten in
Potsdam berieten. Ihr Abkommen bezweckte die Veränderung der
Struktur, nicht die Zerschlagung von Deutschland. Die militaristischen
Elemente auszumerzen, sowohl im Lehrerstab wie im Unterricht –
das wurde damals der deutschen Schule empfohlen. Das ist befolgt
worden im Osten von Deutschland, der von der Sowjetarmee vom
Hitlerfaschismus befreit worden ist. Im Westen, wo Kriegsverbrecher
wieder zu Ehren kommen, sollen auch Jungen und Mädchen wieder
zu Untertanen erzogen werden. Sie lernen vom Gestern und Heute
nur, was ihnen das Morgen dunkel erscheinen läßt, erschreckend oder
geheimnisvoll. Sie können für ihre Unruhe, für die zahllosen in ihnen
schlummernden, aber unverwertbaren Fähigkeiten nur eine Verwer-

tung finden: die auf dem Schlachtfeld. Sie können sich nur einen Begriff von Gleichheit einprägen: die Gleichheit vor dem Tod.

Die Augen der friedliebenden Menschen der ganzen Welt sind bang und hoffnungsvoll auf Deutschland gerichtet. Weil es Krieg für alle bedeutet, wenn es sich in zwei Teile zerreißen läßt, und Friede für alle, wenn es auf seiner Einheit besteht. Was sagen die Lehrer zu dieser Entscheidung, jeden Morgen, in jeder Klasse? Zu ihren bläßlichen Stadtkindern? Zu ihren sonnenverbrannten Bauernkindern?

(März 1951)

Ernst Penzoldt *Mangel an Phantasie und an Gedächtnis*

Wenn ich einen Menschen töte oder ihm die Freiheit nehme, weil er eine andere politische, religiöse oder irgendwelche Meinung hat, so ist das ganz gewiß kein Beweis, daß meine Meinung die richtigere ist.

Ich bin überhaupt gegen das Töten, denn: Du sollst nicht töten, weder im Krieg noch im Frieden. Ich bin gegen Waffen. Denn es liegt in der Natur eines Gewehres oder einer Kanone, daß sie losgehen will. Natürlich will man mich auslachen. Man wird mir mit dem Satz kommen: si vis pacem para bellum (es gab eine Pistole, die Parabellum hieß unter Weglassung des Vordersatzes. Das ist wenigstens konsequent). Ich kenne keinen gefährlicheren Satz, und ich kenne die Verlockungen und eitlen Verführungen des kriegerischen Handwerks: Tapferkeit, Sieg, Ruhm, Orden, Uniform. Aber gehört nicht mehr Mut dazu, waffenlos zu leben? Zudem gibt es Leute, die sich nicht im dichtesten Kugelregen aber entsetzlich vor dem Zahnarzt fürchten. Im letzten Krieg haben so viele Millionen, Männer, Frauen, Kinder vieler Völker, ich sage nicht »unter Beweis gestellt«, sondern bewiesen, daß der Mensch tapfer ist und daß es keines weiteren Beweises in einem neuen Krieg bedarf. Wir wissen es ein für allemal ...

Mag sein, daß es bei mir eine fixe Idee ist, wenn ich von den Verlusten in einer Schlacht lese (die Zahlen sind meist aufgerundet) und dabei keinen Augenblick vergesse: Es handelt sich bei diesen Tausenden um lauter Einzelne, die Kinder waren, heranwuchsen, liebten und geliebt wurden, jeder ein Ich ... Krieg ist im Grunde nichts als Mangel an Phantasie und an Gedächtnis.

(April 1951)

Reinhold Schneider *Das Schwert der Apostel*

Der württembergische Alt-Landesbischof D. Th. Wurm hat in einer über den Bayerischen Rundfunk gegangenen Ansprache vom 10. 8. 1950 die Rüstungen der »westeuropäischen Welt« gegen einen

Angreifer gebilligt. Ein Abwehrkrieg sei eine »Polizeiaktion«; freilich bleibe für den Einzelnen die Möglichkeit der Beteiligung offen. Er könne sie aus Gewissensgründen ablehnen. Er könne aber auch, wenn er sich zum Schutze des Landes und Volkes zur aktiven Teilnahme verpflichtet fühle, ein gutes Gewissen haben. Auf einen Einwurf im Sinne der Kriegsdienstverweigerung aus Gründen des religiösen Gewissens erwiderte D. Wurm: »Man dürfe aus der Hl. Schrift nicht die Stellen herausgreifen, die ›vom Verhalten des Einzelnen reden‹.« Der Christ sei auch Glied der Gemeinschaft. Der Landesbischof verwies auf den Brief des hl. Paulus an die Römer (13, 1-7) und den ersten Brief des hl. Petrus (2, 13-17). »Eine Verantwortung dafür, daß ein ungenügend gerüstetes Europa einer Invasion zum Opfer fällt, möchte ich nicht übernehmen.«

... Jene zwei Stellen der Apostelbriefe sind in der Tat die einzigen Stellen des Neuen Testamentes, von denen sich der Gebrauch des Schwertes ableiten läßt, dem im übrigen der *Geist* des Evangeliums, der ja viel mehr ist als das einzelne Wort, durchaus absagt. Denn der Christ ist ausgerüstet für diese Welt mit dem »Schwert des Geistes« und beschützt vom »Helm des Heiles« (Epheser 6, 17) ...

Wäre der »Verteidigungskrieg des Westens« dieser Polizeiaktion zu vergleichen? In der Rede des Landesbischofs stehen Worte über den Osten, die wir nicht wiederholen wollen; es trifft auf sie zu, was im Januar dieses Jahres in der »Ecumenical Review«, der Zeitschrift des Oekumenischen Rates, mit Bezug auf die Erklärung von Toronto (Juli 1950) zu lesen ist: »Es sei nicht Sache der Kirchen, bestehende Rivalitäten der internationalen Politik unnötig zu verschärfen, sondern sie müßte ein Ort der Versöhnung sein.« Welches Aussehen die »Polizeiaktion« unseres Jahrhunderts haben wird, hat uns General Eisenhower im März 1951 unmißverständlich gesagt: »Die Verwendung der Atombombe wäre moralisch gerechtfertigt, weil die Vereinigten Staaten keinen Krieg beginnen würden«; der General werde »im Falle eines Krieges sofort die Atombombe einsetzen, wenn das Ergebnis der Kämpfe dadurch entscheidend beeinflußt werden könne.« Eisenhower hat sich damit nur den Erörterungen angeschlossen, mit denen ihm führende amerikanische Moraltheologen im vorigen Jahre vorausgeeilt sind; diese haben auch die Fälle festgelegt, in denen die H-Bombe ohne Verletzung des Gewissens geworfen werden kann. Die volle Wahrheit über die mutmaßliche Wirkung eines solchen Bombenkrieges ist bisher freilich nur von wenigen ausgesprochen worden; unter ihnen dürfte Pandit Nehru an erster Stelle stehen.

So wird, nach aller Wahrscheinlichkeit, heute die »Polizeiaktion« aussehen; es ist auch nicht schwer zu sagen, welches Land die meiste Aussicht hat, ihr Schauplatz zu sein. Wer also die Verantwortung für »ein ungenügend gerüstetes Europa« nicht auf sich nehmen will, der muß die Mitverantwortung für diese Polizeiaktion an Ort und Stelle tragen. Man stellt keine Waffe her, ohne die Bereitschaft, sie in einem bestimmten Falle anzuwenden. Das »Schwert« ist in unseren Ohren ein pathetisches Wort, ein verdeckendes Bild. Man sollte das »Schwert« dieses Jahrhunderts bei seinem Namen nennen ...

Die Erklärung der französischen Kardinäle vom Sommer des vergangenen Jahres hat eine Tür geöffnet: »Wir für unseren Teil verdammen sie – die modernen Waffen – mit aller unserer Kraft, wie wir auch im letzten Kriege nicht zögerten, die Massenbombardierungen zu verurteilen, die im Angriff auf militärische Objekte alte Leute, Frauen und Kinder zu gleicher Zeit töteten.« Hätte man nicht meinen sollen, daß alle, die sich zu Christus bekennen, durch diese Tür hätten gehen müssen? Wer soll den Anfang machen, wenn nicht die Christen? Und selbst wenn wir uns mit Recht bedroht fühlen sollten – was ausdrücklich nicht gesagt sein soll – selbst dann hätte der Glaube keine andere Wahl. Wir können die Umstände nicht bestimmen, unter denen wir das Zeugnis erbringen sollen. Wir sollen nur danach trachten, daß unsere Rede einfach sei ...

(1950/51)

Bertolt Brecht *Aus dem ›Herrnburger Bericht‹*

(Anfang Mai 1951 wurden etwa 10 000 westdeutsche Jugendliche, die von einem ›Deutschlandtreffen‹ in Ostberlin zurückkehrten, an der Grenze bei Herrnburg von der Polizei der BRD zwei Tage festgehalten, weil sie sich weigerten, ihre Namen registrieren zu lassen. Bertolt Brecht schrieb hierzu den ›Herrnburger Bericht‹, aus dem die zwei folgenden Chorlieder – Musik von Paul Dessau — stammen.)

Die Jugend weigert sich, der Bonner Polizei ihre Namen zu nennen

Uns kennen die Äcker, uns kennen die Straßen.
Bitte, uns freundlichst nach Haus gehn zu lassen.
Ich weiß, wer der ist.
Schreib das auf, Polizist!
Und Vater und Mutter, die kennen unsre Namen
und auch die Stadt und das Land, draus wir kamen.
Ich weiß, wo es ist,
Schreib das auf, Polizist!
Wir sind nicht gern auf Herrn Kanzlers neu'n Listen.
Schreiben da hinein nur Generäl und Faschisten.
Ich weiß, wo einer ist,
Schreib ihn auf, Polizist.

Spottlied

Hoch zu Bonn am Rheine sitzen zwei kleine
Böse alte Männer, die die Welt nicht mehr verstehn.
Zwei böse Greise, listig und leise

Möchten gern das Rad der Zeit nochmals nach rückwärts drehn.
Schumacher, Schumacher, dein Schuh ist zu klein,
In den kommt ja Deutschland gar nicht hinein.
Adenauer, Adenauer, zeig deine Hand!
Um dreißig Silberlinge verkaufst du unser Land.
Hoch zu Bonn am Rheine träumen zwei kleine
Böse alte Männer, einen Traum von Blut und Stahl.
Zwei böse Greise, listig und leise
Kochten gern ihr Süpplein am Weltbrand noch einmal
Schumacher, Schumacher, dein Schuh ist zu klein,
In den kommt ja Deutschland gar nicht hinein.
Adenauer, Adenauer, zeig deine Hand!
Um dreißig Silberlinge verkaufst du unser Land.

Kurt Kusenberg   *Und wenn wir leben wollten?*

Glaubt man der Weltpresse, so wünscht niemand den Krieg und jeder den Frieden. Da jedoch schon ein altrömisches Sprichwort rät, sich auf Krieg vorzubereiten, um den Frieden zu sichern, werden die Friedensarmeen der gesamten Welt zunehmend verstärkt, und zunehmend besser ausgerüstet; noch nie ist soviel für den Frieden getan worden wie heute.

Die Weltpresse spielt im Weltspiel keine glückliche Rolle. Man sagt, sie sei eine Macht; sie ist aber ein Machtmittel – ein Instrument in den Händen derer, die zum Schein den Frieden sichern, um in Wirklichkeit den Krieg vorzubereiten. Kriege werden von Leuten in Gang gesetzt, die nichts dabei finden, daß andere fallen – andere, nicht sie. Sie schließen einen heimlichen Pakt mit dem Tod: »Mach mich reich, mach mich groß, und ich werde dir Seelen zuführen, soviel du willst!« Am liebsten verarbeiten sie – kaufmännisch oder strategisch – Menschenmaterial: vom Menschen wissen sie nichts. Ihr Weizen blüht auf blutgedüngtem Boden, der Lorbeer an ihren Stahlhelmen ist auf Friedhöfen gewachsen. Es sind Henker, Henkersknechte. Sie haben alle zusammen nur einen Feind: den Frieden. Diesem rückt man erfahrungsgemäß am besten mit Mythen und Märchen zu Leibe, also indem man vom bösen Wolf, vom stolzen Helden und vom süßen Tod erzählt. Für eine Stange Gold läßt sich niemand sein einziges Leben abkaufen; für einen kindlichen, fadenscheinigen Mythos schenkt er es her. Dem Tiger Clemenceau waren die Deutschen unheimlich, weil sie »den Tod lieben«. Das hat sich, allerdings erst nach zwei Weltkriegen, gründlich geändert. Die überlebenden Deutschen haben herausgefunden, daß man nur einmal lebt und daß auf die Seelenwanderung wenig Verlaß ist. Die Welt hat diesen innerdeutschen Wandel noch nicht ganz begriffen, obwohl es ein merklicher Wandel ihrer Struktur ist.   (1951)

Das Verhältnis zu Krieg und Waffe ist für den Christen zum unabweisbaren Problem geworden. Es steht vor ihm wie der Fels, aus dem er Wasser schlagen soll. Die Lösung ist der Sinn der Zeit; sie kann nur von einer umfassenden Theologie geleistet werden, schwerlich aber in den bisherigen Denkformen. Der einzelne muß sich entscheiden vor Christus.

Wir haben in dieser Stunde sehr viel zu befürchten, nichts aber mehr als die Sünde und die Mitschuld an den Wirkungen einer Kriegstechnik, die einen jeden Krieg zum ungerechten macht. Schuld sehe ich nicht allein in der Anwendung, sondern in der Bereitschaft dazu, im Erdenken, Herstellen, Rechtfertigen der Waffe, kurz darin, daß der Christ geschehen läßt, was geschieht …

Nirgendwo ist es weniger möglich, sich der öffentlichen Verantwortung vor diesem Problem zu entziehen, als in Deutschland, einem geteilten Lande. Daß die Mehrzahl der Geistigen diese Verantwortung nicht wagt, ist ein Unglück. Gegen die Aufrüstung Westdeutschlands sprechen die folgenden politischen Erwägungen:

Der das Land zerklüftende Riß muß durch sie zum Bruch werden. Wir zerfallen dann in zwei Völker, zwei Vaterländer. Zwei einander befehdende Ideologien werden zwei Sprachen ausbilden, in denen wir einander nicht mehr verstehen können. Für den geistigen Menschen, der auf das Ganze verwiesen ist, wird es kaum mehr möglich sein zu leben.

Die Erklärung Rußlands, daß es die Aufrüstung nicht dulden werde, will sehr ernst genommen werden; schwerlich werden die von der Aufrüstung erhofften Vorteile diese Gefahr aufwiegen.

Die Wiederkehr eines gewissen Militarismus, den uns die Welt mit Recht zum Vorwurf machte, ist fast unvermeidlich. Es soll kein Soldat als solcher gekränkt, ein jeder, der sich geopfert hat, in Ehren gehalten werden. Aber die Erneuerung militaristischer Ideologien in irgendeiner Form ist für das deutsche Volk, das zum ersten Male bereit gewesen wäre, einen anderen Weg zu gehen, verhängnisvoll, der Umschlag erfolgt zu rasch; eine von innen her umbildende Arbeit ist noch gar nicht getan. Man kann nicht militärisch aufrüsten, ohne geistig aufzurüsten.

Kommt es zum Kriege, so werden unsere Brüder im Osten nach aller Voraussicht die ersten sein, auf die das Feuer niederstürzt. Ein Volk in Gefahr des Bruderkrieges kann die Waffe nicht ergreifen.

Die Bestimmung Deutschlands ist es, die Spannungen zwischen West und Ost fruchtbar zu machen, nicht aber anschwellen zu lassen, bis sie die Welt zerreißen. Diese Bestimmung kann nur in Einheit und Freiheit erfüllt werden, als deren Treuhänder sich allein eine deutsche Regierung legitimieren kann.

Freiheit läßt sich nur festigen auf Armut, auf der Macht der Persönlichkeit und des Geistes, auf radikaler sozialer Gerechtigkeit.

Man hätte erwarten sollen, daß die von der geschichtlichen Entwicklung aufgeworfenen Probleme mit dem gebührenden Ernst, in Freiheit und Sachlichkeit erörtert würden, zumal in einem Staate, dessen Grundgesetz die Freiheit der Äußerung in Wort und Schrift zusichert, den Zwang zum Kriegsdienst verbietet und Handlungen, die geeignet sind, das friedliche Zusammenleben der Völker zu stören, als verfassungswidrig bezeichnet. Aber die öffentliche Erörterung ist nie in hinreichendem Maße geschehen, seit Ende vorigen Jahres ist sie in Presse und Sender unmöglich geworden. Darum habe ich Anfang 1951 zwei Aufsätze für den Osten geschrieben, in denen ich sagte, was hier nicht mehr gesagt werden konnte: daß das deutsche Volk in der Mehrheit die Aufrüstung ablehne; und daß ein anderes Verhältnis des Westens zum Osten gesucht werden müsse als das militärisch-feindliche ...

Im Mai dieses Jahres setzten die Angriffe gegen mich ein, deren einzige Methode es ist, mit journalistisch-persönlicher Polemik die Probleme zu verdecken. Die Argumente meint man mit *einem* Schlage abgetan zu haben, indem man den Sprecher des Kommunismus verdächtigt. Nun halte ich es allerdings nicht für recht, aus dem Wort »Kommunist« ein Schimpfwort zu machen; von Millionen, die in den Heeren des Westens stehen und sich zum Kommunismus bekennen, erwartet man denselben Dienst und Tod wie von jedem andern. Der Kommunismus kann nur von Geist, Glauben, Gerechtigkeit überwunden werden. Die Methoden, mit denen heute der Westen dem Kommunismus begegnet, halte ich weder für christlich noch für hinreichend wirksam.

(18. 9. 1951. – Mit den »zwei Aufsätzen für den Osten« sind der diesem Text voranstehende und ›Verantwortung für den Frieden‹, Seite 87, gemeint. Wegen dieser Aufsätze war Schneider vom etablierten CDU-Christentum – insbesondere ›Christ und Welt‹ – auf widerliche und verleumderische Weise angegriffen worden; viele Zeitschriften, Zeitungen und Rundfunksender lehnten in der Folge seine Beiträge ab. Auch die obenstehende Antwort konnte nur in der Schweiz [›Schweizer Rundschau‹, November 1951] erscheinen, mit einem distanzierenden Vorspruch; der Ostberliner ›Aufbau‹ druckte ihn nach, ohne distanzierenden Vorspruch. An einen Freund [nach ›Labyrinth‹, Juni 1961] schrieb Schneider in diesen Monaten: »Die Haltung des Volkes ist schwer zu begreifen ... Daß der Bundeskanzler die Frage der [Oder-Neiße-] Grenze in die Diskussion warf, war sehr deutliche Absicht; nun wird's damit kein Ende nehmen und die Schranke ist noch höher – oder: das Feuer ist gelegt ... Vom katholischen Gewissen ist aber nur sehr wenig zu spüren; katholisch sein heißt wieder sehr einsam sein.«)

Bertolt Brecht   *Offener Brief an die deutschen Künstler und Schriftsteller*

Mit Entsetzen habe ich, wie viele andere, der Rede Otto Grotewohls, in der er eine gesamtdeutsche Beratung zur Vorbereitung allgemeiner freier Wahlen fordert, entnommen, wie ernst die Regierung der Deutschen Demokratischen Republik die Lage in Deutschland beurteilt.

Werden wir Krieg haben? Die Antwort: Wenn wir zum Krieg rüsten, werden wir Krieg haben. Werden Deutsche auf Deutsche schießen? Die Antwort: Wenn sie nicht miteinander sprechen, werden sie aufeinander schießen.

In einem Land, das lange Zeit seine Geschäfte einheitlich geführt hat und das plötzlich gewaltsam zerrissen wird, gibt es allerorten und allezeit viele Konflikte, die geschlichtet werden müssen. Dies kann auf viele Weise geschehen. Wenn es Heere gibt, wird es auf kriegerische Weise geschehen. Spätestens, wenn die Gefahr auftaucht, daß solche Heere entstehen, muß unter allen Umständen eine neue Anstrengung gemacht werden, die Wiedervereinigung auf friedlichem Wege herbeizuführen, welche, abgesehen von den ungeheuren Vorteilen solcher Einheit, die Konflikte beseitigt. Die Menschen aller Berufe, alle gleich bedroht, müssen dazu beitragen, die Spannungen zu beseitigen, die entstanden sind. Als Schriftsteller wende ich mich an die deutschen Schriftsteller und Künstler, ihre Volksvertretungen zu ersuchen, in einem frühen Stadium der erhofften Verhandlungen folgende Vorschläge zu besprechen:

1. Völlige Freiheit des Buches, mit einer Einschränkung.
2. Völlige Freiheit des Theaters, mit einer Einschränkung.
3. Völlige Freiheit der bildenden Kunst, mit einer Einschränkung.
4. Völlige Freiheit der Musik, mit einer Einschränkung.
5. Völlige Freiheit des Films, mit einer Einschränkung.

Die Einschränkung: Keine Freiheit für Schriften und Kunstwerke, welche den Krieg verherrlichen oder als unvermeidbar hinstellen, und für solche, welche den Völkerhaß fördern.

Das große Carthago führte drei Kriege. Es war noch mächtig nach dem ersten, noch bewohnbar nach dem zweiten. Es war nicht mehr auffindbar nach dem dritten. (26. 9. 1951)

Bertolt Brecht *Antworten*

(In der Zeitschrift ›Die Literatur‹ vom 1. 11. 1952 hatte Wolfgang Weyrauch ›13 Fragen‹ an Brecht gestellt.)

1. Warum haben Sie Ihren Aufruf vom September 1951 [. . .] bis zum Oktober 1952, also über ein Jahr lang, nicht fortgesetzt?

Als Schriftsteller wandte ich mich an die deutschen Künstler und Schriftsteller. Die Presse der DDR veröffentlichte diese Vorschläge mit Zustimmung, und führende Staatsmänner der DDR sprachen ihre Billigung aus. Einige wenige Zeitungen der Bundesrepublik veröffentlichten die Vorschläge ebenfalls, da und dort mit Zustimmung; davon, daß Schriftsteller und Künstler die Vorschläge öffentlich zu den ihrigen machten, habe ich nichts gehört, und kein Staatsmann billigte sie. Die Vorschläge waren nicht allein an die DDR gerichtet, sie sind in einem Teil Deutschlands allein nicht zu verwirklichen, so friedlich er sein mag. Krieg kann nur abgewendet werden, wenn beide etwaigen Gegner ihn ablehnen. Nicht dadurch, daß »wenigstens« der eine möglichst friedlich ist.

2. Warum haben Sie gleich einer Posaune vor den Mauern Jerichos gedröhnt, dann aber haben Sie den Mund gehalten? Warum haben Sie erst einen Stein in den Teich geworfen, dann aber kümmerten Sie sich nicht mehr darum, was an den Ufern vorging? Wollten Sie pädagogisch sein? Fielen Sie dem Hochmut anheim, nachdem Sie kollegial gewesen waren? Argwöhnten Sie mit einem Mal, es lohnte sich nicht mehr?

Ich las, sah oder hörte bisher kein Kunstwerk, in der DDR entstanden und gedruckt, das den Krieg verherrlichte und als prinzipiell unvermeidlich für das Land hinstellte, und keines, das den Völkerhaß förderte. Dagegen las ich von Femelisten, Zusammenkünften der von der ganzen zivilisierten Welt als verbrecherisch verurteilten SS, von antisemitischen Prozessen sowie Memoirenwerken, welche die Nazis rühmten. Ich muß hinzufügen, daß ich von keinem Kunstwerk mit dieser Tendenz erfuhr. Ich muß jedoch bezweifeln, ob es, wenn entstanden, nicht veröffentlicht würde. Ich fiel darüber nicht dem Hochmut anheim, sondern dem Entsetzen. Ich argwöhnte nicht, daß es sich nicht mehr lohnte, an die Vernunft zu appellieren, aber ich wußte und weiß nicht, wie ich wenigstens die Künstler und Schriftsteller der Bundesrepublik mit meinem Entsetzen anstecken könnte oder mit meinem Bedürfnis an die Vernunft zu appellieren.

3. Oder schämten Sie sich? Schämten Sie sich, weil Sie im gleichen Jahr 1951, als Sie Ihren Aufruf »An alle deutschen Künstler und Schriftsteller« verfaßten, im Aufbau-Verlag, Berlin, Ihre »Hundert Gedichte« veröffentlichten, mit dem Gedicht »Resolution der Kommunarden« darin, dessen Refrain lautet:

> *»In Erwägung: Ihr hört auf Kanonen –*
> *andre Sprache könnt Ihr nicht verstehn –*
> *müssen wir dann eben, ja, das wird sich lohnen*
> *die Kanonen auf Euch drehn!«*

4. Schämten Sie sich für Ihren Kollegen Johannes R. Becher, der ein »Kampflied für die junge Generation« schrieb, dessen Refrain folgendermaßen hieß:

> *»Seht, herrlich schon grünen die Saaten!*
> *Es singt von der Oder zum Rhein:*
> *wir wollen des Volkes Soldaten*
> *und Kämpfer der Heimat sein!*
> *Wir sind des Volkes Soldaten,*
> *und Deutschland wird Dein sein und mein!*

ein Refrain, der einem einfallen ließ, der Name Johannes R. Becher sei ein Pseudonym für Heinrich Anacker?

Ich schäme mich nicht, mein zwanzig Jahre altes Lied »Resolution der Kommunarden« in einem Sammelband von Gedichten veröffentlicht zu haben. Wenn Sie auch nur noch ein paar Zeilen mehr dieses Liedes abgedruckt hätten, wäre es ersichtlich geworden, daß es die Antwort der Kommune von Paris im Jahre 71 darstellte auf die Drohung einer verkommenen französischen Bourgeoisie, Paris an Bismarck und den Reaktionär Thiers auszuliefern. Ich kann nichts dafür, daß das Lied eine schauerliche Aktualität aufweist. Noch schäme ich mich für J. R. Bechers »Kampflied für die junge Generation«, in dem er sie singen läßt, sie wollten des *Volkes* Soldaten sein, von der Oder bis zum Rhein, damit Deutschland ihrer werde. Es ist nicht ihrer heute.

5. Schämten Sie sich, weil Sie in der »Berliner Zeitung« vom 18. Juli 1952, Nr. 165, Seite 3, lasen: »Um als Künstler die Verteidigungskraft unserer Heimat zu stärken, verpflichtet sich Hans Rodenberg, in einer noch aufzustellenden Einheit unserer nationalen Streitkräfte mitzuhelfen, den jungen Kämpfern aus Stadt und Land die Schätze der Kunst und Literatur nahezubringen«?

Ich schäme mich auch nicht der Selbstverpflichtung Hans Rodenbergs ... Wenn ein Heer aufgestellt werden müßte, weil alle Angebote friedlicher Einigung abgelehnt werden, ist es nötig, seine Verteidigungskraft (*Verteidigung*skraft) durch die Schätze der Kunst und Literatur zu stärken. Sie müssen derlei als zumindest ungewöhnlich zugeben.

6. Schämten Sie sich, weil Sie erfuhren, daß der Bezirkssekretär der SED in Schwerin, Quant, in einer Feierstunde zum 139. Todestag des nationalistischen und militaristischen Poeten Theodor Körner in Wöbbelin, Kreis Ludwigslust, sagte: »Theodor

Körner bejahte und begrüßte einen gerechten Krieg, der den Interessen des Volkes dient. Mit der Waffe in der Hand verteidigte er unsere Heimat, und darum ist er für unsere Jugend das große Vorbild«?

Ich schätze Theodor Körner nicht besonders, aber daß er für seine Verteidigung der Heimat gelobt wird, kann ich nicht schlimm finden, außer für solche, die vorhaben, anderer Menschen Heimat anzufallen.

7. Schämten Sie sich, weil Sie erfuhren, daß der barbarische Film »Jud Süß« des Nazi und Antisemiten Veit Harlan von einer sowjetischen Verleihinstitution nach dem Libanon verkauft worden war?

Ich weiß nichts von einem Verkauf . . . Ich würde ihn nicht billigen.

8. Schämten Sie sich, weil der ehemalige Nazi-General Vinzenz Müller den möglichen Tod von Tausenden von jungen Männern in der Deutschen Demokratischen Republik vorbereitet, der Kollege des früheren Nazi-Generals und ständigen Dummkopfs Ramcke, der sich nicht schämt, wann immer er in der Deutschen Bundesrepublik schwätzt, seine Kollegen, die Kriegsverbrecher, durch das Wort »sogenannt« zu schützen?

Ich habe nichts von Kriegsverbrechen des Generals V. Müller gehört. Er war Kollege von Kriegsverbrechern, ich auch.

9. Oder schämten Sie sich gar nicht?

10. Wußte Ihre linke Hand nicht, was Ihre rechte Hand tat?

11. Wußten Ihre schreibenden Hände nicht, was Ihr Kopf dachte?

12. Sind Sie schizophren geworden, Bertolt Brecht?

13. Oder hielten Sie uns, die Schriftsteller in der Deutschen Bundesrepublik, zum Narren? Vermuteten Sie, auch bei uns, genauso wie bei Ihnen, gelte die Formel: »Mann ist Mann«?

Alle diese Fragen sind im Grunde eine einzige: ob ich bestochen bin. Ich glaube, diese Frage würde auch erhoben, wenn ich etwa vorschlüge, den Blinden das Augenlicht und den Tauben das Gehör wiederzugeben. Ich habe meine Meinungen nicht, weil ich hier bin, sondern ich bin hier, weil ich meine Meinungen habe.

Viel wichtiger ist die Vermeidung des Krieges, den eine dauernde Spaltung Deutschlands in so fürchterliche Nähe rücken würde. Was werden die Schriftsteller der Bundesrepublik für die Aufnahme von Verhandlungen tun? Wenn man ihnen schon nicht befiehlt, gegen den Krieg zu arbeiten – wie könnte man sie dazu bestechen? Die Zeit rinnt ab. Wird Deutschland überfallen werden, dann wird es verteidigt werden – gegen seine Schriftsteller und Künstler oder für sie.

(November 1952. – Der Verkauf des Films ›Jud Süß‹ stellte sich später als Falschmeldung heraus.)

Erich Kästner   *Offener Brief an Freiburger Studenten*

Wenn die Anhänger der echten und insofern die Gegner einer nur formalen Demokratie nicht scharf aufpassen, wird die noch sehr junge und ganz und gar nicht gesunde Bundesrepublik solange mit dem Schwert der Gerechtigkeit herumfuchteln, bis sie auf diese Weise, obzwar versehentlich, Selbstmord begeht. Das Weimarer Harakiri dürfte noch in bester Erinnerung sein.

Das Hamburger Gericht sprach Herrn Harlan frei. Nicht einmal zu einem befristeteten Berufsverbot reichte das »objektive« Finden des Rechts aus. Also waren die Filmproduktion und der Filmverleih im Recht, Herrn Harlan umgehend zu beschäftigen. Also sind die

Kinobesitzer im Recht, seine Filme vorzuführen. Also ist die Polizei im Recht, gegen Demonstranten einzuschreiten. Also sind die einzigen Menschen, die im Unrecht sind, diejenigen, die ihr Gewissen aufruft, im Namen der Menschlichkeit gegen eine derartige Gerechtigkeit und ihre sichtbaren, wie unabsehbaren Folgen zu protestieren. Wäre der Fall Harlan ein Einzelfall, ginge es noch eben an. Aber er ist ein Symptom.

(1952. – Veit Harlan, Regisseur des berüchtigten antisemitischen Films ›Jud Süß‹, arbeitete nach dem Krieg als Filmer weiter. Bei der Aufführung des ersten Films, ›Hanna Amon‹, am 25. 1. 1952, kam es in zahlreichen Städten der BRD – insbesondere in Göttingen und Freiburg – zu heftigen Demonstrationen gegen Harlan, die zu blutigen Auseinandersetzungen führten, da Teile der Bevölkerung die Demonstranten als ›Judenlümmel‹ bezeichneten und ›Niederknüppeln, Aufhängen‹ forderten. – Die folgenden Prozesse endeten wie das Hornberger Schießen.)

Peter Huchel *Die gemeinsamen Anliegen*

Den Blick auf das Berlin des Jahres 1952 richten, heißt den Blick auf das gespaltene Deutschland richten. Hier in Berlin klafft die Schnittwunde für ganz Deutschland, ja für ganz Europa. Durch das radikale Zerschneiden der Millionenstadt in zwei Hälften, das mit viel betäubenden Phrasen vorgenommen wurde, durch das Aufzwingen von zweierlei Währungen ist der Blutkreislauf Berlins so schwer gestört und so geschwächt worden, daß die Wunde sich nicht schließen will. Sie schwärt immer weiter.

Wenn auch das Leben in den beiden Teilen Berlins von politischen Gesichtspunkten entscheidend bestimmt wird – niemals sahen die geistig Schaffenden die Notwendigkeit dafür ein, auch das kulturelle Leben Berlins zu spalten. Von Anfang an protestierten sie dagegen. Ihre Forderung, die kulturelle Einheit nicht zu zerstören, ist eine der primitivsten Vernunft, denn jeder Kulturschaffende ist sich darüber klar, daß Berlin auch als Kulturstadt nur als Ganzes steht oder daß es fällt. Dennoch ist bewußt von einer Clique gespalten worden ...

Welche Zeiten! Die Herren [Westberliner] Stadtverordneten werden das Gefühl der Bedrohung nicht los, wenn sie Künstler in Ostberlin dirigieren oder auf den Brettern, die die Welt bedeuten, agieren sehen!

Nun, es waren immer traurige Zeiten für die Kunst, wenn der Magistrat sich ihrer innig annahm und dabei vergaß, sie finanziell zu unterstützen. In den Chroniken sämtlicher Theater- und Konzertstädte können wir das nachlesen. Aber hier scheint es sich doch um einen besonderen Fall von Anmaßung zu handeln. Diese Sprache der Stadtverordneten, wohl ungewöhnlich für einen Diskurs über Dinge der Kunst – Abgeordneter Dr. Ronge: »Man sollte diese Debatte als letzte Warnung nehmen und auch anderen zurufen: Merkt es euch!

Das gilt auch für viele andere, die, ohne zu geigen, nur mit dem Munde drüben sprechen« –, diese Sprache, richtig analysiert, ist die Sprache, die man zwischen Kasernenhof und Kantine hört. »Merkt es euch!« Der ausübende Künstler erhält sein Exerzierreglement, seine exakte Dienstanweisung. Das ist nichts anderes als die Verachtung der Kunst! Das ist der offene Hohn auf die Künstler! Das ist der offizielle Fußtritt!

Erich Kleiber hat diesen Herren die Abfuhr erteilt, die sie verdienen und aus der allein schon hervorgeht, daß sich der Senat mit seiner Kulturpolitik hoffnungslos verfahren hat. Er schreibt: »... Als die Berliner Philharmoniker das mit ihnen vorgesehene Konzert für den Juni ankündigten, wußten sie sehr wohl und hatten auch scheinbar volles Verständnis dafür, daß ich wieder in der Staatsoper dirigieren werde. Und nun verbietet ihnen der Senat von West-Berlin das Konzert. Die Leitung der Staatsoper hat nicht nur nichts dagegen, sondern begrüßt es, wenn ich zwischen Ost und West eine Musikbrücke schlage! Auf welcher Seite zeigt sich da wohl eine ›gelenkte politische Kunstrichtung‹?«

... Nicht noch einmal darf der größere Teil der Intellektuellen in einem entscheidenden Augenblick der deutschen Geschichte versagen! Ein Sichverschanzen hinter der reinen Kunst, hinter dem reinen Gelehrtentum wäre nichts anderes als eine Flucht aus der Verantwortung!

... Wie groß wäre unsere Freude, wenn es der Abordnung unserer Westberliner Kollegen gelänge, ihren Senat davon zu überzeugen, daß die wegen einer Tätigkeit in West- und Ost-Berlin zu Unrecht erfolgten Kündigungen von Hochschulprofessoren, von Bildhauern, Malern, Dirigenten, Musikern, Sängern und Schauspielern rückgängig gemacht werden müssen. Etwas von dem Geist Wilhelm von Humboldts und damit ein Klima, in dem Kunst und Wissenschaft gedeihen können, möge endlich in die Amtsstuben einziehen. Sonst kommt es eines Tages noch so weit, daß man die Bürgersteige an den Sektorengrenzen aufreißt, um nachzuspüren, ob nicht etwa ein dort stehender Baum heimlich unter dem Straßenpflaster seine Wurzeln in den angrenzenden Sektor ausgebreitet hat. Plädieren wir für die Freiheit der Bäume!

... Aber ich möchte der Arbeit meiner Westberliner Kollegen nicht vorgreifen. Ich bin in Ost-Berlin tätig. Das verpflichtet mich besonders dazu, meine Ostberliner Kollegen auf einige Dinge hinzuweisen, die nicht allein mir am Herzen liegen.

So würde ich es begrüßen, wenn es ihnen gelänge, das Sektiererwesen, das sich zuweilen in die Feuilletonspalten einschleicht, einzudämmen, jenen Übereifrigen den Kopf zurechtzusetzen, die oft anmaßende Urteile fällen, weil sie alles in gleichem Maße mißverstehen. Wir alle kennen jene Kritiken, die den Stempel der Unzulänglichkeit und des Unklaren an sich tragen und in denen das Mittelmäßige heute gepriesen und morgen wieder verdammt wird. Es sind jene Leute, die sich immer doppelt anseilen, um den ganz sicheren Weg zu gehen, und die meist erst nach einem Jahr, wenn sie ihre kahlen Höhen erreichten, bemerken, daß sie sich wieder einmal in der Literaturkritik gänzlich verstiegen haben. Leider aber lösen ihre Schritte manchmal wahre Geröll-Lawinen aus. Und wir haben dann immer die Aufgabe, das Verschüttete wieder auszugraben.

Lassen Sie mich, als Lyriker, die Arbeit dieser Leute mit folgendem Bild charakterisieren: Sie versuchen gleichsam mit einem Büchsenöffner den metallenen Glanz eines Septembergedichtes aufzureißen, um den aktuellen Inhalt zu finden. Genauso könnte man versuchen, mit einer Sense den Abendhimmel aufzuschneiden! Ich weiß, diese Leute besitzen keinen Humor. Und ich bitte sie, mir meinen zu verzeihen.

(1. 2. 1952; Rede vor dem ›Groß-Berliner Komitee der Kulturschaffenden‹)

An alle Akademien und Institutionen für Kunst und Literatur in Deutschland –
An alle deutschen Künstler und Schriftsteller

Nach Jahren bedrückender Ungewißheit über das Schicksal unseres Landes zeigt sich uns eine Aussicht in eine friedliche und lebenswerte Zukunft. Am 10. März 1952 hat die Regierung der UdSSR an die Regierungen Großbritanniens, der Vereinigten Staaten von Amerika und Frankreich eine Note gerichtet, die klare Vorschläge für einen Friedensvertrag mit Deutschland enthält. Diese Vorschläge sind eine Grundlage für fruchtbare Verhandlungen, um einen gerechten und dauerhaften Frieden zu erreichen.

Jeder Deutsche wird die Möglichkeit, die diese Initiative uns eröffnet, gewissenhaft durchdenken. Nicht in der Vorbereitung des Krieges erweist sich der Genius einer Nation, sondern in ihrer Friedenstüchtigkeit. Schon um unserer Selbsterhaltung willen gilt es, das Notwendige zu tun. Für einen Friedensvertrag mit Deutschland sind Meinung und Tat der Deutschen selbst von höchster Bedeutung.

Alle Zeit sind es deutsche Dichter, Denker und Künstler gewesen, die der innigen Sehnsucht ihres Volkes nach Einheit, Unabhängigkeit und Frieden Ausdruck verliehen haben. Eine der edelsten Traditionen unserer Geschichte würde lebendig, wenn wir einmütig unsere Forderung an die Großmächte bekundeten, Deutschlands Vereinigung nichts mehr in den Weg zu legen und ihm endlich nach langen Jahren der Friedlosigkeit und Zerrissenheit den Frieden zu geben, den nicht nur unser Land, sondern die ganze Welt erwartet.

In dieser Stunde großer Gefahren und hoher Hoffnungen rufen wir Sie auf, jeden einzelnen von Ihnen, Ihre Stimme mit der unseren in dem Wunsch zu vereinen, daß aus der Initiative der Regierung der UdSSR eine von allen Beteiligten geschaffene Realität des Friedens hervorgehen möge.

Arnold Zweig, Johannes R. Becher, Bertolt Brecht, Willi Bredel, Ernst Busch, Max Butting, Fritz Cremer, Heinrich Ehmsen, Hanns Eisler, Ottmar Gerster, Herbert Ihering, Wolfgang Langhoff, Ernst Legal, Max Lingner, Kurt Maetzig, Hans Marchwitza, Ernst H. Meyer, Otto Nagel, Gret Palucca, Paul Rilla, Anna Seghers, Gustav Seitz, Rudolf Wagner-Regeny, Helene Weigel, Erich Weinert, Friedrich Wolf.

(Manifest der Akademie der Künste, Ostberlin, 13. 3. 1952)

Johannes R. Becher *Mord in Essen*

Erhebe dich, Sonett, und klage an!
Erhebet euch alle, um mit anzuklagen!
Erhebet euch, Deutschlands Mütter, um zu fragen:
Wer hat ein solches Leid uns angetan?

Wer hat zum Krieg, zum neuen Krieg gehetzt?
Wer hat die Kugel zu dem Mord gegossen?
Ein Deutscher hat ein deutsches Herz zerfetzt.
Wer hat uns wiederum den Sohn erschossen –

Die Mordtat bleibt den Mördern unvergessen!
Denn er war unser, war wie unser Sohn,
Da er für Deutschlands Frieden ist gefallen,
Wovon wir alle träumen und wovon

Wir sprechen wollen jetzt zu allen, allen:
»Denkt stets an jenen elften Mai in Essen!«

(Das Sonett bezieht sich auf den 21jährigen Philipp Müller, einen – so übernahm
der ›Spiegel‹ die offizielle Sprachregelung – »Kommunisten, den die Polizei durch
einen Schuß tödlich verletzte, als er bei einer verbotenen Kundgebung demonstrierte.«
Müller, erschossen am 11. Mai 1952 in Essen, war das erste Opfer der später so häufi-
gen ›Putativnotwehr‹.
Bechers Gedicht war auch zugleich das erste nach 1945, das eine ästhetische Diskussion – auf dem 3. Schriftstellerkongreß 1952 in Ostberlin – auslöste. Sie mag berechtigt gewesen sein; es bleibt aber festzuhalten, daß Gedichte mit sehr konkreten
politischen Inhalten offenbar immer ›Ästhetikdebatten‹ zur Folge haben – von den
Vietnamgedichten Frieds über Biermanns ›Drei Kugeln auf Rudi Dutschke‹ bis zu
Anderschs ›GG 3,3‹.)

Anna Seghers *Rede auf dem Völkerkongreß in Wien*

Für viele Menschen bedeutet Deutschland noch eine Art weißer
Fleck auf der Landkarte. Sie sehen nicht klar, was dort vor sich
geht, und sie fragen sich sorgenvoll: Wird wieder ein Krieg in dem
Land vorbereitet, das schon so viel Unglück über die Menschheit gebracht hat? In zahlreichen Briefen, die ich aus verschiedenen Ländern
erhielt, seitdem Deutschland durch die Demarkationslinie in zwei
Teile gespalten wurde, drücken die einen ihre Besorgnis über die Ge-
schehnisse in Westdeutschland aus, über die Rolle, die alte Kriegsverbrecher, Generäle und Industrielle bei der Vorbereitung eines neuen
Krieges spielen, die anderen, verwirrt durch die Propaganda, auf
spärliche Nachrichten angewiesen, fragen, was im Osten von Deutschland vor sich geht.

Es ist unerträglich, wenn ein Volk vom anderen abgesperrt ist, so daß es nichts über das Leben des anderen wissen kann, unerträglich, wenn seine Arbeitsleistungen, seine Wissenschaft, seine Kunst den Arbeitern, Künstlern, Wissenschaftlern des anderen Volkes unbekannt bleiben. Doch künstliche Trennung kann tragisch werden, wenn sie ein und dasselbe Land auseinanderreißt.

Zumal, wenn dieses Land Deutschland ist. Die Kriegstreiber wollen den westlichen Teil abreißen, um ihn als Sturmbock zu benutzen. Die Friedenskräfte der Welt aber sehen in seiner Einheit und Freiheit eine Vorbedingung des Friedens ...

Bis jetzt ist es Adenauer und seiner Clique mißglückt, den Generalkriegsvertrag unter Dach und Fach zu bringen. Es ist ihm mißglückt, weil das Volk in Westdeutschland merkt, was gespielt wird. Das merkt es, weil ihm die Friedenswächter die Augen geöffnet haben. Die Friedenswächter in seinen eigenen Reihen und in den Nachbarvölkern.

Der Zorn der Menschen in Westdeutschland, die in der letzten Woche unaufhörlich ihre Abgeordneten beschworen, ihre Söhne, ihr Leben und ihre Arbeit nicht an die Kriegstreiber zu verkaufen, hat den Verlauf der Verhandlungen bestimmt. Die tausende Briefe und Telegramme. Die Abgesandten aus allen Städten, Bergleute und Krankenschwestern, Arbeiter und Bauern, Geistliche und Sportler. Die Losungen auf den Mauern. Die Holzkreuze an den Straßenecken. Die grelle Inschrift: »Abgeordneter! Denke an Nürnberg!«

Sie haben das Unbehagen im Bundestag ausgelöst und verstärkt, so daß die Abgeordneten zögern, diesen Vertrag zu ratifizieren. Sie haben die militärischen Phrasen übertönt und die lauten Beschwerden um Nebendinge ...

Es gibt aber noch französische Menschen, die die Vorbedingung des dauernden Friedens nicht begreifen: ein einheitliches, demokratisches Deutschland. Sie glauben sich sicher zu fühlen, wenn Deutschland zerstückelt ist. Sie haben noch in Erinnerung, was die Junker und die Faschisten unter Einheit verstanden: ein Werkzeug für ihre Aggression. Sie haben vergessen, wie gut sich die herrschenden Klassen der beiden Gegner immer nach Kriegen geeinigt hatten. Thiers hat sich schnell mit Bismarck geeinigt, um die Pariser Kommune zu zerschlagen, Pétain verstand sich so gut mit Abetz, wie sich heute Adenauer mit Pinay versteht.

Darum hat uns der letzte Aufruf des Präsidenten Wilhelm Pieck mit heißer Freude erfüllt: Die Deutsche Demokratische Republik wird nie und nimmer dulden, daß jemals wieder von deutscher Seite ein Krieg gegen das französische Volk geführt wird. Das war eine offizielle Erklärung, die jedem anständigen Menschen in Deutschland aus dem Herzen gesprochen war.

Das ist kein papiernes Versprechen irgendeines geschickten Machthabers, der das Papier zerreißt, wenn es seinen Zweck erfüllt hat.

Das ist ein Appell, in dem sich die ganze Verantwortung eines Volkes ausdrückt und sein tiefes Bedürfnis nach Frieden.

(Dezember 1952. – ›Generalkriegsvertrag‹: Gemeint sind die außerordentlich heftigen Bundestagsauseinandersetzungen um den Beitritt zur ›Europäischen Verteidigungsgemeinschaft‹, der am 19. 3. 1953 – gegen die Stimmen der SPD und KPD – beschlossen wurde.)

Günter Eich   *Träume*

Wacht auf, denn eure Träume sind schlecht!
Bleibt wach, weil das Entsetzliche näher kommt.

Auch zu dir kommt es, der weit entfernt wohnt von den Stätten, wo
Blut vergossen wird,
auch zu dir und deinem Nachmittagsschlaf,
worin du ungern gestört wirst.
Wenn es heute nicht kommt, kommt es morgen,
aber sei gewiß.

»Oh, angenehmer Schlaf
auf den Kissen mit roten Blumen,
einem Weihnachtsgeschenk von Anita, woran sie drei Wochen
gestickt hat,
oh, angenehmer Schlaf,
wenn der Braten fett war und das Gemüse zart.
Man denkt im Einschlummern an die Wochenschau von gestern abend:
Osterlämmer, erwachende Natur, Eröffnung der Spielbank in
Baden-Baden,
Cambridge siegte gegen Oxford mit zweieinhalb Längen, –
das genügt, das Gehirn zu beschäftigen.

Oh, dieses weiche Kissen, Daunen aus erster Wahl!
Auf ihm vergißt man das Ärgerliche der Welt, jene Nachricht zum
Beispiel:
Die wegen Abtreibung Angeklagte sagte zu ihrer Verteidigung:
Die Frau, Mutter von sieben Kindern, kam zu mir mit einem Säugling,
für den sie keine Windeln hatte und der
in Zeitungspapier gewickelt war.
Nun, das sind Angelegenheiten des Gerichtes, nicht unsre.
Man kann dagegen nichts tun, wenn einer etwas härter liegt als der
andere.
Und was kommen mag, unsere Enkel mögen es ausfechten.«

»Ah, du schläfst schon? Wache gut auf, mein Freund!
Schon läuft der Strom in den Umzäunungen, und die Posten sind
aufgestellt.«

Nein, schlaft nicht, während die Ordner der Welt geschäftig sind!
Seid mißtrauisch gegen ihre Macht, die sie vorgeben für euch erwerben
zu müssen!
Wacht darüber, daß eure Herzen nicht leer sind, wenn mit der Leere
eurer Herzen gerechnet wird!
Tut das Unnütze, singt die Lieder, die man aus eurem Mund nicht
erwartet!
Seid unbequem, seid Sand, nicht das Öl im Getriebe der Welt!

(1951/53)

Wolfgang Koeppen   *Das Treibhaus*

... Und aus den Erdlöchern taumelten die Erschlagenen, aus den
Trichtern robbten die Verschütteten, aus dem Mörtelgrab krochen die
Erstickten, aus ihren Kellern wankten die Unbehausten, und aus den
Schuttbetten kam die Liebe, die sich verkauft, und Musäus kam
aufgeschreckt aus seinem Palais und sah Elend, und die Abgeordneten versammelten sich zu außerordentlicher nächtlicher Sitzung in
ihnen angemessener Weise auf dem Gräberfeld aus nationalsozialisti-
scher Zeit. Der große Staatsmann kam angefahren, und er durfte in
die Werkstatt der Zukunft blicken. Er sah Teufel und Gewürm, und
er sah, wie sie einen Homunkulus schufen. Ein Zug von Piefkes be-
stieg den Obersalzberg und traf sich mit der Omnibusreisegesellschaft
der Rheintöchter, und die Piefkes zeugten mit den Wagalaweiamäd-
chen den Überpiefke. Der Überpiefke schwamm die hundert Meter
im Schmetterlingsstil in weniger als einer Minute. Er gewann mit
einem deutschen Wagen das Tausend-Meilen-Rennen in Atlanta. Er
erfand die Mondrakete und rüstete, da er sich bedroht fühlte, gegen
die Planeten auf. Schlote erhoben sich wie pralle erigierte Glieder,
ein ekler Rauch legte sich um die Erde, und im schwefligen Dunst
gründete der Überpiefke den Superweltstaat und führte die lebens-
längliche Wehrpflicht ein. . . . .
Käuzchen kreischten in der Luft, und die Kraniche des Ibykus
schrien, und die Geier wetzten am erschütterten Gemäuer ihre Schnä-
bel. Eine Richtstätte wurde errichtet, und der Prophet Jona kam auf
Jonas dem toten und gutmütigen Walfisch geritten und beaufsich-
tigte mit Strenge die Aufstellung der Galgen. Der Abgeordnete Ko-
rodin schleppte ein großes goldenes Kreuz herbei, unter dessen Last
er gebückt ging. Er richtete mit großer Mühe das Kreuz neben dem

Galgen auf, und er fürchtete sich sehr. Er brach Gold aus dem Kreuz und warf die Goldstücke in den Kreis der Staatsmänner und der Volksvertreter, in die Runde des Nachtgelichters und des Taggesindels. Die Staatsmänner verbuchten das Gold auf ihrem Konto. Der Abgeordnete Dörflich versteckte das Gold in einer Milchkanne. Der Abgeordnete Sedesaum ging mit dem Gold zu Bett und rief den Herrn an. . . .

Die Jugend zweier Weltkriege marschierte an Musäus vorbei, und Musäus nahm bleich die Parade ab. Die Mütter zweier Weltkriege zogen stumm an Musäus vorüber, und Musäus grüßte bleich ihren schwarzumflorten Zug. Die Staatsmänner zweier Weltkriege schritten mit Orden bedeckt zu Musäus hin, und Musäus unterschrieb bleich die Verträge, die sie ihm vorlegten. Die Generale zweier Weltkriege kamen mit Orden übersät im Stechschritt herbei; sie stellten sich vor Musäus auf, zogen ihre Säbel, salutierten und forderten Pensionen. Musäus gewährte bleich die Pensionen, und die Generale packten ihn, führten ihn auf den Schindanger und überlieferten ihn dem Henker. Dann kamen die Marxisten mit roten Fahnen gezogen. Sie schleppten schwer an einem Gipsbild des großen Hegel, und Hegel reckte sich und rief:»Die großen Individuen in ihren partikularen Zwecken sind die Verwirklichung des Substantiellen, welches der Wille des Weltgeistes ist.« Der ausgemergelte Dauerklavierspieler aus dem Nachtlokal spielte dazu die Internationale. Die dürftigen Schönheiten des anderen Nachtlokals tanzten die Carmagnole. Der Polizeiminister kam in einem Wasserwerfer gefahren und lud zu einer Treibjagd ein. Er hetzte dressierte Hunde über das Feld und feuerte sie mit Rufen an: Hetzt ihn, faßt ihn, jagt ihn!

(1953)

Politik der Stärke

Kuba *Wie ich mich schäme*

Maurer – Maler – Zimmerleute.

Sonnengebräunte Gesichter unter weißleinenen Mützen, muskulöse Arme, Nacken – gut durchwachsen, nicht schlecht habt ihr euch in eurer Republik ernährt, man konnte es sehen.

Vierschrötig kamt ihr daher. Ihr setztet euch in Marsch, um dem Ministerium zu sagen, daß etwas nicht stimmt. Es stimmte etwas nicht, nämlich im Lohnbeutel: dagegen setzt man sich zur Wehr, das ist richtig. Dazu hattet ihr euer gutes, durch Gesetze festgelegtes Recht auf freie Meinungsäußerung.

Ein wenig wachsamer hättet ihr zwar sein können. Was hat schließlich ein amerikanisches Auto bei einer Demonstration Berliner Bauarbeiter zu suchen?

Aber sonst? Gut saht ihr aus, besser als die, welche sich unter euch mischten. Die freilich sahen nicht gut aus, reichlich bunt zwar, aber nicht gut!

Sie waren auch viel schlechter genährt als ihr. Halbstarke waren es, mit spitzigen Ellenbögchen, ein häßlicher Anblick – ihr mit denen!

Bis zum Alex waren es die Normen – richtig. Dann aber sagten die anderen einige Dinge, die hätten euch stutzig machen sollen.

Dumme, gefährliche Dinge!

Die Volkspolizei aber ließ euch ziehen. Sicher hätte die Volkspolizei eingreifen können. Schließlich hat sie Waffen! Sie schoß nicht! Warum wohl nicht? Die Volkspolizei, das sind Maurer, Maler, Zimmerleute; Kollege auf Kollege schießen, schlecht wäre das gewesen. Versetzt euch einmal in die Lage eurer Genossen Volkspolizisten: von Halbstarken angeeifert, zwischen solch einer Meute. Eine kleine Bewegung mit dem Zeigefinger hätte genügt, um dem ganzen Schwindel ein jähes Ende zu bereiten. Diese kleine Bewegung mit dem Zeigefinger unterblieb. Unterblieb, nicht weil die Volkspolizei Angst hatte, sondern weil sie sehr, sehr mutig war. Für diesen Mut wird man der Deutschen Volkspolizei künftig nicht nur in Deutschland, sondern überall, wo Menschen wohnen, die den Frieden lieben, sehr dankbar sein . . .

Der Tischler Walter Ulbricht hatte alle berechtigten Ursachen zum Zorn am Abend vorher beseitigt. Ministerpräsident Grotewohl hatte vor der gesamten Nation offen Rechnung gelegt.

Nur einen Tag lang, nur so lang, wie ein Bierrausch währt, folgtet ihr einem anderen. Einem Zimmermann, einem von euch, wie ihr glaubtet.

Das war schon ein Zimmermann. Der Hut zünftig! Sammetweste und Jackett. Knöpfe – da war alles dran. Die Hose weit ausladend, wie es sich gehört.

Hättet ihr nur unter den Hut geguckt, nur unter den Hut – an der Frisur hättet ihr erkannt, was das für ein Zimmermann war.

Ein Sargmacher führte euch – ein Totengräber.

Als wenn man mit der flachen Hand ein wenig Staub vom Jackett putzt, fegte die Sowjetarmee die Stadt rein.

Zum Kämpfen hat man nur Lust, wenn man Ursache dazu hat, und solche Ursache hattet ihr nicht. Eure schlechten Freunde, das Gesindel von drüben strich auf seinen silbernen Fahrrädern durch die Stadt wie Schwälbchen vor dem Regen.

Dann wurden sie weggefangen.

Ihr aber dürft wie gute Kinder um neun Uhr abends schlafen gehen. Für euch und für den Frieden der Welt wachen die Sowjetarmee und die Kameraden der Deutschen Volkspolizei.

Schämt ihr euch so, wie ich mich schäme?

Da werdet ihr sehr viel und sehr gut mauern und künftig sehr klug handeln müssen, ehe euch diese Schmach vergessen wird.

Zerstörte Häuser reparieren, das ist leicht. Zerstörtes Vertrauen wieder aufrichten ist sehr, sehr schwer.

(Der Arbeiterschriftsteller Kuba, damals Sekretär des DDR-Schriftstellerverbandes, ließ diesen Text am 17. 6. 1953, während des Aufstands in der DDR, unter den streikenden Arbeitern der Stalinallee verteilen.)

Bertolt Brecht   *Die Lösung*

Nach dem Aufstand des 17. Juni
Ließ der Sekretär des Schriftstellerverbands
In der Stalinallee Flugblätter verteilen,
Auf denen zu lesen war, daß das Volk
Das Vertrauen der Regierung verscherzt habe
Und es nur durch verdoppelte Arbeit
Zurückerobern könne. Wäre es da
Nicht doch einfacher, die Regierung
Löste das Volk auf und
Wählte ein anderes?

(Dieses Gedicht wurde erst nach dem Tod Brechts veröffentlicht. – Gleichzeitig schrieb Brecht an den Generalsekretär der SED Ulbricht: »Die Geschichte wird der revolutionären Ungeduld der Sozialistischen Einheitspartei Deutschlands ihren Respekt zollen. Die große Aussprache mit den Massen über das Tempo des sozialistischen Aufbaus wird zu einer Sichtung und Sicherung der sozialistischen Errungenschaften führen. Es ist mir ein Bedürfnis, Ihnen in diesem Augenblick meine Verbundenheit mit der Sozialistischen Einheitspartei Deutschlands auszusprechen.« – Da das ›Neue Deutschland‹ (21. 6. 1953) nur den letzten Satz zitiert hatte, erläuterte Brecht in einem zweiten Text (›ND‹, 23. 6. 1953): »Ich habe am Morgen des 17. Juni, als es klar wurde, daß die Demonstrationen der Arbeiter zu kriegerischen Zwecken mißbraucht wurden, meine Verbundenheit mit der Sozialistischen Einheitspartei ausgedrückt. Ich hoffe jetzt, daß die Provokateure isoliert und ihre Verbindungsnetze zerstört werden, die Arbeiter aber, die in berechtigter Unzufriedenheit demonstriert haben, nicht mit den Provokateuren auf eine Stufe gestellt werden, damit nicht die so nötige Aussprache über die allseitig gemachten Fehler von vornherein gestört wird.« In einem weiteren Text kam Brecht noch einmal auf den 17. Juni zurück: »Vor dem 17. Juni und in den Volksdemokratien nach dem XX. Parteitag erlebten wir Unzufriedenheit bei vielen Arbeitern und zugleich hauptsächlich bei den Künstlern. Diese Stimmungen kamen aus einer und derselben Quelle. Die Arbeiter drängte man, die Produktion zu steigern, die Künstler, dies schmackhaft zu machen. Man gewährte den Künstlern einen hohen Lebensstandard und versprach ihn den Arbeitern. Die Produktion der Künstler wie die der Arbeiter hatte den Charakter eines Mittels zum Zweck und wurde in sich selbst nicht als erfreulich oder frei angesehen. Vom Standpunkt des Sozialismus aus müssen wir, meiner Meinung nach, diese Aufteilung, *Mittel* und *Zweck*, *Produzieren* und *Lebensstandard*, aufheben. Wir müssen das Produzieren zum eigentlichen Lebensinhalt machen und es so gestalten, es mit so viel Freiheit und Freiheiten ausstatten, daß es an sich verlockend ist.«)

Stefan Heym   *5 Tage im Juni*

Mittwoch, 17. Juni 1953, 18.00 Uhr
unternahm Witte einen Rundgang durch den Betrieb, um sich zu orientieren, wie er Sonneberg sagte, in Wahrheit, weil er das Bedürfnis hatte, allein zu sein. . . .

Die Treppe, der Korridor; letzter Sonnenstrahl, Staubkörnchen darin tanzend; Stille. Am Schlüsselring der Schlüssel zu seinem Büro, aber die Tür war nicht verschlossen. . . .

»Kollege Witte!«

»Hab ich Ihnen einen Schreck eingejagt, Fränzchen?«

»Aber nein.« Sie atmete hastig. »Ich hab ja gewußt, vom Genossen Sonneberg, daß Sie wiederkommen würden, zusammen mit den Kollegen, die da demonstrieren waren, und ich hab geglaubt, vielleicht würden Sie mich noch brauchen. . . . Wie war's denn?«

»Wissen Sie«, sagte er, »es gibt Tage, da treffen sich die Linien der Entwicklung wie im Brennpunkt einer Linse, und auch das, was wir nicht wahrhaben wollen, wird sichtbar.«

Sie nickte mehrmals, wie um zu betonen, daß sie ihn durchaus verstünde.

»Wir haben eine Niederlage erlitten«, fuhr er fort, »und einen Sieg errungen, beides. Sieg und Niederlage sind relative Begriffe; alles hängt davon ab, was wir aus unserem Sieg machen, und wieviel wir aus unsrer Niederlage lernen.«

»Ja«, sagte sie, »darauf kommt es wohl an.«

Er blickte auf; aber jede Ironie war ihr fern. »Heut in der Stadt«, sagte er, »hat mir einer vorgehalten: Hättet ihr früher auf uns gehört, dann wäre vieles nicht geschehen. Sie kennen mich, Fränzchen, ich halte von Statuten und Verfassungen nur insofern etwas, als man sie mit Leben erfüllt. Aber vielleicht könnte man ins Statut unsrer Partei einen Artikel aufnehmen, der die Schönfärberei verbietet und die öffentliche Verehrung einiger Genossen, und der alle Mitglieder zu furchtloser Kritik verpflichtet und jeden bestraft, der diese Kritik zu unterdrücken sucht . . .«

Der Kessel begann zu singen; sie goß den Tee auf.

»Andererseits macht«, wer zum Umdenken mahnt, sich selten beliebt«, fuhr er fort. »Die Weltgeschichte hat sich den Spaß erlaubt, von uns zu verlangen, daß wir den Sozialismus in einem Drittel eines geteilten Landes aufbauen, und das mit Menschen, die sich den Sozialismus keineswegs alle gewünscht haben. Wieviel von der Abneigung gegen die Partei hat seinen Grund nicht in ihren Fehlern, sondern in ihren Zielen?«

Sie wurde rot, vor Eifer, oder weil sie sich geehrt fühlte, daß er ihr so schwer zu beantwortende Fragen stellte. Aber er schien keine Antwort erwartet zu haben. Sie hörte ihn vor sich hin lachen: »Das ist ein hübscher Gedanke – vielleicht sollte die Regierung sich ein andres Volk wählen. Aber auch das Volk kann sich keine andere Regierung wählen; eine andre Regierung wäre keine Arbeiterregierung. Was bleibt als Möglichkeit: vielleicht andere Arbeiter in die Arbeiterregierung . . .« . . .

Er begann, hin und her zu gehen. »Wir vereinfachen so gerne: *die* Arbeiter, *unsere* Menschen, *die* Jugend, *die* Klasse – als wären es lauter Schafherden, die man hierhin treiben kann oder dorthin. In Wirklichkeit sind das alles Menschen, Einzelwesen, im Falle der Arbeiterklasse geeint nur durch eines: ihre Stellung in der Gesellschaft, im Arbeitsprozeß. Aber das garantiert noch kein einheitliches Verhalten. Die einen haben heut gestreikt, die andern nicht; was wissen wir, wie viele Faktoren das Bewußtsein beeinflussen . . . Die Arbeiterklasse, sagen wir, sei die führende Klasse und die Partei die führende Kraft der Klasse. Offensichtlich muß es Menschen geben, die stellvertretend auftreten für die führende Klasse und deren führende Kraft. Aber wer verhindert, daß sie, stellvertretend, nur noch sich selbst vertreten? . . . Mit der Macht darf nicht gespielt werden, hat neulich einer gesagt, ein führender Genosse. Spielt der mit der Macht, der danach strebt, ihr eine breitere Grundlage zu geben? Kader sind gut, Polizei ist nützlich, noch wichtiger aber sind das Verständnis und die Unterstützung der Massen . . . Natürlich muß man auch den Mut haben, das Unpopuläre zu tun. Die Minderheit von heute wird zur Mehrheit von morgen, wenn sie die Logik der Geschichte auf ihrer Seite hat. Ich weigere mich zu glauben, daß Menschen, die moderne Maschinen bedienen und den Produktionsablauf beherrschen, nicht imstande sein sollten – wenn man sie richtig informiert –, über die eigne Nasenspitze zu blicken.« . . .

»Es wird viel von Schuld gesprochen werden in der nächsten Zeit«, sagte er, »und manch einer wird sich verleiten lassen, die Schuld bei anderen zu suchen. Aber wie viele werden vortreten und erklären: es hat auch an mir gelegen, Genossen – und dann die Konsequenzen ziehen? ... Das Schlimmste wäre, für das eigne Versagen den Feind verantwortlich machen zu wollen. Wie mächtig wird dadurch der Feind! ... Doch ist die Schuld nicht nur von heut und gestern. Auch für die Arbeiterbewegung gilt, daß nur der sich der Zukunft zuwenden kann, der die Vergangenheit bewältigt hat ...« (1974)

Anna Seghers *Appell an die Schriftsteller*

Es ist kein Wunder, daß die letzten Ereignisse in Berlin gerade stattgefunden haben, als unsere Friedenstagung in Budapest hoffnungsvoll feststellen konnte, daß die Sache des Friedens einen Aufschwung genommen hat. Wenn einfache Menschen in der Welt aufatmen, weil sie die erste Entspannung wahrnehmen, weil die furchtbare, scheinbar undurchdringliche Wolke zu weichen beginnt, dann versuchen Dunkelmänner mit allen Mitteln, sich uns in den Weg zu stellen. So wie Li Syng Man die Waffenstillstandsverhandlungen durchkreuzen will, so wie Eisenhower trotz des Protestes der ganzen Welt zwei teure Leben vernichtete, so versucht eine Horde Banditen unseren friedlichen Demokratischen Aufbau zu stören. Sie dringen überall da ein, wo es Leute gibt, die noch nicht völlig mit uns verbunden sind. Sie nutzen dabei jeden Mangel aus, jeden Fehler, jedes Versäumnis, jede ungeklärte Frage. Nichts kann den Schriftstellern so deutlich ihre Aufgaben und ihre Verantwortung zeigen. Wir werden noch fester, noch bewußter als bisher, verbunden mit unserer Regierung und unserer Partei, den eingeschlagenen Weg fortsetzen, wie es im Appell des Weltfriedensrates heißt: »Gemeinsam müssen wir die Anstrengungen derer zunichte machen, die die Verständigung verhindern oder hinauszögern«.

(Zum 17. 6. 1953. – ›Li Syng Man‹: seinerzeitiger Diktator Südkoreas; ›zwei teure Leben‹: Die – später als Justizmord zugegebene – Hinrichtung des Ehepaars Rosenberg.)

Thomas Mann *Gegen die Wiederaufrüstung Westdeutschlands*

Nun ist ja unleugbar, daß von den Hoffnungen des Jahres 1945 kaum eine sich erfüllt hat. Kraft einer unseligen und unheildrohenden Weltkonstellation, deren Ursachen zu analysieren hier nicht der Ort ist, sehen wir eine Menschheit, deren moralischem Status durch die Kriege von gestern und vorgestern schon schwerer Abbruch geschehen ist, in zwei Lager zerrissen, deren furchtbar gespanntes Verhältnis mit einer Katastrophe solchen Ausmaßes droht, daß sie der Zivilisation den Rest geben würde.

Daß zwischen den Lagern die wichtigste Grenze quer durch ein

Land, das unglückliche Deutschland, verläuft, rückt die Unhaltbarkeit der Gesamtsituation in ein um so grelleres Licht.

Doch nicht vom »Ganzen« soll hier vornehmlich die Rede sein –, vielmehr von der Lage und politischen Temperatur in Deutschland, und zwar in dem Teil des einstigen Reichs, der heute »DBR« heißt. Denn nicht nur liegen dort, im Westen, die Quellen jeder deutschen Macht, nicht nur liegt dort die deutsche Schwerindustrie; ausschließlich der Westen ist es vorläufig, dessen Beitrag zur kriegerischen Hochrüstung der »freien Welt«, das heißt natürlich zur Sicherung des Friedens, – an den man jedoch nicht glaubt –, das Problem des Tages bildet. Das kleindeutsche Bonner Staatsgebilde ist es also, das uns im vorliegenden Zusammenhang zu interessieren hat . . .

Nun denn, ich frage mich: Wollen die Deutschen der DBR die Wiederaufrüstung, und könnten sie gar verblendet genug sein, den Krieg zu wollen? Das können sie nicht –, könnten es so wenig wie Frankreich und aus denselben zwingenden Gründen. Da sie es aber nicht können, muß – als großer Schritt in Richtung des Krieges – auch die Wiederaufrüstung ihnen – wie Frankreich – zutiefst verdächtig und unerwünscht sein.

Ich sage »sie« und »ihnen« und meine natürlich nicht alle Bürger der Bundesrepublik. Wir wissen, daß in den vergangenen Jahren, akzeleriert, seit dem Jahre 1949, in dem das »deutsche Wirtschaftswunder« sich zu manifestieren begann, Personen und Interessen dort neuerdings an Macht gewannen, die rechtens und de facto »abgewirtschaftet« hatten mit dem Zusammenbruch des Hitler-Regimes. Wenn aber diesmal Schlechtes nach oben kam, so waren es nicht fanatisierte Massen breiter Volksschichten, von denen es getragen war. Und nicht, wie in den Jahren vor 1933, etablierte das Übel sich aus eigener Kraft und gegen den – übrigens schon damals geteilten und teilweise gelähmten – Willen der demokratischen Welt, die sich außerstande wähnte, irgend zu intervenieren. Vielmehr waren es diesmal mächtige Repräsentanten ebendieser Welt, die, zur schockhaften Verwirrung der nunmehr friedwilligen westdeutschen Majorität, dem Todfeind von gestern den Rücken stärkten, in der Irrmeinung, er tauge zum Kron-Alliierten gegen den designierten Todfeind von morgen. Und wie, wenn der Gestrige nun seine wiederhochgepäppelten Kräfte alsbald einer Allianz zur Verfügung stellt, von der allein er sich die Zurückgewinnung verlorenen Besitzes erhoffen könnte –, es sei denn, daß er es vorzöge, Gewalt anzuwenden und so einen Krieg zu entfesseln, den »präventiv« zu nennen, dem Verblendetsten nicht mehr beifallen würde? – Gleichviel: festzustellen war, daß anders als vor 33, Einflüsse von außen wirkten und fortwirkten. Auch nahm ja die »Unterwanderung« des politischen Lebens in der DBR möglichst versteckte Wege und wurde dem Gros der Bevölkerung erst deutlich, als sie – in ihren Grenzen – bereits vollzogen war.

(Herbst 1954; Artikel für die Zeitschrift ›L'Express‹.)

123

Erich Kästner *Ein politischer Eilbrief*

... Die verfehlte Konzeption im Bund wirkt sich wie überall, so auch hier aus. Womit werben die Parteien? Mit außenpolitischen Argumenten und Slogans. Wählen die Bayern eine Landesregierung, damit sie Außenpolitik mache? Nächstens werden noch die Anwärter für den Bürgermeisterposten in Starnberg mit ihren Ansichten über die Saarfrage und die Nato Wähler gewinnen wollen, statt mit Vorschlägen für neue Schulhäuser, für eine Erweiterung des Omnibusnetzes und für eine Rationalisierung der Ortsverwaltung. Adenauers erfolgreiches Bemühen um die Festigung seines Prestiges bedient sich des »Primats der Außenpolitik«, das hieß für ihn: wildes Anschmiegen an den großen Bruder überm großen Teich. Nun machen's ihm die hiesigen kleinen Brüder auch am kleinsten Teiche nach. Es ist grotesk, und alle brennenden innen- und sozialpolitischen Fragen werden – es handle sich denn um Dinge wie das Schmutz- und Schundgesetz, die dem weiteren Machtzuwachs der Behörden dienen – mit falschen Herzenstönen beiseitegesprochen. Allein das »Samstagsladenschlußgesetz« wird und wird nicht zustande gebracht. Man kann und kann sich nicht einigen. Es ist ein Zwergproblem der Innenpolitik, eine Feierabendfrage. Sie ist in Bonn nicht zu lösen. Man kann es nicht, und deshalb will man es nicht. Denn man will nur, was man kann. Außenpolitik »kann« man. Vor dem »roten Tuch« werden alle Parteien scheu. So bot sich, als Hausmachtpolitik der Christen, Bankiers und zunächst zerschlagenen Konzerne, die Außenpolitik an, und nur sie. Jedes andre noch so kleine Eisen ist zu heiß. Als neulich einige Gewerkschaften in einigen Gebieten streikten, war man weithin entrüstet. Prestigezuwachs von außen erfordert sozialen Burgfrieden im Innern. Somit grenzt Kampf gegen das Konservative an Landesverrat.

Wenn sich die Opposition rührt, wird Adenauer böse, weil er z. B. gerade zum Flugplatz Wahn fahren muß, um Herrn Dulles abzuholen. Zum Glück für ihn und die Fluggäste von auswärts opponiert im Grunde niemand ...

Die Opposition übt sich im Regieren, für den Fall, daß sie eines Tags die Majorität bekäme. Statt sich dadurch, daß sie echt opponiert, die Majorität zu erkämpfen. Sie ist das Schaf im Schafspelz. Die Opposition hat auf die Opposition verzichtet. Der Posten ist noch frei. Wenn es schlecht geht: für verantwortungslose Gruppen. Hierzu abschließend: Die SPD hat noch nicht einmal gemerkt, daß links von ihr niemand mehr steht. Auch diese eminente staatspolitische Position »positiv« zu bewältigen, wäre eine ihrer Aufgaben.

(November 1954)

Karl Krolow   *Politisch*

...

Falte die Decke.
Lösche die Lampe:
Der Staat, das ist
Der steinerne Gast.
Er erscheint: allen Abwehrgesten
zum Trotz.

Falte die Decke.
Lösche die Lampe.
Die Zeit ohne Dokumente
Ist dennoch nicht im Anbruch.

Falte die Decke.
Lösche die Lampe.
Schon nähern sich Schritte
Deiner Tür. Wirst du dich
Ausweisen können?

Falte die Decke.
Lösche die Lampe.
Deine Stunde wird
In jedem Fall schlagen.

(1954)

Zur Buchzensur in der BRD

Das Deutsche PEN-Zentrum der Bundesrepublik hat bei seiner Münchener Hauptversammlung vom 13.-15. April 1954 auf Grund gewisser Vorkommnisse erneut zur Frage der behördlichen Buchzensur Stellung genommen. So verwahrt es sich gegen Versuche ministerieller Stellen, die freie Zirkulation der Bücher in der Bundesrepublik zu beeinträchtigen. Das PEN-Zentrum wird eine Eingabe an den Bundestag machen und zugleich bei der Bundesregierung vorstellig werden, um jeden Eingriff in die verfassungsmäßig gewährleistete Freiheit des geistigen Schaffens zu verhindern. Außerdem wurde im PEN-Zentrum ein Archiv eingerichtet, in dem das Tatsachenmaterial gesammelt und durch einen besonderen Ausschuß bearbeitet wird.

(›gewisse Vorkommnisse‹: gemeint waren Beschlagnahmungen von Büchern aus der DDR.)

Stephan Hermlin   *In diesem Mai 1955*

Der »moralische Gewinn der Niederlage«, wie Alfred Kantorowicz ein Buch nannte, war eine Realität, von manchen gewußt, von vielen geahnt. Daß dieser Gewinn nicht nur das Moralische betraf, sondern im gleichen Maße Praktisch-Materielles, war offensichtlich. Reiner Tisch konnte gemacht, wirtschaftliche und politische Maßnahmen konnten getroffen werden, nach denen das Land seit Jahrzehnten, seit einem Jahrhundert verlangte. In diesem guten Mai 1945 lebten die Menschen auf, weil die Monopole und die Henker fielen. Ein neuer Geist von Potsdam kündigte sich an, die Negation eines Potsdam, das wie ein Polyp über Europa gelegen hatte.

Jeder entsinnt sich des Frostes, der in *diesen* Mai fiel. Der Frost befiel langsam und beharrlich Deutschland zwischen Rhein und Elbe. Wo blieben die feierlichen Versprechen, den deutschen Nazismus und Militarismus mit der Wurzel zu vernichten, um so erst Deutschlands Einheit möglich zu machen ... Im Schatten der Galgen von Nürnberg erhielten die Krupp und Konsorten ihre Milliarden wieder. Mit tödlicher Sicherheit wurden Antifaschisten von den Bankrotteuren des Dritten Reichs aus ihren Positionen verdrängt. Herr Clay zog die Glacéhandschuhe an und erklärte dem Osten den Kalten Krieg. Millionen ehemaliger Mitläufer Hitlers, die, erschüttert von der Katastrophe, gestern noch bereit gewesen waren, aus den Ereignissen zu lernen, wurden heute von den neuen Herren in ihren alten Verirrungen bestärkt. In den Auslagen der Buchläden von Frankfurt und Hamburg trat »Waffen-SS voran« des Generals Hauser an die Stelle von Ehrenburgs »Fall von Paris«. Eine braundeutsch sprechende Journaille hetzte wieder zur Eroberung von Warschau und Prag. Von neuem füllten die Kommunisten die Gefängnisse. Die Fabrikanten von V 2-Geschossen und Zyklon-B inaugurierten das deutsche Wirtschaftswunder. Die Vernichter von Brest und Kiew bildeten einen neuen Generalstab. Und selbst ehemalige Mitglieder der Reichsschrifttumskammer begannen mit zaghaftem Unwillen von der »Restauration« zu sprechen, wenn die Rede auf Bonn kam ...

Die Gefahr von Provokationen ist nicht geringer geworden, im Gegenteil, sie ist vielleicht gerade dadurch gewachsen, weil sich die Zeichen der Entmutigung, der Zerfahrenheit und auch der Einsicht im Westen mehren. Was ist von den großspurigen Reden während der Bundestagsdebatte geblieben, in denen die Sprecher der Koalition ein über das andere Mal versichert hatten, die Frage der deutschen Einheit würde gerade durch die Ratifizierung der Pariser Verträge gelöst, und es gäbe keine besseren Voraussetzungen für eine Viererkonferenz über Deutschland, als die Aufstellung einer deutschen Wehrmacht? Augenblicklich versucht man das Kunststück, Realpolitik zu machen, während man gleichzeitig den Kopf in den Sand steckt ...

Werner Riegel   *Notizen im Mai 1955*

Leben und leben lassen. Es geht wenig über die Eigenheit der deutschen Variation: die einen leben, und die andern lassen ihr Leben ... Unterdes leben die andern. Diese nennen sich Deutschland. Deutschland wird leben, und wenn wir sterben müssen. Erste Person Plural, davon ausgenommen eine Anzahl Unentbehrlicher, u. k. gestellt; die sogenannte Führungsschicht, Staatsbeamte, Industrie und Wirtschaft, Scharfmacher aus Presse und Funk, nicht zu vergessen, was in der Seelsorge sein Auskommen findet. Nachher braucht man welche, die Gräber zu bekränzen, Lorbeer zu flechten; es bleibt genug für sie. Ein Löwenanteil. Was ihn sich verschafft, ist Hyäne, sehr entfernte Verwandtschaft des Löwen.

Denken und Streben geht neuerlich diesen Weg. Auf einer Seite Montanunion, auch Ultramontan, das arbeitslose Soldatentum, alles mögliche, das dieses Jahrhundert zu seinem machen will; auf dieser schlicht wir. Unser Unglück; wir sitzen mit denen in einem Boot. Unser Irrtum: daß sie uns retten helfen, wie wir ihnen. Der größere Irrtum: daß gerettet werden müßte, was sie für rettenswert halten. Sie halten für rettenswert: sich. Mit ihren Worten: die westliche Demokratie, die europäischen Ideale, die abendländische Kultur. Dies also retten, dies verteidigen: nicht erst seit gestern, sondern seit heute. Gestern haben sie dagegen gekämpft, das heißt außerhalb ihrer euphemistischen Redeweise: sie haben uns dagegen kämpfen lassen. Es waren inferiore Lebensformen, unser angeblich unwürdig. Sie zerschlugen aus diesem Grunde die erste deutsche Republik, die nicht ebenso wollte wie sie, sondern nur beinah ebenso. Die zweite Republik sind sie; der Trick hätte ihnen eher einfallen können ...

Falls aber Krieg kommt, – keine Rede davon, was ihn herbeiführen könnte; sie binden den Helm fester, weil sie den Frieden wollen; der Seitenblick auf die Schweiz: das können wir mit unsern siebzig Millionen uns nicht leisten; die Einwohnerzahlen Indiens sind diesen Staatsmännern zu hoch. Ihr bißchen taktische Politik oder was sie ohne Fug so nennen, dies Diplomatenrammeln ohne einen Funken Geist: nur keine Strategie, nur keine neuen Voraussetzungen schaffen, nur keine Konzeption, nur eine Konzeption, die rechtens von Heinrich Himmler stammt und selbst bei ihm das letzte war, dies: mit Amerika auf die Russen. Aber wie am besten? Und in dieser Formfrage erschöpfen sich zehn Jahre deutschen politischen Denkens. Beiläufig eine Frage auf Leben und Tod.

Adenauer und das um ihn und das hinter ihm hat sie beantwortet. Was die Opposition angeht: sie hat einige matte Versuche gemacht, sie ist flügellahm; wo ihr der Schnabel gewachsen ist, redet sie wakker, aber sie beißt nicht. Sie kommt, wie immer deutsche Opposition, aus einer protestantischen Tradition: buchstabengläubig und -treu.

Mit Hinweisen auf die Unverletzlichkeit der Form hält man sie nieder. Es verschlägt nichts, wenn die andern die Siegel der Demokratie erbrechen. Und so bleibt das Hochgefühl der Marxisten: wir Wilden sind doch bessre Menschen. Auch der letzte Mohikaner war ein besserer Mensch, war aber der letzte. Vergessen sie, daß sie bereits in Reservaten gesessen, unter Hitler? Aber die deutsche Seele gelobte: soll nicht wieder vorkommen! Wir haben alle Ursache, der deutschen Seele zu mißtrauen.

Gottfried Benn *Berlin*

Politisch kann ich nicht mitreden. Aber auch ein Laie sieht, daß gewisse Dinge auf des Messers Schneide stehen. Berlin ist eine Bastion; wenn seine Mauern fallen, begraben sie uns, aber auch der Westen würde Verluste haben, und in dieser Richtung wäre es gut, wenn sie sich drüben an einiges erinnerten. Ich möchte einen kulturellen Gesichtspunkt zur Geltung bringen, der sich auf Westdeutschland bezieht. Um meine Gedanken in einen prägnanten Satz zusammenzufassen, will ich sagen: Westdeutschland geht kulturell daran zugrunde, daß es Berlin nicht mehr gibt. Ich spreche als einer, der seit 50 Jahren hier wohnt und der in den Jahren von 1918 bis 1933 Berlin zu einem geistigen Zentrum heranwachsen sah, das sich neben Paris stellen konnte – Talente, Werke, Ausstellungen, Premieren, wie nur in wenigen Städten der Welt. Der Föderalismus mag politisch notwendig sein, kulturell hat er seine Schattenseiten.

... Wie manches Talent hat man hier gesehen, namentlich des Theaters, das mit enormem Aplomb und großer Reklame aus einer Provinzstadt hier auftauchte, und nach einem Jahr war es wieder verschwunden und kam nie wieder. Es hatte Berlin nicht bestanden. Jetzt bleibt alles zu Hause und sucht sich eine Unterkunft und sonnt sich im Glanze der lokalen Kolumnen. Wir sollen alle nett sein, und die Netten bekommen ja auch Preise. Aber die, die das so oft berufene Abendland nicht nur traditionell weiterführen und restaurieren möchten, sondern durch Vorstöße und Impulse eines produktiv gebliebenen, vielleicht allerdings manchmal auch gequälten und aggressiven Gehirns weiterführen und mit neuen Farben imprägnieren möchten, was geschieht mit diesen? Vor denen sieht man weite Kreise des alten Europas sich zusammenschließen und rufen: »Halt, junger Mann, keine Extreme! Im Namen des Abendlandes: gieß deine Sorgen in ein Gläschen Wein.« Das würde Berlin nie mitgemacht haben, und das macht es auch heute nicht mit. Und wenn unsere Kreise drüben am Leben bleiben wollen, müßten sie sich dessen erinnern.

... Berlin verdient vielleicht im Augenblick nicht, auf großen Rang Anspruch zu erheben. Aber allzuweit dürfte es doch nicht kommen. Ich schildere Ihnen zum Schluß hierzu eine kurze Episode. Ich war auf Reisen und saß eines Abends an einem Tisch mit einem jungen Herrn zusammen, groß, blond, ein guter Tänzer und, wie sich herausstellte, aus wohlhabendem Haus. Wir kamen ins Gespräch. Er sagte, ich höre, Sie sind aus Berlin. Was ist das eigentlich für eine Stadt? Ich antwortete, wissen Sie vielleicht, daß Berlin früher die Hauptstadt des Deutschen Reiches war? – Nein, erwiderte er mir, das wußte ich nicht, darüber habe ich noch nie nachgedacht. – Wie alt waren Sie, fragte ich, als 1945 der Krieg zu Ende war. – Fünf Jahre, antwortete er. Er war also jetzt fünfzehn Jahre, er besuchte das Gymnasium einer nordwestdeutschen Großstadt. Und dann fragte er mich nach Berlin, wie man nach Charbin fragt, einer interessanten und gefährlichen fremden Stadt. So weit ist es also gekommen. Für diese Jugend ist Berlin überhaupt kein Begriff mehr, es ist unbekannt, vergessen, im märkischen Sand versunken wie Palmyra in der Wüste. So weit sollte es doch nicht kommen. Wenn die Kreise von uns drüben am Leben bleiben wollen, dürften sie die klare, kalte und so weltmännische Maxime Berlins nicht ganz vergessen lassen.

(Oktober 1955)

Deutsches Manifest

X

Aus ernster Sorge um die Wiedervereinigung Deutschlands sind wir überzeugt, daß jetzt die Stunde gekommen ist, Volk und Regierung in feierlicher Form zu entschlossenem Widerstand gegen die sich immer stärker abzeichnenden Tendenzen einer endgültigen Zerreißung unseres Volkes aufzurufen.

Die Antwort auf die deutsche Schicksalsfrage der Gegenwart – ob unser Volk in Frieden und Freiheit wiedervereinigt werden kann, oder ob es in dem unnatürlichen Zustand der staatlichen Aufspaltung und einer fortschreitenden menschlichen Entfremdung leben muß – hängt heute in erster Linie von der Entscheidung über die Pariser Verträge ab.

Die Aufstellung deutscher Streitkräfte in der Bundesrepublik und in der Sowjetzone muß die Chancen der Wiedervereinigung für unabsehbare Zeit auslöschen und die Spannung zwischen Ost und West verstärken. Eine solche Maßnahme würde die Gewissensnot großer Teile unseres Volkes unerträglich steigern. Das furchtbare Schicksal, daß sich die Geschwister einer Familie in verschiedenen Armeen mit der Waffe in der Hand gegenüberstehen, würde Wirklichkeit werden.

In dieser Stunde muß jede Stimme, die sich frei erheben darf, zu einem unüberhörbaren Warnruf vor dieser Entwicklung werden. Unermeßlich wäre die Verantwortung derer, die die große Gefahr nicht sehen, daß durch die Ratifizierung der Pariser Verträge die Tür zu Viermächteverhandlungen über die Wiederherstellung der Einheit Deutschlands in Freiheit zugeschlagen wird.

Wir appellieren an Bundestag und Bundesregierung, alle nur möglichen Anstrengungen zu machen, damit die vier Besatzungsmächte dem Willen unseres Volkes zur Einheit Rechnung tragen.

Die Verständigung über eine Viermächtevereinbarung zur Wiedervereinigung muß vor der militärischen Blockbildung den Vorrang haben. Es können und müssen die Bedingungen gefunden werden, die für Deutschland und seine Nachbarn annehmbar sind, um durch Deutschlands Wiedervereinigung das friedliche Zusammenleben der Nationen Europas zu sichern.

Das deutsche Volk hat ein Recht auf seine Wiedervereinigung!

(Manifest der Versammlung in der Frankfurter Paulskirche, 29. 1. 1955. – Unterzeichnet u. a. von Max Bense, Margret Boveri, Walter Dirks, Albrecht Goes, Helmut Gollwitzer, Gustav Heinemann, Ernst Penzoldt, Alfred Weber. – Die ›Paulskirchenbewegung‹ 1954/55 war der erste größere, organisierte Versuch westdeutscher linker und liberaler Intellektueller, Remilitarisierung und Spaltung zu verhindern.)

Bertolt Brecht *Gegen die Pariser Verträge*

Heute vor 10 Jahren wurde Dresden, eine der schönsten Städte Deutschlands, in wenigen Stunden durch Fliegerbomben so zerbrochen und verkrüppelt, daß die Verwüstungen heute noch sichtbar sind. (Die Spuren sind schrecklich, aber erschrecken sie jedermann?) Am zehnten Jahrestag dieser Greuel legen wir hier in Dresden ein Dokument vor, das vor Kriegen warnen soll, schrecklicheren noch als die vergangenen, Kriegen, die nicht mehr mit einfachen oder wie die Amerikaner sagen, konventionellen Bomben geführt werden würden. Es ist folgende Erklärung:

»Wir erkennen die Pariser Abmachungen, die von der Adenauer-Regierung für ganz Deutschland geplant sind, nicht an.

Wir wollen kein Deutschland, das in einem Kriegslager steht, denn ein dritter Krieg würde Deutschland unbewohnbar machen.«

Ich übergebe die Unterschriften dem deutschen Friedensrat mit der Bitte, sie auf dem nächsten Weltfriedenskongreß in Helsinki dem Weltfriedensrat zu übergeben. Wir haben die feste Zuversicht, daß auch Wasserstoffbomben den Traum der Menschen von einem glücklichen Leben nicht vernichten können. Noch können sie die großen neuen Ideen vernichten, die ein solches glückliches Leben der Völker ermöglichen.

(13. 2. 1955. – Die in der Rede erwähnte ›Erklärung‹, von Brecht entworfen, war bereits im Dezember veröffentlicht und bis Februar 1955 von 176 000 Bürgern der DDR unterzeichnet worden. – Die ›Pariser Verträge‹ vom Oktober 1954 sahen einen ›Verteidigungsbeitrag‹ der BRD vor; sie wurden in den folgenden Monaten im Bundestag beraten und am 27. Februar 1955 – gegen die Stimmen der SPD – angenom-

men. Am 18. 12. 1954 hatte die Volkskammer noch einmal ihre Bereitschaft zu »gesamtdeutschen Wahlen ohne Vorbedingungen« erklärt, am 14. 1. 1955 erklärte sich die Regierung der Sowjetunion und am 20. 1. die der DDR zu einer »internationalen Aufsicht über gesamtdeutsche Wahlen« bereit; beides wurde zwei Tage später von Bundeskanzler Adenauer abgelehnt.)

Peter Rühmkorf *Anode*

Auf der Höhe des Friedens, aus der Fülle des Fetts,
in den gähnenden Fuffzigern dies hier bekundet:
Zu singen wenig, aber zu handeln genug –
nun schick deinen Traum in die Mauser.

Schreib ab, sack ein, gib deine Drosseln in Kauf,
spiel dein gezinktes Herz, laß Rosen karren ...
Wo sich dir, Landsmann, alles zu Golde verkehrt,
pflichte mit Flöten bei, in Deutschland, unter der Sonne.

Hier läßt es sich verkommen, hier siegen heißt:
Oh große Wurstfabrik, ein Lächeln eher,
einen Tag billiger, ein Angebot voraus, den Feind
am Busen sich zu bändigen.

Wer mahlt denn dort so zierlich mit den Zähnen, spricht,
daß ihm in Hunger und Hoffart die leidige Zeit vergeh?!
Der sich die Scheiße vom Munde abspart, morgen,
Brüder, mit uns auf den nämlichen Unrat vereidigt.

Du, vom Genickschußschlaf, unaufgerufen,
in unsre Mitte getreten mit kunstlos durchlöchertem Kopf,
sink – sink zurück in Ruh, eh was die Sterne
zu melken kam, sich Billigung erbittet.

Eh was den Schleiflack anrührt vor dem Tag,
und gibt schon immer lustig Licht drauf,
die Kötel gürtet und die Stirne hebt
zu weiterem Gewinn.

Und heckt bald himmelan, wahrlich ein neuer Wurf,
wo nichts dawider singt und alles spricht dafür,
daß ihm der Faustkeil in der Brust die Herzen
auftut den Fühlenden ...

daß ihm der goldene Grind zum Heil ausschlägt
und uns, die in Geschäften und Gesang
soweit herum-, soweit herunter
gekommen sind!

Herunter und empor –
Ein guter Wind steht hinter den Bezügen,

wo still die Nacht ihr Markstück balanciert –
Auf Freunde,
Faktenputzer,
Fellabzieher,
den Sarg gesattelt und den Speck geschnürt!
Steigt ein . . .

(1956)

Erich Kästner   *Heinrich Heine und wir*

Vor fast auf den Tag genau hundertzwanzig Jahren, am 14. März
1836, schrieb Heine an Campe: »Ich vertrete in diesem Augenblick
den letzten Fetzen deutscher Geistesfreiheit«, und am 29. März an
Cotta: »Sie wissen, der Bundestag hat, zunächst durch preußischen
Antrieb, meine *künftigen* Schriften verboten . . . Unterdessen macht
die preußische Regierung bekannt, daß das Interdikt gegen die jungen Deutschlandsverbrecher sich nicht auf die künftigen Schriften derselben erstrecken solle, wenn sie ihre Schriften hübsch untertänig von
der preußischen Zensur zensieren ließen . . .«
Diese Sätze stammen aus einer Zeit, mit der wir Begriffe wie Jun-
ges Deutschland, Metternich, Vormärz und Biedermeier verbinden.
Der Bundestag von damals und der von heute sind bekanntlich nicht
ein und derselbe. Inzwischen ist – nach entsetzlichen Zwischenspielen,
die wir dadurch wiedergutmachen, daß wir sie vergessen – der Fortschritt eingerissen. Er hat das so an sich. »Künftige Schriften« werden
ebensowenig verboten wie bereits erschienene. Es gibt keine Vorzen-
sur und es gibt keine Zensur mehr. Man braucht eigen-sinnige Zeitschriften nicht mehr zu verbieten – denn wir haben keine. Charak-
tervolle Zeitungen lassen gelegentlich ihre »andere« Meinung wie
einen Kanarienvogel aus dem Bauer. Besorgnis ist nicht am Platze.
Der Vogel, den wir haben, fliegt nicht weg. Er ist an sein Futter gewöhnt. Und außerdem sind die Fenster zu. Wir haben keine Zensur,
weil wir keine brauchen. Wir haben, fortschrittlich, wie wir nun einmal sind, die Selbstzensur erfunden. Wir sitzen am Stadttore der
Großgemeinde Schilda und häkeln unsern Maulkorb selbst. Meine
Damen und Herren, sollten Sie um einen Namen für unsere Epoche
verlegen sein, so möchte ich Ihnen und der Epoche einen Vorschlag
machen: Wir leben im Motorisierten Biedermeier. (Februar 1956)

Hans Werner Richter   *Mißbrauch der Legalität*

Ist es schon erstaunlich, daß zehn Jahre nach dem Zusammenbruch
nationalsozialistische Literatur sich wiederum hervorwagt, öffentlich
angezeigt und öffentlich verbreitet wird, so ist es noch erstaunlicher,

daß weder die Bundesregierung noch die Regierungen der Länder gesetzliche Möglichkeiten besitzen, diese Literatur zu bekämpfen und zu verbieten ...

[Im Gegensatz zu Österreich und Italien] gibt es kein Bundesgesetz, in dem das Verbot des Nationalsozialismus eindeutig ausgesprochen wird.

Hier liegt das Versäumnis des Bundesgesetzgebers. Wohl gelang es in verhältnismäßig kurzer Zeit ein Gesetz gegen »Schund und Schmutz« zu schaffen und im Bundestag durchzubringen, aber ein Gesetz gegen den faschistischen politischen Schund und Schmutz, der doch soviel gefährlicher für die deutsche Jugend werden kann, ist nicht entstanden. Was aber geschieht, wenn diese Literatur, die sich in unmißverständlicher Weise zu regen beginnt, und schon jetzt hohe Auflagen erzielt, in wenigen Jahren den deutschen Buchhandel überschwemmt, wenn diese verschwommene, gefühlsbetonte, ressentimentgeladene und aus dem Affekt lebende Literatur die deutsche Jugend erfaßt? Noch kann man es bagatellisieren, aber mit dem wiedererstehenden soldatischen und heldischen »Ehrkomplex« der deutschen Aufrüstung, den man in allen Soldatenzeitungen hochzuzüchten versucht, wird auch diese Literatur wieder ihren eigentlichen Nährboden finden. Die Gefährdung der Demokratie aber beginnt nicht erst morgen. Sie hat schon jetzt begonnen ...

Der kriminelle Mißbrauch der Legalität ist evident. Die Zeit des Totschweigens, das für die vergangenen Jahre vielleicht wirksam war, ist vorüber. Die deutsche Öffentlichkeit muß ihre Stimme erheben und den Bundestag zur Vorlage neuer Gesetze bewegen.

(April 1956)

Gegen neonazistische Literatur

In Sorge um die Freiheit und Unantastbarkeit des Geistes lenkt das Deutsche PEN-Zentrum der Bundesrepublik die Aufmerksamkeit der Bundesregierung und des Bundestages sowie der Länderregierungen und der Länderparlamente auf die staatsgefährdende Tätigkeit einiger Verleger und eines Teiles der Publizistik. Unbelehrbare Elemente, nachweislich radikal nazistischer Vergangenheit, suchen durch Verherrlichung der ehemaligen Naziführer die im Nazireich begangenen Kapitalverbrechen zu beschönigen und dadurch der Jugend ein gefälschtes Geschichtsbild zu vermitteln, wodurch sie moralisch gefährdet wird. Das PEN-Zentrum erwartet von Bundesregierung und Bundestag wirksame Maßnahmen, die eine weitere Unterhöhlung unserer jungen Demokratie und einen Mißbrauch der im Grundgesetz garantierten Geistesfreiheit verhindern. Das PEN-Zentrum hofft, daß auch der Sortimentsbuchhandel jede Vermittlung oder Auslieferung neonazistischer Literatur ablehnt und wendet sich gleichzeitig an Presse und Rundfunk mit der Bitte, jeden Versuch neonazistischer Demagogie und Geschichtsfälschung scharf zu bekämpfen.

(Mai 1956)

Hans Werner Richter *Zur Bildung des* ›Grünwalder Kreises‹

... es geht um die sehr konkrete Frage, ob Sie in den kommenden Jahren bereit sind, sich mit Ihrer Person und in der Gemeinschaft eines solchen Kreises, wie er hier versammelt ist, gegen eine Entwicklung zu wehren, die alle Gefahren der Vergangenheit, sei es auch mit einer anderen Ideologie, wiederum heraufbeschwören kann.

Ich sehe davon ab, Ihnen diese Gefahren allzu ausführlich zu schildern. Ich weiß, daß Sie sie alle kennen und daß ein jeder von Ihnen von der gleichen Sorge und von der gleichen Beunruhigung erfüllt ist, die auch uns erfüllt und die uns zu diesem Schritt veranlaßt hat. Es ist die Sorge, daß sich mit der Wiederaufrüstung das gesamte geistige Klima in Deutschland voraussichtlich wiederum verändern wird, es ist die tiefe Beunruhigung, daß mit den Kompanien, Regimentern und Divisionen auch der Geist der Reaktion wiederum sich erheben und lebendig werden kann, und wir alle wissen, wie dünn und brüchig die Scheidewände zwischen einer solchen Reaktion und dem Faschismus von gestern oder einem neuen Faschismus sind. Aber selbst, wenn eine solche Entwicklung bis zum extremen Fall des Faschismus nicht eintritt, so wird dennoch allein der voraussichtliche geistige Klimawechsel in Deutschland schon zu Unerträglichkeiten führen, die wir nicht hinnehmen dürfen ...

Wie unser ganzes Leben von einem Apparatismus bedroht ist, der den Opportunismus, den Konformismus, ja, das ewige Ausweichen und Lavieren in einer Weise fördert und Blüten treiben läßt, die fast schon tragisch-komisch wirken, und in dem statt der echten Persönlichkeit immer die blasse, farblose, zum Konformismus neigende Person nach oben schwimmt, so ist es auch mit unseren Parteien. Sie sind Apparate geworden, Maschinen, die sich in sich selbst drehen, ohne eine von echten Impulsen bewegte und erregte Mitgliedschaft und ohne jeden echten Kontakt mit dem Volk einerseits und mit dem lebendigen Geist unserer Zeit andererseits ...

Schreiben Sie hier ein Buch gegen den Krieg, so werden Sie drüben bereits als Fellow Traveler angesehen, und hier unter Umständen als ein Mann, der Herrn Blank die jungen Soldaten »vergiftet«, schreiben Sie aber ein Buch über das Elend jener Vertriebenen des Ostens, so sind Sie drüben ein von den Amerikanern gekaufter Monopolistenknecht, und rücken hier in die Nähe des Senders Freies Europa.

Diese Situation ist zweifellos für die deutschen Intellektuellen eine einmalige, gefährliche und untragbare Situation. Sie unterscheidet sich wesentlich von der geistigen Situation der zwanziger Jahre. Sie macht das Eintreten für die Wahrheit, für die Gerechtigkeit und für die Freiheit unendlich viel schwieriger und sie lähmt die echte Kritik fast bis zur völligen Erstarrung, denn der Grat, auf dem sich eine solche Kritik bewegen muß, ist schmal.

Aber sollen wir deswegen schweigen? Allzu lange schweigen wir schon und allzu lange schon nehmen wir diese untragbare Situation hin. Sie hat dazu geführt, daß Deutschland heute ohne eine wirkende, lebendige, aktive geistige Linke ist. Wohl lebt diese Linke, aber fast lebt sie schon am Rande der gesellschaftlichen Ordnung, lebt sie schon in einer legalen Illegalität, steht sie abseits des wirklichen Geschehens.

(März 1956. Der ›Grünwalder Kreis‹, eine lose Verbindung von Schriftstellern und Publizisten, bildete sich, um den sichtbarer werdenden Militarismus und Neonazismus in der BRD zu bekämpfen; viele Mitglieder arbeiteten später in der Bewegung ›Kampf dem Atomtod‹ mit.)

Bertolt Brecht *Offener Brief an den Deutschen Bundestag Bonn*

Gestatten Sie mir, als einem Schriftsteller, zu der Furcht einflößenden Frage einer Wiedereinführung der *Wehrpflicht* Stellung zu nehmen.

Als ich ein junger Mensch war, gab es in Deutschland eine Wehrpflicht, und ein Krieg wurde begonnen, der verlorenging. Die Wehrpflicht wurde abgeschafft, aber als Mann erlebte ich, wie sie wieder eingeführt wurde, und ein zweiter Krieg wurde begonnen, größer als der erste. Deutschland verlor ihn wieder und gründlicher, und die Wehrpflicht wurde wieder abgeschafft. Diejenigen, die sie eingeführt hatten, wurden von einem Weltgerichtshof gehängt, soweit man ihrer habhaft werden konnte. Jetzt, an der Schwelle des Alters, höre ich, daß die Wehrpflicht zum dritten Mal eingeführt werden soll.

Gegen wen ist der dritte Krieg geplant? Gegen Franzosen? Gegen Polen? Gegen Engländer? Gegen Russen? Oder gegen Deutsche? Wir leben im Atomzeitalter, und 12 Divisionen können einen Krieg nicht gewinnen – wohl aber beginnen. Und wie sollten es bei allgemeiner Wehrpflicht 12 Divisionen bleiben? Wollt Ihr wirklich den ersten Schritt tun, den ersten Schritt in den Krieg? Den letzten Schritt, den in das Nichts, werden wir dann alle tun. Und wir wissen doch alle, daß es friedliche Möglichkeiten der Wiedervereinigung gibt, freilich nur friedliche. Uns trennt ein Graben, soll er befestigt werden? Krieg hat uns getrennt, nicht Krieg kann uns wieder vereinigen.

Keines unserer Parlamente, wie immer gewählt, hat von der Bevölkerung Auftrag oder Erlaubnis, eine allgemeine Wehrpflicht einzuführen.

Da ich gegen den Krieg bin, bin ich gegen die Einführung der Wehrpflicht in beiden Teilen Deutschlands, und da es eine Frage auf Leben und Tod sein mag, schlage ich eine Volksbefragung darüber in beiden Teilen Deutschlands vor.

(4. 7. 1956. – Am 7. 7. 1956 verabschiedete der Bundestag das Wehrpflichtgesetz. Ein knappes Jahr später kam der Bundesaußenminister von Brentano auf seine Weise auf Brecht zurück, was zu einem Brief des Verlegers *Peter Suhrkamp* führte.)

Peter Suhrkamp: *Brief an den Außenminister*

Als ich davon hörte, daß Sie, geehrter Herr Dr. von Brentano, als Außenminister vor dem Bundestag in Bonn die späte Lyrik Bertolt Brechts mit der Lyrik Horst Wessels verglichen haben sollten, kam mir das zuerst unglaubhaft vor. Außer dem Sturmlied der SA sind mir Gedichte von Horst Wessel allerdings nicht bekannt, in mir lebt aber noch die Erinnerung an gemeine Züge in seinem Leben und seiner Erscheinung. Die Geschmacklosigkeit und die Infamie in dem unterstellten Vergleich waren doch wirklich gar nicht zu glauben! Ich war dennoch beunruhigt; hatte doch kurz vorher Ihr Staatssekretär die auffällige Prägung vom ›Aussagewert‹ von Stücken Brechts und Wedekinds in Umlauf gebracht. Ich bemühte mich um einen authentischen Bericht. Und da lese ich eben in dem Protokoll der Haushaltsdebatte des Bundestages am 9. Mai 1957, daß Sie tatsächlich dem SPD-Abgeordneten Kahn-Ackermann geantwortet haben:

›Sie waren der Meinung, daß Bert Brecht einer der größten Dramatiker der Gegenwart sei. Man mag darüber diskutieren. Aber ich bin wohl der Meinung, daß die späte Lyrik des Herrn Bert Brecht nur mit der Horst Wessels zu vergleichen ist.‹

. . . Sie wissen, daß Brecht als Feind der Nazis ins Exil gehen mußte. In den Exiljahren stand im Zentrum seines Lebens, Denkens und Dichtens der Kampf gegen die Nazis und gegen den Krieg der Nazis. Er lebte überall isoliert von den prominenten deutschen Emigranten wegen einer an ihm auffälligen nationalen Gesinnung, die ihn Gedanken an eine Kollektivschuld des deutschen Volkes verwerfen ließ. Er lebte im Exil in jedem Moment bereit, in sein Vaterland zurückzukehren, sobald die Nazis besiegt sein würden. Zur selben Zeit gingen Sie in Deutschland ihrem bürgerlichen Beruf nach. Und da stellten Sie nun in einem lapidaren literarischen Urteil den Namen Brechts neben den von Horst Wessel! Da tritt zutage, daß Sie nur darauf zielten, vor einer nicht unterrichteten, leicht zu beeinflussenden Öffentlichkeit, Brecht in seiner menschlichen Integrität zu erniedrigen. Diese Wirkung Ihres Vergleiches müssen Sie beabsichtigt haben; wie hätte Ihnen sonst gerade der Name von Horst Wessel einfallen können. Sie mußten dazu noch eine Hilfskonstruktion vornehmen, indem Sie die Lyrik Brechts, um die es in der Haushaltsdebatte des Bundestages gar nicht ging, in die Debatte einbezogen.

Es ist Ihre Form des politischen Kampfes, die mich aufregt. Die allgemeine Verwilderung überall in den Kämpfen von Parteien hat, wo sie bei uns um sich greift, auf lange hinaus noch einen besonderen Akzent. Als Verleger zur Zeit des Dritten Reiches habe ich genügend Erfahrungen gesammelt, wie damals Minister Gegner ihrer Weltanschauung unter den Schriftstellern und Künstlern in demagogischer Form menschlich zu vernichten trachteten. Ihre Äußerung hat bei mir die Erinnerungen daran wieder geweckt. Und damit die ernste Frage: leben wir der Zeit des Nationalsozialismus noch so nah, daß wir noch immer nicht genug auf der Hut sind vor den schlechten Angewohnheiten von damals – oder ist es, weil unser Unglück schon so lange zurückliegt, daß man bei uns wieder anfängt, leichtfertig zu reden und auch in die allgemeine Formverwilderung gerät?

... Wie soll da noch Dichtung gedeihen, wo die Staatsmänner sie so leichtfertig abtun. Wo aber Dichtung, Kunst und Musik verkümmern, da verkümmert das Volk. Diese Wahrheit kann nicht ernst genug genommen werden. (18. 5. 1957)

Peter Rühmkorf *Und sie bewegt sich doch!*

Die letzte Zeit legte einige beachtliche Ansätze vor, Ansätze für eine bekömmlichere Zukunft als sie die Rüstungszwangsvorstellungen des ach so Rüstigen versprechen. Ich meine vor allem die endlich klare und unmißdeutige Haltung zur Wehrpflicht, wie sie die SPD auf ihrem Parteitag an den Tag legte: »Das Ziel der sozialdemokratischen Partei ist, die verfehlte Außen- und Wehrpolitik umzugestalten, ihre bestehenden vertraglichen Verpflichtungen im Einvernehmen mit dem Vertragspartner zu revidieren und das Wehrpflichtgesetz wieder aufzuheben.« Es hieß, daß der Linken der Partei damit viel revoltefreudiger Sturm aus den Segeln genommen wurde; es läßt sich vermuten, daß es aber auch dieser linke Flügel war, dem wir das klare Resultat zu großem Teil zu verdanken haben, wie ja überhaupt gerade diese Kräfte der Partei weniger Prestige abtragen als sich dem Profil höchst förderlich erweisen. Aber da standen auch weiter noch jene Phänomene zur Debatte, die unter der Firmierung »sogenannte soziale Errungenschaften der DDR« schon häufig durch die bundesrepublikanischen Diskussionsmühlen gedreht wurden, ohne daß man immer eine so eindeutig vernünftige und zugleich von befugter Stelle der Sozialdemokratie vorgebrachte Stellungnahme zur Kenntnis genommen hätte, wie diese Erlers: »Es gibt in der Zone gesellschaftliche Strukturveränderungen, die man nicht mehr ändern kann. Sie müssen nach vorn entwickelt werden. Verschwinden müssen aber die kommunistischen Privilegien.« Welche Perspektiven! Welch andere als jene, die uns Dr. Adenauer als Kasernenfluchten zu offerieren gewillt ist.

(Juli 1956)

Werner Riegel *Das Kalumet rauchen*

Während man rings in Europa die Friedenspfeife raucht, rauchen uns nur die Köpfe. Ich meine, es wird Zeit, das klapprige Getriebe unserer Regierung zum alten Eisen zu werfen und es durch einen neuen Motor zu ersetzen. Es kommt nicht auf die Zylinderzahl an. Eher auf Köpfe, denen wir, die Zylinder zu tragen, den feierlichsten Anlaß wünschen, den es vorläufig geben kann: die Wiedervereinigung Deutschlands, herbeigeführt durch den wahrhaftigen Friedenswillen denkstarker und charaktervoller Persönlichkeiten, in deren Kreis – das ist seit langem bekannt – fast alle, die uns heut regieren, nicht gehören.

Es ist an der Zeit, mit der Betrachtung und Kommentierung von Adenauers Tanz um das goldige Mondkalb seiner Idee von der Politik der Stärke keine Zeit mehr zu verlieren. Das Kriegsbeil als Fetisch ist eine absurde Vorstellung, und wenn Adenauer den Helm fester bindet, so braucht er deshalb nicht notwendigerweise den Frieden zu wollen. Wir aber wollen.

Anscheinend hat für eine gewisse Sorte überalterter Volksvertreter der gut funktionierende Stoffwechsel eine größere Bedeutung als ein uns guttuender Regierungswechsel, und sie achten mehr auf das Vitamin B ihrer persönlichen und bestenfalls noch interfraktionellen Beziehungen zu fremden Staaten und Völkern. Wenn sie nicht gleich geopolitisch und in »Lebensräumen« und »Achsen« und in einer weltweiten Paktgeometrie denken dürfen, ist ihnen alles zu fade, was nach gesundem Menschenverstand und nach solider Verständigung schmeckt. Das zwölfte oder dreizehnte Ehrendoktorat nimmt bei solchermaßen überfordertem Horizont mehr Platz ein als all die Häuser, die die Rumänen den siebenbürger Sachsen zurückzugeben gewillt sind, und wo dieser Versuch, Europen ihre normalen Formen wieder zu verschaffen, keinen diplomatischen Vorstoß zu lohnen scheint, da ist die hochmütig-doofe Ablehnung des Chinahandels, den Tschu En-lai auszuweiten wünschte, nur eine geringfügige Abwandlung der üblichen idiotischen Ausdruckslosigkeit der Catcherpsychologie unserer Politik der Stärke.

Ich habe keine Ahnung, welche Unschuld die deutsche Regierung verteidigen will, wenn sie weder einen ranläßt noch selber rangeht; ich weiß nur, daß diese Art sich zu verhalten unfruchtbar bleibt und auf die Dauer keine Liebhaber findet. Es handelt sich hier schließlich nicht um die reizvolle Geschichte von der Zähmung der Widerspenstigen, sondern um die gereizte Atmosphäre im Umkreis einer sitzengebliebenen komischen Alten.

(Juli 1956)

Der Kampf gegen die Bombe

Stephan Hermlin   *Die Vögel und der Test*

Von den Savannen übers Tropenmeer
Trieb sie des Leibes Notdurft mit den Winden,
Wie taub und blind, von weit- und altersher,
Um Nahrung und um ein Geäst zu finden.

Nicht Donner hielt sie auf, Taifun nicht, auch
Kein Netz, wenn sie was rief zu großen Flügen,
Strebend nach gleichem Ziel, ein schreiender Rauch,
Auf gleicher Bahn und stets in gleichen Zügen.

Die nicht vor Wasser zagten noch Gewittern
Sahn eines Tags im hohen Mittagslicht
Ein höheres Licht. Das schreckliche Gesicht

Zwang sie von nun an ihren Flug zu ändern.
Da suchten sie nach neuen sanfteren Ländern.
Laßt diese Änderung euer Herz erschüttern ...

(1957)

Göttinger Erklärung der 18 Atomwissenschaftler

Die Pläne einer atomaren Bewaffnung der Bundeswehr erfüllen die unterzeichneten
Atomforscher mit tiefer Sorge. Einige von ihnen haben den zuständigen Bundesmini-
stern ihre Bedenken schon vor mehreren Monaten mitgeteilt. Heute ist die Debatte
über diese Frage allgemein geworden. Die Unterzeichneten fühlen sich daher verpflichtet, öffentlich auf einige Tatsachen hinzuweisen, die alle Fachleute wissen, die
aber der Öffentlichkeit noch nicht hinreichend bekannt zu sein scheinen.
    1. Taktische Atomwaffen haben die zerstörende Wirkung normaler Atombomben.
Als ›taktisch‹ bezeichnet man sie, um auszudrücken, daß sie nicht nur gegen menschliche Siedlungen, sondern auch gegen Truppen im Erdkampf eingesetzt werden sollen.
Jede einzelne taktische Atombombe oder -granate hat eine ähnliche Wirkung wie die
erste Atombombe, die Hiroshima zerstört hat. Da die taktischen Atomwaffen heute
in großer Zahl vorhanden sind, würde ihre zerstörende Wirkung im ganzen sehr viel
größer sein. Als ›klein‹ bezeichnet man diese Bomben nur im Vergleich zur Wirkung
der inzwischen entwickelten ›strategischen‹ Bomben, vor allem der Wasserstoffbomben.
    2. Für die Entwicklung der lebensausrottenden Wirkung der strategischen Atom-
waffen ist keine natürliche Grenze bekannt. Heute kann eine taktische Atombombe
eine kleinere Stadt zerstören, eine Wasserstoffbombe aber einen Landstrich von der
Größe des Ruhrgebiets zeitweilig unbewohnbar machen. Durch Verbreitung von Ra-
dioaktivität könnte man mit Wasserstoffbomben die Bevölkerung der Bundesrepublik

wahrscheinlich heute schon ausrotten. Wir kennen keine technische Möglichkeit, große Bevölkerungsmengen vor dieser Gefahr zu schützen.

Wir wissen, wie schwer es ist, aus diesen Tatsachen die politischen Konsequenzen zu ziehen. Uns als Nichtpolitikern wird man die Berechtigung dazu abstreiten wollen; unsere Tätigkeit, die der reinen Wissenschaft und ihrer Anwendung gilt und bei der wir viele junge Menschen unserem Gebiet zuführen, belädt uns aber mit einer Verantwortung für die möglichen Folgen dieser Tätigkeit. Deshalb können wir nicht zu allen politischen Fragen schweigen. Wir bekennen uns zur Freiheit, wie sie heute die westliche Welt gegen den Kommunismus vertritt. Wir leugnen nicht, daß die gegenseitige Angst vor den Wasserstoffbomben heute einen wesentlichen Beitrag zur Erhaltung des Friedens in der ganzen Welt und der Freiheit in einem Teil der Welt leistet. Wir halten aber diese Art, den Frieden und die Freiheit zu sichern, auf die Dauer für unzuverlässig, und wir halten die Gefahr im Falle des Versagens für tödlich.

Wir fühlen keine Kompetenz, konkrete Vorschläge für die Politik der Großmächte zu machen. Für ein kleines Land wie die Bundesrepublik glauben wir, daß es sich heute noch am besten schützt und den Weltfrieden noch am ehesten fördert, wenn es ausdrücklich und freiwillig auf den Besitz von Atomwaffen jeder Art verzichtet. Jedenfalls wäre keiner der Unterzeichneten bereit, sich an der Herstellung, der Erprobung oder dem Einsatz von Atomwaffen in irgendeiner Weise zu beteiligen.

Gleichzeitig betonen wir, daß es äußerst wichtig ist, die friedliche Verwendung der Atomenergie mit allen Mitteln zu fördern, und wir wollen an dieser Aufgabe wie bisher mitwirken.

Prof. Dr. Fritz Bopp; Prof. Dr. Max Born, Nobelpreisträger (Physik); Prof. Dr. Rudolf Fleischmann; Prof. Dr. Walter Gerlach; Prof. Dr. Otto Hahn, Nobelpreisträger (Chemie); Prof. Dr. Otto Haxel; Prof. Dr. Werner Heisenberg, Nobelpreisträger (Physik); Prof. Dr. Hans Kopfermann; Prof. Dr. Max von Laue, Nobelpreisträger (Physik); Prof. Dr. Heinz Maier-Leibnitz; Prof. Dr. Josef Mattauch; Prof. Dr. Friedrich-Adolf Paneth; Prof. Dr. Wolfgang Paul; Prof. Dr. Wolfgang Riezler; Prof. Dr. Fritz Straßmann; Prof. Dr. Wilhelm Walcher; Prof. Dr. Carl Friedrich v. Weizsäcker; Prof. Dr. Karl Wirtz.

(12. 4. 1957. – Die Erklärung, obwohl von Wissenschaftlern, erscheint hier in extenso, weil ohne sie der ›Kampf gegen die Bombe‹, der in den folgenden Jahren mit Demonstrationen, Aufrufen und ›Ostermärschen‹ geführt wurde, nicht verständlich ist. Auf die Göttinger Erklärung reagierte Bundeskanzler Adenauer mit den Worten: »Zur Beurteilung dieser Erklärung muß man Kenntnisse haben, die diese Herren nicht besitzen. Denn sie sind nicht zu mir gekommen.«)

Kurt Hiller sandte daraufhin folgendes Telegramm an Adenauer:

»Sie ermangeln der inneren Beziehung zur Wissenschaft und zu den geistigen Bewegungen, sollten sich daher in der Kritik ihrer Vertreter besonderer Bescheidenheit befleißigen. Dies umso mehr, auf je fragwürdigeren Füßen Ihr Kanzlerthron steht. Denn das Ergebnis der Bundestagswahlen von 1953 beruhte auf erpresserischem Eingriff einer auswärtigen Macht, auf verleumderischem Vorstoß gegen die führende Oppositionspartei und auf ungleichem, grundgesetzwidrigem Wahlrecht. Ihre völlig unchristliche, völlig undemokratische Abkanzlung einer Gruppe bedeutender, aus gründlicher Kenntnis und tiefer Verantwortung warnender deutscher Gelehrter, einer Gruppe, zu der Gestalten wie Otto Hahn, Heisenberg, Max v. Laue, C. F. v. Weizsäcker gehören, gibt uns Anlaß, Ihnen unsere Verachtung auszusprechen und den Wunsch zu erneuern, daß eine dem wahren Interesse des Vaterlands fortgesetzt abträglich handelnde arrogante Null wie Sie raschestens von der politischen Bildfläche verschwinde.«

Peter Rühmkorf *Dämonokratie*

Unsere Diskussion sei heute auf die Möglichkeiten zentriert, die einer außerparlamentarischen Gruppe [! d. Hrsg.] gegeben sind, politisch-tätig einzugreifen; erfolgreicher einzugreifen als es einer parlamentarisch niederzustimmenden Opposition möglich ist.

Ich spreche von neuen Formen des politischen Lebens, wie sie nach dem Göttinger Exempel kaum mehr als utopistisch angesprochen werden können, vom aktiven Anstoß, den eine befugte Minderheit ihrer Zeit mitteilen kann. Man hat gerade in der machthabenden und machtmißbrauchenden Partei vom Dienst alles Mögliche getan, um alle wie auch immer geartete Minderheit vor die Tür des Hauses zu setzen – man soll sich nicht wundern, wenn jetzt Minderheiten auch außerhalb des Parlaments mobil gemacht werden und sich und ihren Willen kundtun. »Revolution der Intellektuellen«, das Schlagwort ging in Sachen Ungarn und Polen immer wieder über die Bühne; Gruppen waren sichtbar geworden, mit denen man nicht, jedenfalls nicht in dem Maße und derart gerechnet hatte; nun hat bundesdeutsche Intelligenz revoltiert und die Welt aufmerken und die CDU/CSU-Presse kläffen gemacht. Die Vorgänge haben klare Entsprechungen. Die Welt wird ihre Eliten politisch ernst nehmen müssen.

Die Parteien teilen das Volk sehr ungerecht und über den Kamm in große Interessengruppen. Wo aber sollen gerade die wertvollen Minderheiten unterkriechen? Wo gibt ihnen eine Demokratie die Möglichkeit, sich politisch zu verwirklichen? Wer vertritt eine Elite, wo der Wahlsago rieselt, wer wird ihrer Spezifität gerecht, die eben auch darin besteht, nicht in Massen aufzutreten? Vier Wahlstimmen für vier Nobelpreise, vier für ein Kaffeekränzchen, wo solche Rechnung aufgeht, ist etwas faul im Staat Democracy. Fragen Sie nicht, wie es anders zu machen sei, Sie haben an dem exemplarischen Fall teilnehmen dürfen. Die Naturwissenschaftler und speziell die Atomforscher stellen nun naturgemäß innerhalb der Intelligenz eine besondere durch Macht hervorstechende Gruppe. Der Staat ist auf ihre Mitarbeit und Weiterarbeit angewiesen, sie entscheiden über Wohl und Abstieg eines modernen Staates, sie sind im übrigen nicht zu den geringsten Konzessionen verpflichtet und können nach Belieben ihrem Gewissen leben, ohne eine Ausbootung bei der nächsten Koalitionsbildung befürchten zu müssen. Daß sie der Menschheit die verderblichen Gewalten ja erst in die Hand gegeben hätten, warf der Innenminister Schröder den Forschern vor, daß sie *jetzt* ihrer technischen Revolution eine zweite, moralische legiert wissen wollten, schien sich dennoch seiner Privatlogik nicht einzupassen. Ihm, der weder das Pulver erfunden noch die Atomspaltung entdeckt hat, käme sicher zupaß, dem Mißbrauch der Nuclear-Forschung Vorschub zu leisten, gleichzeitig aber die Schuld einem anderen in die Schuhe zu diskutieren ...   (Mai 1957)

Ingeborg Bachmann   *Freies Geleit*

Mit schlaftrunkenen Vögeln
und winddurchschossenen Bäumen
steht der Tag auf, und das Meer
leert einen schäumenden Becher auf ihn.

Die Flüsse wallen ans große Wasser,
und das Land legt Liebesversprechen
der reinen Luft in den Mund
mit frischen Blumen.

Die Erde will keinen Rauchpilz tragen
kein Geschöpf ausspeien vorm Himmel,
mit Regen und Zornesblitzen abschaffen
die unerhörten Stimmen des Verderbens.

Mit uns will sie die bunten Brüder
und grauen Schwestern erwachen sehn,
den König Fisch, die Hoheit Nachtigall
und den Feuerfürsten Salamander.

Für uns pflanzt sie Korallen ins Meer.
Wäldern befiehlt sie, Ruhe zu halten,
dem Marmor, die schöne Ader zu schwellen,
noch einmal dem Tau, über die Asche zu gehn.

Die Erde will ein freies Geleit ins All
jeden Tag aus der Nacht haben,
daß noch tausend und ein Morgen wird
von der alten Schönheit jungen Gnaden.

(Mai/Juni 1957)

Frauen gegen die Atombewaffnung

Wir unterzeichneten Frauen nehmen hier zu der Atomfrage Stellung. Wir sind von keiner Seite gelenkt. Wir gehören verschiedenen Konfessionen an. Wir haben verschiedene politische Ansichten und stehen verschiedenen Parteien nahe oder nicht nahe.

Einig aber wissen wir uns in dieser Erklärung, und das ist in zweifacher Hinsicht:

1. Wir sind uns einig in dem Bewußtsein unserer Freiheit und der daraus folgenden Verantwortung. Sie verpflichten uns, zu den politischen Vorgängen Stellung zu nehmen, vor allem dann, wenn diese eine Bedrohung des Lebens bedeuten.

2. In eben dieser Verantwortung sind wir uns einig in der Ablehnung des atomaren Krieges, der atomaren Rüstung und der politischen Drohung mit Atomaufrüstung und Atomkrieg.

Wir erklären daher unsere Zustimmung zu der Rede Albert Schweitzers und zu der Göttinger Erklärung der westdeutschen Atomphysiker, die sich gegen die Anwendung der atomaren Kräfte im Bereich der politischen und militärischen Machtauseinandersetzungen wenden. Wir stimmen ebenso dem Appell der Atomphysiker zu, in Deutschland keine atomaren Waffen, welcher Art auch immer, zu haben.

Wir erklären uns bereit, für diesen Gewissensentscheid überall und jederzeit einzutreten und jeder Verharmlosung des Atomwaffenproblems im Bewußtsein unseres Volkes an unserem Teil zu widerstehen.

(Herbst 1957. – Das Manifest wurde u. a. von den Schriftstellerinnen Ilse Aichinger, Hedwig Conrad-Martius, Gertrud von Le Fort, Luise Rinser und Ina Seidel unterzeichnet.)

Hans Henny Jahnn   *Thesen gegen Atomrüstung*

Die Entscheidung über Sein oder Nichtsein der Menschheit kann nicht von einem politischen Kalkül abhängig gemacht werden, sie ist ein humanes Problem.

Durch eine »Politik der Stärke« kann die Katastrophe nicht vermieden, sondern nur herausgefordert werden.

Eine vorsichtige Schätzung der jetzt vorhandenen Atom- und nuklearen Bomben ergibt eine Zahl von ca. 50 000.

Die Aufgabe des Schriftstellers ist es noch immer, Barmherzigkeit, Mitleid und Menschlichkeit zu vertreten und nicht einen politischen Sadismus zu unterstützen.

Es wird hierbei erinnert an das Verhalten des großen Dichters Jeremias, der sein Vaterland vor unsinnigen Rüstungen und Provokationen warnte. Er wurde dafür ins Gefängnis geworfen und die Nieren wurden ihm losgeprügelt. Befreit aus der Haft wurde er von den siegreichen Feinden. Er ging in die Emigration und starb in Ägypten.

Es besteht bei uns Schriftstellern nicht die Neigung, sich zu Märtyrern zu machen – : aber einer Gewissensprüfung dürfen wir uns nicht entziehen. Wenn wir ihr ausweichen, wird unsere Arbeit unehrlich und unehrenhaft.

Es ist unsere Pflicht, uns den Erkenntnissen der warnenden Wissenschaftler anzuschließen und nicht den frivolen Spekulationen der Militärs und der Politiker, die mit dem Leben anderer Menschen kalkulieren.

(4. 9. 1957. – Vorgetragen auf einer Schriftstellerversammlung in Bonn. Auf dieser Versammlung wurde auch folgende Resolution gefaßt:)

Resolution vom 4. September

In der Demokratie ist jeder Staatsbürger verantwortlich für das politische Geschick seines Landes. Noch mehr der Schriftsteller, der an der Meinungsbildung aktiv beteiligt ist. Deswegen appellieren die unterzeichneten freien Schriftsteller aus der Bundesrepublik, die in der Mehrzahl keiner Partei angehören, durch diesen Aufruf an die Vernunft und an das Gewissen der Deutschen:

Die atomare Aufrüstung ist eine Gefahr für die ganze Menschheit. Wir klagen die Atommächte in Ost und West an, durch ihre Wettrüstung mit atomaren Waffen, durch ihre fortgesetzten Versuchsexplosionen, das Leben aller Völker aufs Spiel zu setzen.

Wir verlangen Ächtung des Atomkrieges und Verbot weiterer Experimente zur kriegerischen Nutzung der Atomenergie.

Wir klagen jede Regierung an, die versucht, sich in das Atomwettrüsten einzuschalten. Je mehr Staaten Atomwaffen herstellen, besitzen oder einlagern, desto näher rückt die Katastrophe. Daher warnen wir vor einer Politik, die die Bundesrepublik in die Reihe dieser atomrüstenden Staaten stellt.

Wir wissen, daß die meisten Deutschen so denken wie wir. Es geht um die Existenz unserer Welt. Wir bitten alle Deutschen, am 15. September im Bewußtsein der Entscheidung über Sein oder Nichtsein zu wählen.

Stefan Andres, Josef Baur, Karlheinz Deschner, Axel Eggebrecht, Hans Hennecke, Hans Henny Jahnn, Ernst Kreuder, Wilhelm Lehmann, Erwin Piscator, J. v. Puttkamer, Guntram Prüfer, Paul Schallück, Paul Schurek, Max Stefl, Erich Franzen, Wolfgang Weyrauch, Adolf Grimme, Hans Dohrenbusch, Martin Kessel, Hans Riepl.

(Die Resolution war für die Bundestagswahl am 15. 9. 1957 bestimmt und forderte praktisch zur Stimmabgabe für die SPD auf, weil nur sie sich klar gegen die atomare Bewaffnung ausgesprochen hatte. Die sogenannte ›Adenauer-Wahl‹ brachte der CDU zum erstenmal die absolute Mehrheit.)

✗ Kampf dem Atomtod

Das deutsche Volk diesseits und jenseits der Zonengrenze ist im Falle eines Krieges zwischen Ost und West dem sicheren Atomtod ausgeliefert. Einen Schutz dagegen gibt es nicht.

Beteiligung am atomaren Wettrüsten und die Bereitstellung deutschen Gebietes für Abschußbasen von Atomwaffen können diese Bedrohung nur erhöhen.

Ziel einer deutschen Politik muß deshalb die Entspannung zwischen Ost und West sein. Nur eine solche Politik dient der Sicherheit des deutschen Volkes und der nationalen Existenz eines freiheitlich-demokratischen Deutschlands.

Wir fordern Bundestag und Bundesregierung auf, den Rüstungswettlauf mit atomaren Waffen nicht mitzumachen, sondern als Beitrag zur Entspannung alle Bemühungen um eine atomwaffenfreie Zone in Europa zu unterstützen.

Wir rufen das gesamte deutsche Volk ohne Unterschied des Standes, der Konfession oder der Partei auf, sich einer lebenbedrohenden Rüstungspolitik zu widersetzen und statt dessen eine Politik der friedlichen Entwicklung zu fördern. Wir werden nicht Ruhe geben, solange der Atomtod unser Volk bedroht.

(10. 3. 1958. – Neben zahlreichen Wissenschaftlern und Politikern unterzeichneten folgende Schriftsteller diesen ersten Aufruf: Stefan Andres, Heinrich Böll, Walter

Dirks, Axel Eggebrecht, Hellmut Gollwitzer, Hans Henny Jahnn, Erich Kästner, Eugen Kogon, Ernst Kreuder, Wilhelm Lehmann, Martha Saalfeld, Paul Schallück, Alfred Weber.)

Gegen die atomare Bewaffnung

Wir protestieren gegen die atomare Bewaffnung der Bundeswehr, weil sie jede weitere Verständigung zwischen Ost und West unmöglich zu machen droht, die Gefahr einer dritten Katastrophe für das deutsche Volk heraufbeschwört und die Wiedervereinigung verhindern kann. Die Anwendung atomarer Waffen ist Selbstmord. Eine zusätzliche deutsche Atomaufrüstung schreckt den Kommunismus nicht ab, sondern dient seiner Argumentation und Propaganda. Wir appellieren deshalb an alle, die sich in dieser Stunde ihrer persönlichen Verantwortung bewußt sind, gegen den folgenschweren Beschluß des Bundestages demonstrativ Stellung zu nehmen. Wir schließen uns damit allen gleichgerichteten Aktionen an.

Ilse Aichinger, Peter Paul Althaus, Alfred Andersch, Ingeborg Bachmann, Ulrich Becher, Rolf Bongs, Karlheinz Deschner, Wolfgang Drews, Axel Eggebrecht, Günter Eich, Hans Magnus Enzensberger, Gertrud von Le Fort, Leonhard Frank, Günter Bruno Fuchs, Ernst Gläser, Albrecht Goes, Rudolf K. Goldschmidt-Jentner, Hans Habe, Peter Härtling, Hugo Hartung, Manfred Hausmann, Helmut Heissenbüttel, Wolfgang Hildesheimer, Rolf Italiaander, Hans Henny Jahnn, Walter Jens, Hermann Kasack, Erhart Kästner, Erich Kästner, Martin Kessel, Hans Hellmut Kirst, Wolfgang Koeppen, Walter Kolbenhoff, Ernst Kreuder, Erich Kuby, Kurt Kusenberg, Horst Lange, Siegfried Lenz, Kurt Leonhard, Felix Lützkendorf, Dieter Meichsner, Walter von Molo, Horst Mönnich, Gerhard Hermann Mostar, Eckart von Naso, Robert Neumann, Rudolf Pechel, Kurt Pritzkoleit, Hans Werner Richter, Luise Rinser, Peter Rühmkorf, Martha Saalfeld, Heinz-Winfried Sabais, Oda Schaefer, Heinrich Schirmbeck, Franz Schonauer, Ernst Schnabel, Wolfdietrich Schnurre, Siegfried Sommer, Hermann Stahl, Alexander Spoerl, Albert Vigoleis Thelen, Siegfried von Vegesack, Egon Vietta, Martin Walser, Günther Weisenborn, Leo Weismantel, Wolfgang Weyrauch, Josef Winckler.

(15. 4. 1958. – Das Manifest wurde in den folgenden Monaten von zahlreichen weiteren Schriftstellern unterzeichnet, außerdem von zahlreichen Wissenschaftlern und Künstlern – die Namen einiger Schauspieler, die unterzeichneten, mögen einen Begriff von der Breite des Widerstands geben: Lale Andersen, Willy Birgel, Dieter Borsche, Elisabeth Flickenschildt, Martin Held, Marianne Hoppe, Hilde Körber, Hilde Krahl, Hans-Joachim Kuhlenkampf, Ruth Leuwerick, Peter Moosbacher, Wolfgang Neuss, Carl Raddatz, Barbara Rütting, Hans Söhnker. – Aus dieser Aktion entstand das ›Komitee gegen Atomrüstung‹ in München, das von Hans Werner Richter geleitet wurde. – Der Beschluß des Bundestags, die Bundesregierung zu einer atomaren Aufrüstung der Bundeswehr aufzufordern, war am 25. 3. 1958 gegen die Stimmen der SPD gefaßt worden.)

Hans Werner Richter *Schweigen bedeutet Mitschuld* ✗

Alles verläuft ordnungsgemäß. Alles verläuft so, wie es der Bundeskanzler vorgesehen und erwartet hat. Nach der Redeschlacht im

Bundestag kam der Beschluß für die atomare Bewaffnung der Bundeswehr. Nach dem Beschluß kamen die Proteste. Nach den Protesten kommt nun, so hofft man, die Stille, das Schweigen, das Gehenlassen. Die Schlagzeilen der Zeitungen verändern sich. Anstelle der atomaren Aufrüstung treten andere Sensationen und Sensatiönchen. Das Volk wird sich mit den Raketen und Atomkanonen abfinden. Die Gewöhnung wird siegen. Jeder kann dann wieder ordentlich und als verantwortungsbewußter oder verantwortungsloser Staatsbürger seiner Arbeit nachgehen. Aber alles ist wieder einen Schritt weiter, auf dem Weg zur Macht, auf dem Weg zum Atomkrieg, auf dem Weg zum Verhängnis.

So war es in der Frage der Wiederaufrüstung, so war es bei der Einführung der allgemeinen Wehrpflicht, und so scheint es auch mit der atomaren Bewaffnung der Bundeswehr zu kommen. Wohl protestieren Professoren, Schriftsteller, Regisseure, Schauspieler, Journalisten, wohl protestiert fast das ganze geistige Deutschland, geschlossener und einiger als je zuvor, aber es ist, als riefen sie in einem schalltoten Raum ... Eine Welle der Empörung geht durch das geistige und künstlerische Deutschland.

Und doch mehren sich die skeptischen Stimmen. Warum, so fragt man, wurde nicht spontan gehandelt, wo blieb der Generalstreik, wo die großen Demonstrationen, wo die unmittelbare Tat, die wir vor 1933 versäumt haben und die wir immer wieder versäumen? Wo bleibt der Marsch des Volkes nach Bonn? Und jeder, der so fragt, sieht dabei nach oben, erwartet Beschlüsse, Aufforderungen, Anforderungen, Befehle. Er erwartet sie mit dem uns eigenen Untertanengeist von den Führern der Gewerkschaft, von den Parteivorsitzenden, von irgendwelchen Organisationszentralen und nicht zuletzt sogar von jenen Persönlichkeiten des öffentlichen Lebens, die sich in dieser Auseinandersetzung nach vorn gestellt haben.

Ist, so könnte man jene Skeptiker fragen, unter solchen geistigen Voraussetzungen überhaupt ein spontaner außerparlamentarischer Akt möglich? Und ist diese geistige Haltung nicht genau die Voraussetzung, die unsere Regierungskoalition braucht, mit der sie arbeitet und mit der sie im voraus rechnet?

... Was ist aber mit einer demokratischen Regierung, die sich scheut, in einer so entscheidenden Lebensfrage das ganze Volk zu fragen? Braucht eine echte Demokratie nicht die ständige, lebendige Verbindung mit dem Volk? Jahrelang haben wir es so gelesen, und jetzt plötzlich ist das Parlament ein völlig unabhängiger, völlig souveräner Machtkörper, der sich über den Willen des Volkes hinwegsetzen kann.

Das Volk aber schweigt, mißmutig, gelähmt, in vielen Kreisen voller Furcht, und doch immer nach oben blickend, wie es immer alles Heil von dort erwartete und alles Unglück erhielt ...

Man sage nicht, man könne nichts tun, man sei ja allein. Niemand

ist in dieser Situation allein. Jeder kann seine Stimme erheben und jeder kann helfen. In allen Städten haben sich jetzt Komitees gebildet, überall gehen Personen des öffentlichen Lebens voran. Namen tauchen auf, die man niemals auf der politischen Ebene erwartet hätte. Ist hier nicht eine Bewegung ins Leben getreten, die mit der Zeit doch wirksam werden und auch die stärkste und zugleich unbeweglichste Regierung beeinflussen kann? ...
Hüten wir uns. Hüten wir uns auch zu schweigen. Hüten wir uns auch vor der Skepsis. Skepsis und Schweigen bedeuten schon Mitschuld. Mitschuld für heute und für alle Zukunft. (15. 4. 1958)

Hans Henny Jahnn *Am Abgrund* ✗

Die Menschheit ist in Gefahr, an sich selber unterzugehen. Als ich noch die Schule besuchte, mit 17 oder 18 Jahren und die Relativitätstheorie Einsteins in kümmerlicher Unzulänglichkeit aufnahm, hatte ich zum ersten Male die innere Gewißheit, daß es eine Kettenreaktion geben könnte, die uns Menschen oder sogar unsere Erde verzehren würde, um sie, als untauglich geworden, in irgendeinen Anfang zurückzuschleudern.
Jetzt ist es so weit, daß das Scheitern aller positiven menschlichen Bemühungen näher ist als das Gelingen. Wir kennen einige Daten und Statistiken, die uns die Summe unseres technischen Könnens und die Unterbilanz unserer seelischen Substanz anzeigen. Wir haben es versäumt, uns zu bescheiden und menschlich einzurichten. Wir sind dabei, die Tierheit auszurotten, uns hemmungslos zu vermehren und hemmungslos an die Gewalt, an das Recht des Stärkeren zu glauben – an nichts sonst. Daß das Prinzip der Machtanwendung sich selber widerlegt hat, scheint nur eine schwache Minderheit zu begreifen ...
Irgend jemand schleudert den romantisch durchsäuerten Satz heraus: »Lieber tot als Sklave.« Am 2. April 1864 wurde das Prügelgesetz des Staatsministers von Oertzen in Mecklenburg eingeführt, das jedem Großgrundbesitzer das Recht gab, als Sklavenhalter aufzutreten. Hätte nach jenem Datum die Bevölkerung Mecklenburgs, so weit sie nicht adlig war, Selbstmord begehen sollen?
... Das militärische Denken überwuchert die Inhalte der Vernunft. Die Individualisten – ich selber rechne mich zu ihnen – haben nicht das Recht, den Tod einer Milliarde zu fordern, weil ihr besonders geartetes Freiheitsbedürfnis möglicherweise zukünftig nicht anerkannt wird.
(25. 4. 1958. – Von den deutschen Schriftstellern hat sich Jahnn am häufigsten zur Atombewaffnung geäußert; wenige Wochen später erinnerte er nochmals an den in den ›Thesen‹ erwähnten Propheten: »Zum 1. Mai des Jahres 1958 hat die deutsche Bundesregierung eine Annonce drucken lassen, in der sich der Satz findet: ›Wir dürfen

uns nicht durch falsche Propheten irremachen lassen!‹ Diese ›falschen Propheten‹ gehören zur Elite der Welt oder stellen sich an die Seite dieser Elite. – Es gab schon einmal, uns allen bekannt, vor ein paar tausend Jahren, einen ›falschen Propheten‹, nämlich den echten Propheten *Jeremias,* den großen Dichter Israels . . .«)

Erich Kästner   *Neues vom Tage*

Ich bin ein Schriftsteller und verstehe nichts von Politik. Gleichwohl habe ich, sooft ich mich im Laufe von dreißig Jahren politisch äußern konnte, nahezu immer recht behalten. Man prüfe meine Schriften! Haben die Politiker recht behalten? Man prüfe ihre Reden und Entschlüsse! Niemand, hoffe ich, wird denken, ich wolle mich rühmen. Dazu besteht kein Anlaß. Vor falscher Politik zu warnen und, nachdem sie sich in verfehlte Geschichte verwandelt hat, recht zu behalten, ist nicht schön, sondern schrecklich. Mir und allen anderen der Humanität und Freiheit dienenden Schriftstellern hängt das Rechtbehalten zum Halse heraus! Nun warnen wir wieder, und wenn man diesmal nicht auf uns hört, war diesmal das letzte Mal. Dann hat das liebe Europa Ruh.

Was wir in diesen Monaten erleben, ist absurd. Während Rußland die Einstellung der Versuche und eine Kontrolle der Produktion anbietet und die Vereinigten Staaten laut erklären, ursprünglich hätten *sie* entsprechende Vorschläge machen wollen – während also die beiden Weltmächte, trotz allem Zögern, trotz aller Hintergedanken und trotz aller wirtschaftlicher Bedenken, den Kurs »Volldampf voraus!« widerrufen möchten – packt Westeuropa das wilde Fieber. Man hat zwar durch die Suezpolitik die antiwestliche Arabische Union provoziert, man ist dabei, Algerien und Tunesien ins andere Lager zu treiben, man hat, bei uns daheim, nicht einmal ein praktisches Ladenschlußgesetz zustande gebracht – aber Atomgroßmächte werden, das können sie alle! Das kann jedes *Kind*!

. . . Im Hinblick auf die westdeutsche, englische, französische und italienische Atombewaffnung liegt etwas anderes noch viel näher: die ostdeutsche, tschechoslowakische, ungarische und polnische Atombewaffnung. Man ist dabei, aus Europa ein *Atom-Korea* zu machen!

Und diesem koordinierten, diesem systematischen Untergang sollen wir aus Gründen der parlamentarischen Etikette zusehen, ohne zu mucksen? Nur das, erzählt man uns, sei wahre Demokratie? Und wir untergrüben sie, wenn wir feststellen wollten, was längst jeder weiß: daß die Majorität der Abgeordneten den von der Mehrheit der Wähler im guten Glauben ausgestellten Blankoscheck mißbraucht hat? *Wer* hat denn hier die Demokratie untergraben? Eine Volksbefragung in dieser Frage auf Tod und Leben wäre ja gar nicht nötig. Eine Umfrage des Meinungsforschungsinstituts EMNID hat ja bereits ergeben, daß mehr als 80 % der Bevölkerung in der Bundesrepublik die Ausrüstung der Bundeswehr mit Atomwaffen ablehnen! Die andere Mehrheit, die Bonner Majorität, braucht das Resultat dieser repräsentativen Umfrage ja nur anzuerkennen!

Bonn erkennt das Resultat natürlich *nicht* an. Bonn bekennt seinen tödlichen Fehler *nicht*. Und Bonn wehrt sich gegen eine Volksbefragung auf breiterer Ebene mit Argumenten, die der Beschreibung spotten. Volksbegehren und Volksentscheid seien verfassungswidrige Formen der Volksbefragung, und deswegen sei *jede* Art von Volksbefragung verfassungswidrig. Solche Witze als Antwort auf eine Lebensfrage lehne ich ab.

Ich verweigere die Annahme. Über den scheinbaren Beweis, daß die Schnecke schneller laufe als Achill, und über Sätze wie: »Alle Raubtiere sind Säugetiere, also ist die Kuh ein Raubtier!« haben wir schon als Quartaner nicht mehr gelacht. Im Buch der deutschen Geschichte wird sich das Bonner Argument sehr merkwürdig ausnehmen. Doch vielleicht ist es mit unserer Geschichte und mit unseren Geschichtsbüchern bald zu Ende.

Eines erführe ich vorher brennend gerne: Haben die Regierung und die Parlamentsmajorität *gewußt*, wie die Bevölkerung über die Atombewaffnung denkt, oder haben sie es *nicht* gewußt? Wenn sie es *nicht* gewußt haben, waren sie, gelinde gesagt, keine Politiker. *Wenn* sie es aber gewußt haben, dann waren sie, noch gelinder gesagt, keine Demokraten.

Ich bin kein Physiker und kein Politiker, sondern ein Schriftsteller. Deshalb möchte ich mit einem vierzeiligen Epigramm schließen. Es möge unseren Patentchristen im Bundestag bei ihrer Gewissensforschung weiterhelfen! Videant consules! Die Überschrift des Epigramms heißt »Neues vom Tage«

Da hilft kein Zorn, da hilft kein Spott!
Da hilft kein Fluchen und kein Beten!
Die Nachricht stimmt: Der Liebe Gott
ist aus der Kirche ausgetreten!

(18. 4. 1958. – Rede auf einer Veranstaltung des ›Komitee gegen Atomrüstung‹ im Münchner Circus Krone.)

Hans Magnus Enzensberger   *Neue Vorschläge für Atomwaffen-Gegner*

Seitdem und soweit die Deutschen das Recht und die Möglichkeit, sich politisch zu äußern, zurückgewonnen haben, ist es zu keiner stärkeren Kundgebung ihres Willens gekommen als in der Kampagne gegen die atomare Aufrüstung der Bundeswehr. Die Bundesregierung scheint diese oppositionelle Bewegung nach Intensität und Umfang zu unterschätzen; wenigstens legt die Primitivität, mit der sie glaubt, ihre mißliebigsten Äußerungen abwürgen zu können, diese Vermutung nahe. Der Versuch, das Losungswort »Kampf dem Atomtod« wie einen Spieß umzudrehen und es als Motto für die Atombewaffnung zu verwenden, ist beispielsweise an Albernheit kaum zu überbieten ...

Nun zeigt der bisherige Verlauf der Dinge, daß die Publizität der Aktionen gegen die Atomrüstung ihrer Bedeutung und ihrem Umfang keineswegs entspricht. Die Gründe hierfür sind bekannt. Die zahlreichen Resolutionen privater Leute, organisierter Gruppen und Verbände werden, wenn überhaupt, so nur in schematischen Agenturberichten erwähnt und in entfernten Ecken unserer Zeitungen versteckt ...

Zur Änderung dieses Zustandes seien im folgenden einige Vorschläge beigebracht ... Nehmen wir den Fall an, eine Resolution gegen die atomare Aufrüstung der Bundeswehr käme zustande, die von 3000 Hausfrauen unterschrieben wäre. Das geschilderte Verfahren führt lediglich zu einer Dreizeilenmeldung in den deutschen Blättern. Das Bundeskanzleramt wird die mühsam erarbeitete Liste mit einem schwachen Lächeln in die unterste Schublade legen. Damit wäre die Wirkung des Unternehmens erschöpft. Ganz anders sieht die Sache hingegen aus, wenn das betreffende Komitee sich entschließt, selbst für seine eigene Publizität zu sorgen. In diesem Fall wäre von jedem, der die Entschließung unterzeichnet, ein kleiner Unkostenbeitrag zu erheben. Von dem resultierenden Betrag wären die Kosten einer möglichst ganzseitigen Veröffentlichung der Entschließung in Form einer Zeitungsanzeige in den führenden deutschen Blättern zu bestreiten. Ein solcher Text, unterzeichnet von 3000 namentlich genannten Stimmberechtigten, wäre ein politisches Faktum, das zu ignorieren sich unsere Regierung wohlweislich hüten würde.

Die Wirkungsmöglichkeiten des Verfahrens sind damit keineswegs erschöpft. Vielmehr wäre die Anzeige mit einer öffentlichen Aufforderung an alle Gleichgesinnten zu verbinden, sich der Resolution anzuschließen. Jeder, der ihr seinen Namen liehe, sollte einen kleinen Geldbetrag auf ein zu nennendes Konto überweisen, das ausschließlich zur Publikation weiterer Anzeigen verwendet werden sollte.

Jeder derartige Anzeigentext sollte eine öffentliche Ankündigung einschließen, daß keiner der Unterzeichneten in Zukunft für einen Abgeordneten, gleichgültig welcher Partei, gleichgültig ob in Bundestags-, Landtags-, Senats-, Stadt- oder Kreistagswahlen, seine Stimme abgeben würde, der sich nicht vor der Wahl eindeutig und öffentlich gegen jede Form von Atomrüstung in Westdeutschland erklärt hätte. Es ist dies die Sprache, auf die Volksvertreter zu hören bereit sind. Die Drohung mit dem Entzug von Wählerstimmen ist eine Waffe, die wir als Bürger besitzen, um unseren Willen durchzusetzen. Sie muß mit aller Schärfe benutzt werden.

Die Gruppen, die sich zu dem hier vorgeschlagenen Vorgehen entschließen, sollten sich in zweifacher Hinsicht sachkundigen Beistandes versichern. Zunächst ist in jedem Fall ein guter Rechtsanwalt unerläßlich. Wie der Fall *Richter* in München gezeigt hat, schreckt die Regierung keineswegs davor zurück, polizeiliche Mittel einzusetzen, um solchen öffentlichen Äußerungen mündiger Staatsbürger mit Gewalt zu begegnen. Es ist ferner denkbar, daß sich die Anzeigenverwaltungen gewisser Blätter weigern, die fraglichen Annoncen aufzunehmen. In diesen Fällen muß die Rechtslage geklärt und wenn möglich die Veröffentlichung erzwungen werden.

Außerdem soll zur Formulierung und äußeren Gestaltung der Anzeigen der Rat von erfahrenen Fachleuten eingeholt werden, die sich auf Textierung und Lay-out verstehen. Der gute Wille tut es auch hier keineswegs, wenn eine möglichst nachhaltige Wirkung erzielt werden soll. Zur Ergänzung der Anzeigen-Lawine können folgende Mittel vorgeschlagen werden: Gruppen, die über die nötigen Geldmittel verfügen, können den Anzeigen entsprechende Plakate drucken lassen und entweder öffentlichen Plakatraum in Großstädten mieten oder sympathisierende Geschäfts-, Gaststätten- und Kinobesitzer bitten, sie in den Läden, Schaufenstern und Gaststuben auszuhängen bzw. als Diapositiv zu zeigen ...

Schließlich sei auf einige Methoden zur Beeinflussung von Abgeordneten hingewiesen. Die Stimme der Bewegung gegen die atomare Aufrüstung sollte sich in den kommenden Wahlkämpfen auf allen Versammlungen geltend machen, und zwar gerade auf solchen, von denen anzunehmen ist, daß sie entgegengesetzte Absichten propagieren ...

Eine weitere Aktionsmöglichkeit, die sich in England bereits gut bewährt hat, ist die sogenannte mass lobby. Die Komitees der einzelnen Gruppen übernehmen dabei die Planung von Besuchen der Wähler bei ihren Bonner Abgeordneten. Ein Ausschuß, der zu diesem Zweck zu bilden ist, übernimmt die Organisation des Transportes und die Festlegung von Verabredungen. Abgeordnete, die sich weigern, ihre Wähler zu empfangen, müssen mit öffentlicher Bekanntmachung dieser Weigerung in den Zeitungen ihres Wahlkreises rechnen ...

Die hier aufgezählten Methoden erschöpfen die Möglichkeiten, die gegeben sind, noch lange nicht. Es ist schwer, ihren faktischen Wert von vornherein richtig einzuschätzen. Er kann sich erst im politischen Kampf erweisen. Da die Wähler jedoch im politischen Klima der Bundesrepublik stets am kürzeren Hebelarm sind, wäre es nicht zu verantworten, wenn sie auch nur die mindeste Chance zur Durchsetzung ihres Willens ungenutzt ließen. Die bloße Rhetorik des Protestes, der sich unter Gleichgesinnten kundtut, kann die Kampagne nicht zum Ziele führen. Was ihr nottut, ist die kaltblütige und phantasievolle Ausnutzung aller psychologischen Möglichkeiten, die sich ihr bieten. Ein solches Vorgehen ist kostspielig. Dazu ist, in der Sprache des Marktes, zu sagen, daß der Kampf um das Überleben unseres Erdteils immer noch die beste Investition ist, die heute möglich ist.

(Juli 1958. – »Fall Richter«: Am 30. 3. 58 durchsuchte die Münchner Kriminalpolizei die Geschäftsstelle des ›Komitee gegen Atomrüstung‹ und die Privatwohnung von Hans Werner Richter. Der bayerische Ministerpräsident erklärte das – selbstverständlich! – als »keine politische, sondern eine rein juristische Maßnahme«, da der »Verdacht« bestanden habe, es sei eine »polizeilich nicht genehmigte Geldsammlung« veranstaltet worden.)

Günther Weisenborn   *Das Göttinger Manifest*

1. Hersteller: Das Manifest der 18 Wissenschaftler
wurde am 12. April 1957 in Göttingen veröffentlicht.
Instruktor: Die Göttinger Erklärung beginnt also:
3. Hersteller: »Die Pläne der atomaren Bewaffnung
der Bundeswehr erfüllen die unterzeichneten
Atomforscher mit tiefer Sorge . . .«
1. Handhaber: Was veröffentlichen diese Herren denn da?
3. Handhaber: Diese Herren haben ja keine Ahnung von unseren Anstrengungen, den Frieden zu bewahren. Damit sollten die sich nicht abgeben.
1. Handhaber: Es liegt keinerlei Anlaß zur Beunruhigung vor. Die Umstellung von der Kanone zur Atombombe entspricht etwa der Umstellung vom Gewehr damals zum Maschinengewehr. Die taktischen Atombomben sind wirklich nichts anderes als die Weiterentwicklung der Artillerie.
Instruktor: Die Erklärung lautet weiter:
3. Hersteller: »Die taktischen Atombomben haben die Wirkung normaler Atombomben. Jede einzelne taktische Atomwaffe oder Granate hat eine ähnliche Wirkung wie die erste Atombombe, die Hiroshima zerstört hat . . .«
3. Handhaber: Diese Göttinger Herren sollten das Volk lieber beruhigen, als es in dieser Weise zu beunruhigen. Gerade heute ist die allgemeine Beruhigung notwendig, denn die Lage war noch nie so ernst wie heute. Wir bitten um Ruhe . . .
2. Handhaber: Da muß ich Ihnen widersprechen, Herr Kollege Handhaber. Die Situation ist zu ernst für Beruhigungen allgemeiner Art.
Ich frage uns, die Handhaber:
Was haben wir denn wirklich in der Hand?
Etwa Macht? Eine Drohung? Eine Waffe?

Nein, ein Massenvernichtungsmittel,
wir handhaben nichts als den Selbstmord.
Fassen Sie diese gefährlichen Wolken ins Auge,
die von den Atomexplosionen aufsteigen
und über die Welt ziehen,
wohin der Wind sie weht.

3. Handhaber: Aber solche Wolken sind durchaus ungefährlich.
Ist das nicht grotesk?
Jetzt klagt man sogar die Wolken an,
nächstens ist es die Abendröte oder der Stern Aldebaran.
Nein, gerade heute brauchen wir
kaltes Blut,
Gleichmut und Ruhe,
jawohl: Ruhe.

Rufe: ... Was sagt der Mann dort?
... Es ist wichtig zu hören, was der Mann dort sagt!
... Es ist einer von den Beruhigern.
... Es gibt viele Beruhiger.

Rezitativ: Jedem Taifun voraus
zieht jene drohende Stille,
in der wir
ihre schrecklichen Beruhigungen vernehmen,
die Stimme der Kurzsichtigkeit,
die beschwichtigenden Hindenburgstimmen
der nie Verstehenden,
wie auch die arglistigen Stimmen der
Täuscher und Interessenten.
Aber sind es die gelernten Beruhiger nicht,
die alle Energien der Völker
zielsicher zu lähmen verstehen?
Mit welcher Ruhe zogen wir in den letzten Krieg?
Allein: die Beruhiger haben uns damals
um eine Katastrofe zuviel beruhigt.
Laßt uns nicht mehr auf sie hören,
wenn wir in Unruhe sind,
und mißtrauisch gegenüber den Plänen der Machthaber.

3. Handhaber: Keine Beunruhigung, keine Sorge, keine Angst!
Wolken sind nichts als Regen, ungefährlich ...

Rufe: – Er sagt, es sei keinerlei Wolke gefährlich,
sie leuchte opalen nur aus Gründen der Abendröte.
– Und er sagt, diese Wolke dort oben
sei so ungefährlich wie ein Kindeslächeln. –
– Aber warum suchen die Wissenschaftler so
sehr nach jener besonderen Wolke?

1. Hersteller: Weil sie radioaktiv ist. Das ist alles.   (1958)

Robert Jungk   *Die Treue zur Menschheit.*
Sieben Thesen

Wir Europäer, aus deren Kontinent die Pioniere der Atomforschung hervorgegangen sind, wollen uns zu Grundsätzen unseres Handelns bekennen, die geeignet sein könnten, die heute noch ungezügelten neuen Kräfte des atomaren Zeitalters zu bändigen. Wir sind entschlossen, die drohenden Entwicklungen, die sich aus der auf immer neue Länder übergreifenden nuklearen Aufrüstung ergeben, rechtzeitig zu erkennen und, so weit es in unserer Macht steht, zu verhindern, daß diese Entwicklung andauere, denn wir hoffen auf eine heile Welt, aus der Furcht und Not verbannt sein werden.

Wir bekennen uns zu dem von Albert Schweitzer geprägten Grundsatz: *Ehrfurcht vor dem Leben.* Deshalb müssen wir die atomaren Massenvernichtungsmittel aller Kaliber, deren Einsatz nicht nur gegenwärtiges, sondern auch künftiges Leben unwiderruflich zerstören würde, als Instrument jeder Politik ablehnen, und zwar auch dann, wenn diese Politik moralisch oder rechtlich gerechtfertigt werden könnte.

Wir bekennen uns zu einer verstärkten *Information und Erziehung* der Öffentlichkeit in bezug auf alle Tatsachen und Probleme der sich immer rascher entwickelnden wissenschaftlich-technischen Revolution. Deshalb kämpfen wir gegen Geheimhaltung, Verschleierung und Verharmlosung der Gefahren, die sich aus diesem neuen Stand der Dinge ergeben, befürworten aber ebensosehr eine nüchterne Überprüfung aller sich aus diesem Umschwung ergebenden Möglichkeiten einer materiellen Besserung der menschlichen Lebensbedingungen.

Wir bekennen uns zu der *erhöhten Verantwortung,* die jedem einzelnen von uns im Zeitalter der Technik mit ihren erhöhten Möglichkeiten der Machtausübung und der aus ihr rührenden immer engeren Verflechtung aller wirtschaftlichen Tätigkeit zufällt. Deshalb werden wir uns dem blinden Einsatz technischer Machtmittel ebenso entgegensetzen wie der zeitfremden Unterbindung friedlichen Wirtschaftstausches. Wir treten für allmählichen Rüstungsabbau bei gleichzeitigem Aufbau der Hilfe für notleidende Menschen aller Rassen ein.

Wir bekennen uns zur *geistigen und politischen Freiheit,* welche durch die von den atomaren Machtmitteln ausgehenden totalitären Wirkungen in ihrer innersten Substanz gefährdet wird. Deshalb lehnen wir es ab, Werkzeuge oder Opfer kleiner militärisch-politischer Expertenkommissionen zu werden, die unter Umgehung der demokratischen Volksvertretungen Entscheidungen über Leben und Tod fällen wollen. Wir treten für eine »offene Welt« (Niels Bohr) ein.

Wir bekennen uns zu dem in der freien Wissenschaft entwickelten Geist der *unbedingten selbstkritischen Wahrheitsliebe und Sachlichkeit,* denn durch sie sind die großen Leistungen der Forschung, die das Gesicht unserer Zeit prägen, erst möglich geworden. Deshalb werden wir besonders dann, wenn internationale Krisen ausbrechen, versuchen, durch Propaganda und Entstellungen hindurch zu den *Tatsachen* vorzudringen. Der Grundsatz der Wahrheitsliebe und Sachlichkeit muß uns in allen Auseinandersetzungen mit Freund oder Gegner Verpflichtung sein.

Wir bekennen uns zu den Kraftquellen der *Liebe und des Vertrauens* als unentbehrlicher Voraussetzung jeder Verbesserung der internationalen Beziehungen. Deshalb werden wir über den Kampf gegen die Haß und Mißtrauen säenden Atomwaffen hinaus nach Verwirklichung dieser ethischen Gebote streben.

Wir bekennen, daß wir angesichts der Gefahr des atomaren Selbstmordes unserer Art die *Treue zur Menschheit* über die Treue zu einer Nation oder einer bestimmten ideologischen Gruppierung stellen müssen. Deshalb werden wir uns weigern, in irgendeiner Form an Aufgaben mitzuarbeiten, die von uns als menschheitsgefährdend erkannt worden sind, und zwar auch dann, wenn wir dadurch in Konflikt mit den hinter der Entwicklung zurückgebliebenen Gesetzen unseres Landes geraten sollten. (1. 2. 1959)

Günther Anders *An den Studentenkongreß gegen Atomrüstung*

Die Entscheidung über das Schicksal des Menschen liegt heute zum größten Teil in den Händen von Männern, die nicht begreifen, daß es Fragen *nicht*-taktischer Natur gibt; und deren geistige und moralische Kapazität nicht auszureichen scheint, um sich die Größe der Bedrohung, damit die Größe ihrer Verantwortung, vorzustellen. Schon das Vokabular, das sie, über die mögliche Apokalypse sprechend, verwenden, läßt befürchten, daß sie einfach nicht wissen, wovon sie reden und was sie tun.

Ich habe das Erlebnis eines antiatomaren Weltkongresses hinter mir, an dem ich als Gast jenes Volkes teilgenommen habe, für das das Wort »Atomzeitalter« nicht nur eine Redensart darstellt, sondern eine Erfahrung. Erfüllt von der tiefsten gemeinsamen Sorge und »Vorhänge« zerreißend, haben dort die Delegierten aller Völker über die Mittel diskutiert, mit denen die gemeinsame Gefahr vielleicht doch noch abgewendet werden könnte. Was dabei als der Feind galt, war nicht der oder jener Staat, sondern die Bedrohung, die in der Existenz der Vernichtungsmittel als solcher besteht; und die diese Bedrohung noch bedrohlicher machende Tatsache, daß die Größe der Gefahr, teils nicht gesehen, teils willentlich unsichtbar gemacht wird. Diese Attitüde war die rechte. Da die Gefahr global ist, hat auch der Rettungsversuch global zu sein. Aber *kein »Rettendes« wächst, es sei denn, wir nehmen dessen Wachstum selbst in die Hand.*

Darum ist es ermutigend zu wissen, daß nun auch die akademische Jugend Deutschlands an der Erfüllung dieser Aufgabe teilnimmt:

daß sie sich weigert, sich den möglichen Weltuntergang in vorfabrizierten Schlagwörtern auftischen zu lassen;

daß sie es abweist, das Heute und das Morgen, das auf dem Spiel steht, mit geringerer Skrupelhaftigkeit zu studieren als das Gestern, das skrupelhaft zu studieren sie auf den Universitäten gelernt hat;

daß sie die Zivilcourage aufbringt, das Ziel, das im wahrsten Sinne *populär* ist: nämlich dem Überleben sowohl ihres Volkes als auch aller anderen, dem Wohlergehen sowohl dieser Generation als auch aller weiteren Generationen dient, zu verfolgen;

und daß sie das tut, ohne sich von jenen einschüchtern zu lassen, die solche Aktionen als »unpopulär« etikettieren und bei denjenigen, um deren Rettung es geht, unbeliebt zu machen versuchen.

Seit die Welt steht, hat es immer zwei Gruppen gegeben: diejenigen, die Ziele und Hoffnungen verfolgten, und diejenigen, die die *Hoffenden* verfolgten. Es ist tröstlich zu wissen, daß Ihr wißt, welcher dieser zwei Gruppen Ihr angehört. Deshalb wünsche ich Euch und damit uns allen (und auch denjenigen, die aus Einsichtslosigkeit gegen uns sind – denn auch um *deren* Überleben geht es) den größten Erfolg.

(Januar 1959. – An dem ›Studentenkongreß‹ in Westberlin nahmen Delegierte zahlreicher ›Aktionsausschüsse‹ der verschiedenen Universitäten teil. Dem Präsidium gehörten neben Günther Anders die Schriftsteller Stefan Andres, Helmut Gollwitzer, Hans Henny Jahnn, Walter Jens, Robert Jungk, Erich Kästner, Eugen Kogon, Gertrud von Le Fort, Eva Müthel und Hans Werner Richter an.)

 Stefan Andres *Rede zum Ostermarsch 1960*

Warum begreifen wir nicht, daß unsere bürgerlichen Rechte wahrzunehmen und auszuüben unter gewissen Umständen staatsbürgerliche Pflicht bedeutet? Warum sehen wir nicht ein, daß jeder, der diese Pflicht nicht ausübt, übel handelt, durch Unterlassung sündigt? Man könnte mir hier widersprechen und den Durchschnittsbürger in ganz Europa damit entschuldigen, daß er nicht Bescheid weiß, nicht einmal weiß, worin seine bürgerlichen Rechte und Pflichten bestehen, und erst recht nicht weiß, was in der großen Politik vorgeht. Dafür weiß er, welche Mannschaft im Fußballtreffen gewonnen hat, zum wievielten Male diese oder jene öffentliche Frau heiratet, ah, unser Durchschnittsbürger weiß wirklich eine ganze Menge, sogar dem Quizmaster kann er Rede und Antwort stehen. Nur das eine weiß er nicht: daß er mitverantwortlich ist an unserer Zukunft, verantwortlich dafür, ob seine Kinder oder Enkel in einigen Jahren wie die Fliegen abgeflittet oder auf Lebzeiten zu Atomleprosen deformiert werden. Es hat sogar den Anschein, als ob es Leute gäbe, die daran interessiert sind, daß der Durchschnittsbürger solche in der Tat häßlichen Dinge nicht weiß, ja daß er, wenn er sie erfährt, sie nicht glaubt. Presse, Schule, Kirche und die übrigen Institutionen, die dafür da sind, nicht nur die Autorität der Macht, sondern ebenso und noch mehr die Autorität der Wahrheit in den Völkern unerschüttert zu erhalten, sie haben sich zum großen Teil politisiert, sie haben Position bezogen innerhalb des Kalten Krieges. Sie bejahen die atomare Aufrüstung, verniedlichen die Gefahren der Bombe und verteidigen sie als nationale Notwendigkeit, sanktionieren sie sogar als ethisch einwandfreie Waffe, ja sie erfüllen sie freventlich mit einem religiösen Sinn und mogeln die Bombe in die Hände Gottes, nicht anders als spielten sie mit dem Schöpfer dieser Welt Schwarzer Peter ...

Es gibt heute Stimmen, die es als ein Zeichen höchster moralischer Kraft werten, wenn wir, um unsere politische Freiheit zu verteidigen, den unbegrenzten Atomkrieg bejahen, selbst wenn er den Untergang der Welt nach sich zöge. »Wir könnten dann sagen«, so meint eine dieser Stimmen, »daß Gott, der Herr, der uns durch seine Vorsehung in eine solche Situation hineinkommen ließ, wo wir dies Treuebekenntnis zu seiner Ordnung ablegen müßten, dann auch die Verantwortung übernimmt.« Das sind Worte des Jesuiten Grundlach. Ein Christ, ein Priester, ein Moraltheologe nennt also den Atomkrieg, den Christen gegen Nichtchristen eines Tages führen könnten: ein Treuebekenntnis zur göttlichen Weltordnung! Wir können hier nur schlicht feststellen: eine Theologie ohne Moral!

... Dem Gegner mit Gerechtigkeit zu begegnen und ebenso mit Vertrauen bringt allerdings manches Risiko mit sich, wer wüßte das nicht. Aber ist das Risiko des Kalten Krieges nicht tausendmal größer? Damals, als es galt, Hitler niederzuzwingen, fanden die Westmächte sogar in dem furchtbaren Diktator Stalin einen Partner, der als Onkel Joe Amerika bezauberte. In der Sowjetunion spricht man heute über den Stalinismus fast wie in Deutschland über den Nazismus. Und die Westmächte hätten heute Rußland als Partner nun nach zwanzig Jahren unendlich nötiger als 1940. Und ebenso Rußland die Westmächte! Denn der Gegner heißt nicht mehr Hitler – sondern: ewige Aufrüstung, immer schlimmere Abschreckung, Verarmung der Völker. Und über allem das Gespenst eines Weltunterganges innerhalb weniger Stunden!

Warum sollte der Westen und Osten heute, da der gemeinsame Gegner viel schlimmer und die Partnerschaft viel natürlicher ist, sich nicht zur großen weltgeschichtlichen Tat einer allgemeinen Abrüstung zusammenfinden? Die Abrüstung aber muß in Deutschland beginnen. Weder Tyrannei noch Krieg! Dafür arbeiten, dafür kämpfen wir, darauf hoffen wir!

Wir werden nicht Ruhe geben ...

Am 10. März 1958 ging von Frankfurt der Aufruf des Arbeitsausschusses »Kampf dem Atomtod« aus. Dieser Aufruf ist heute aktueller denn je.

Die Bundesregierung in Bonn indessen betrieb und betreibt weiterhin ihre »Politik der Stärke«. Westdeutsche Militärs und Militärpolitiker warnen – die Generalsdenkschrift fortsetzend – vor einer »Vernachlässigung der atomaren Rüstung in Westeuropa«. Der Bundeskanzler pocht darauf, daß »Westdeutschland wieder eine Macht ist«, und er will nicht darauf verzichten, es auch zu einer atomaren Macht zu machen. Führende Vertreter der Regierungspolitik leugnen den provisorischen Charakter der Bundesrepublik, die innenpolitischen Vorbereitungen für den »Verteidigungsfall« werden forciert, »übergesetzliche« Notstandsmaßnahmen angekündigt, jedes Eintreten für garantierte militärische Neutralität und Blockfreiheit wird in der Person und in der Sache diffamiert.

Während der Präsident der USA deutsche Vorschläge zur Abrüstung verlangt, hat die Bundesregierung in Bonn – wie schon bisher – nicht einen einzigen Gedanken zur Beseitigung der politischen Spannungen in der Welt beigetragen.

In dieser Situation sehen wir uns genötigt, darauf aufmerksam zu machen, daß die Meinung der Bundesregierung in diesen Fragen *nicht* mit der Meinung der westdeutschen Bevölkerung gleichzusetzen ist. Im Gegensatz zur Meinung des Bundesverteidigungsministers Strauß, daß mit soldatischen Mitteln »die Macht aus atheistischen Händen wieder in christliche Hände übergehen« könne, im Gegensatz auch zu den Spekulationen westdeutscher Militärs von einem »Endsieg nach totalem nuklearen Konflikt« sind wir gewiß, daß ein nuklearer Krieg von niemandem gewonnen werden kann.

Eine weitere Vermehrung der Atommächte würde, davon sind wir überzeugt, einen weiteren Schritt zum Kriege hin bedeuten. Insbesondere in einem politisch so problemgeladenen Raum wie Mitteleuropa bringt die Stationierung atomarer Waffen – gleich in wessen Verfügungsgewalt – nicht Sicherheit, sondern äußerste Gefährdung. Auch jede forcierte konventionelle Rüstung in Mitteleuropa ist verhängnisvoll. Eine Politik, die im Interesse des deutschen Volkes und im Interesse internationaler Entspannung liegt, ist die des Disengagement: militärisches Auseinanderrücken der Machtblöcke in Mitteleuropa, Bildung einer atomwaffenfreien Zone, Beschränkung auch der konventionellen Rüstung, Ausscheiden beider deutscher Teilstaaten aus den jeweiligen Militärbündnissen, Sicherheitsgarantie der Großmächte – einschließlich der UdSSR – für diesen militärischen Status.

Der österreichische Staatsvertrag und der militärpolitische Status *Österreichs* können nützliche Hinweise für ähnliche Lösungen auch in anderen Spannungszonen geben.

Sache der Bundesregierung wäre es, im Interesse des deutschen Volkes nachdrücklich auf eine allgemeine kontrollierte Abrüstung in der Welt zu drängen und selbst einen Beitrag hierzu zu leisten. Die Bundesregierung bleibt jedoch in dieser Sache offensichtlich untätig. Deshalb unterbreiten wir den Bürgern der Bundesrepublik folgenden

Vorschlag für einen deutschen Beitrag zur Abrüstung und einen ersten Schritt zu einer Entspannungspolitik in Mitteleuropa:

Verzicht beider deutscher Teilstaaten auf atomare Waffen;

Vereinbarungen beider deutscher Teilstaaten mit ihren jeweiligen Bündnispartnern, die auf deutschem Territorium stationierten Truppen nicht atomar auszurüsten;

Rüstungsstop und Begrenzung konventioneller Bewaffnung in beiden deutschen Teilstaaten;

Garantie der 4 Großmächte für diesen militärischen Status deutschen Territoriums.

Eine solche Politik würde Notstandspläne überflüssig machen und die materiellen Kräfte unseres Volkes auf soziale und kulturelle Leistung hinlenken. Eine solche Politik ist überdies der einzig mögliche Weg, um Voraussetzungen für die Wiedervereinigung Deutschlands zu schaffen.

Wir wiederholen:

»Wir werden nicht Ruhe geben, solange der Atomtod unser Volk bedroht.«

Stefan Andres, Prof. Dr. Heinrich Duker, Christian Geissler, Heinz Hilpert, Gerd Hirschauer, Dr. Erich Kästner, Dr. Arno Klönne, D. D. Heinz Kloppenburg, D. Martin Niemöller, Prof. Dr. Karl Stoevesandt, Prof. Dr. Heinrich Vogel, Prof. D. Ernst Wolf.   5. 9. 1961)

Das Adenauer-Syndrom

Wolfdietrich Schnurre   *Was von uns hätte verhindert werden müssen*

... Wenn wir uns heute von der Sowjetunion bedroht fühlen, weil sie uns zu nah herangerückt ist und einen großen Teil Deutschlands ihrem Machtbereich eingefügt hat, so darf es trotzdem nicht sein, daß wir bei unseren Forderungen nach Freigabe der Zone vergessen: nicht die Sowjetunion hat Deutschland, sondern Deutschland hat die Sowjetunion überfallen. Denn woran wir heute leiden, ist die Folge *jenes* unermeßlichen Leides, das wir selber Rußland und den Völkern Europas einst zugefügt haben.

Und von *hier* her, glaube ich, müßte man heute in Westdeutschland Politik zu machen versuchen. Vom Standpunkt der Einsichtigkeit und nicht vom Standpunkt teils angemaßten, teils ausgeliehenen Machtanspruchs her. Mächtig gewesen sind wir lange genug; es wäre hoch an der Zeit, daß wir – wenn auch erst durch den angerichteten Schaden – jetzt klüger zu werden begönnen; klüger jedenfalls, als es unser dumpfes Verharren auf dem Schauplatz des Kalten Krieges, und als es unsere viel zu pathetischen Forderungen verraten. Und klüger vor allem im moralischen Sinne; denn man fürchtet uns wieder. Aber man *darf* uns nicht fürchten, wenn man uns rechtgeben soll. Sie wissen es wahrscheinlich so gut wie ich, daß man Gefahr läuft, für unrealistisch gehalten zu werden, wenn man in diesem so vorbelasteten Land an Politik moralische Maßstäbe legt. Ich meine, wir sollten es dennoch tun. Ja mehr noch, wir sollten Politik und Moral, von denen man uns tausendmal schon gesagt hat, sie seien sich feindlich, eben deshalb wieder miteinander versöhnen.

Und ich erinnere mich auch, es gab einige Jahre, wo dieser moralische Standpunkt breitesten Kreisen eine Selbstverständlichkeit war. Das sind die ersten Nachkriegsjahre gewesen. Da hat eine echte, eine glühende Hoffnung im zertrümmerten Deutschland geschwelt. Da hatten die Überlebenden für das lautlos beschwörende Flüstern der Toten noch ein Organ. Da strich noch der erwachende Friede über die ausgebrannten Häuser dahin. Da glaubte man noch. Da sah man Deutschland noch vereint und neutral. Da wurde die Vision eines neuen Europa noch nicht von rivalisierenden Nationalökonomen zerfetzt. Da war die Freiheit mit Händen zu greifen. Da waren Antimilitarismus und Lebenswille noch eins.

Schon aber fällt auch wieder der Schlagschatten von Deutschlands

Vergangenheit über die ersten Anfänge hin. Schon stellt sich heraus, daß die sogenannten Entnazifizierungsmaßnahmen der Alliierten den ausgesparten Selbstreinigungsprozeß des deutschen Volkes nicht zu ersetzen vermögen. Schon tritt die Sperrung der Zonengrenze in Kraft. Schon verstehen sich 1947 auf der Konferenz in München die mitteldeutschen und westdeutschen Ministerpräsidenten nicht mehr. Schon beginnen Blockade und Spaltung Berlins. Schon wird die kasernierte Volkspolizei aufgestellt in der Zone. Schon wird die NATO gegründet. Schon waren wieder die Weichen für *neues* Unheil gestellt.

Die Errichtung der Bundesrepublik – des ersten deutschen demokratischen Staates nach so vielen finsteren Jahren –, das gab noch einmal einen großen Impuls. Doch es wird ja im gleichen Jahr auch die DDR proklamiert. Und als genügte diese Zerreißung noch nicht, tritt der Bundeskanzler, fünf Jahre nach Kriegsende, in Verhandlungen ein, wie ein westdeutscher Verteidigungsbeitrag zu bewerkstelligen sei. Und sofort schnellt auch wieder das deutsche soldatische Erbe aus den Gräbern empor. General Eisenhower assistiert bei dieser Erweckung, indem er 1951 in Bonn eine Ehrenerklärung für die Soldaten des Zweiten Weltkrieges abgibt. Nun ist der Weg zur NATO geebnet. 1952 wird die Einführung der bundesrepublikanischen Wehrpflicht für verfassungsmäßig erklärt, und die DDR kündigt daraufhin die Aufstellung »Nationaler Streitkräfte« an.

Jetzt steigert sich der lebensgefährliche Schlagaustausch zwischen West- und Mitteldeutschland mit jedem Hieb mehr. Die Bundesregierung nimmt das verfassungsändernde Gesetz über die Wehrhoheit an. Damit steht dem Beitritt zur NATO nichts mehr im Wege. Kaum ist er vollzogen, schließen die Ostblockstaaten sich zum Warschauer Militärpakt zusammen, den, als wirksamstes Faustpfand der Sowjetunion, auch die DDR unterschreibt. Nun ist die Teilung Deutschlands beendet; mehr kann man kaum für sie tun. Im Januar 1956 werden die ersten Freiwilligen zur Bundeswehr einberufen. Keine zwei Wochen darauf hat die DDR die Umwandlung ihrer kasernierten Polizei in die Volksarmee abgeschlossen. Sie darf es sich daher leisten, mit der Einführung der Wehrpflicht bis 1962 zu warten. Der westdeutsche Bundestag führt die allgemeine Wehrpflicht dagegen bereits elf Jahre nach Kriegsende ein.

Dies einige Daten und facts der versäumten Gelegenheit, in Mitteleuropa, nach soviel Feindseligkeit, wieder den Frieden sich etablieren zu lassen. Dies zum Beweis meiner These vom Unglück, in das Deutschland der ständige Rückgriff auf sein soldatisches Erbe noch jedesmal stürzte. Dies aber auch als Beleg, zu welchem leeren Versprechen die Wiedervereinigung im Munde der an dieser Entwicklung Beteiligten wurde. Doch die Verantwortung hierfür, sie trifft die Politiker nicht allein. Sie trifft auch ein Volk, das, nach dem Unheil, das es im Kriege entfachte, sich nun auch noch die Schande aufladen läßt, gegeneinander in Waffen zu stehen. Die Zonengrenzziehung zwar hätten wir *nicht* zu verhindern vermocht, sie ist eine Kriegsfolge und wurde bereits 1944 beschlossen und von Churchill, Stalin und Roosevelt dann auch ein Jahr später auf Jalta bestätigt. Aber was von uns hätte verhindert werden *müssen,* das sind die beiden deutschen Armeen.

(1963)

Ernst Bloch   *Zum Verbot der KPD in der BRD*

Mit dem Streich, der jetzt gegen die KPD geführt wurde, ist der Staatsstreich gegen alle demokratischen Personen und Einrichtungen vorbereitet. Und zwar spätestens fürs nächste Jahr, dem Wahljahr, wo Adenauers Partei vermutlich parlamentarische Schwierigkeiten haben wird.

Man steht auf der Schwelle zu einem anderen 1933. Aber der Unfriede unter den deutschen Arbeitern darf nicht zum zweitenmal den Faschismus eintreten lassen. So ist die Losung jetzt unüberhörbar: Durch Einigung der Arbeiterklasse, durch Volksfront zur deutschen Einheit. Die DDR muß dazu ein ununterbrochener Anreiz und ein besonders einleuchtendes Vorbild werden.

(Auf Antrag der Bundesregierung verbot das Bundesverfassungsgericht, nach mehrjährigen Verhandlungen, am 17. 8. 1956 die KPD. Trotz umfangreicher Recherchen gelang es den Herausgebern nicht, Äußerungen von Schriftstellern der BRD zu diesem Thema zu finden. Kritik am Verbot wäre auch kaum veröffentlicht, jedenfalls sanktioniert worden. Bereits im Januar 1956 wurden dem SDS von der Bundesregierung die Mittel gestrichen, weil der Vorsitzende des SDS, Ulrich Lohmar, in einem Aufsatz ›Der Kanzler will es‹ zu den Pariser Verträgen schrieb: »Das gegenwärtige Treiben der Bonner Politiker ist ein einziger Schildbürgerstreich. Dieses Parlament der Ja-Sager ist keine verantwortliche Volksvertretung mehr . . .«)

Zwei Manifeste zum Aufstand in Ungarn 1956

BRD

1. Das geistige Europa erklärt sich mit dem Freiheitskampf der ungarischen Jugend, der Studenten und Arbeiter und nicht zuletzt der Schriftsteller, Künstler und Wissenschaftler gegen ihre Unterdrücker solidarisch.
2. Das geistige Europa protestiert gegen die brutale Vergewaltigung Ungarns durch die sowjetische Militärmacht.
3. Das geistige Europa verurteilt selbstverständlich jede gewaltsame Aggression, wie wir sie in diesen Tagen von England und Frankreich in Ägypten erlebten, und jede Anwendung von totalitärem Terror.

DDR

Die Ereignisse dieses Jahres, insbesondere die der letzten Wochen haben uns wie alle denkenden und fühlenden Menschen, die den Sozialismus wollen, im Innersten bewegt und aufgewühlt. Dies kam vor allem unter den Schriftstellern verschiedener

Länder in Erklärungen und offenen Briefen zum Ausdruck, denen bei aller Unterschiedlichkeit der Meinungen, Nuancen und Temperamente in den meisten Fällen eines gemeinsam war: das ehrliche Suchen nach dem richtigen Weg, schwere Fehler der Vergangenheit zu überwinden und wirksamere, den nationalen Besonderheiten entsprechende Methoden im Kampf um den Sozialismus zu finden.

Es hat sich gezeigt, daß die Entspannung zwischen West und Ost, eben begonnen, aufs schrecklichste gefährdet und damit die Möglichkeit eines neuen Weltkrieges nähergerückt ist.

Wir wenden uns leidenschaftlich gegen alles, was das friedliche Zusammenleben der Völker und den internationalen Kulturaustausch in Gefahr bringt.

Wir erklären:

1. Die Urheber des Angriffs auf Ägypten und auf die verfassungsmäßigen Grundlagen der ungarischen Volksrepublik sind verantwortlich für die bedrohliche Veränderung der internationalen Atmosphäre.

Angesichts der Ruinen von Port-Said und Budapest entfesselten gewisse Zeitungen und ausländische Rundfunkstationen in Deutschland eine Lynch- und Pogromhetze ohne Beispiel. Das Material liegt vor. Die Schuldigen werden sich zu gegebener Zeit zu verantworten haben.

2. Wir Schriftsteller, Bürger der Deutschen Demokratischen Republik, mitarbeitend an der Verbesserung unseres Landes, wenden uns gegen jene, die durch Bürgerkriegsdrohungen und Anschläge den kalten Krieg neu zu entfesseln suchen und damit die weitere Demokratisierung in Frage stellen.

3. Die Fronten sind die alten.

Alle Intellektuellen, die internationale Entspannung und Koexistenz befürworten, werden – davon sind wir überzeugt – bei aller gegenwärtigen Verschiedenheit der Meinungen in der Beurteilung der letzten Ereignisse in naher Zukunft sich von neuem gegen die Partei des kalten Krieges zusammenfinden. Wir fühlen uns freundschaftlich verbunden mit allen Schriftstellern der Bundesrepublik, deren Werk dem Frieden dient, mit unseren Schriftstellerkameraden der Sowjetunion, in Frankreich, China, Indien, Polen, Ungarn und allen übrigen Ländern.

4. In diesen Zeiten, da internationale Trusts den Arbeitern vorschreiben möchten, wie sie den Sozialismus aufzubauen haben, und bewährte Bücherverbrenner Schriftstellern künstlerische Freiheit predigen, rücken wir, unsere Mißstände mutig überwindend, unsere Auseinandersetzungen weiterführend, enger zusammen. Die Arbeiter- und Bauernmacht ist und bleibt, um ganz Deutschlands willen, um des Friedens willen, der Grund, auf dem wir stehen.

(November 1956. – Beide Erklärungen wurden von den meisten Autoren des jeweiligen Staates unterzeichnet. Die sehr umfangreiche öffentliche Diskussion kann hier nicht dokumentiert werden. Es sei nur festgestellt, daß sich unter den Unterzeichnern der BRD-Resolution zahlreiche Schriftsteller befanden, die sich in den Jahren zuvor stets als ›unpolitisch‹ erklärt und keine Feder gegen Wiederbewaffnung und Zensur im eigenen Land gerührt hatten. Gegen solche Einäugigkeit wandten sich bereits damals verschiedene Schriftsteller; hier einige Beispiele:)

Axel Eggebrecht:
»Furchtbare Dinge sind in den letzten Wochen geschehen, in Ungarn wie in Ägypten. Meine tiefe Sympathie gilt dem armseligen, gequälten Volk am Nil. Und durchaus nicht Nasser. Meine aufrichtige, ja begeisterte Sympathie gehört dem Freiheitskampf der ungarischen Arbeiter, Studenten und Intellektuellen. Aber nur, soweit er diesen hohen Namen tatsächlich verdient. Jede Solidarität mit dem Kardinal Mindszenty, dem Apostel einer feudalen Reaktion, sollten wir verweigern. Dazu hat ein vollkommen unverdächtiger Zeuge das unbedingt Nötige nüchtern ausgesprochen: Bundeskanzler Adenauer, als er (wie unwidersprochen gemeldet wurde) den Vorsitzenden der Bundestagsfraktion erklärte: »Nagy ist zu weit gegangen. Er durfte die große russische Nation nicht mit überspitzen Forderungen konfrontieren. Es war ein großer Fehler, den Warschauer Pakt zu kündigen und der sozialistischen Staatsform sofort abzuschwören. Die Ungarn hätten es so machen sollen wie die Polen.« Gewaltsame Unterdrückung des wirklichen Volkswillens wird niemand entschuldigen.

Nicht einmal ein linientreuer Kommunist (wenn es so etwas noch gibt). Aber was ist in Ungarn tatsächlich geschehen? Was geschieht noch? Wir kennen zu wenig Tatsachen; was wir kennen, ist in beinahe jedem Falle absichtsvoll gefärbt.

Es sieht so aus, als seien auf beiden Seiten grauenvolle Ausschreitungen begangen worden. Wenn wir uns auf einem Auge blind stellen, sind wir um nichts besser als stalinistische Verfälscher der Wahrheit. Wer an den Flammen der Vernichtung Budapests sein politisches Süppchen kocht, der hilft jener Gewalt, gegen die er sich entrüstet. Um es ganz eindeutig zu sagen: Der Appell zu beschleunigter Aufrüstung bei uns ist gerade jetzt ein schrecklicher Trugschluß, ein vollkommener politischer Wahnsinn.«

Wolfgang Weyrauch:

»Um des Guten willen sei darum gebeten, die Kommunisten und die Arbeiter – nicht die obersten, sondern die untersten in den Hierarchien, also die Anonymen, die Heuschreckenfresser und die Unbefleckten – möchten, nachdem sie sich bisher die kalten Schultern zeigten, endlich kehrtmachen, sich lächelnd auseinandersetzen und ihre Übereinstimmungen feststellen und praktizieren. Um des Guten willen sei davor gewarnt, die neuen Balken in den Augen der anderen zu sehen und darüber die alten Balken in den eigenen Augen zu vergessen; besonders die Deutschen seien davor gewarnt; mich selbst eingeschlossen.«

Robert Jungk:

»Mir scheint, daß ein solcher Protest erweitert und ergänzt werden muß durch eine prinzipielle Stellungnahme gegen die Anwendung *jeder* Militärgewalt zur Lösung politischer und sozialer Probleme. Es ist bedauerlich, daß der Westen durch die Einrichtung von Militärstützpunkten in vorgeschobenen Positionen den östlichen Machthabern die Entschuldigung für ihre strategischen ›Sicherungsmaßnahmen‹ gibt und auf diese Weise den reaktionären Elementen in der Sowjetunion immer wieder Schützenhilfe leistet. Solange aber unsere Seite nicht ganz entschieden die Karte der Menschlichkeit spielt, darf sie kaum erwarten, daß Appelle wirklich geglaubt werden. Das Wagnis der Abrüstung muß bei jenen beginnen, die noch ein schwaches Mitspracherecht in den Angelegenheiten ihrer Länder haben, also in den westlichen Demokratien. Dann wird sich erweisen, daß politisch klug nur der handelt, dessen Handlungsweise auch moralisch unanfechtbar ist. Eine solche Einstellung wird oft als ›unrealistisch‹ verurteilt. Wohin hat uns aber der ›Realismus‹ der Anhänger einer immer tödlicheren Rüstungsmaschine bisher gebracht?«

Heinrich Böll:

»Ich kann nicht Augenzeugenschaft für mich beanspruchen, und doch bin ich sicher, daß in Ungarn um eine Gerechtigkeit gekämpft wird, gelitten und gestorben wird, die wir im westlichen Europa uns nicht so leichtfertig als unsere auf die Fahnen schreiben, in die Leitartikel und Kommentare aufnehmen sollten: *Teile* dessen, was wir unter Gerechtigkeit und Freiheit verstehen, schweben sicher auch den ungarischen Revolutionären vor, und doch geht es dort um mehr, um etwas, das es auch bei uns noch nicht gibt, und dieser Kampf wird *für* uns gekämpft . . .«

Hans Magnus Enzensberger   *bildzeitung*

du wirst reich sein
markenstecher uhrenkleber:
wenn der mittelstürmer will
wird um eine mark geköpft
ein ganzes heer beschmutzter prinzen
turandots mitgift unfehlbarer tip
tischlein deck dich:
du wirst reich sein.

manitypistin stenoküre
du wirst schön sein:
wenn der produzent will
wird dich druckerschwärze salben
zwischen schenkeln grober raster
mißgewählter wechselbalg
eselin streck dich:
du wirst schön sein.

sozialvieh stimmenpartner
du wirst stark sein:
wenn der präsident will

boxhandschuh am innenlenker
blitzlicht auf das henkerlächeln
gib doch zunder gib doch gas
knüppel aus dem sack:
du wirst stark sein.

auch du auch du auch du
wirst langsam eingehn
an lohnstreifen und lügen
reich, stark erniedrigt
durch musterungen und malz-
kaffee, schön besudelt mit straf-
zetteln, schweiß,
atomarem dreck:
deine lungen ein gelbes riff
aus nikotin und verleumdung
möge die erde dir leicht sein
wie das leichentuch
aus rotation und betrug
das du dir täglich kaufst
in das du dich täglich wickelst.

(1957)

 # Peter Rühmkorf *Links liegen gelassen*

Angetreten unter den eindeutigen Motti »keine Experimente« und »wir halten fest am Bestehenden« begab sich die Regierung Adenauer zum dritten Male in die politische Arena. Aber was man unter dem Leitmotiv »Kurs halten« an politischen Entwicklungsmöglichkeiten erwartete, beginnt sich mehr und mehr als Blockierung aller Steuerungsvorrichtungen zu erweisen, es scheint, daß das Ruder festgelötet ist, wie beim weiland Störtebecker und seiner »bunten Kuh«.

Wir kennen Tenor und Marschrichtung, sie sind unumdeutbar, wir kennen bereits den Kurs, den zu halten man versprach: es ist gerade jener, der bisher alle Möglichkeiten für ein wiederzuvereinigendes Deutschland und ein zu befriedendes Mitteleuropa links liegen ließ. ... Daß man zwei saftige Chancen zur deutschen Integration nicht genutzt und alle möglichen Pläne in den Wind geschlagen habe, darum ging's in der letzten Bundestagsdebatte, und daß man Termine verstreichen ließ, und unwiederbringbare Gelegenheiten nicht packte, nach denen sich der Wiedervereinigungswillige von heute alle zehn Finger lecken würde. Nun, da die Rechnung präsentiert und der gestiegene Preis offenbar wird, zeigt sich, daß sich der Verantwortliche lumpigst um gerade seine Verantwortung herumzudrücken sucht.

Was stand im Jahre 1952 zum Angebot? Nicht mehr und nicht minder als freie gesamtdeutsche Wahlen unter Viermächte-Kontrolle, Abzug der Besatzungsmächte innerhalb eines Jahres und Liquidierung ihrer Stützpunkte, eine Nationalarmee von 300 000 Mann bei bestimmten Beschränkungen, keine Neutralisierung, nicht einmal das, und, als einzige zwingende Auflage, eine Enthaltung aus westgebundenen Militäralliancen. Es war überdies ein Termin, zu dem Rußland weder die H-Bombe noch interkontinentale Raketen aufweisen konnte – solches Angebot auszuschlagen und als »belanglos« abzutun war dem Pflegevater der deutschen Desintegration beschieden, mag er sich heute noch so sehr reinzuwaschen versuchen.

Natürlich, selbstverständlich und mit Sicherheit bezweckte das Sowjet-Angebot eine Verhinderung der EVG in statu nascendi, und es ging gleichviel auch um die Erprobung der deutschen Friedensfähigkeit, um die Bereitschaft, gutnachbarliche Beziehungen zur Sowjetunion herzustellen, Westdeutschland, der einmaligen Chance konfrontiert, zog es vor, das Hütlein an der Bombe zu werden, der potentielle Zünder: nicht der Stärkste selbst, aber als Auslöser bedrohlich. Gold gab ich für Eisen, es lief nach bewährtem Schema, Deutschland war im Begriff, sich seiner zahlungskräftigen Münze zu entäußern. Statt Tausch und Verhandlung wählte man Drohung und Gefahr, startete zur außenpolitischen Kraftnummer und betrieb EVG-Politik mit Vehemenz; ließ auch keinen Zweifel offen, daß ein wiedervereinigtes Deutschland in Westalliance und im Antiostkurs marschieren werde.

Die nun folgenden Jahre deutscher Ostpolitik waren bestimmt von der Politik jener Stärke, die wohl in der Lage war, alle noch offenen Möglichkeiten zu verkleistern, nicht aber das Bindemittel zu liefern für ein gespaltenes und schleunigst zu kittendes Deutschland; daß die EVG im Jahre 1954 scheiterte, deutsche Schuld war's schließlich nicht. Die Sowjetunion hatte gewarnt und geboten, geboten was sie nach ihrem Vermögen konnte, ohne Gesicht und vitale Interessen zu verlieren; Westdeutschland, in der hoffnungsvollen Annahme, daß die Ostzone ihr wie eine reife Frucht zufallen würde, imitierte den sno-

bistischen Reiher Lafontaines und das bekannte Pärchen, das unter
dem Titel »Mann und Frau im Essigkrug« in die Grimmsche Mär-
chensammlung eingegangen ist. In der Realität aber schrumpften die
Chancen, und die Bodenpreise schlugen auf.

Dann kam ein neuer Termin. Deutschland wollte sich der NATO
assoziieren und hatte noch einmal die Chance des Entweder-Oder.
Die Bundesrepublik sah von zwei Wegen wieder nur einen und erwählte das ODER. Als am 15. Juli 1955 die Sowjets noch einmal
offerierten, mit dem Westen über gesamtdeutsche Wahlen zu ver-
handeln, lehnte der Westen unter dem Applaus der Bonner Regierung
ab. Man hielt die Situation noch nicht für reif, und Deutschland reifte
immer weiter auseinander.

Die Bundesrepublik hat ihren Weg gemacht. Mit gußeiserner Konsequenz. Sie wird den Weg wieder zurückmachen müssen: in den
neuen Sowjetnoten ist keine Andeutung mehr von freien Wahlen,
keine von Wiedervereinigung, im Gegenteil in Chruschtschows Mins-
ker Rede hieß es so brutal wie lapidar: »Die deutsche Wiedervereinigung ist kein Gesprächsthema für uns.« Einem militärisch ungefähr-
lichen Deutschland war man einmal bereit gewesen, etwas zu kon-
zedieren, ein Deutschland in progressiver Aufrüstung hat nichts För-
derliches für seine nationalen Belange zu erwarten. Aus der blauen
Blume der rüstungsbegünstigten Integration beginnt sich immer deutlicher das Schema Deutschland gegen Deutschland herauszuschälen.

(Februar 1958)

Christoph Meckel *Hymne*

Ich lebe in einem Land, das seine geschundenen
und geflickten Garderoben den Spiegeln des Himmels
vorführt ohne besondere Koketterie,
in einem Land unter Tränengloriolen,
dessen ewige Grenzen Klagemauern sind.

Ich lebe in einem Land, das verliebt ist in den Tod,
seine Erde ist mit zahllosen Särgen möbliert
und ausgestattet mit Knochen, die abgeklärt
den Schankwirt des Todes um neue Gefährten bitten,
dem Himmel des Landes steht die Sonne gut,
doch seine Sterbefabriken schließen sich nie.

Ich lebe in einem Duft von abgestandenen Seufzern,
der Gewißheit des Todes, der Ungewißheit des Lebens,
zwiefach unwillig verbunden und verpflichtet
durch Angst und unausweichliche Vorsicht,

die ein Zirkusaffe auf dem Rücken
eines Elefanten braucht, um nicht zu stürzen.

Ich lebe in einem Land, das verliebt ist in den Tod,
ein Tränenkrug ist sein Wappen und Souvenir,
ein Blutegel sein Maskott, seine Fahnen Vogelscheuchen,
der tausendste Enkel meiner Hoffnung kam um.
Der letzte Schild meiner Zuversicht ist zerborsten.   (1958)

Robert Jungk   *Ein Ruf zur Wiederbelebung der sozialen Phantasie*

Wir leben in einem Zeitalter, das ebenso durch Kühnheit des
schöpferischen Geistes auf den Gebieten der Naturwissenschaften gekennzeichnet ist, wie durch Ängstlichkeit im gesellschaftspolitischen
Denken. In einer Welt des beschleunigten Wandels und der Über-
raschungen, die durch immer neue Erfindungen auf dem Gebiete der
Technik charakterisiert ist, müßte die soziale Phantasie eigentlich
Überstunden machen, um wenigstens auf dem Papier mit dem stür-
mischen Tempo eines tatkräftigen, aber richtungsblinden Fortschrittes
mitzukommen ...
Woran liegt das? Ein Hauptgrund ist zweifellos in der tiefen Enttäuschung über die unvollkommene, ja zum Teil genau ins Gegenteil
gekehrte Verwirklichung fast aller Träume der vorhergehenden zwei
Generationen zu suchen. Die Hoffnungen auf eine bessere neue Welt
haben uns bisher vor allem Monstrositäten wie die Kernwaffen und
die Konzentrationslager beschert, Ungeheuerlichkeiten, die ja eigentlich zuerst in den Gehirnen besserungsbeflissener Denker entstanden.
Ist es unter diesen Umständen nicht vernünftiger, so mag sich der ge-
schreckte Intellektuelle der Gegenwart fragen, das »gefährliche Denken« überhaupt aufzugeben oder höchstens auf Nebensächlichkeiten
loszulassen?
Ein Verzicht auf »gefährliches Denken« scheint einem echten und
verständlichen Bedürfnis nach Ruhe und Besinnung zu gehorchen. Es
wird – besonders wenn es sich um soziales Denken handelt – ein
solcher Quietismus zudem durch die dem »status quo« und dem »Im-
mobilismus« verschriebenen staatserhaltenden Kräfte in beiden
Machtblöcken honoriert. Man wünscht sich weder in jener Hauptstadt, die behauptet das Mekka der »Revolution« zu sein, noch in
jener, die sich als Hort der Freiheit betrachtet, wirklich revolutionäre
und freie Denker ...
Mir scheint, es ist nun an der Zeit, in »Richtung 2000« zu streben,
worunter ich die Neuerweckung der sozialen Phantasie und eine
Wiederkehr der sozialen Hoffnung verstehe.

Ein erster Schritt in diese Richtung scheint mir die Ausarbeitung von *Modellen* zu sein, in denen die Wünsche unserer Generation sich mit dem neuen Wissen und dem neuen Können vereinen, um Leitbilder des Kommenden zu finden. Im Gegensatz zu den programmatischen Plänen früherer, der Zukunft zugewandter Denker hätten diese *Modelle* allerdings nur *Möglichkeiten,* keineswegs aber ein *Muß* zu entwerfen. Ich könnte mir vorstellen, daß in diesem Augenblick zum Beispiel folgende Probleme durch die Herausstellung von jeweils einer *Mehrzahl* (die Pluralität ist meiner Ansicht nach die einzige Bedingung!) von *Modelle*n einer schöpferischen Lösung entgegengeführt werden könnten:

Modelle für eine deutsche Wiedervereinigung

Modelle für die Garantierung wirtschaftlicher Vollbeschäftigung bei allmählicher Abrüstung

Modelle für die Hebung des Lebens- und Bildungsniveaus in ehemals kolonialen Gebieten

Modelle für eine Welt mit verkürzter Arbeitszeit

Modelle für eine demokratischere Verteilung von schöpferischer Arbeit

Modelle für eine Vermenschlichung der »Motorisierung« des Verkehrs

Modelle für die neue moderne Stadt

Es bleibt jedem unbenommen, selbst eigene, ihm wichtiger erscheinende Modelle als Arbeitsaufgaben vorzuschlagen. Wichtig wäre es allerdings, daß er dann entweder alleine, besser aber noch mit einem Kreis von Freunden daranginge, derartige Entwürfe tatsächlich zu besprechen und zu Papier zu bringen. Wer immer sich an diese Arbeit macht, wird erst dann in vollem Umfange gewahr werden, daß wir heute zwar über eine Vielzahl kritischer Analysen zu fast jedem uns bedrückenden Problem verfügen, jedoch so gut wie keine möglichen Lösungsvorschläge. Es müßte aber ein Denken sein, das *für* etwas eintritt – im Gegensatz zu dem jetzt noch zu einseitig auf das *gegen* ausgerichtete Denken.

(1. 1. 1959)

Kasimir Edschmid *Zwei Monate im Jahr 1959*

Mai:

Gescheite und achtbare Leute schrieben, im Prozeß gegen zwei mächtige Männer des Auswärtigen Amtes, den Botschafter in Paris Blankenhorn und den früheren Staatssekretär im AA, derzeit Präsident der Europäischen Wirtschaftsgemeinschaft in Brüssel, Professor Hallstein, habe es sich um Bagatellen gehandelt. Unnötig daher der Riesen-Aufmarsch von Zeugen und die Scheinwerfer-Kanonade der Publizistik. Bestechungen gebe es überall. Solche Schaustellungen schadeten der jungen deutschen Republik. Ich halte diese Argumentation für gutgemeinten Unsinn. Weil es um Höheres geht als die sogenannte Staats-Raison.

Es war eine ganz simple, fast fade Sache. Die beiden Angeklagten hatten vor Jahren den Ankläger, Ministerialrat in einem anderen Ministerium, zur Strecke zu bringen versucht –, weil er gegen den Israel-Vertrag war, der Israel Entschädigungen zusicherte. Er war nicht gegen den Staat Israel und nicht gegen die Juden, aber er fürchtete, daß der Vertrag die Arabischen Staaten mit einer mehr denn 20fach so großen Bevölkerung als Israel verärgern und den deutschen Handel stören würde. Also Auffassungssache.

Jahrelang war die Klage des diffamierten Ministerialrats im offiziellen Nebel steckengeblieben. Niemand glaubte, der Prozeß werde je ausgetragen werden. Das war keine Bagatelle, sondern eine sehr schwere Belastung für die junge Republik und die, welche an den Geist der Freiheit in dieser Republik glaubten. Aber nun war der Prozeß schließlich doch da. Der Richter Quirini in Bonn führte ihn mit einer Gelassenheit, als säßen vor ihm nicht mächtige Staatsbeamte, sondern Herr Pimpernell und Herr Seidenwurz. Imponierend, mit welcher Unbefangenheit verhandelt und verurteilt wurde. Ich glaube, viele Leute atmeten auf. Das Recht hatte sich souverän gezeigt – in einem Lande, in dem es 12 Jahre totalitär suspendiert war. In einem Lande, in dem nichts wichtiger ist, als zu zeigen, daß das Recht da ist und ohne Kompromisse regiert.

Karlsruhe hat in der Berufungsverhandlung den verurteilten Botschafter Blankenhorn freigesprochen. Mit der Begründung, die sogenannte Verfehlung sei nicht »judiciabel«. Also mit dem geltenden Recht nicht zu fassen. Kein Kommentar.

Ebenfalls im Mai 1959: Neulich sagte Z., ein sonst ziemlich vernünftiger Mann, eine ausgesprochen harmlose Natur: um einen katholischen umgeworfenen Grabstein kümmere sich kein Mensch. Über einen jüdischen breche die Weltpresse in Schreie aus. Welche Naivität! Welche Verkennung der geschichtlichen Begebnisse in Deutschland. Welche Ahnungslosigkeit über das, was sich überall schon wieder zusammenzieht.

August:

Morgen wird das Urteil gegen den General Hasso von Manteuffel gefällt, der unter Aufhebung des gegen einen Soldaten im letzten Weltkrieg erlassenen, relativ milden Kriegsgerichts-Urteils (wegen Dienstpflichtvergehen) den Angeklagten erschießen ließ. Der General ließ den Soldaten (an dessen Namen sich niemand mehr erinnert) ohne nochmalige Untersuchung des Sachverhalts, und ohne den Prozeß weiterzuleiten, an die Wand stellen ...

Aber welches Schauspiel: Der Pfarrer, der den Soldaten zum Erschießen begleitete, bestätigte, daß dieser überhaupt nicht begriff, um was es sich handelte. Der Arzt, der schluchzend erzählte, wie der harmlose Soldat sich nach der Salve am Boden wälzte, bis er den Gnadenschuß erhielt, woraufhin die Kameraden ihm sofort die Stiefel auszogen. Welche Barbarei! Welche sinnlose Grausamkeit! Aber in der Verhandlungspause diskutierten die als Zeugen erschienenen Generale, wie die Fotos zeigen, in voller Ruhe. Sie stellten sich vor dem Richter gegenseitig die Prädikate »geniale Heerführer« und »beste Kommandeure« aus, so, als ob es sich in dem Prozeß um sportliche Leistungen und nicht um die heraufbeschworenen Greuel dieses widerwärtigen Krieges handele. Hätten sie vor 10 Jahren sich mit der gleichen Gelassenheit zu bewegen den Mut gehabt? Ist etwas geeigneter, die Änderung der Atmosphäre in der Bundesrepublik deutlich zu machen?

Gerhard Zwerenz *Weder Gott noch Teufel*

Kommunismus war vorab keine Politik, sondern eine Moral, die den Egoismus des einzelnen verabscheut und das Prinzip der Gleichheit des Menschengeschlechts nicht nur als eine Gleichheit vor Gott, sondern auch als Gleichheit im Menschlichen auffassen will. Dieser Kommunismus ist als Urkommunismus im anfänglichen Christentum zu finden und hat seine Spuren auch in der Bibel hinterlassen. Es wird an der Zeit sein, sich dieser Anfänge zu erinnern und den Kommunismus aus der Verteufelung, in die er geriet, herauszuholen. Der urkommunistische Gedanke und seine Moral sind weder ehrenwerter noch unehrenwerter als jede andere Moral, das Christentum eingeschlossen.

Das Christentum geriet auf dem Weg durch seine Geschichte in nicht wenige Niederungen. Seine Historie ist nicht eben frei von Blut und Verbrechen, und jeder Historiker ist bereit, die Differenzierungen im Christentum zu beachten und nicht das Christentum selbst mit den Bluttaten einzelner führender Christen und Christen- und Kirchenfürsten zu belasten. Der Kommunismus verlangt die gleiche differenzierende Betrachtung. Er verlangt nach Unterscheidung seiner geistig-moralischen Motive, seiner ursprünglichen Antriebe (die auch heute noch mächtig sind), von den verhängnisvollen, abscheulichen Taten mancher seiner Anhänger. Erst eine dermaßen sachgemäße Differenzierung vermeidet jene peinliche Arroganz, die in den Wertungen der Antikommunisten mitschwingt, wonach der Kommunismus eine niederträchtige Teufelei sei und jeder einzelne Kommunist die personifizierte Partizipation daran. Der einzelne Kommunist ist nicht mehr und nicht weniger ein Teufel und nicht mehr und nicht weniger ein Gott als der einzelne Christ ...

Der Kommunismus ist nicht an sich brutal, aber er birgt brutale, menschenfeindliche Tendenzen in sich, er kann sich in einen offenen

Faschismus verwandeln – und Stalins Terror war in der schlimmsten Zeit nichts anderes, aber diesen kommunistischen Faschismus als direkte Folge des geistigen Kommunismus zu bezeichnen wäre ebenso ungerecht wie in Hitlers Konzentrationslagern die konsequente Praxis des Christentums zu sehen. Christen, die Hitler als vom Christentum abgefallen werten, sollen bedenken, daß der moralisch intakte Kommunist einen Stalin ebenso als vom wirklichen Kommunismus abgefallen wertet. Nur die Schergen und geistigen Büttel sehen in einem Stalin die Inkarnation ihrer Partei.

Die Differenzierungen im Kommunismus sind heute so wichtig geworden, daß ohne sie keine Politik mehr getrieben werden kann. Die von der Bundesrepublik betriebene Politik war von vorneherein aufs Scheitern angelegt, weil sie mit einer absoluten Verteufelung des Kommunismus und des Ostens arbeitete. Ein solches Denken enthält das herkömmliche Freund-Feind-Schema: wir sind gut, die andern sind schlecht – diese Banalität liegt zugrunde, auch wenn man es nicht zugeben will. Dabei geht man bewußt oder unbewußt stets von der Annahme aus, der Feind sei besiegbar. Im Zeitalter der Kernwaffen ist dieser Feind aber nicht mehr besiegbar. Mit seinem Schicksal ist das eigene Schicksal verbunden, Freund und Feind werden zusammen leben oder miteinander untergehen, womit das Freund-Feind-Denken selber zur sicheren Methode des gemeinsamen Untergangs geworden ist. Es gehört Energie und Anstrengung dazu, sich von ihm zu trennen. Wer lieber sterben will, darf die Augen vor den Tatsachen verschließen.

(1959)

Wolfgang Koeppen   *Wahn*

Ich habe einen guten Paß, und die Reisegesellschaften meiner Landsleute überschwemmen die Erde. Sehen sie etwas, erleben sie was, lernen sie? Der Markusplatz ist ein deutsches Kaffeehaus, das Mittelmeer ein wahres mare germanicum, und zu Pfingsten gehört uns endlich Paris. Kraft durch Freude noch zu Füßen der Akropolis, Wochenendausflüge nach Madrid und bald nach Florida, keine Legion Condor, die Lufthansa breitet die Schwingen, und der Chef jagt auf der Safari das Rhinozeros ...

Auf allen Reisen kauft man gegen feste deutsche Mark die alte Lüge, der Nabel der Welt zu sein. Man lebt verzweifelt irreal. Ein Wunder ist geschehen, das allzu oft zitierte Wirtschaftsglück. Nun hüllt man den Kopf in teure Tücher. Man leugnet, was war, man ahnt nicht, was sein wird. Vergessen sind die Toten, vergeben ist den Mördern, unsere Städte sind, versprachs nicht der Unhold, schöner denn je wiedererstanden: die Trümmer, die Ausstoßung, sie sind ein böser Traum, sie sind nicht wahr. Auch Fakten sind nicht wahr: Polen wurde viermal und für Jahrhunderte geteilt, Deutschland ist als Folge des Krieges und der Vermessenheit seit fünfzehn Jahren zerrissen; die große Hoffnung, die wir pflegen sollten, könnte Europa oder gar die Vereinigte Welt sein, aber unsere Redner fordern am Sonntag die Grenzen von 1938 und blicken gelassen und phantasielos auf eine tote Menschheit. Niemand bewegt ernstlich die Frage. Der Minister mag reden, was er will. Wir essen Austern oder Schweinshaxen. Wir sind nicht gerade begeistert, wir sind nüchtern geworden, aber unsere jungen Leute, unsere verschrieenen Trotzköpfe gehen brav in die Kasernen. Ein Notstandsgesetz mit allen Schrecklichkeiten der Diktatur wird erwogen. Für welchen Notstand? Der Verteidigungsminister erklärt, Rußland fürchte den Krieg. Gegen wen also will er uns verteidigen? Warum rüstet er? Der rote Führer fordert Abrüstung bis zum letzten Soldaten. Wir lachen hämisch und schreien: Utopie! Erregt uns solche Zukunft nicht? Glauben wir nur an das Schlechte? Warum nehmen wir den Kommunisten nicht beim Wort? Das Gesicht des roten Führers ist ernst. Seine Augen scheinen das große Leichenfeld zu sehen, zu dem uns Verwirrung machen kann. Vielleicht lügt der Russe. Ich weiß es nicht. Aber wenn er nicht lügt, bietet er den Frieden, und unser Lachen ist auf jeden Fall nur dämlich.

... ich halte nichts davon, als Volk wieder den Tiger zu spielen. Die Waffen haben uns zweimal geschlagen, die Generäle haben uns zweimal ruhmvoll in den Tod geführt. Sie haben nachher ihre Pensionen gefordert, in ihren Memoiren ihr Unterliegen in eine Gloire verwandelt, und in der »Soldatenzeitung« rufen sie zu neuem Sterben auf und schmähen den schlappen Staat, der ihren Altersschwachsinn bezahlt. Sollten wir es nicht einmal mit Freundlichkeit versuchen? Und sollte man nicht auch zu seinen Nachbarn hilfreich sein? Eine Doktrin, die nach einem Herrn Hallstein heißt, leugnet mit Morgenstern, daß nicht sein kann, was nicht sein darf.

... und wenn ich an 1945 denke, meine ich, daß von dort und damals eine Bewegung der Geschlagenen hätte ausgehen können, ein Glaube der Gewaltabsager, der Reumütigen, der Fahnenlosen, der Übernationalen, endlich der brüderlichen Menschen guten Willens schlechthin. Unser reproduziertes Biedermeier, wie es sich in Filmen, Illustriertenromanen, Heiratsanzeigen, Couleurbändern, rheinischen Narrenkappen und wieder eingeknickten Leutnantsmützen zeigt, ist so absurd wie widerlich. Manchmal möchte ich über die zarte Pflanze unserer Demokratie weinen; und in den stolzen An- und Abflügen, den hehren Begrüßungen und siegverkündenden Ansprachen von Wahn scheint mir doch Nomen Omen zu sein.

(1960)

Martin Walser   *Skizze zu einem Vorwurf*

Die Wirtschaftsgesetze, nach denen unsere Gesellschaft heute ro-
tiert, wurden geschaffen, um der Tüchtigkeit einer Minderheit möglichst großen Spielraum zu lassen. Daß von den zu erwartenden und
auch geernteten Früchten ein Teil für fast alle anderen abfiel, gilt
als Rechtfertigung dieses Wirtschaftsmodells. Trotzdem ist es nicht
gelungen, die Bevölkerung für diesen Staat zu interessieren. Mehr
noch als die Verführbarkeit der Massen durch sogenannten Wohlstand, ist es die Angst vor dem Kommunismus, die diesen Staat zu-
sammenhält...

Wir aber sitzen in Europa herum, meistens zurückgelehnt ...
manchmal eine Unterschrift gegen den Atomtod, Komiteearbeit,
Idealisten ohne Ideale. Schweitzer und Russell als Säulenheilige ohne
Portefeuille. Ehrwürdige Neinsager, die man reden läßt. Der Wirt-
schaftsminister hat sich durchgesetzt. Die Macht ist in Aktien kon-
zentriert. Wir wärmen uns an Ohnmacht. Jeder ein Tänzer. Unange-
wandt. Absolut wie Hölderlin. Das legen uns unsere leeren Fertig-
keiten nahe. Sie sind unanwendbar. Aber gegen Franz-Josef Strauß
zu sein ist billig, wenn man sich nicht an der Gesellschaft beteiligt.
Die Gesellschaft, die Franz-Josef Strauß vertritt, *kann* nur noch mit
Atomwaffen verteidigt werden. Das sollten doch gerade seine Gegner einsehen. Wenn wir aber nichts beizusteuern vermögen als dieses
rührende deutsche Nein mit Gitarrenbegleitung, den simplen Non-
Konformismus, wenn wir, ohne die Möglichkeiten benützt zu haben,
danach drängen, Nachwuchs-Emigranten zu werden, wozu uns heute
kein Mensch zwingt, dann sollten wir wenigstens zynisch genug sein,
die Kanzlerdemokratie nicht bloß zu verachten, sondern ihr auch ein
bißchen dankbar zu sein, daß sie es uns so leicht macht, ein edel ver-
bittertes Gesicht zu wahren, und uns sogar noch die Möglichkeit gibt
(wenn sie uns auch nicht gerade dazu zwingt), uns in ein inneres oder
äußeres Exil zu versetzen und eine bedeutende Figur zu machen, wenigstens vor uns selbst und unseresgleichen. In welche Verlegenheit
brächten uns ein Staat, eine Gesellschaft, die uns zur Mitarbeit ein-
lüden! Die derzeitige Demokratie bedürfte zwar mehr als jede andere
unserer Mitarbeit, aber da sie uns weder will, noch nicht will, erlaubt
sie uns doch zu kaschieren, daß jeder von uns nicht mehr will als
sich selbst.   (1960)

Heinz von Cramer   *Selbstkontrolle und Selbstzensur*

Selbstkontrolle und Selbstzensur – das sind zwei Begriffe, die weit
weniger von demokratischem Denken zeugen, als sie vorderhand
weismachen möchten. Denn hinter ihnen steht doch die beständige
Drohung, der Staat könnte seinerseits eine gewisse Zensurgewalt aus-

üben, endgültig eine Zensurinstanz einrichten, wenn die von ihm gewünschten, wohlweislich vage nur angedeuteten Grenzen der öffentlichen Kritik nicht eingehalten würden, wenn der Journalist oder Schriftsteller vom oppositionellen Hofnarren zum ernsthaften und gefährlichen Gegner würde, wenn, kurz und gut, der Regierung erst die Geduld risse.

In einer autoritären Scheindemokratie wie unserer Bundesrepublik wird solch väterliche Ermahnung zur »Selbstbescheidung« oft vollends zur Erpressung. Immer schwebt über dem Haupt des Schreibenden bei uns wie ein Damoklesschwert die Alternative: Sei mäßig in der Kritik, versuche vor allem nicht Bestehendes zu zerstören – denn sonst ist es aus, überhaupt und ein für allemal, mit aller Kritik, und dann wirst du noch einmal den goldenen Zeiten der selbstbeschränkten Meinungsfreiheit sehr nachweinen ...

Nirgends wagt ein Schriftsteller so wenig, wenn er etwas wagt, wie bei uns, vorerst ... und dennoch wagt er in der Tat nur wenig. Denn nirgends wird so viel und doch so vage, ungefährlich und in falscher Richtung kritisiert wie in unserer Literatur. Die meisten heißen Eisen bleiben unberührt, während man viele schon erkaltete Eisen noch einmal künstlich erhitzt.

Vielleicht zögert er nicht so sehr, es zu schreiben – vielleicht zögert er vielmehr, es zu sehen? Und wie das? Würde man solch einem Schriftsteller auf den Kopf zusagen, er übe Selbstkontrolle, nicht viel anders als die Journalisten, er würde dies als böswillige Unterstellung entrüstet zurückweisen und mit einigem Recht betonen, er hätte sich ja nie ein Blatt vor den Mund genommen, wenn er zu einem Thema einmal das Wort ergriffen.

Gut und schön; aber zu wie vielen Themen hat er gar nicht erst das Wort ergriffen ...

Vorausgesetzt, es gäbe also diese unbewußte Selbstkontrolle – und sie wäre der Grund, weshalb unsere Literatur größtenteils so provinziell und muffig, so harmlos und uninteressant ist – wo setzt sie ein, diese Selbstkontrolle, wie wirkt sie sich aus, wo sind die Ansatzpunkte, da wir sie in uns bewußt bekämpfen könnten?

... Nicht nur unser abendländischer Hochmut, der in keinem Lande so blüht wie in Deutschland, und der sich vor jeder neuen Denk- und Betrachtungsweise verschließen möchte, verhindert eine lebendige und wirksame Literatur; auch die abendländische Angst, sich nicht mehr mitteilen zu können, gleichsam ausgestoßen zu vereinsamen, ist eine arge Gefahr.

Ein Autor, der im großen ein Gegner der Politik Adenauers ist, wird dennoch unbewußt im kleinen in dessen politischer Strömung schwimmen, gegen seinen Willen, wenn er lieber doch mit seiner wahren Meinung über den Kommunismus, über Marx oder die Ostzone hinter dem Berge hält; sofern er über diese Dinge eine Meinung hat ...

Aber wenn der Autor zu verschweigen beginnt, nehmen wir es einmal an, daß der Kommunismus – seiner Meinung nach – auch beachtenswerte Seiten hat, daß das sozialistische Prinzip (von dem der Kommunismus, nach Marx, nur eine besondere, einseitige Verwirklichung wäre) noch längst kein allem Spott ausgeliefertes Fossil ist, daß der Marxismus bis heute das einzige brauchbare, bloß neu zu interpretierende philosophische System anbietet, mit dem sich vielleicht in letzter Minute eine Gemeinschaft ordnen und der uferlosen Gewinnsucht einer beherrschenden Unternehmer- und Verdienerschaft doch noch beikommen ließe, wenn er glaubt, er solle doch lieber nicht sagen, daß er Deutschland nach wie vor für ein besiegtes Land hält, und daß für eine solche selbstverschuldete Niederlage die verlorenen Ostgebiete kein zu hoher Preis wären, wenn er das zum Beispiel bei sich behält und, selber eine integre Person, es zu sagen so doppeldeutigen Erscheinungen wie Jaspers überläßt – ja, dann begeht er nichts weiter als einen traurigen Irrtum . . .

Den ganz wenigen wirklichen Störenfrieden aber bleibt der Dienstboteneingang vorbehalten. Man schimpft sie Kommunisten, gottlos, verdächtigt sie, bezahlte Ostagenten zu sein, wühlt in ihrem Privatleben, ob man ihnen da nicht eine Falle stellen könnte, und wenn das alles nichts hilft, dann werden die Kritikerpäpste schon, aus früheren Zeiten sowieso geübte Schützen, das kranke Wild, das »zersetzende«, erlegen – mit Kunstargumenten, wohlgemerkt. Kein Wunder, daß es immer weniger werden, die der Versuchung standhalten, sich mit Gott und der Kirche zu tarnen, mit der »ewigen Kunst«, die nicht auf die Stimme der unbewußten Selbstkontrolle hören, die im Grunde nur die Stimme der ganz bewußten Feigheit ist . . .

In Frankreich, dem trotz de Gaulle immer noch beneidenswerten, ist kürzlich das folgende Manifest erschienen: »Wir respektieren und halten für berechtigt die Verweigerung allen Waffendienstes gegen das algerische Volk. Wir respektieren und halten für berechtigt die Haltung derjenigen Franzosen, die es als ihre Pflicht ansehen, im Namen des französischen Volkes den unterdrückten Algeriern Hilfe und Beistand zu gewähren. Die Sache des algerischen Volkes, die in entscheidender Weise dazu beiträgt, den Ruin des kolonialen Systems zu beschleunigen, ist die Sache aller freien Menschen.«

Weiter wird festgestellt, daß die Revolte gegen die Armee heute einen neuen Sinn bekommen hätte, und daß der Verrat ein Akt des Mutes geworden sei; dies Manifest stellt also einen offenen Appell an die französische Jugend dar zu desertieren . . .

Wann hätten soviel illustre deutsche Geister, die Emigranten ausgenommen, in ähnlicher Weise, in ähnlicher Einigkeit gegen ein deutsches politisches Verbrechen protestiert? Dennoch glückliches, dennoch freies Frankreich!

Ja, wenn an Stelle der Begriffe Selbstkontrolle und Selbstzensur die Begriffe common sense und Zivilcourage treten würden, dann wäre es um die Literatur bei uns wohl weniger jämmerlich bestellt; dann hätte aber auch die Bonner Regierung nichts zu lachen mit ihren Schriftstellern.

(September 1960. – Am Schluß bezieht sich Cramer auf das damals gerade erschienene ›Manifest der 121‹, eine Erklärung französischer Intellektueller gegen den Krieg in Algerien. Dieses ›Manifest‹ druckte ›Die Kultur‹ im Oktober 1960 ab; Erich Kuby schrieb dazu: ». . . die Sprache haben wir lange nicht mehr in Europa gehört – am wenigsten bei uns . . . Die Sprache des Manifestes wird sogar den Stumpfsinn durchschlagen, mit dem bei uns die Gebetsmühlen des totalen Antikommunismus gedreht werden. Sie ist die Sprache der Freiheit, der sie neuen Glanz gibt. Der fast unerträgliche Mißbrauch, der mit diesem großen Wort Freiheit bei uns getrieben wird, hat dazu geführt, daß man unter Freiheit einen Vorwand für Bequemlichkeit und Gedankenlosigkeit versteht . . . So gesehen verstehen wir gut, daß wir seinen Text bisher nirgends lesen durften.«)

Erklärung zum ›Manifest der 121‹

Französische Schriftsteller und Intellektuelle haben ein Beispiel freier Meinungsäußerung gegeben und ein Manifest »über das Recht auf Gehorsamsverweigerung im algerischen Kriege« unterzeichnet und veröffentlicht. Die französische Regierung hat mit polizeilichen und administrativen Maßnahmen gegen die Unterzeichner geantwortet.

In dieser Situation erklären wir unsere Solidarität mit den Unterzeichnern des französischen Manifestes, wenn auch die in dem Manifest ausgesprochene Gewissensentscheidung nur von Franzosen getroffen werden kann. Wir erheben Einspruch gegen die Maßnahmen der französischen wie jeder anderen Regierung, die darauf abzielen, die freie Meinungsäußerung zu unterbinden.

Wir halten es für unsere Pflicht, mit derselben Rückhaltlosigkeit wie unsere französischen Kollegen politisch Stellung zu nehmen, wann immer es uns nötig scheint. Wir werden kein Gesetz anerkennen, das uns dieses Recht abspricht.

(November 1960. – Diese Erklärung, angeregt von Heinz von Cramer, Hans Magnus Enzensberger, Wolfgang Hildesheimer, Robert Jungk und Hans Werner Richter, wurde u. a. von folgenden Autoren unterzeichnet: Carl Amery, Günther Anders, Stefan Andres, Reinhard Baumgart, Jürgen Becker, Horst Bingel, Johannes Bobrowski, Walter Boehlich, Heinrich Böll, Günther Busch, Axel Eggebrecht, Günter Eich, Gertrud von Le Fort, Leonhard Frank, Erich Fried, Christian Geissler, Albrecht Goes, Oskar Maria Graf, Günter Grass, Hellmut Gollwitzer, Rudolf Hagelstange, Willi Heinrich, Max Hölzer, Walter Jens, Uwe Johnson, Erich Kästner, Hermann Kesten, Hans Hellmut Kirst, Wolfgang Koeppen, Walter Kolbenhoff, Ernst Kreuder, Erich Kuby, Kurt Kusenberg, Dieter Lattmann, Wilhelm Lehmann, Siegfried Lenz, Alexander Mitscherlich, Burkhard Nadolny, Hans Erich Nossack, Kurt Pritzkoleit, Fritz J. Raddatz, Ruth Rehmann, Klaus Roehler, Peter Rühmkorf, Paul Schallück, Wolfdietrich Schnurre, Franz Schonauer, Klaus Völker, Martin Walser, Günther Weisenborn, Dieter Wellershoff, Wolfgang Weyrauch, Roland H. Wiegenstein, Gerhard Zwerenz. – Einen ähnlichen, von Alfred Andersch und Max Frisch angeregten Offenen Brief unterzeichneten außerdem: Theodor W. Adorno, Ilse Aichinger, Ingeborg Bachmann, Marie Luise Kaschnitz, Eugen Kogon, Golo Mann, Luise Rinser, Arno Schmidt.)

Zu diesem Manifest schrieb *Friedrich Sieburg*:

Kann ein Staat überhaupt noch bestehen, ob er nun im Kriege ist oder nicht, wenn die geistige Blüte des Landes ihre ganze Macht dafür einsetzt, daß der wichtigste Pfeiler der staatlichen Autorität umgestürzt wird? Nein, er kann es nicht.

. . . Dürfen wir, mit deutlichen Worten, ebenfalls zur Unterzeichnung eines Aufrufes auffordern, der der besagten französischen Gruppe recht gibt? Eine Aufforderung dieser Art ist an uns ergangen, ein Kreis deutscher Literaten, ernsthafte, wenn auch keineswegs repräsentative Leute, lädt uns ein, uns mit den französischen Unterzeichnern, denen die Gewissensentscheidung über die Gehorsamsverweigerung freilich überlassen bleibt, solidarisch zu erklären und gegen die Maßnahmen zu protestieren, mit denen die französische Regierung sich der Leute erwehrt, die den Rekruten den Ungehorsam zur Pflicht machen wollen . . .

Gut und schön, wenngleich der Protest dieses Literaturflügels bei dem geringen Ansehen, das die deutsche Literatur in der Welt genießt, keine besondere Wirkung tun und allenthalben den Wunsch erregen wird, die deutschen Literaten sollten sich zunächst einmal um die deutschen Angelegenheiten kümmern . . . Die kampflos bequeme Stellung, die ihnen, auch bei mäßigen Leistungen, in unserem Lande eingeräumt wird, bringt manche von ihnen auf noble, aber müßige Gedanken und läßt sie ein Plädoyer für Landesverrat – in einem anderen Lande! – als eine natürliche Funktion der freien Meinung betrachten . . .

Es ist freilich wahr, daß der brausende Genius der Marseillaise zur Zeit etwas matt mit den Flügeln schlägt. So mag jenen deutschen Literaten, denen das ungeschickte Dahinstolpern zur natürlichen Gangart geworden ist, der Gedanke gekommen sein, ein wenig Wind zu machen und zu einem Risiko aufzufordern, das Leute in einem anderen Lande laufen.

(15. 11. 1960. – Man vergleiche Sieburgs »Kreis deutscher Literaten, keineswegs repräsentative Leute« mit der obenstehenden – auszugsweisen! – Unterschriftenliste, um den Grad der Blindheit konservativer BRD-Publizistik zu ermessen. – Am Aufsatz Sieburgs entzündete sich eine umfangreiche Polemik, hier drei Beispiele:
Heinrich Böll:
»... ich muß gestehen, daß ich den Magen, für den das vorgekaut worden ist, nicht kenne. Vielleicht strebt man einen bundesgenormten Straußenmagen an, krisenfest, im Krieg und Frieden bewährt, über jeden Verdacht des Brechreizes erhaben.«
Heinz von Cramer:
»Sieburg erinnert sich sicher nicht daran, daß es auch in Deutschland einmal Intellektuelle gab – nicht viele, zugegeben –, die ihre Widerstandskraft aus den Reaktionen des Auslands gegen Hitler speisen mußten und da nicht selten in den dreißiger Jahren enttäuscht wurden durch Interesselosigkeit oder falsche Einschätzung der Gefahr.«
Hans Magnus Enzensberger:
»Sieburgs Artikel hat mich nicht überrascht. Von einem Literaten, dem das geschickte Dahinstolpern in den langen Jahrzehnten seines Wirkens zur natürlichen Gangart geworden ist, wird niemand erwarten können, daß er die Pfeiler der staatlichen Autorität zu einem anderen Zweck antastet, als sich daran festzuhalten.«)

Für die Lehrfreiheit!

Am 18. Juli 1960 wurde Frau Professor Dr. Renate *Riemeck* aus dem Prüfungsausschuß der Pädagogischen Akademie Wuppertal abberufen. Die Begründung, die der Kultusminister von Nordrhein-Westfalen, Heinrich Schütz, für diese Maßnahme gab, war ausschließlich politischer Natur. Damit wird zum ersten Mal nach der Beseitigung der Hitlerdiktatur wieder ein Professor aus rein politischen Gründen gemaßregelt. Unmittelbar nach Bekanntwerden dieser Nachricht protestierten Studenten, Dozenten, Gewerkschaften, Parteien und zahlreiche Persönlichkeiten des öffentlichen Lebens gegen diesen Versuch, die Freiheit von Meinungsbildung und Meinungsäußerung einzuschränken. Bis heute hat Kultusminister Schütz seine Maßnahme gegen Frau Riemeck noch immer nicht rückgängig gemacht. Deshalb erhoben in der Zwischenzeit eine große Zahl von Persönlichkeiten ihre Stimme und warnen vor jedem Angriff auf die freiheitlich demokratische Grundordnung und forderten die sofortige Rehabilitierung von Frau Prof. Riemeck.

(1. 11. 1960. – Diese Erklärung wurde überwiegend von Universitätsprofessoren – über 170 – unterzeichnet. – Vergeßliche seien daran erinnert, daß es sich bei diesem ersten Fall eines – akademischen – Berufsverbots um die Pflegemutter von Ulrike Meinhof handelte.)

Am 25. Juli 1960 hat Herr Fritz Schäffer mit der Bundesrepublik Deutschland, vertreten durch Herrn Bundeskanzler Dr. Konrad Adenauer, die Errichtung einer Gesellschaft mit beschränkter Haftung (»Deutschland-Fernsehen«) vereinbart. Ohne vorherige Klärung der verfassungsmäßigen Rechte der Länder soll diese Gesellschaft ein zweites Fernsehprogramm vorbereiten und vom 1. Januar 1961 an ausstrahlen.

Sowohl die Entstehungsgeschichte als auch die bisherige Zusammensetzung der Aufsichtsgremien lassen erkennen, daß das »Deutschland-Fernsehen« nicht mehr ein Publikationsorgan unter öffentlicher Kontrolle, sondern ein Instrument der Bundesregierung, der Regierungsparteien und wirtschaftlicher Interessengruppen sein wird. Die Unterzeichner dieser Erklärung lehnen deshalb jede Mitarbeit an diesem Programm ab. Da diese Institution die demokratische Entwicklung der Bundesrepublik Deutschland gefährden kann, bitten sie auch ihre Kollegen, sich dem Boykott der Deutschland-Fernsehen GmbH und deren Programm-Lieferanten anzuschließen. Sie verpflichten sich, vom Zeitpunkt ihrer Unterschrift an, ihr weder Texte noch Rechte an Texten zu überlassen und ihr jede redaktionelle oder dramaturgische Beihilfe zu verweigern. Die Autoren unter ihnen werden künftig ihre Verlagsverträge derart abschließen, daß die Fernsehrechte an ihren Arbeiten nur mit ihrer Zustimmung vergeben werden können.

Ilse Aichinger, Herbert Asmodi, Heinrich Böll, Günter Eich, Hans Magnus Enzensberger, Günter Grass, Wolfgang Hildesheimer, Peter Hirche, Walter Jens, Uwe Johnson, Robert Jungk, Joachim Kaiser, Marie Luise Kaschnitz, Eva Müthel, Hans Werner Richter, Klaus Roehler, Peter Rühmkorf, Paul Schallück, Martin Walser, Dieter Wellershoff, Wolfgang Weyrauch.

(19. 11. 1960. – Am 30. 9. 1959 hatte die Bundesregierung einen Gesetzentwurf für ein bundeseigenes Fernsehen eingebracht, ein Versuch Adenauers, dem ARD-Fernsehen der Länder ein regierungsamtliches entgegenzustellen. Das Projekt wurde aufgrund der Klage einiger Länder am 28. 2. 1961 vom Bundesverfassungsgericht verboten.)

Robert Neumann   *Noch geschieht es bei Nacht und Nebel*

Jene Bübereien sind fürs erste vorüber, und auch das Pathos des ersten Schwalls der offiziellen Beteuerungen haben wir hinter uns. Zeit, die Situation einmal mit einiger Kühle zu betrachten und Bilanz zu machen. Wer sind wir, wie steht es mit uns, wo stehen wir heute?

Dabei stoßen wir zuallererst auf eine Lüge oder Selbstbelügung. Daß wir die an den Juden begangenen Greueltaten erst nach 1945 erfuhren, daß sich all das hinter den Stacheldrähten abseits gelegener Konzentrationslager abgespielt hätte, begangen von Hitler und Himmler, von SS und SD, in einer Konspiration des Schweigens – das heute zu behaupten, stellt eine Konspiration zur Weißwaschung unseres schlechten Gewissens dar. Ein großer Teil der deutschen Wehrmacht im Osten hat mitgemordet oder doch mitgewußt, und ein großer Teil des Hinterlandes hat mitgewußt. Erst die Beweise dieser Mitwisserschaft und Mitschuld haben während des Krieges im Lager der Alliierten der Auffassung zum Siege verholfen, daß es nicht genüge, den »guten« Deutschen zu helfen, daß sie sich von der Pest befreien, die sie befallen hatte – nein, zwischen den Begriffen Deutscher und Nazi gäbe es keinen Unterschied, sie müßten allesamt vor die Hunde gehen, und das Kriegsziel sei demnach: bedingungslose Kapitulation.

Das hatte zunächst einmal zur Folge, daß eine breite Masse redlicher Deutscher, die Hitler nie wirklich zugewandt waren, oder sich von ihm schon wieder abgewandt hatten, ihm im letzten Stadium des Krieges wieder in die Arme getrieben wurden; weit genug jedenfalls, um im Augenblick des Zusammenbruchs nicht zu den Siegern zu gehören, nicht zu den Befreiten, sondern schicksalsvereint zu der Rotte ihrer eigenen Kerkermeister. Daß es so zu keiner Revolution kam, zu keiner Ausrottung der Naziverbrecher durch die Deutschen selbst, bedeutete die tragische Verzettelung einer einmaligen, nie wiederkehrenden Chance für das deutsche Volk – und vielleicht für die Welt.

Statt dessen erzeugte der Fehler der Sieger in den Besiegten eine Art stumpfen Solidaritätsgefühls mit ihren eigenen Peinigern. Es bildete sich in den zerfetzten Regimentern, in den zerschmissenen Städten alsbald eine antialliierte psychologische Front. Wer den Alliierten half, einen KZ-Häuptling, einen Judenmörder aufzuspüren, galt als verdächtig. Als die Justiz endlich in deutsche Hände gelegt wurde, hatte sich diese wohlige Solidarität im Nachhinein schon zu tief eingefressen. Die Entnazifizierungsverfahren waren Schaumschlägerei – eine Farce . . .

Es ist also keine erfreuliche Bilanz. Fragt sich: *was tun?* Die paar kleinen Schufte oder Teenagers oder Strichjungen zusammenschlagen, die heute Hakenkreuze an die Mauern schmieren? Nein, damit wäre nichts getan. Aber: *wenn die Ereignisse dieser letzten Wochen Sie aufrütteln sollten, Ihren Kindern zu sagen, wie es wirklich um das Tausendjährige Reich bestellt war, und den Lehrer zu zwingen, daß er es Ihren Kindern sagt, und die Behörde zu zwingen, daß sie den Lehrer zwingt – und wenn dazu noch all das Sie aufwühlt, daß Sie damit zu Ihrer Gewerkschaft gehen, oder in Gottes Namen auch zu Ihrem Priester, wenn er ein wirklicher Priester ist – das wäre eine große Sache.*

(Februar 1960. – »Bübereien«: Am 24. 12. 1959 war die Kölner Synagoge mit antisemitischen Parolen beschmiert worden. – An der folgenden öffentlichen Diskussion beteiligten sich zahlreiche Autoren:)

Stefan Andres: »Wenn soviel prominente Mitkämpfer, Mitarbeiter und Mitläufer des seligen Führers heute prominente Mitkämpfer, Mitarbeiter und Mitläufer in allen, sogar den obersten Rängen sein können, dann kann man es auch wagen, gewisse Testversuche auf dem Rücken des deutschen Spießers anzulegen. Den Spießer aber kennt man ja: er ist das Gegenteil von Staatsbürger und ethischer Person. Er lebt ausschließlich seinen Interessen, ist politisch tot und läßt sich nur alle zwanzig, dreißig Jahre von einem großen Hammel zum nationalen Leben erwecken. Zu jeder Zeit aber ist er bereit, am Hinausjagen des Sündenbockes teilzunehmen, denn sein Wesen besteht in Selbstgerechtigkeit, Borniertheit, Intoleranz. Mit dieser Menschenart müssen wir rechnen, und nicht nur in Deutschland. Mit ihr ist keine Demokratie aufzurichten, zumal nicht im Atomzeitalter, wo ja notwendigerweise die staatsbürgerliche Mitarbeit des einzelnen immer schwieriger wird. Falls uns also in den kommenden Jahren eine schwere Wirtschaftskrise überfiele, müßten wir mit dem neuerlichen Auftreten der nun atombewehrten Demagogen rechnen – und also mit der Formierung der Viererreihen, der Schlägerkolonnen und der unabsehbaren Spießerherde, die den Stall wechselt.«

Heinrich Böll: »Ich fürchte nicht die Gefahr krimineller Aktionen von antisemitischen und neonazistischen Gruppen, sondern die gewaltige Masse vollkommen indifferenter Demokraten. Der Verbraucher hat das Wort.

Ich glaube, daß die Zahl der Antisemiten nicht größer, aber auch nicht geringer ist, als sie im Jahr 1933 war. Ihr Vorhandensein bedeutet nicht unbedingt den Beginn eines Rückfalls, aber es wäre töricht, sich auf Gesetze allein zu verlassen ... Erst wenn antisemitische Äußerungen als gesellschaftlich diffamierend gelten (so wie es etwa als gesellschaftlich diffamierend gilt, für Verhandlungen mit Polen, die Oder-Neisse-Linie betreffend, zu sein), ist die Gefahr überwunden.«

Axel Eggebrecht: »Gegen diese potentielle Gefahr kann hoffentlich gerade noch etwas getan werden. Wir müssen nachholen, was versäumt wurde. Selbstverständlich keine schematische Fragebogenaktion! Keine Staubaufwirbelei! Keine blinde Naziverfolgung! Außer überführten Mördern mögen die Belasteten ungeschoren bleiben.

Aber eine unversöhnliche, starke Volksbewegung sollte darauf dringen, daß aus Politik, Justiz und anderen führenden Stellen alle diejenigen endlich verschwinden, die sich einst zu Hitler bekannten. Bereinigen wir wenigstens ein paar Dutzend konkrete, skandalöse Fälle! Das wäre die Probe! Doch es sieht nicht so aus, als würden wir sie bestehen.«

Walter Jens: »Hinter den Halbstarken steht 1 % unbelehrbarer Nazis; aber diese Minorität ist mächtig, sie verfügt über Schlüsselpositionen. Die Politik der Stärke, der offiziöse Trend, vergrößert die Macht der Unbelehrbaren von Tag zu Tag. Wer 15 Jahre nach Hitler um Raketenbasen ersucht, darf sich nicht wundern, wenn nicht nur mit dem Säbel gerasselt, sondern auch mit dem Farbtopf gekleckst wird.

Solange ein Mann wie Oberländer im Amt ist, kommt den pathetischen Regierungserklärungen keinerlei Glaubwürdigkeit zu.«

Hans Erich Nossack: »Die gesamte Öffentlichkeit, ganz gleich ob durch politische, wirtschaftliche, kulturelle oder kirchliche Sprecher, hat nämlich – kraß herausgesagt – ausschließlich mit der Angst reagiert, einen schlechten Eindruck zu machen, durch den die Konjunktur und das gute Geschäft gestört werden könnte. Das beweist die absolute Herrschaft der Phrase auf allen Seiten. Kein Wunder, daß unreife Gemüter, ohne sich des Anlasses und der Tragweite ihrer Handlungen bewußt zu sein, gegen die völlige Gesinnungslosigkeit ihrer Umgebung durch lebensgefährlichen Schabernack reagieren.

Mit einer derartig entmenschten Öffentlichkeit habe ich nichts zu schaffen. Es liegt mir nichts daran, einen guten Eindruck zu machen, sondern vor mir selbst bestehen zu können. Ich wünsche nicht, dazu benutzt zu werden, um einen schlechten Eindruck zu verwischen. Ich will nicht, daß zur Phrase wird, was mir selbstverständlich ist. Ich weigere mich, die allgemeine Gesinnungslosigkeit und die Lippenbekenntnisse zu vermehren.

Es ekelt mich, ein Deutscher zu sein.«

Gregor von Rezzori: »Es handelt sich, in meiner Ansicht, nicht nur um einzelne radikalistische Gruppen, die hinter solchen Aktionen stehen. Denn es liegt auf der Hand, daß deren Wachsamkeit schärfer ist als diejenige des saturierten Wirtschaftswunder-Mitläufers, so daß sie mit erhöhter Präzision zu beurteilen vermögen, wann wieder das erlaubt sei, was gefällt. Die Schicht der verläßlichen Gegner des nationalen Radikalismus ist heute noch gewiß nicht sehr viel stärker als im Jahre 1933, die mehr oder minder offene Verschwörung der ›ewig Unverbesserlichen‹ dagegen sicherlich ebenso entschlossen wie damals und, durch die Jahre im Untergrund, und wohl auch durch einige Lehren aus der Vergangenheit um soundso viele Listen reicher.

Man mutet den verantwortlichen Männern der deutschen Regierung fast zuviel zu, wenn man von ihnen wirkungsvolle Maßnahmen gegen das Wiederaufleben des deutschen Nationalismus erwartet (die judenfeindlichen Exzesse sind nämlich dessen

Symptom, der Antisemitismus läßt sich hierzulande nicht als Phänomen für sich nehmen, immer ist er nur zu Zeiten eines hypertrophisch wuchernden Nationalbewußtseins aufgetreten). Denn andererseits erwartet man ja von eben diesen Männern, daß sie den Wiederaufstieg der Nation bewirken. Das deutsche Durchschnittshirn ist nicht imstande, zwischen dem einen und dem anderen zu differenzieren, geschweige denn, zu begreifen, daß das eine dem andern widerspricht.«

(Die Bemerkung von Andres über den selbstgerechten Spießer, der jederzeit aus Selbstgerechtigkeit, Borniertheit und Intoleranz bereit sei, am »Hinausjagen des Sündenbocks teilzunehmen«, bezog sich offensichtlich auf den Ratschlag, den Bundeskanzler Adenauer erteilen zu müssen glaubte: »Meinen deutschen Mitbürgern insgesamt sage ich: Wenn ihr irgendwo einen Lümmel erwischt, vollzieht die Strafe auf der Stelle und gebt ihm eine Tracht Prügel.«)

Hans Magnus Enzensberger   *Beschwerde*

Ich habe eine Beschwerde vorzubringen. Man hat mich übergangen, und das kränkt mich so, daß mir der Mund davon übergeht...

Der Titel der Schrift, in der ich zu meinem Bedauern meinen Namen vermissen muß, lautet folgendermaßen: *Verschwörung gegen die Freiheit. Die Kommunistische Untergrundarbeit in der Bundesrepublik.* Eingeweihte Benutzer pflegen diesen Titel abzukürzen und der Bequemlichkeit zuliebe schlichterdings vom *Rotbuch* zu reden...

Besser kann ich mich nicht erklären als durch eine kleine Liste von Namen, die in dem *Rotbuch,* im Gegensatz zu meinem, erscheinen. Verzeichnet sind: die Komponisten Werner Egk und Carl Orff, die Schriftsteller Erich Kästner und Wolfgang Koeppen, die Pastoren Albrecht Goes und Martin Niemöller, die Theaterleute Heinz Hilpert und Peter Lühr, die Maler Hans Purrmann und Otto Dix, die Nobelpreisträger Max Born und Hermann Staudinger, dazu etliche Hundert weiterer Professoren, berühmter und unberühmter, jedenfalls aber angesehener Leute aus jenen Berufen, die man gemeinhin der Intelligenz zurechnet.

Versteht man meine Betretenheit? Versteht man meinen Ärger darüber, daß ich mich nicht unter den Handlangern der »kommunistischen Untergrundarbeit in der Bundesrepublik« aufgeführt sehe?

... Die Liste, aus der man mich so erbarmungslos ausgestrichen hat, ist jenem Abschnitt des Buches angehängt, der den barbarischen Titel trägt: *Sektor Kultur.* Der Abschnitt hält, was das verkrüppelte Deutsch dieser Formulierung verspricht. Die anonymen Verfasser bringen darin zwar nicht den Kommunismus, wohl aber die Sprache zur Strecke, derer sie sich bedienen. Sie schreiben: »Die Front der Intellektuellen erweist sich gegenüber der kommunistischen Infiltration als in hohem Maße anfällig.« Als in geringem Maße anfällig gegenüber grammatischen Skrupeln erweist sich das Frontschwein, welches mit solchen Sätzen Wissenschaftler und Künstler zur Ordnung rufen möchte, die nicht geneigt sind, seinem Ruf »Die Intellektuellen an die Front« Folge zu leisten, und die stattdessen in der Etappe ein frivoles Dasein fristen.

Indessen sind die unbekannten Lohnschreiber der Münchner Arbeitsgruppe durchaus auf der Höhe der Zeit. Sie haben begriffen, daß es nicht genügt, den Revolver zu entsichern, wenn das Wort Intelligenz fällt. Die markige Sprache des Einsatzes bedarf heutzutage der Auffrischung aus dem Bodensatz der Groschenpresse. Es gilt, kernig und schmierig zugleich zu sein. Dem Anpfiff gesellt sich die Schnüffelei ...

Schon Goebbels wußte, daß ein propagandistischer Schwindel nur dann erfolgreich zu inszenieren ist, wenn er einige wenige Tatsachen als Kondensationskerne benutzt. Nach dieser Lehre verfahren die Retter der Freiheit in diesem *Rotbuch*. Sie nennen seitenweise kommunistische Funktionäre beim Namen, die ohne jeden Zweifel existieren, und machen sich das Prinzip der *guilt by association* zunutze, das unter McCarthy in Amerika sich großer Beliebtheit erfreut hat. Es genügt dabei, wenige Seiten nach der Aufzählung jener Funktionärsnamen eine zweite Liste von völlig tadelfreien, angesehenen Bürgern zu bringen, um einen Zusammenhang zwar keineswegs zu beweisen, aber aufs kräftigste zu suggerieren. Zum zweiten wäre es sinnlos, die Verfasser solcher Machwerke der Lüge zu zeihen, da ihr Begriff von Wahrheit von dem uns geläufigen fundamental verschieden ist. Wahr ist für Schreiber dieser Art, was ihnen keine Strafanzeige wegen Verleumdung und keine einstweilige Verfügung einbringt ...

Was mich betrifft, so kenne ich die Herren, die sich selbst zu Rettern der Freiheit ernannt haben, nicht, nicht ihre Lebensläufe und nicht ihre Auftraggeber. Über jenes Komitee weiß ich nicht mehr als jeder Zeitungsleser. Enthüllungen habe ich nicht zu bieten. Was wir alle über diese Sache wissen, sollte uns genügen. An zwei Einzelheiten darf ich erinnern: der Frankfurter Kongreß des Komitees *Rettet die Freiheit* erfreute sich des regen Besuches von Beamten unseres Verfassungsschutzamtes. Erwiesen ist, daß dieses Komitee finanzielle Zuwendungen aus öffentlichen Geldern empfangen hat. Wollen wir es dahin kommen lassen, daß wir Vergnügungssteuer zahlen dafür, daß man uns denunziert? Wie verwahrlost unsere politischen Zustände bereits sind, dafür legt Herrn Hartls Werk eindrucksvoll Zeugnis ab. Er und seine Mithelfer sind die Gefahr, vor der uns retten zu wollen sie vorgeben.

(1960. – Das ›Rotbuch‹ war im Frühjahr 1960 veröffentlicht worden und enthielt die Namen von 452 Hochschullehrern, Schriftstellern und Künstlern, die der »kommunistischen Kulturarbeit« verdächtigt wurden. Es war der erste, mit Staatsgeldern unterstützte organisierte Versuch der Intellektuellenhetze in der Bundesrepublik.)

Die Mauer durch Berlin

Die heftigen Auseinandersetzungen um die am 13. 8. 1961 von der DDR durch Berlin gezogenen Mauer sind nicht verständlich, ohne die vorangegangenen um die Remilitarisierung, Restauration und atomare Bewaffnung der BRD. Um ein Wort von Hans Werner Richter abzuwandeln: Wer immer diese Entwicklung begrüßt hat, die Schriftsteller waren es nicht. Freilich: zu manchem haben sie auch geschwiegen.

Einen Teil der Diskussion faßte Rudolf Augstein, unter dem Pseudonym Jens Daniel, vier Wochen vor dem Bau der Mauer in einem geradezu prophetischen Aufsatz zusammen. In genügender Auflage: wer wollte, konnte hören.

Rudolf Augstein   *Geht Berlin verloren?*

Die westlichen Alliierten, und an ihrem Rockschoß Kanzler Adenauer, begannen 1950, den Gedanken der Wiedervereinigung als Sprengladung gegen die gesamte im Krieg errungene und nach dem Krieg ausgebaute Machtstellung der Sowjets in Europa zu manipulieren. Die Zone sollte »befreit«, mit einem »befreiten« Polen sollte über die »Rückgabe« der verlorenen Ostgebiete verhandelt werden. Den Königsbergern wurde die Rückkehr in ein »befreites« Ostpreußen versprochen. Dies waren die von Kanzler Adenauer ausgesprochenen Ziele; die Gedanken der noch weniger Ängstlichen schweiften weiter und machten selbst am Ural nicht halt. Berlin war in diesem Konzept, das die Existenz der Bundesrepublik begründet und vergiftet hat, ein belagerter Vorposten, der bald von den vorrückenden Kräften der Befreiung entsetzt werden würde...

Die allgemeine Kräfteverschiebung in der Welt zugunsten des Ostblocks und die waffentechnischen Errungenschaften der Sowjets brachten die Politik des »roll-back« zwischen 1955 und 1957 zum Erliegen. Jetzt wäre es erstmals Zeit gewesen, die verlorene Partie abzublasen und auf der Grundlage des Auseinanderrückens der Blöcke eine Friedensregelung für Mitteleuropa, allerdings jetzt schon ohne fixierbare Wiedervereinigung, zu versuchen.

... Mit einer Ent-Atomisierung der Bundeswehr allein, so gewichtig dies Zugeständnis sich ausnähme, würde die Sowjetunion sich heute schwerlich zufriedengeben. Ich für meinen Teil glaube, daß man West-Berlin mittels dieses Zugeständnisses noch vor drei Jahren hätte sichern können. Heute ist bereits zuviel Chruschtschow- und Sowjet-Prestige in die Frage einer Berlin-Regelung investiert worden. Außerdem hat sich der Flüchtlingsstrom, der die DDR strukturell bis zur Anämie schwächt, in den letzten drei Jahren kaum verdünnt.

Nicht aus Feigheit und innerer Morschheit werden die Westmächte in der Deutschlandfrage zurückstecken, sondern weil sie sich, verführt von unseren Staatsmännern in Bonn, in eine unhaltbare Position manövriert haben. Die Ausrüstung der Bundeswehr mit Atomwaffen durfte nicht geschehen, ohne daß gleichzeitig die bestehenden Grenzen in Mitteleuropa anerkannt wurden. Beides zusammen, die Sprengkraft des unruhigen Deutschland und die Sprengkraft der Atomwaffen in deutschen Händen, konnte man nicht haben. Irrtümer sind entschuldbar, aber sie müssen bezahlt werden.

Auf die Routine-Frage eines Gesprächspartners, ob es in der Berlin-Frage eine Kompromißlösung gebe, hat Bundesaußenminister von Brentano im Deutschen Fernsehen erklärt: »Es gibt keine Kompromißlösung in der Berlin-Frage.« Diesen Standpunkt beibehalten, hieße den Bankrott mit Gehrock und Zylinder bis zum Amtsgericht vorantreiben. Chruschtschow drängt zur Kasse, und wenn er keinen Vergleich bekommt, gibt es Konkurs.

(12. 7. 1962)

Günter Grass / Wolfdietrich Schnurre *Offener Brief an die Mitglieder des Schriftstellerverbandes der DDR*

Ohne Auftrag und Aussicht auf Erfolg dieses offenen Briefes bitten die Unterzeichneten hiermit alle Schriftsteller in der DDR, die Tragweite der plötzlichen militärischen Aktion vom 13. August zu bedenken. Es komme später keiner und sage, er sei immer gegen die gewaltsame Schließung der Grenzen gewesen, aber man habe ihn nicht zu Wort kommen lassen. Wer den Beruf des Schriftstellers wählt, *muß* zu Wort kommen, und sei es nur durch ein lautes Verkünden, er werde am Sprechen gehindert.

Viele Bürger Ihres Staates halten die DDR nicht mehr für bewohnbar, haben Ihren Staat verlassen und wollen Ihren Staat verlassen. Diese Massenflucht, die von Ihrer Regierung ohne jeden Beweis »Menschenhandel« genannt wird, kann und darf die Aktion vom 13. August weder erklären noch entschuldigen. Stacheldraht, Maschinenpistole und Panzer sind nicht die Mittel, den Bürgern Ihres Staates die Zustände in der DDR erträglich zu machen. Nur ein Staat, der der Zustimmung seiner Bürger nicht mehr sicher ist, versucht sich auf diese Weise zu retten.

Wenn westdeutsche Schriftsteller sich die Aufgabe stellen, gegen das Verbleiben eines Hans Globke in Amt und Würden zu schreiben; wenn westdeutsche Schriftsteller das geplante Notstandsgesetz des Innenministers Gerhard Schröder ein undemokratisches Gesetz nennen; wenn westdeutsche Schriftsteller vor einem autoritären Klerikalismus in der Bundesrepublik warnen, dann haben Sie genauso die Pflicht, das Unrecht vom 13. August beim Namen zu nennen.

Wir fordern Sie auf, unseren offenen Brief offen zu beantworten, indem Sie entweder die Maßnahmen Ihrer Regierung gutheißen oder den Rechtsbruch verurteilen. Es gibt keine »Innere Emigration«, auch zwischen 1933 und 1945 hat es keine gegeben. Wer schweigt, wird schuldig . . .

Als Ehrenmitglieder und Mitglieder des Vorstands im Deutschen Schriftstellerverband nennen wir Anna Seghers, Arnold Zweig, Erwin Strittmatter, Ludwig Renn, Ehm Welk, Bruno Apitz, Willi Bredel, Franz Fühmann, Peter Hacks, Stephan Hermlin, Wolfgang Kohlhaase, Peter Huchel, Paul Wiens.

Wir erwarten Ihre Antwort.

(16. 8. 1961. – Zwei Tage zuvor hatte Grass bereits an Anna Seghers geschrieben: ». . . Es darf nicht sein, daß Sie, die Sie bis heute vielen Menschen der Begriff aller Auflehnung gegen die Gewalt sind, dem Irrationalismus eines Gottfried Benn verfallen und die Gewalttätigkeit einer Diktatur verkennen, die sich mit Ihrem Traum vom Sozialismus und Kommunismus, den ich nicht träume, aber wie jeden Traum respektiere, notdürftig und dennoch geschickt verkleidet hat.

Vertrösten Sie mich nicht auf die Zukunft, die, wie Sie als Schriftstellerin wissen, in der Vergangenheit stündlich Auferstehung feiert; bleiben wir beim Heute, beim 14. August 1961. Heute stehen Alpträume als Panzer an der Leipziger Straße, bedrücken jeden Schlaf und bedrohen Bürger, indem sie Bürger schützen wollen. Heute ist es gefährlich, in Ihrem Staat zu leben, ist es unmöglich, Ihren Staat zu verlassen. Heute – und Sie deuten mit Recht auf ihn – bastelt ein Innenminister Schröder an seinem Lieblingsspielzeug: am Notstandsgesetz. Heute – »Der Spiegel« unterrichtete uns – trifft man in Deggendorf, Niederbayern, Vorbereitungen zu katholisch-antisemitischen Feiertagen. Dieses Heute will ich zu unserem Tag machen: Sie mögen als schwache und starke Frau Ihre Stimme beladen und gegen die Panzer, gegen den gleichen, immer wieder in Deutschland hergestellten Stacheldraht anreden, der einst den Konzentrationslagern Stacheldrahtsicherheit gab; ich will aber nicht müde werden, in Richtung Westen zu sprechen: nach Deggendorf in Niederbayern will ich ziehen und in eine Kirche spucken, die den gemalten Antisemitismus zum Altar erhoben hat.«)

Stephan Hermlin   *Antwort*

Sie haben gestern, am 16. August 1961, einen offenen Brief an eine Reihe von Schriftstellern in der Deutschen Demokratischen Republik gerichtet. Da ich zu den von ihnen genannten Empfängern gehöre, erlaube ich mir, das Folgende zu bemerken:

Sie wünschen, ich möge »die Tragweite der plötzlichen militärischen Aktion vom 13. August bedenken«. Ich könnte mit den Worten eines offiziellen Sprechers in Washington darauf erwidern, daß die Rechte der westlichen Besatzungsmächte in West-Berlin durch die Maßnahme der Deutschen Demokratischen Republik nicht angetastet wurden. Dies ist die Antwort, die bereits aus dem Westen gekommen ist, soweit die Frage der Tragweite aufgeworfen wird. Ich will es mir aber nicht ganz einfach machen, zumal ich kein Sprecher der amerikanischen Regierung bin.

Sie schrieben: »Wenn westdeutsche Schriftsteller sich die Aufgabe stellen, gegen das Verbleiben eines Hans Globke zu schreiben; wenn westdeutsche Schriftsteller vor einem autoritären Klerikalismus in der Bundesrepublik warnen, dann haben Sie genauso die Pflicht, das Unrecht vom 13. August beim Namen zu nennen.«

Ihr Argument, das bei früherer Gelegenheit bereits in ähnlicher Form auftauchte, resultiert aus einem Trugschluß. Wenn Sie, Schnurre und Grass, gegen Globke und Schröder auftreten, die Sie regieren, so bin ich keineswegs verpflichtet, gegen meine Regierung aufzutreten, die Globke und Schröder etwas nachdrücklicher bekämpft als Sie beide es tun – das sei bei allem Respekt vor Ihrer Zivilcourage gesagt. Vielmehr ist meine Regierung bei dieser ihrer Tätigkeit meiner Zustimmung sicher. Tatsächlich ist das, was Sie das Unrecht vom 13. August nennen, eine staatliche Aktion gegen die Globke-Schröder-Politik.

Das Unrecht vom 13. August? Von welchem Unrecht sprechen Sie? Wenn ich Ihre Zeitungen lese und Ihre Sender höre, könnte man glauben, es sei vor vier Tagen eine große Stadt durch eine Gewalttat in zwei Teile auseinandergefallen. Da ich aber ein ziemlich gutes

Gedächtnis habe und seit vierzehn Jahren wieder in dieser Stadt lebe, erinnere ich mich, seit Mitte 1948 in einer gespaltenen Stadt gelebt zu haben, einer Stadt mit zwei Währungen, zwei Bürgermeistern, zwei Stadtverwaltungen, zweierlei Art von Polizei, zwei Gesellschaftssystemen, in einer Stadt, die beherrscht ist von zwei einander diametral entgegengesetzten Konzeptionen des Lebens. Die Spaltung Berlins begann Mitte 1948 mit der bekannten Währungsreform. Was am 13. August erfolgte, war ein logischer Schritt in einer Entwicklung, die nicht von dieser Seite der Stadt eingeleitet wurde.

Ich habe meiner Regierung am 13. August kein Danktelegramm geschickt und ich würde meine innere Verfassung auch nicht als eine solche »freudige Zustimmung«, wie manche sich auszudrücken belieben, definieren. Wer mich kennt, weiß, daß ich ein Anhänger des Miteinanderlebens bin, des freien Reisens, des ungehinderten Austausches auf allen Gebieten des menschlichen Lebens, besonders auf dem Gebiet der Kultur.

Aber ich gebe den Maßnahmen der Regierung der Deutschen Demokratischen Republik meine uneingeschränkte ernste Zustimmung. Sie hat mit diesen Maßnahmen, wie sich bereits zeigt, den Antiglobkestaat gefestigt, sie hat einen großen Schritt vorwärts getan zur Erreichung eines Friedensvertrages, der das dringendste Anliegen ist, weil er allein angetan ist, den gefährlichsten Staat der Welt, die Bundesrepublik, auf ihrem aggressiven Weg zu bremsen.

Ich erinnere mich noch sehr genau an das ekelerregende Schauspiel einer sogenannten nationalen Erhebung, das ich am 30. Januar 1933 als ganz junger Mensch am Brandenburger Tor erlebte. Zehntausende von Hysterikern teilten einander damals tränenüberströmt mit, Deutschland sei endlich von der Knechtschaft erlöst. Hätten damals am Brandenburger Tor rote Panzer gestanden, wäre der Marsch nach dem Osten nie angetreten worden, brauchte keine Eichmann-Prozesse stattzufinden und säßen wir heute zu dritt in einer unzerstörten, ungeteilten Stadt am Alex oder am Kurfürstendamm im Café.

In Ihrem Brief wird sehr deutlich an die Adressaten appelliert, sie mögen sich nicht vor einer Antwort drücken, es gäbe angesichts der heutigen Situation kein Schweigen, so wenig – wie Sie schreiben – wie gerade zwischen 1933 und 1945. Offenbar haben Sie doch nicht sehr genau überlegt, an wen Sie das geschrieben haben, denn Ihre Adressaten, zumindest die Mehrzahl von ihnen, schwiegen gerade zwischen 1933 und 1945 nicht, im Gegensatz zu so vielen patentierten Verteidigern der westlichen Freiheit des Jahres 1961.

Ich bin überzeugt, daß es meiner Antwort an Deutlichkeit nicht gebricht, und hoffe, daß wir uns bald in freundlicheren Stunden wiedersehen werden.

(17. 8. 1962. – Grass und Schnurre hatten ihren ›Offenen Brief‹ an ›Neues Deutschland‹, ›Sonntag‹, ›konkret‹, ›Süddeutsche Zeitung‹, ›Tagesspiegel‹ und ›Welt‹ geschickt;

gedruckt wurde er jedoch nur in ›konkret‹ und ›Die Welt‹, in der letzteren mit der Ankündigung, man werde Antworten der DDR-Schriftsteller abdrucken. Dies geschah nur mit der Antwort von Stephan Hermlin, die allerdings von Günter Zehm mit der Drohung kommentiert wurde: »Hermlin und einige andere müßten erst noch einsam gemacht werden. Hoch an der Zeit scheint es«. – Aus den Antworten einiger anderer DDR-Autoren:)

Franz Fühmann: »Ich möchte Ihr Schreiben ernst nehmen: Am Brandenburger Tor und am Potsdamer Platz stehen Panzer. Es sind sozialistische Panzer, und es ist gut, daß sie da stehen, denn es ist notwendig. Es ist auch unbequem – in erster Linie für die, die in den Panzern sitzen und den Frieden an seiner am meisten gefährdeten Grenze beschützen, und es ist auch unbequem für uns Berliner, die wir nun nicht mehr alle Bezirke unserer Stadt nach Belieben besuchen können und einen zeitraubenden Umweg machen müssen, wenn wir nach Potsdam oder Henningsdorf wollen. Schuld an dieser Unbequemlichkeit haben die, die Berlin 1948 mit der separaten Währungsreform gespalten, den abgespaltenen Teil zur Frontstadt ausgebaut und die offene Grenze der Stadt in die offene Grenze zwischen dem kalten und dem heißen Krieg zu verwandeln sich angeschickt haben: Eben die Schröders und Globkes und Brandts und Strauß', die Sie mit wohlformulierten Sätzen bekämpfen, und die man, wie die Praxis der Entfesselung zweier Weltkriege und der Vorbereitung eines Dritten gezeigt hat, mit wohlformulierten Sätzen allein nicht bändigen kann.«

Erwin Strittmatter: »Die Regierung der Deutschen Demokratischen Republik sah sich gezwungen, Schutzmaßnahmen an den Sektorengrenzen in Berlin einzuleiten. Sie unterstellen, die Schriftsteller der Deutschen Demokratischen Republik hätten zu diesen Schutzmaßnahmen geschwiegen. Das stimmt nicht: wir haben diese Maßnahmen begrüßt, weil sie notwendig waren, um einen Kriegskeim zu ersticken. Sie können in den verschiedenen Tageszeitungen nachlesen, was wir dazu zu sagen haben. Sie können uns auch im Rundfunk hören. Mithin dürften wir von Ihnen ›freigesprochen‹ sein, denn Sie betonen in Ihrem Brief: ›Wer schweigt, wird schuldig‹.

Ihr Brief will Zeugnis von Ihrer Menschenliebe ablegen. Ihre Menschenliebe ist jedoch nicht größer, als der Wohltätigkeitszehner in der Hand des Bettlers.

Ich hörte und las nicht, daß Sie Ihre Stimme erhoben hätten, weil die KPD in der Bundesrepublik widerrechtlich verboten wurde, weil in der Bundesrepublik Gesinnungsterror herrscht und deutsche Patrioten vor die Gerichte gestellt werden, weil der Westberliner Senat Künstler terrorisiert, weil die Aufführung des ›Puntila‹ von Brecht in der Schloßpark-Bühne vom Westberliner Senat unmöglich gemacht wurde, usw. usw.

Sie sehen: es gibt viel lohnende Arbeit für Sie als Schriftsteller in der Bundesrepublik, bevor Sie sich in unsere Angelegenheiten mischen und uns unberechtigt der Säumnis zeihen.«

Bruno Apitz: »Der wirkliche Gegner, der am Bestand des neu aufgekommenen kapitalistischen Staatsgebildes rüttelt, wird mundtot gemacht, was übrig bleibt sind Sie, die legale Opposition, die obendrein noch den Vorteil vielseitiger Verwendungsmöglichkeit besitzt. Man kann mit ihr die ›Freiheit‹ in der ›Freien Welt‹ gegenüber der kommunistischen Diktatur aufs beste beweisen und gleichzeitig eine Politik auf Revanche und ›Befreiung der Ostzone‹ betreiben, wobei Sie – vielleicht unbewußt – mithelfen. Oder setzen Sie sich auch mit dem gleichen Elan, mit dem Sie gegen Globke und Schröder kämpfen, für die Legalität der KPD ein und für die Freiheit des Wortes, der Persönlichkeit und des Gewissens für *alle* Bundesbürger? –

Bevor Sie mit mir über das ›Unrecht‹ des 13. August sprechen, möchte ich Ihnen den Rat geben, über die *historischen* Ursachen nachzudenken, die zu den Maßnahmen meiner Regierung an diesem Tage geführt haben. Vielleicht – wenn Sie sich Mühe geben, auch hier bis zu Ende zu denken – werden Sie sich veranlaßt sehen, Ihr festumrissenes Weltbild doch ein wenig zu korrigieren.«

Paul Wiens: »Ich lese nun und glaube Ihnen, daß Sie überzeugte Gegner der atomaren Aufrüstung sind. Sie warnen vor Globke, Schröder, Strauß. Aber Sie verwenden im Gespräch mit uns – in Ihrem Brief absatzweise wortwörtlich! – die primitiven, demagogischen Schlagworte, die auf Dummenfang und Verhetzung berechnete, durch und durch verlogene ›Sprachregelung‹ Brandts und eben dieser Leute . . . Haben Sie sich wirklich von der zwerchfellerschütternden ›Argumentation‹ der Antikommunisten einfangen lassen, die etwa behaupten: Hitler trug einen Schnurrbart, Günter Grass trägt auch einen Schnurrbart, also ist ›Die Blechtrommel‹ ›Mein Kampf‹ von heute?!«

Aus der offiziellen ›Erklärung‹ des DDR-Schriftstellerverbandes: »Kraftvoll, selbstbewußt, präzise und in Übereinstimmung mit den brüderlichen Nachbarstaaten hat die Regierung der Deutschen Demokratischen Republik die notwendigen Entscheidungen getroffen, die den Frieden in Deutschland gerettet haben . . .

Unseren westdeutschen Schriftstellerkollegen können wir ihre Verantwortung vor dem Volk nicht abnehmen. Mit allem Ernst sagen wir ihnen hier noch einmal: Adenauer, Strauß und Brandt, das ist die gleiche schmutzige Hand! Wehrt euch gegen die Kriegshysterie und den Antikommunismus! Wehrt euch gegen den Kalten Krieg und die Lüge! Gestattet niemandem, den revolutionären deutschen Staat der Arbeiter und Bauern zu verleumden!

Noch in diesem Jahr wird der deutsche Friedensvertrag abgeschlossen werden. Er ist gut für unser Volk, für euch und uns. Er erleichtert unseren gemeinsamen Kampf gegen Militarismus und Konterrevolution.

Die Wahrheit ist: Der Frieden wird nur von den Kräften des sozialistischen Weltsystems und den Anstrengungen der Völker garantiert. Der schwerwiegende Beschluß der Sowjetunion, die Kernwaffenversuche wieder aufzunehmen, dient diesem Ziel. Dem Sozialismus gehört die Zukunft. Die ersten Weltraumflüge lassen bereits erkennen, wozu der Mensch befähigt ist, wenn er die Last des Imperialismus und seiner Kriege abschüttelt.

Ihr müßt euch entscheiden!«

(Als Beispiel für die Tonart, die damals in der Westberliner Presse üblich war, ein Kommentar von Wolf Jobst Siedler zu den Antworten der DDR-Schriftsteller: »Meinen Grass und Schnurre, daß es ihr Verdienst sei, wenn jetzt alle Welt sieht, was von der sowjetzonalen Schriftsteller-Parole ›Deutsche an einen Tisch‹ zu halten ist? Alle Welt wußte das schon lange, nur die heimatlose deutsche Linke nicht. Niemand hat sich Illusionen darüber gemacht, daß die Strittmatter, Hacks, Bredel, Hermlin, Heym und Kuba der kollektiven Weisheit der Partei auch in die verzweifeltste, in die extremste Entscheidung folgen werden – niemand außer den allezeit gesprächsbereiten Romanschriftstellern und Lyrikern. Der Traum von der Literatenrepublik, in der jede Partei an ihrer eigenen Regierung herummäkelt, bis man sich auf einer mittleren Linie getroffen hat, ist ausgeträumt. Diskutieren statt Schießen wollte die Linke. Nun kann sie es nicht mehr. Denn ihre Gesprächspartner verweigern ihr die Passierscheine.« – Der vorliegende Band gibt genügend Auskünfte darüber, welche Schriftsteller welcher Seite bis in ihre jeweils »extremsten Entscheidungen« gefolgt sind; jedenfalls war es nicht die Mehrheit. Alfred Kantorowicz hat mit Recht darauf hingewiesen, daß er und andere, die als ehemalige DDR-Bürger legitimiert gewesen wären, von den journalistischen »Profis als unzulässige Außenseiter ferngehalten« wurden: »Schriftsteller mit eigenwilligen Meinungen sind unerwünscht; sie stören die Routine des Kalten Krieges, der uns zu so herrlichen Resultaten geführt hat.«)

Offener Brief an den Präsidenten der UNO

Unser Volk hat in der Hohen Versammlung der Vereinten Nationen weder Sitz noch Stimme. Die seit dem 13. August sich ständig verschärfende Lage veranlaßt uns zu dem ungewöhnlichen Schritt, uns zu Sprechern unserer Landsleute zu machen. Wir handeln ohne Auftrag, aber im sicheren Bewußtsein, für viele zu sprechen, wenn wir, ausschließlich bestimmt von der Sorge um die Erhaltung des

Friedens und den Bestand unseres Landes, diesen Appell an Sie richten . . .

Wir wissen, daß verschiedene Faktoren den gegenwärtigen Zustand in Deutschland herbeigeführt oder ermöglicht haben. Es liegt uns fern, einseitige Anklagen zu erheben. Auch glauben wir, daß es jetzt wenig sinnvoll ist, die Entwicklung der letzten anderthalb Jahrzehnte nochmals aufzurollen.

Es ist aber eine Tatsache, daß durch die radikal vollzogene Trennung Berlins in zwei Hälften am 13. August dieses Jahres eine tragische Lage für Hunderttausende von Menschen geschaffen worden ist. Gleichzeitig hat sich die Spannung zu einem bürgerkriegsähnlichen Zustand verschärft, der eine ernsthafte Bedrohung des Weltfriedens darstellt. Wir beschränken uns darauf, auf diese Fakten hinzuweisen, und zweifeln nicht, daß Eure Exzellenz sie gebührend einschätzen werden.

Die deutsche Frage muß gelöst werden, weil sie den Frieden der Welt bedroht, und zwar unter allen Umständen auf friedliche Weise. Gleichzeitig meinen wir, daß dem ganzen deutschen Volk jene elementaren Rechte zuerkannt werden sollten, die alle freien oder sich in diesen Jahren befreienden Nationen der Welt in Anspruch nehmen, weil nur gerechte Lösungen dauerhaft sind und dem Frieden dienen. Da die unmittelbar beteiligten oder betroffenen Regierungen den bestehenden Konflikt offensichtlich allein nicht mehr lösen können, bitten wir Eure Exzellenz um Ihre Vermittlung, damit zwischen den Siegermächten des Zweiten Weltkrieges eine Vereinbarung über den künftigen Status Deutschlands getroffen wird, die der internationalen Entspannung dient und eine Normalisierung der Verhältnisse in unserem Lande einleitet. Wir sind überzeugt, daß eine Lösung gefunden werden kann, die das Sicherheitsbedürfnis aller Beteiligten gebührend berücksichtigt und der jeder zustimmen kann, ohne eine Beeinträchtigung der eigenen Position befürchten zu müssen.

Arnold Bauer, Heinrich Böll, Axel Eggebrecht, Hans Magnus Enzensberger, Christian Ferber, Christian Geissler, Hellmuth Gollwitzer, Günter Grass, Walter Jens, Eckart Kroneberg, Siegfried Lenz, Horst Mönnich, Hans Josef Mundt, Hans Werner Richter, Peter Rühmkorf, Paul Schallück, Wolfdietrich Schnurre, August Scholtis, Franz Schonauer, Gerhard Szczesny, Martin Walser, Wilhelm Weischedel, Wolfgang Weyrauch.

(September 1961. – Dem Brief schlossen sich zahlreiche Autoren an, so u. a. Martin Beheim-Schwarzbach, Albrecht Goes, Wolfgang Hildesheimer, Janheinz Jahn, Hans Erich Nossack, Luise Rinser, Georg von der Vring, Carl Zuckmayer. – Der ›Offene Brief‹ war noch nicht veröffentlicht, als Georg Ramseger in der »Welt« folgende Fragen stellte – nachdem er eine 300 000,– DM Berlin-Stiftung des ›Bundesverbands der Deutschen Industrie‹ gelobt hatte –: »Die tapferen Streiter der Gruppe 47 mit ihren so sehr schätzenswerten Hans Werner Richter, Böll, Walser, Enzensberger und so manchen anderen noch schweigen sich aus in dieser Stunde . . . Sind sie gelähmt? Geht ihnen etwas auf, das sie nie glauben mochten in ihrer allumfassenden Liebe zur Menschheit?« Im folgenden die Antwort Bölls.)

Heinrich Böll *Politik der Stärke als die schwächste aller möglichen*

Die Äußerungen von Schriftstellern zu politischen Ereignissen haben in der Bundesrepublik ein merkwürdiges Schicksal: Äußerungen gegen Atombomben, gegen das »Zweite Fernsehen«, gegen die Boykottierung französischer Schriftsteller durch den Staat werden – wie die Pressestimmen und die ironischen Kommentare bewiesen haben – bestenfalls als ein Ausdruck politischen Dilettantismus gewertet, bestenfalls. Von eben diesen Dilettanten – seltsamerweise nur von einer bestimmten Gruppe, deren »allumfassende Menschenliebe« Ihnen anscheinend schon lange ein Dorn im Auge ist – erwarten Sie offenbar eine bestimmte Stellungnahme in einer bestimmten Sache. Es überrascht mich, welchen Kredit Sie diesen Dilettanten mit einem Male zubilligen, welche Publizität, welche Wichtigkeit.

Sie drücken Ihre Erwartung in einer Tonlage aus, die mich auf eine peinliche Weise an jene erinnert, mit der man zur Zeit in Ost-Berlin und in der ganzen Zone die »Bummelanten« zu aktivieren unternimmt. Mut würde dazu gehören, heute öffentlich in der Bundesrepublik zu äußern, wie es zu dieser Mauer, die quer durch Berlin gezogen wurde, gekommen ist. Sie wissen so gut, wie ich weiß, daß ein Krieg oder ein paar handfeste politische Zugeständnisse diese Mauer werden beseitigen können.

Sie wissen so gut wie ich weiß, daß diese Mauer zur Zeit Gegenstand internationaler und nationaler Heuchelei ist – und erwarten jetzt ausgerechnet von uns Dilettanten eine Stellungnahme, wohl möglichst im Bildzeitungsjargon? Erwarten, daß wir uns klüger geben als die Regierungen Kennedy, Macmillan und de Gaulle miteinander (da die Regierung Adenauer ganz offensichtlich nicht zu allerkleinsten Aktionen ermächtigt, schließe ich sie aus)?

Es gehört nicht der geringste Mut dazu, das Selbstverständliche zu sagen: daß ich gegen die Mauer bin, froh über jeden, dem die Flucht gelingt. Es gehört nicht der geringste Mut dazu, 300 000 Mark zu stiften, wie es der Bundesverband der Deutschen Industrie getan hat (dessen allumfassende Liebe zur Menschheit Ihnen offenbar kein Dorn im Auge ist).

Ich habe nicht den Mut, die Menschen, die in der Zone bleiben müssen, zum Aufstand, zum Selbstmord aufzufordern und ihnen Tag für Tag die geschichtliche Wahrheit einzuhämmern, die sie in politischer Münze bezahlen müssen: daß offenbar sie es sind, die den verlorenen Krieg für uns, die Bundesrepublikaner, mit zu bezahlen haben.

Ich habe nicht einmal den Mut, den Schriftstellern in der Zone Selbstmord anzuraten. Ich weiß, welche Folgen Aufstände in Gefängnissen haben. Es ist kriminell, große Worte auszusprechen, wenn man sie nicht halten kann; falsche Phrasen erhöhen den Brechreiz, vergrößern das Elend. Für kriminell halte ich auch, wenn unsere Presse aus jeder gelungenen Flucht eine Meldung macht, zwar hin und wieder den Ort der Flucht auf eine dilettantische Weise zu kaschieren versucht, aber die Methode als Sensation den im Trockenen sitzenden Bundesbürgern verkündet ...

In den Untertönen Ihres Artikels glaube ich die ersten Ansätze einer (möglicherweise unbekannt praktizierten) Demagogie zu spüren, die bittere Folgen haben könnte, wenn am Verhandlungstisch gesprochen worden sein wird. Sie fragen, ob uns etwas aufgehe. Mir geht etwas auf: daß die Politik der Stärke sich als die schwächste aller möglichen erwiesen hat; daß man jetzt zu Verhandlungen mit der Sowjetunion gezwungen ist, unter weit, weit ungünstigeren Bedingungen als vor Jahren. Mehr habe ich Ihnen nicht zu sagen.

(Die Antwort wurde von Ramseger mit »Das genügt auch, Herr Böll« quittiert. Im folgenden die Antwort von Peter Rühmkorf.)

Peter Rühmkorf *Das ist im Kommen*

Es hat den Anschein, als ob die Sesamformel »Macht das Tor auf« nach dem Erweis Ihrer Untüchtigkeit eine kleine Mutation durchgemacht hätte. Ich meine jenes drängende »Macht das Maul auf«, mit dem Sie am 13. September die als säumig und reaktionslahm hingestellten Autoren der Gruppe 47 aus der angenommenen Reserve herauszulocken suchten.

... Indes, nicht davon sollte eigentlich die Rede sein als von dem Echo, das Ihre suggestiven Unterstellungen inzwischen gefunden haben: dem mit Schaum vor der Feder geschriebenen Brief des famosen Herrn Krämer-Badoni. Der seine alteingesessenen Abneigungen jetzt in ihren Antipathien gespiegelt sieht, Abneigungen – man lausche und rekapituliere Vergangengehofftes – gegen die politischen »Aufweicher«, »Feiglinge«, »Dummköpfe«, »käuflichen Tintenbuben«.

Die Terminologie ist nicht ganz unbekannt: von gestern und von drüben. Man folgere aber bitte nicht, das spräche für sich selbst und sei kraft oder unkraft seines Vokabulars nicht ernst zu nehmen. Das wird, wenn es so fortheckt, bald Schule machen und Denk- und Ausdrucksformen korrumpieren weit übers Feuilleton hinaus. Das ist im Kommen. Das hat die Spalten großer Zeitungen auf seiner Seite. Das sickert und sintert allgemach ins öffentliche Bewußtsein: als schleichende Diskreditierung eines ganz bestimmten Typs. Das schürt den Widerwillen gegen, das fördert den Haß auf einen Charakter, der die uns zugesprochene Freiheit nun auch wahrnehmen möchte, und nicht als bloßes Hieb- und Schlagwort.

Ich spreche vom Aufweicher, in der Tat, vom Revisionisten und Entspannungsapologeten; vom Manne, der nicht frei ist von Skrupeln und der Nuancennerv besitzt; von jenem auch, der den offenen Zugang von unserem Deutschland ins andere einmal sehr gut zu nutzen wußte. Und nicht den billigeren Weg der Hetze ging, weil er auf Beeinflussung setzte. Und der die Beeinflussung wollte, nicht zuletzt, weil er seine Freunde und seinesgleichen in Zonenzuchthäusern sitzen wußte ...

Bleibt der kuriose Witz noch nachzutragen, daß einer für die Abriegelung jene Leute mitverantwortlich heißen möchte, deren Gewerbe doch noch niemals das Abriegeln, Vereisen, Blockbilden, Frontmachen war: die Aufweicher.

(Krämer-Badonis Antwort auf Ramsegers Aufruf dokumentieren wir nicht, sondern schließen uns der Kritik Marcel Reich-Ranickis an: »Bemerkenswert scheinen uns auch einige Ausdrücke in Krämer-Badonis Antwort an die *Welt*, zu sein. Er nennt alle Schriftsteller von drüben ›SED-Spruchbanddichter‹, ›Kolchosenbilanzreimer‹ und ›Chruschtschows Stallburschen‹. Ist Johannes Bobrowski ein ›SED-Spruchbanddichter‹, Peter Huchel ein ›Kolchosenbilanzreimer‹? War Brecht ›Chruschtschows Stallbursche‹? Und Ernst Bloch? Hat er erst in der vergangenen Woche aufgehört, ein ›Stallbursche‹ zu sein?

Als viele deutsche Dichter Adolf Hitler zujubelten, hat Willi Bredel im Kampf mit dem ›Dritten Reich‹ sein Leben zahllose Male aufs Spiel gesetzt. Sollte man nicht doch gewisse Hemmungen haben, ihn als ›Stallburschen‹ zu beschimpfen?«)

Hans Magnus Enzensberger *Bürgerkrieg im Briefkasten*

Zwei öffentliche Äußerungen, die eine aus der Bundesrepublik, die andere aus der DDR, beide gleich erpresserisch, dumm und rüde, finde ich an ein und demselben Tag in meinem Briefkasten.

Im *Neuen Deutschland* vom 19. September 1961 beschäftigt sich ein gewisser W. K. mit der überflüssigen Frage: »Mußte Enzensberger emigrieren?« Seine Glosse spielt auf die Tatsache an, daß ich seit einiger Zeit in Norwegen wohne: also auf einen privaten Umstand, der die Öffentlichkeit in gar keiner Weise interessieren kann ... Der pseudonyme Parteifunktionär weiß sogar die Gründe anzugeben, die mich veranlaßt haben, den Möbelwagen zu bestellen. Er entnimmt sie dem sterilen Wortschatz seiner Vorgesetzten. Obgleich ich öffentlich für die Sozialdemokratische Partei Deutschlands eingetreten bin, behauptete er: »Ob er (der angebliche Emigrant) Adenauer oder Brandt wählte, war das gleiche. Deshalb verließ er Westdeutschland, um nach Norwegen zu gehen.« Und mit einer Frechheit, hinter der nicht einmal Zynismus, sondern blinde Idiotie zu vermuten ist, fährt er fort: »Seine Haltung kann man nicht billigen ... Wer Deutschland vor den Schrecken eines Atomkrieges bewahren will, muß mit Walter Ulbricht gehen. Eine andere Möglichkeit gibt es nicht. Kein Deutscher ist heute zur Emigration gezwungen. Frieden, Freiheit und Glück haben heute ihre Heimstatt in der DDR.«

Etwas geschickter, aber mit der gleichen Unverschämtheit, fordert mich im Hessischen Rundfunk am 24. September 1961 ein gewisser Rudolf Krämer auf, mich zu ihm zu bekennen. Auch er behauptet, eine andere Möglichkeit gebe es nicht, bei Strafe, in den Augen von Herrn Krämer als »unverbesserlicher Mitläufer, Verräter der Freiheit, zynischer oder feiger Flucht-nach-vorn-Praktikant« zu gelten. Sein miserables Deutsch kann dem des *Neuen Deutschland* das Wasser reichen. Die Lügner schreiben schlecht...

Ich habe nichts zu widerrufen und keine Veränderung meiner Ansichten zu »dokumentieren«. Ich widersetze mich heute wie eh und je dem deutschen Bürgerkrieg, zu dem auf beiden Seiten gerüstet wird. Die Möglichkeiten eines Schriftstellers, ihm zu wehren, sind gering. Ich kann mich nicht dazu bereiterklären, die Bewohner der DDR deklamatorisch zu bedauern und faktisch zu ignorieren: Deshalb habe ich in Leipzig vorgelesen, was die Regierung der DDR mir dort zu veröffentlichen unmöglich macht. Ich bin sicher, daß die beiden Deutschland aneinander sterben werden, wenn sie es nicht lernen, miteinander zu leben: Deshalb habe ich an dem Ost-West-Gespräch teilgenommen, das *Die Zeit* in Hamburg veranstaltet hat...

So finde ich in meinem Briefkasten die deutsche Misere wieder, in schöner Symmetrie und verkleinert auf das Augenmaß der linientreuen Kulturreferenten beider Seiten. Sie haben noch immer nicht begriffen, was in diesem Herbst die Spatzen von den Dächern pfeifen: Die Deutschland-Politik der beiden deutschen Regierungen ist gescheitert. Sie haben sich als unfähig erwiesen, für ein friedliches Zusammenleben der beiden deutschen Staaten zu sorgen. Was die Deutschen selbst nicht zuwege gebracht haben, unternehmen in diesem Augenblick, zu unserem Glück, die Großmächte selber. Keiner der deutschen Teilstaaten darf über Atomwaffen verfügen. Jeder muß die Existenz des andern anerkennen. Keiner darf die Oder-Neiße-Grenze, keiner darf die Freiheit Westberlins antasten. In der DDR müssen polnische Verhältnisse geschaffen, in der Bundesrepublik muß die Demokratie verteidigt werden. Die Vorbereitungen zum Bürgerkrieg müssen ein Ende haben.

Diese Einsichten, die einzigen, mit denen den Bewohnern der DDR zu helfen ist, sind mir nicht neu. Die sie seit Jahren am eifrigsten verbellt haben, werden mich umsonst auffordern, sie zu widerrufen. Dies ist das letzte Mal, daß ich auf Gekläff antworte.

(September 1961. – Ein junger Lyriker – heute Politiker –, Hans-Ulrich Klose, schrieb damals: »böse und nicht von dauer / sagen die herren am rhein – / zapfenstreich an der mauer / westlicher schützenverein // vaterlande gespalten: / quer durch die christliche brust / treiben gefleckte gestalten / feindlich und klassenbewußt // heiße tränen der schande / zornesader geschwellt / presse im trauergewande / deutschland! es stand in der welt // blutige mauerschlünde / setzen die hirne matt / weiß denn keiner die gründe / für die geteilte stadt? // rechter haken und schwinger / kraftausbrüche am reck / tränen von axel springer / bringen das ding nicht weg // äußern verstockte gemüter / nämlich zweifel in bonn / kommt der verfassungshüter / grimmig und jagt sie davon.«)

Ernst Bloch An den Präsidenten der Ostberliner Akademie der Wissenschaften

Seit Mai 1949, nach meiner Rückkehr aus der Emigration in Amerika, lebte ich, nachdem ich eine Berufung auf den Leipziger Lehrstuhl für Philosophie angenommen hatte, in dem Staat, der sich nachher als Deutsche Demokratische Republik bezeichnete.

In den ersten Jahren meiner Universitätstätigkeit erfreute ich mich ungehindert der Freiheit des Wortes, der Schrift und der Lehre. In den letzten Jahren hat sich diese Situation zunehmend geändert. Ich wurde in Isolierung getrieben, hatte keine Möglichkeit zu lehren, der Kontakt mit Studenten wurde unterbrochen, meine besten Schüler wurden verfolgt, bestraft, die Möglichkeit für publizistisches Wirken wurde unterbunden, ich konnte in keiner Zeitschrift veröffentlichen, und der Aufbau-Verlag in Berlin kam seinen vertraglichen Verpflichtungen meinen Werken gegenüber nicht nach. So entstand die Tendenz, mich in Schweigen zu begraben.

Demgegenüber gaben mir seit geraumer Zeit Universitäten, Zeitschriften und mein Verlag in Westdeutschland Gelegenheit zu lehren, zu publizieren und meine bisherigen Arbeiten ungestört fortzusetzen.

Nach den Ereignissen vom 13. August, die erwarten lassen, daß für selbständig Denkende überhaupt kein Lebens- und Wirkungsraum mehr bleibt, bin ich nicht mehr gewillt, meine Arbeit und mich selber unwürdigen Verhältnissen und der Bedrohung, die sie allein aufrechterhalten, auszusetzen. Mit meinen 76 Jahren habe ich mich entschieden, nicht nach Leipzig zurückzukehren.

Ich muß Ihnen deshalb, sehr verehrter Herr Präsident, mitteilen, daß ich bei künftigen Sitzungen der Deutschen Akademie der Wissenschaften, deren ordentliches Mitglied ich bin, zu meinem wahren Bedauern nicht mehr anwesend sein kann.

(Bloch war während des Mauerbaus auf einer Reise im Westen; er kehrte nicht mehr in die DDR zurück. Walter Jens begrüßte ihn: »Ernst Bloch ist gegangen, weil er ein Demokrat ist, der weiß, daß sich der Sozialismus nur in der Demokratie, dem ›ersten humanen Wohnsitz‹, verwirklichen kann; aber er kommt zu uns als ein Sozialist, der lehren wird, daß es keine Demokratie ohne jenen Sozialismus gibt, in dem sich allein, wie Karl Marx es formuliert, ›der Reichtum der menschlichen Natur zu entfesseln‹ vermag. Von nun an ist ein Mann im Lande, mit dem es sich auseinanderzusetzen lohnt . . ., ein Rebell, der auch für uns nicht bequem sein wird. Viele von uns hatten sich schon daran gewöhnt, ›Marxist‹ und ›Stalinist‹ als Synonyme zu betrachten; viele haben nicht bedacht, daß Ulbricht durch den Vergleich mit Marx nicht minder geadelt wird als Hitler durch einen Nietzsche-Vergleich. Viele werden umlernen müssen. Gerade in einem Augenblick, da die Nation dabei ist, durch Brecht-Verbote wieder einmal einen genialen Deutschen unter die Verfügungsgewalt eines Parteisekretärs zu stellen, kommt dieser Ernst Bloch zur rechten Zeit. Wir möchten ihn nicht missen, ihn so wenig wie Karl Marx, Friedrich Engels, Rosa Luxemburg, Karl Liebknecht, Bertolt Brecht . . .

Wir denken nicht daran, uns selbst zu bestehlen, den Geist dem Ungeist zu schenken und das humanistische Erbe auf den Altären des Inhumanismus zu opfern. Unter solchen Aspekten heißen wir Ernst Bloch bei uns herzlich willkommen: er sei des Respekts, der Toleranz und Kritik in gleicher Weise versichert.«)

Ein Abgrund an Landesverrat

Martin Walser *Wahlrede auf geliehenem Podest*

Was die Furcht angeht, so verlasse ich mich da ganz auf die Gänsehaut. Die meisten Gänsehäute der letzten Jahre verdanke ich jenem Alpdruck aus Bayern, der uns verteidigen kann gegen alles, nur nicht gegen sich selbst. Wenn er den Unterschied zwischen taktisch und strategisch »herausarbeitet«, schon sitz' ich in jener Haut, bloß ohne Daunen. Jetzt strampeln aber die Experten aller Parteien im Gestrüpp der Zitate, jeder hat schon einmal das Gegenteil behauptet, der Jargon ist ziemlich zum Kotzen. Weichselbrücken lassen sie hochgehn, nebenbei Warschau, zum Ausgleich wird auch mal Hamburg ausradiert.

Ich habe die Wahl zwischen dem Gefühl, daß es zum Kotzen ist und der Gänsehaut. Ich entscheide mich für das erstere! Ich weiß doch: wenn ich dagegen bin, schmeißt keiner eine Atombombe. Das nimmt keiner auf seine Kappe. Bloß, dem Alpdruck trau ich eher zu, daß ihm eine heilige Mission den Verstand mit Wetterleuchten hell macht, und dann redet er es uns und sich ein, dann glaubt er, er hat es uns eingeredet, und dann muß es eben sein, dann ist es zumindest möglich. Schau ich dagegen den nüchtern-düsteren Erler an, der aussieht, als hätte er jeden Morgen schon vor dem Frühstück auf Granit gebissen: das ist ein Mann, sage ich mir, der seine Rechtfertigungen auf der Erde suchen muß, der ist eine Hoffnung wert.

Ich höre das nicht ungern, wenn sich eine Partei bloß auf die Erde beruft und sagt: seht, ich will ja gar nicht alles neu machen ...

Leider hat auch die SPD dem vulgärsten Antikommunismus geopfert. Aber wenn sie schon am Feind mitbastelt, wird sie Bindfaden und Leim doch wenigstens nicht aus dem Jenseits holen. Gegen alles gefährlich Missionarische müßte sie doch um ein Gran weniger anfällig sein. Eine winzige, recht winzige Hoffnung. Aber eine Hoffnung schon deshalb, weil es viel schlimmer zwischen uns Deutschen gar nicht mehr werden kann.

(August 1961)

Siegfried Lenz *Die Politik der Entmutigung*

Wir brauchen eine neue Regierung, wir sollten uns spätestens nach zwei Legislaturperioden immer wieder für eine neue Regierung entscheiden, und zwar zunächst unabhängig von Parteien und Programmen, von unseren persönlichen Erwartungen und politischen Wünschen. Wenn die Geschichte uns überhaupt etwas als wünschenswert erscheinen läßt, dann einen fortwährenden und lakonischen Wechsel der Regierenden, eine periodische Ablösung, eine regelmäßige Verbildung: denn worin könnten wir spontaner einwilligen, als in eine Krise der Macht? Und was wir bei einem Wechsel an vermeintlicher Kontinuität einbüßen, gewinnen wir an empfindlicher Genugtuung darüber, daß die Macht keine Gelegenheit findet, sich zu institutionalisieren: glücklich also das Land mit seiner jährlichen Regierungskrise, glücklich zumindest gegenüber einem Volk, dessen politische Konfession sich offenbar darin erschöpft, für die Dauer der jeweils Regierenden einzutreten ...

Die gegenwärtige Regierung hat es mir persönlich unmöglich gemacht, ihr mein Vertrauen zu überlassen, und dazu bedurfte es keiner politischen Karambolagen, keiner enttäuschten Ehrgeize, keiner unhonorierten Verdienste. Dafür genügte durchaus meine Eigenschaft als täglicher Zeitungsleser. Die CDU/CSU, mit der unsere Geschichte zwar nicht begonnen hat, die aber in die Lage kam, sie an einem bestimmten Punkt fortzusetzen – und zwar an einem Punkt, wo dies nicht unschuldig geschehen konnte –, verfolgte, wie jeder Zeitungsleser doch erfahren haben müßte, eine Politik, die zunächst zur Entmutigung führte und schließlich zu Befürchtungen Anlaß gab ...

Was sich uns heute an Wirklichkeit bietet, zeigt beamtete Richter, die das Recht verletzt haben, Ärzte, die einst an Euthanasieprogrammen mitwirkten und nun privat praktizieren, verwöhnte Funktionäre eines Gewalt-Staates, die heute wieder eine staatliche Funktion haben. Man tröste sich nicht mit der geringen Zahl; um unsere Moral zu widerlegen, genügt ein einziger. Gewiß, das alles ist nicht neu, aber mir scheint, daß die Forderung nach Gerechtigkeit nicht unaktuell werden kann ...

Schließlich ein jüngstes Vorkommnis, das mich noch mehr befürchten läßt: in einer Photo-Werbung für die Bundeswehr befinden sich zwei Aufnahmen, die deutsche Fallschirmjäger des letzten Krieges in Aktion zeigen: bei der Eroberung Rotterdams und bei der Befreiung Mussolinis, der als »Befreundeter Staatsmann« bezeichnet wird. Der Verteidigungsminister der CDU/CSU geriet nicht außer sich. Muß man nicht also fragen, wem sich die Bundeswehr heute wirklich befreundet fühlt und in welchen Aktionen sie ihren Stolz fände?

... Die SPD steht in der Opposition, in beharrlicher Opposition, und wenn sie das uns auch nahebringt, so liegt darin noch kein Verdienst. Sie hat sich außen- und innenpolitisch auf manchen Gebieten in eine schon ironisch anmutende Nähe zur Regierungspolitik begeben, und sie geht mitunter auf Rathausebene Bündnisse ein, die mich fassungslos machen. Schließlich steht außer Zweifel, daß wir auch eine SPD-Regierung, wie jede nur denkbare Regierung, zu ertragen hätten. Dennoch bin ich dafür, ihr die Regierung zu übertragen. Ich bin für sie, weil ich weiß, daß einige ihrer führenden Männer Gerechtigkeit nicht von Politik trennen; weil ich überzeugt bin, daß das, was einige dieser führenden Männer draußen in der Emigration taten, ehrenvoller für Deutschland war, als es der CDU-Ministerpräsident wahrhaben möchte, und ich bin nicht zuletzt für sie, weil sie uns zwangsläufig einen anderen Verteidigungsminister präsentieren würde ...

(August 1961. – Die Texte von Walser und Lenz erschienen in einem von Martin Walser herausgegebenen Taschenbuch, ›Die Alternative oder Brauchen wir eine neue Regierung?‹, das bei der Bundestagswahl 1961 eine Entscheidung für die SPD empfahl. Autoren: Inge Aicher-Scholl/Otl Aicher, Carl Amery, Heinz von Cramer, Axel Eggebrecht, Hans Magnus Enzensberger, Christan Ferber, Günter Grass, Erich Kuby, Gerd Hirschauer, Hans Josef Mundt, Fritz J. Raddatz, Hans Werner Richter, Peter Rühmkorf, Paul Schallück, Gerhard Schoenberner, Franz Schonauer, Wolfdietrich Schnurre, Gerhard Szczesny.)

Christian Geissler *An alle Eichhörnchen*

Aus Bonn bringt dieser Tage der Postbote Nachricht an alle Eichhörnchen und die, die es werden wollen: DENKE DRAN, SCHAFF VORRAT AN! Die eingetragene Warenmarke dieser bundeseigenen Postwurfsendung ist ein Eichhörnchen mit Nuß zwischen den Pfoten. Es hat vorgesorgt, soll das heißen. Wir sollen das auch tun, soll das heißen. Wer weiß, was kommt? Drum: Denke dran, schaff Vorrat an!

... Der Mensch ist in diesen öffentlichen Texten kaum noch gefragt. Man redet längst wieder das Tier an, den Zwerg, das Kind, den Irren. So reden, heißt aber, den Menschen verachten. Menschenverachtung hat hierzulande Stimme und Macht. Und zwar so:

Wo eine Sturmflut nachts Deiche und Mauern einreißt, und Zehntausende auf die Flucht gehen müssen, da ist anderntags die Rede nicht von der besseren Kalkulation besserer Deiche und Mauern künftighin, – da ist zuallererst millionenfach abends in der U-Bahn und nachmittags beim Friseur die Rede vom schwachen Menschen, vom Zwerg, so wie man ihn liebt: bis unters Haar randvoll mit Angst; man kann ihn treten, etwa so: »Der Sturm schlug zu. Das Wasser kam. Und es war wie im Krieg. Hilflose Menschen. Zerfetzte Häuser. Sturm und Wasser heulten wie Granaten ... Der Riese Sturm spielte mit Zwergen ... Und über allem das Leichentuch der Dunkelheit ...« (vgl. BILD am 19. 2. 1962)

... und über all diesen Texten das Leichentuch der Dummheit ...

Der einfache menschliche Stolz, die Solidarität all derer, die leben wollen mit der vernünftigen Chance auf Zukunft und Freude und heile Knochen, sollte uns endlich munter machen in folgendem Auf-

ruf »an alle Haushaltungen«, an alle Eichhörnchen und solche, die
es nicht werden oder nicht länger mehr sein wollen:

Denke dran, schaff Kenntnisse an!

Zum Beispiel:

Lernt, was eine Wirtschaftskrise ist, wie man die macht, und wer,
und wie man die verhindert. Weigert euch zu lernen, wie lange im
Keller Schmalz lagern kann.

Lernt, was Krieg ist, wie man ihn macht, und wer, und wie man
ihn verhindert. Weigert euch, zu lernen, ob Marmelade auf Keller-
borden länger im Glas oder im Eimer süß bleibt.

Hört auf, Reistüten zu sammeln. Sammelt Mut für das, was ihr
könnt und tun könnt.

Hört auf, Zuckertüten zu datieren. Datiert die Tage, an denen
man euch schon einmal und zweimal verraten hat. Und datiert die
Tage, an denen ihr versäumt habt, zu denken, und die, an denen ihr
versäumt habt zu handeln.

(März 1962)

Umfrage zu den Notstandsgesetzen

Carl Amery:

Die Geschichte zumindest der letzten 120 Jahre beweist, daß der deutsche Mensch
im Namen von Ruhe und Ordnung ein Vielfaches an Exzessen und Brutalitäten zu
verüben oder hinzunehmen bereit ist, verglichen mit den herzigen Versuchen der
vaterlandslosen Gesellen. Diese Tradition reicht von 1848 über die Münchner Räte-
republik (deren Liquidation, von allen aufrechten Bürgern freudig begrüßt, bekanntlich Hunderten von relativ Unschuldigen das Leben gekostet hat) und über Adolf seligen Angedenkens bis zu den Schwabinger Krawallen des Jahres 1962. Es ist daher
nicht recht einzusehen, wozu überhaupt noch eine legale Entschuldigung benötigt
wird.

Axel Eggebrecht:

Einen Notstand von außen her, dem mit sonstwelchen Vollmachten zu begegnen
wäre, wird es nie mehr geben. Sondern völlige Vernichtung – und die kann nur
durch vernünftige Politik vermieden werden. Ein Notstandsgesetz könnte leicht zum
Freibrief für unvernünftige Hasardeure werden. Indessen ist, auch wenn das geleug-
net wird, natürlich vor allem der sogenannte innere Notstand gemeint. Der besteht,
nach allen deutschen Erfahrungen, ja bereits darin, daß überhaupt jemand der Obrigkeit widerspricht.

Robert Jungk:

Wir sollten zu deutschen Bürokraten noch weniger Zutrauen haben als zur staatlichen Exekutive anderer Nationen. Die hohen Qualitäten der Genauigkeit, Pünktlich-
keit und Arbeitstreue, die den Deutschen auszeichnen, entarten im deutschen Beamten
meist zu Starre, Engstirnigkeit und Servilität. Macht über andere Menschen bekommt dem Deutschen schlecht. Das hat die Welt in den Jahren der Nazidiktatur
leidvoll erfahren und nicht vergessen. Daher wird das Notstandsgesetz (selbst wenn
es als Folge parlamentarischer Beratungen hier und dort etwas gemildert werden
sollte) das Mißtrauen gegen »die Deutschen« noch mehr verstärken. Die notwendige
Versöhnung zwischen den Deutschen und den Vielen, die unter den Verbrechen zu leiden hatten, wird damit weiter erschwert – schlimmer noch: die innere Befreiung der

seit Jahrhunderten zum »Untertanen« herabgewürdigten Deutschen wird abermals verhindert.

Martin Walser:

Der sogenannte Verteidigungsfall, den man doch besser gleich Krieg nennen sollte, ist eine Katastrophe, der mit keinem Notdienst-Gesetz zu steuern ist. Die gerade wieder aufblühende Luftschutz-Heuchelei etwa, nichts als schlechtestes Opium fürs Volk.

Die Gefahr des Notdienst-Gesetzes liegt nicht in seiner Anwendbarkeit im Kriegsfall. Verglichen mit dem, was dann über uns hereinbrechen wird, sind die paar Freiheits-Beschränkungen wirklich harmlos. Die Gefahr liegt natürlich in den Situationen des »drohenden Verteidigungsfalles«. So könnte sich der Staat genau jene Vollmachten zuspielen, die ein deutscher Staat fast nur mißbrauchen kann.

Im Ernstfall eine Farce, im drohenden Ernstfall eine Versuchung zum Mißbrauch, das ist das Notdienst-Gesetz.

(November 1962. – Seit 1959 versuchte die CDU, ein ›Notstandsgesetz‹ durchzusetzen; nach einem Scheitern im Bundesrat am 26. 2. 1960 gelang es ihr, mit den Stimmen der SPD, am 30. 5. 1968.)

Manifest für den ›Spiegel‹   ✕

Der deutsche Journalist Rudolf Augstein, Herausgeber des *Spiegel,* ist im Zusammenhang mit dem Verrat sogenannter militärischer Geheimnisse und unter dem Vorwurf, sie der Öffentlichkeit mitgeteilt zu haben, verhaftet worden. Ein Akt von staatlicher Willkür gegen den *Spiegel* begleitet diese Verhaftung. Die Unterzeichneten drücken Herrn Rudolf Augstein ihre Achtung aus und sind mit ihm solidarisch. In einer Zeit, die den Krieg als Mittel der Politik unbrauchbar gemacht hat, halten sie die Unterrichtung der Öffentlichkeit über sogenannte militärische Geheimnisse für eine sittliche Pflicht, die sie jederzeit erfüllen würden. Die Unterzeichneten bedauern es, daß die Politik des Verteidigungsministers der Bundesrepublik sie zu einem so scharfen Konflikt mit den Anschauungen der staatlichen Macht zwingt. Sie fordern diesen politisch, gesellschaftlich und persönlich diskreditierten Minister auf, jetzt endlich zurückzutreten.

Alfred Andersch, Inge Aicher-Scholl, Otl Aicher, Wolfgang Bächler, Reinhard Baumgart, Ingrid Bachér, Heinz von Cramer, Hans Magnus Enzensberger, Gisela Elsner, Christian Gneus, Richard Hey, Uwe Johnson, Alexander Kluge, Hanspeter Krüger, Rudolf Walter Leonhardt, Reinhard Lettau, H. M. Ledig-Rowohlt, Horst Mönnich, Hans Dieter Müller, Wolfgang Neuss, Hans Platschek, Hans Werner Richter, Klaus Roehler, Peter Rühmkorf, Stefan Reisner, Fritz J. Raddatz, Marcel Reich-Ranicki, Wolfdietrich Schnurre, Franz Schonauer, Ernst Schnabel, Paul Schallück, Siegfried Unseld, Martin Walser, Peter Weiss, Ror Wolf, Klaus Wagenbach und Roland H. Wiegenstein.

(28. 10. 1962. – In der Nacht vom 26. auf den 27. 10. 1962 war die Redaktion der Hamburger Zeitschrift ›Der Spiegel‹ von 3 Ermittlungsrichtern, 7 Staatsanwälten und gehörigen Mengen Polizei besetzt worden. Die ›Durchsuchung‹ dauerte 30 Tage; nach Angaben des ›Spiegel‹ wurden fast 20 Millionen Dokumente und Bilder kontrolliert und zahlreiches Material beschlagnahmt. Vorwand: Ein Bericht des ›Spiegel‹ vom 10. 10. über ein Bundeswehrmanöver; Bundeskanzler Adenauer behauptete im Bundestag, es handele sich um einen »Abgrund an Landesverrat«.)

Rudolf Augstein wurde verhaftet und erst am 7. 2. 1963 wieder entlassen. Erst über zwei Jahre später, am 13. 5. 1965, erklärte die Bundesanwaltschaft, daß sie gar kein Verfahren gegen ihn zu eröffnen gedenke.

Der Text des ›Spiegel‹-Manifestes wurde auf der Westberliner Tagung der ›Gruppe 47‹ entworfen und von den Obenstehenden unterzeichnet; etwa der Hälfte der Teilnehmer. Von diesen gaben 15 – da sie die Formulierung, es sei eine »sittliche Pflicht«, die Öffentlichkeit über »sogenannte militärische Geheimnisse« zu unterrichten, für bedenklich hielten – eine Zusatzerklärung: »Wir fürchten eine Entwicklung, die dahin führen könnte, daß der Begriff ›militärische Geheimnisse‹ dazu mißbraucht wird, die Aufklärung der Öffentlichkeit über die Gefahren der politischen und militärischen Situation zu verhindern. Wir wissen noch, wie ahnungslos die meisten Deutschen im Jahre 1939 waren, und glauben, daß der Prozeß gegen den Herausgeber der *Weltbühne* und späteren Nobelpreisträger Carl von Ossietzky eine Warnung hätte sein können. An diesen Prozeß des Jahres 1931 erinnerte uns, in den bis zum Zeitpunkt unserer Erklärung übersehbaren Anfängen, das Verfahren gegen den Herausgeber des *Spiegel*, Rudolf Augstein, und seine Redakteure auf das erschreckendste. Deswegen hielten wir es für unsere Pflicht, zu protestieren.«

Das Manifest hatte – zumal es einen Tag nach der Aktion gegen den ›Spiegel‹ veröffentlicht wurde – eine außerordentliche Wirkung. Es nannte die politischen Absichten und Verteidigungsminister Strauß bei Namen, beides – wie sich später herausstellte – zu Recht. Aus diesem Grund setzten sich auch die offiziellen Dreckschleudern in Bewegung; dafür ein Beispiel – und einige Antworten:)

Rudolf Krämer-Badoni   *Narren der Nation?*

... Aber werfen wir noch einen Blick auf diesen Satz, der sozusagen ein Sitzstreik gegen die Gesetze über Landesverrat sein will. Wenn der Krieg wirklich unbrauchbar geworden ist, wird ihn ja wohl kein Staatslenker mehr benutzen, und dann bedarf es keiner sittlichen Anstrengungen. Sollte ein Krieg aber trotzdem noch ausbrechen können, dann braucht man allerdings eine sittliche Haltung ...

Hätten die Unterzeichner in den USA ihre Absichten rechtzeitig praktizieren können, so feierten sie heute die amerikanische Kapitulation vor dem Bolschewismus ...

Sie sind Kinder. Sie spielen Landesverrat. Sie wissen, daß sie ihn nicht begehen werden. Sie machen heilige, hohle Worte. Sie würden sich schrecklich gern vor den Kadi zerren lassen ...

Reklamesucht ist der einzige schlüssige Impuls zu der Gott sei Dank unausführbaren Absicht, den Untergang der politischen und persönlichen Freiheit über uns zu verhängen.

Also kein Kadi? Nein, kein Kadi. Und Freifahrkarte zur Grenze? Nein, keine Freifahrkarte. Aber § 51? Nein, kein § 51. Lest ruhig weiter ihre Bücher. Nur wißt ihr seit heute, daß ihr es mit zurückgebliebenen Narren zu tun habt. Mit kindischen Nationalnarren. Und warum sollte ein Volk sich abends nicht über seine Nationalnarren amüsieren? (›Die Welt‹, 31. 10. 1962)

Dieter Wellershoff   *»Narren der Nation?«*

Krämer-Badonis Reaktion war vorauszusehen. Er hat aus dem Appell an das Ressentiment gegen die Intellektuellen einen Beruf gemacht ...

Er bezeichnet diejenigen, die sich neben den »Spiegel« gestellt haben, als Menschen, »die zum Landesverrat bereit sind und dazu aufrufen«. Indem er sie direkt diffamiert, schürt er indirekt eine Verratshysterie, die der Polizeiaktion eine psychologische Deckung gibt. Zumindest aber lenkt er von dem eigentlichen Skandal ab, indem er einen anderen inszeniert. Hier ist einer dabei, die Akzente durch Verfälschungen und Unterstellungen zu verschieben.

Von »sogenannten militärischen Geheimnissen«, also der gefährlichen Manipulierbarkeit des Begriffes war in der Erklärung die Rede. Krämer-Badoni macht daraus die Absicht, »alle militärischen Geheimnisse preisgeben zu wollen«. Er schreibt: »Hätten die Unterzeichner in den USA ihre Absichten praktizieren können, so feierten sie heute die amerikanische Kapitulation vor dem Bolschewismus.« »Feierten!« Das Wort ist kein Zufall. Der Mann weiß genau, was er schreibt, genau, wer es hören wird, genau, wie es wirkt. Innerhalb seiner Verblendung ist er bei Verstand. Krämer-Badoni hat es nun doch geschafft, daß man von ihm sagt, man wird seinen weiteren Weg aufmerksam verfolgen müssen, zwar nicht als Schriftsteller, aber als Scharfmacher der Nation.

(10. 11. 1962)

Hans Werner Richter *Die ›sogenannten militärischen Geheimnisse‹*

Wir haben es nun acht Tage lang angehört: Tiraden der Empörung, Drohungen mit dem Staatsanwalt, starkes und halbstarkes Gezeter. Allerlei Männer der Feder und weitere wachsame Gewissen in Nord und Süd haben sich vereinigt in Kritik und Stilkritik an einem Satz, den wir – eine Reihe von Schriftstellern, die sich mit anderen Schriftstellern und Gästen anläßlich einer Tagung der Gruppe 47 in Berlin getroffen haben – im Rahmen einer Solidaritätserklärung für Rudolf Augstein formuliert haben ...

Hätten wir keinen Tadel auf uns gezogen, wenn wir etwa geschrieben hätten: ›In einer Zeit, da im Falle eines Krieges nicht mehr Sieg oder Niederlage auf dem Spiele stehen, sondern die Welt, halten die Unterzeichneten die Veröffentlichung sogenannter militärischer Geheimnisse für eine sittliche Pflicht, denn die Öffentlichkeit muß wissen, welche Risiken sie läuft?‹ Ganz unwahrscheinlich ...

Durften und dürfen wir das gar nicht mehr aussprechen? Durften und dürfen wir nicht vermuten, daß der ›Spiegel‹ in seinem Förtsch-Artikel nur sogenannte und keine wirklichen militärisch-technischen Geheimnisse publiziert hat, da die Anzeige wegen Geheimnisverrat ja doch offenbar nicht vom Verteidigungsminister und zuständigen Bewahrer unserer einschlägigen Geheimnisse, sondern von einem Reserve-General ausgegangen ist, so daß selbst der Generalbundesanwalt eines Gutachters (aus dem Amte des so zurückhaltenden Ministers) bedurfte, um in der Sache einen Verdacht konstatieren zu können? Schließlich war dieser Artikel vorangekündigt, eine ganze Woche vor dem Erscheinen, und neunzehn Tage lang jedem Interessenten zugänglich, ehe der Staat zugriff.

Seit die »Sprachregelung« will, daß der Bundesdeutsche von einer »sogenannten DDR« spricht, ist dieses Adjektivum auf einen neuen Sinn verbindlich festgelegt. Ein ironischer Sinn, gewiß – aber nachdem unserem Bundesverteidigungsminister die nachträgliche Versicherung, er habe mit Ironie gesprochen, als er neulich vom Aufhängen einiger Bundestagsabgeordneter redete, als hinreichende Erklärung abgenommen worden ist, gehört das Recht auf Ironie ins staatsbürgerliche Luftschutzgepäck.

Wer immer in diesen Tagen die rechtsstaatlichen Verhältnisse in der Bundesrepublik angetastet haben mag, die Schriftsteller waren es nicht.

(7. 11. 1962)

Telegramm des PEN-Zentrums an Bundeskanzler Adenauer

Die Aktion gegen die Wochenzeitung *Der Spiegel* wegen Verdachts des Landesverrats hat zu aufsehenerregenden Polizeimaßnahmen, Verhaftungen sowie wochenlanger Beschlagnahme von Redaktionsräumen, Einschaltung von Interpol gegen einen im Ausland im Urlaub weilenden Journalisten und heftigen Debatten im Bundestag geführt. Diese Aktionen sind auch im demokratischen Ausland, wo Maßnahmen dieser Art unbekannt sind, lebhafter Kritik unterzogen worden. In weiten Kreisen des deutschen Volkes aber und vor allem unter den Schriftstellern ist durch die Art der Behandlung dieser Angelegenheit große Unruhe darüber aufgetreten, ob in der Bundesrepublik die Äußerungsfreiheit des einzelnen und die Freiheit der Presse gefährdet sind.

In einem Telegramm an den Herrn Innenminister vom 29. Oktober hat das PEN-Zentrum der Bundesrepublik seinen Besorgnissen bereits Ausdruck verliehen. Fehlende, zu spät erfolgte und zumindest unzureichende Informierung der Öffentlichkeit über Maßnahmen, die nicht der Geheimhaltung bedürfen, unklare Äußerungen der Verantwortlichen und nicht zuletzt, Herr Bundeskanzler, Ihre eigenen Worte im Bundestag haben die Beunruhigung nach fast drei Wochen nicht vermindert, sondern wachsen lassen.

Die im PEN-Zentrum Bundesrepublik vereinigten Schriftsteller des internationalen PEN halten es für ihre Pflicht, Sie, sehr geehrter Herr Bundeskanzler, zu bitten, eine Erklärung abzugeben, die die vielen noch im Zwielicht liegenden Hintergründe völlig klarstellt, die ankündigt, daß Personen, die ihre Kompetenzen überschritten haben, zur Rechenschaft gezogen werden, und die gleichzeitig ein Bekenntnis zu der im Grundgesetz verankerten Äußerungsfreiheit und Pressefreiheit ablegt.

(14. 11. 1962)

Telegramm an den Bundespräsidenten Lübke

In brennender Sorge um die Wahrung der Rechtsstaatlichkeit und des politischen Ansehens der Bundesrepublik möchten wir, die wir in Hamburg die Ziele des Kongresses für die Freiheit der Kultur verfolgen, Sie dringend und herzlich bitten, den ganzen Ihnen verfassungsmäßig und persönlich zukommenden Einfluß aufzubieten, um den Mißständen entgegenzutreten, die sich während der letzten Wochen in unserem Staat gezeigt haben. Wir wenden uns in dieser, wie uns scheint, verhängnisvollen Situation an Sie, als den höchsten Repräsentanten der Bundesrepublik. Wir fühlen uns in Sorge verbunden mit Ihrem verehrten Herrn Vorgänger, der für die Bundesrepublik Ehrenpräsident unserer Vereinigung ist. Wir haben uns nur deshalb jetzt mit ihm nicht in Verbindung gesetzt, um ihn nicht in diese aktuelle Auseinandersetzung hineinzuziehen. Wir bitten Sie inständig, sehr verehrter Herr Bundespräsident, auf dem Ihnen zu Gebote stehenden Wege deutlich zu machen, daß ein Kabinettsmitglied, gleich ob Kanzler oder Minister, so groß seine Verdienste um unseren Staat sein mögen, aus dem Amt zu scheiden hat, wenn er sich, die Regierung und damit den Staat kompromittiert hat. Nur dann können wir hoffen, daß die demokratischen Kräfte in unserem Staat ausreichen, um eine solche Krise zu überwinden.

Christian Ferber, Hans Gresmann, Werner Hebebrand, Gerhard F. Kramer, Rudolf Walter Leonhardt, Marcel Reich-Ranicki, Ernst Schnabel, Walter D. Schulz, Bruno Snell, Theo Sommer, Gösta von Uexküll.

(10. 11. 1962)

Martin Walser *Ja und Aber*

Motto: Nicht nötig, auf den Spiegel zu schelten, wenn die Fratze schief ist.
(Leider ein russisches Sprichwort. Aber schon von Gogol vor seinen »Revisor«
gesetzt.)

Ja, vor einem schwebenden Verfahren sollst du respektvoll den Hut ziehen, aber vor diesem kannst du ihn ruhig aufbehalten.

Ja, der Goebbels hätte sich den Augstein nicht so lange gefallen lassen, aber verhaftet hätte er ihn auch.

Ja, er hat uns die Opposition ersetzt, aber unsere Opposition wird uns nie den *Spiegel* ersetzen.

Ja, der Augstein war auch der Ansicht, mit der Wiedervereinigung wird es nichts mehr, aber leider hat er das ausgesprochen.

Ja, dem Ausbund aus Bayern hat er glatt jeden Montag versaut, aber wer versüßt uns jetzt jeden Montag?

Ja, wieviel Flick ausgibt, um keine public relations zu haben, ist immer noch unbekannt, aber ohne den *Spiegel* wird es unbekannt bleiben.

Ja, das kann schon mal vorkommen, daß was zum Himmel schreit, aber warum sitzen dort immer bloß *Spiegel*-Redakteure?

Ja, ein Staat, der sich diesen *Spiegel* leisten kann, kann sich schon sehen lassen, aber vielleicht will er das nicht mehr.

Ja, der Augstein muß was gegen den Strauß haben, aber der Strauß hat nichts ... mit dem schwebenden Verfahren zu tun.

Ja, der Augstein muß, nach dem, was er schreibt, ein westdeutscher Patriot sein, aber er kann halt nicht singen.

(1. 11. 1962)

Rudolf Augstein *Von der Verantwortung eines Ministers*

Es gehört nur eine geringe Prophetie dazu, vorauszusagen, wie die Ehre einer Bundeswehr beschaffen sein wird, deren Oberbefehlshaber dickfellig zusieht, wie seine Leute einer nach dem anderen für ihn über die Klinge springen.

Was ist nicht schon alles geopfert worden, nur damit die Karriere dieses Mannes Strauß, an dem sich die Geister scheiden, nicht unterbrochen oder gar beendet wird. Hopf muß gehen, der höchste Beamte des Ministeriums; sein Abteilungsleiter Ministerialdirigent Kaumann sieht einem Verfahren wegen Abgabe einer falschen eidesstattlichen Erklärung entgegen; General Kammhuber, der Inspekteur der Luftwaffe, wurde früher als vorgesehen in Pension geschickt; General Becker, Unterabteilungsleiter und höchster Rüstungs-Militär, wartet vergebens darauf, daß sein Minister sich mit einem Strafantrag schützend vor die Ehre seines in Sachen »Onkel Aloys« angegriffenen Beamten stellt . . .

Was ist vom Beschwerderecht innerhalb der Bundeswehr geblieben, nachdem Strauß durch den Mund seines Staatssekretärs Hopf dem Kommodore Barth die Aussage vor dem Wehrsenat des Bundesdisziplinarhofs beschränken und den Zeugen insgesamt verbieten ließ? Was endlich ist von einem Verteidigungsminister zu halten, von dem ich nun in mittlerweile drei großen Blättern lesen konnte, daß er sich in der entscheidenden Nacht der Kuba-Krise auf einem Empfang beim Bundespräsidenten die Nase begossen und ins Gebüsch geschlagen hat? Und was von einem Geheimnisträger erster Ordnung, der von »Geheimnisverrat« sprach, als irgendeine Zeitung seine skandalöse Dienstaufsichtsbeschwerde gegen den Polizisten Hahlbohm ans Licht zog?

Wollt Ihr's mit diesem Mann weiter treiben, Ihr Männer und Frauen im Bonner Bundestag, Ihr in der Regierung und Ihr auf den Bänken der Opposition? Will der Bundespräsident, der bei der Ernennung der Minister ein verfassungsmäßiges Einspruchsrecht hat, ihn auch in der nächsten Bundesregierung zum Verteidigungs- oder gar zum Außenminister machen?

Soll der Staat zugrunde gehen, damit einem Mann Genüge geschieht? Diese Frage werde ich nun nicht mehr zu stellen aufhören.

(14. 11. 1962. – »Onkel Aloys«: Münchner Bau- und Bestechungsskandal; »Hahlbohm«: Strauß hatte gegen den Polizisten, der ihn wegen eines Verkehrsvergehens angezeigt hatte, eine Dienstaufsichtsbeschwerde eingeleitet.)

X

Oskar Maria Graf   *Was mich abhält, nach Deutschland zurückzukehren*

Der Grund, weshalb ich nach dem letzten Weltkrieg nicht nach Deutschland zurückkehrte und die freiwillige Emigration oder vielmehr eine selbstgewählte Diaspora wählte, war der, daß ich nicht in ein Land gehen wollte, das von den Siegermächten und den von ihnen eingesetzten, gutgeheißenen und in jeder Hinsicht abhängigen Regierungen regiert wurde, was sich – meiner Meinung nach – bis heute nicht sonderlich verändert hat. Ich will mich nicht gleicherzeit von mehreren Regierungen regieren lassen, mir genügt eine einzige vollauf.

Niemand kann bezweifeln, daß die Zweiteilung des Landes in der Mentalität meiner Landsleute zum chronischen Zustand geworden ist. Man schreit in einem fort nach der Wiedervereinigung, denkt aber von oben bis ganz hinunter: »Hoffentlich bleibt uns dieses Übel erspart.« Der sichtbarste Beweis dafür, daß sich seither sozusagen auch innerlich eine Zweiteilung der Deutschen gefestigt hat: die Gattung besteht aus Bundesdeutschen und Zonendeutschen, die beide eine verschiedene Sprache sprechen. Der eine sagt »party« und meint damit Vergnügen, der andere versteht darunter »Partei« und empfindet sie als Last. Beide bemißtrauen sich, beide distanzieren sich voneinander wie arglistige Feinde, und das Tolle, das Erschreckende an diesem Feindsein ist, daß es Ihnen von anderen aufgepfropft wird. Ich beobachtete während meiner letztjährigen Deutschlandbesuche oft und oft wohlgenährte Westberliner an der Sektorengrenze. Sie schauten auf die von ihrer Arbeit im Westsektor heimradelnden Männer und Frauen wie auf völlig Fremde, etwa wie auf Menschen, die in einer Wildnis leben. Mit dem überheblichen Mitleidsblick des Satten auf den zerschlampten, unappetitlichen Bettler schauten sie auf diese Heimkehrenden ...   (1962)

Erich Fried   *Warum ich nicht in der Bundesrepublik lebe*

Wen politische Ereignisse geschädigt haben, der wird politisch hellhörig, vielleicht sogar überempfindlich. Gewiß, ideal ist auch England nicht, aber das politische Klima der Bundesrepublik ist für mich manchmal wesentlich schwerer zu ertragen.

Vor einigen Jahren hatte ich mich fast entschlossen, nach Norddeutschland zu übersiedeln. Da kam die Meldung, Dr. Adenauer habe in Rom gesagt, wir Deutschen haben vom lieben Gott die besondere Aufgabe erhalten, Wächter der westlichen Welt gegen die Einflüsse aus dem Osten zu sein. Zwar fehlten dann nicht die gewohnten Erklärungen, es sei doch nicht so gemeint gewesen, aber ich mißtraue der Göttlichkeit des Abkommandierens einzelner Völker zur besonderen Verwendung.

Ähnlich erging es mir mit dem alten Nazilehrer Zind. Sein alkoholischer Stolz, daß er Dutzenden jüdischer Gefangener mit dem Spaten den Schädel eingeschlagen habe, wundert mich weiter nicht. Die Ausrottung aller alten Nazis wäre ein furchtbares Blutbad gewesen. Derlei lehne ich ab, auch wenn nun dann und wann ein alter Unhold im Alkoholrausch aus der Mördergrube seines Herzens keine Mördergrube macht. Nein, was mich damals weit mehr störte, war der Versöhnungsversuch eines nüchternen Mannes der für Zind zuständigen Unterrichtsbehörde, der zu Zinds Kläger oder zu dessen Anwalt sagte, Herr Zind bedauere seine Äußerungen im Wirtshaus, und es seien in Wirklichkeit gar nicht Juden, sondern nur Russen gewesen. Der Gedanke, mit solchen Versöhnern und Vermittlern in Berührung zu kommen, die die stolze Erinnerung an das Einschlagen von Schädeln russischer Kriegsgefangener allenfalls noch zulässig finden, ist zuviel für mich.

Ich muß noch einiges anführen, was mich – menschlich und geographisch – immer wieder abstößt: Die Verbohrtheit, die Oder-Neiße-Grenze nicht längst durch gemeinsamen Beschluß der großen Parteien aus dem Parteienzank herausgeholt und anerkannt zu haben; die Beibehaltung von Männern wie Seebohm und Globke in hohen Ämtern, der störrische Widerstand Bonns gegen alle Versuche Amerikas und Englands, in Europa die Entspannung zwischen Ost und West zu fördern; die Wahl eines Himmleradjutanten in den Bundestag, die Diffamierung eines Wahlgegners durch Hinweise auf seine uneheliche Geburt oder auf seine Betätigung gegen das Hitlerregime im Zweiten Weltkrieg. Über die Kanzlernachfolge, über Strauß und den Spiegel will ich nichts sagen, hingegen lohnt es sich, zu erwähnen, daß sogenannte Tarnorganisationen der KPD und ihre Veröffentlichung wesentlich schärfer verfolgt werden als Tarnorganisationen und -zeitschriften der Nationalsozialisten. Übrigens finde ich trotz der oft verblüffenden Parallelen zwischen den Mord- und Unterdrückungsapparaten der hitlerschen und stalinschen Tyrannis die beliebte Gleichsetzung von Kommunismus und Nationalsozialismus flachköpfig und besonders für Deutsche höchst ungehörig. Daß gerade deutsche Kommunisten (von der SED im Osten ganz zu schweigen!) meist sturer, verbohrter und freiheitsfeindlicher sind als etwa ihre italienischen, ungarischen oder jugoslawischen Genossen, ist gewiß kein Zufall. Dennoch finde ich das Verbot der KPD ungut. Solche Verbote machen Länder weniger wohnlich.

(1964. – »Seebohm, Globke«: Bundesverkehrsminister resp. Kanzleramtstaatssekretär mit nazistischer Vergangenheit; »uneheliche Geburt, Betätigung gegen das Hitlerregime«: Bezieht sich auf eine CDU-Kampagne gegen Willy Brandt.)

Johannes Bobrowski *Fortgeführte Überlegungen*

»Kommunismus – das ist: wo keiner nichts hat und keiner nichts weiß und wo alles gemeinsam ist.«

Das war eine stehende Redensart, an die ich mich aus meiner Jugend erinnere. Zugeschrieben wurde sie einem alten Gymnasialprofessor an der sehr alten, traditionsbewußten Schule, die ich besuchte. Sie wurde wiederholt mit einem amüsierten Zweifel an der Richtigkeit der Aussage, sicher ganz so, wie sie der Professor – ein stadtbekanntes Original – selber von sich gegeben hatte.

Zu fragen blieb: Was ist an ihr dran? Aber gefragt worden ist nicht viel, im Bürgertum, in Deutschland, wo ich aufwuchs.

Immerhin: »Wo keiner nichts weiß . . .«, das stimmte so nicht. In der Handels- und Hafenstadt ließ sich die aus der dörflichen Kindheit gewohnte Abgeschlossenheit der bäuerlichen Gesellschaft mit ihrer patriarchalischen Idyllik (es gab in unserem Dorf keinen Gutsherrn) nicht aufrecht erhalten. Es gab Demonstrationen, Streiks, wir wohnten damals in einem Arbeiterviertel, es gab Begegnungen, Gespräche, Bekanntschaften mit Jungarbeitern. Es stellte sich heraus, daß es junge Leute in meinem Alter gab, die über Dinge, an die ich nie gedacht hatte, feste und einleuchtende Meinungen hatten: »Mehrwert«, »Zuwachsrate«. Darüber konnte man präzis, mit Papier und Bleistift, reden, da gab es Stichhaltiges. »Opium für das Volk« – da gab es Streit, aber schon bald nach zwei Seiten: gegen die Atheisten und gegen die eigene Kirche.

. . . Einsichtig geworden, hatte man folgendes Bild dafür:

Eine Gebirgsstraße, eine schmale, kurvenreiche Fahrbahn, die eine Seite offen gegen den steilen Abhang. Die Christen also bauen ein Geländer oben. Und unten, für die Verunglückten eine Rettungsstation. Das ist, zugegeben, viel. Aber richtig wäre es, einen Tunnel durch den Berg zu hauen.

Also Umgestaltung der (sozialen) Verhältnisse, darauf lief es hinaus . . .

Einsichten, Überlegungen damals. Dann Erlebnisse im Kirchenkampf. Dann der Krieg. Arbeitsreiche Jahre in der Gefangenschaft, Bergmann im Donez-Becken.

Heute?

Es ist seitdem eine Vielzahl sozialistischer Staaten entstanden. Ich lebe in einem solchen, täglich also mit Kommunisten, und also Atheisten, zusammen. Ich teile ihre Besorgnisse. Ich sehe den Antikommunismus, in unterschiedlichsten Formen. Und vergesse – über Zügen, die vielleicht als hysterisch abgetan werden könnten – nicht die tödlichen Gefahren, die er am Leben erhält und die er erweckt. Und dann: Hysterie, – da ist ein Achselzucken nicht erlaubt. Man weiß doch: Er ist hysterisch, heißt es. Und dann ist er plötzlich tot, gestorben – ohne krank gewesen zu sein, wie man sagt. Nur an seiner Hysterie. (1962)

Gerhard Zwerenz   *Brief an Berliner Studenten*

Da die Regierungen keinen Ausweg wissen und die Parteien nicht wagen, einen vorzuschlagen, müssen die einzelnen aufstehen. So muß das Gemeinsame gesucht werden. Nicht jeder Kommunist ist ein Vaterlandsverräter ... Ulbricht hat es bisher verstanden, die verschiedenen gegen ihn arbeitenden Oppositionsgruppen zu zerschlagen, dabei half ihm nicht nur die Führung der Sowjetunion, es kam ihm auch die westliche Politik zu Hilfe, ja die westliche Politik führte zu Situationen, die es der Sowjetunion unmöglich machten, Ulbricht fallenzulassen, wiewohl eine solche Absicht mindestens einmal bestanden hat.

Der Kommunismus ist nicht stark. Seine Stärke besteht einzig darin, auf Gegner ohne Format und Geschichtsverständnis zu stoßen, auf Gegner, denen im Zeitalter der Massen nichts weiter als Metternichsche Regierungsprinzipien einfallen ...

Was ist zu tun? Exakt: es sind vernünftige Pläne zu entwerfen. Die Bundesrepublik muß laut und glaubhaft verzichten auf Reprivatisierung der verstaatlichten Betriebe in Mitteldeutschland. Das Land hat grundsätzlich denjenigen zu gehören, die es bearbeiten. Soziale Bestimmungen, die die Mehrheit der Bevölkerung beizubehalten wünscht, sollen bestehen bleiben. Es kommt drauf an, glaubhaft und effektiv den Willen zu bekunden, ein sozialistisches mitteldeutsches Staatsgebilde in einen gewissen sicheren und abgesicherten Konnex mit der Bundesrepublik zu bringen. Dies kann nicht mit Ulbricht geschehen, aber es kann, unter gegebenen obwaltenden Umständen, auch nicht gegen die ganze SED geschehen, sondern nur nach Übereinkunft mit den vernünftigen Kräften dieser Partei, die in der Vergangenheit durch die unglückliche und wirklichkeitsfremde westliche Politik entmutigt und immer wieder an Ulbrichts Seite gedrängt wurden. Es ist heute bekannt, wie sehr der deutsche Widerstand gegen Hitler darunter litt, daß er von den Alliierten nicht akzeptiert wurde ...

Der Westen wird den sozialistischen Impetus unseres Massenzeitalters akzeptieren und sich zum wahren Anwalt der Gleichberechtigung machen müssen – oder er wird den diktatorischen Kommunismus immer stärker formieren und immer mehr in die Defensive geraten – das heißt dem Untergang näherrücken.

Der Westen wird die Freiheit gegen die Unfreiheit bestärken, aber nur, indem er die Fühllosigkeit und Ignoranz, die in dieser Freiheit heute selbst enthalten sind und sie verteidigungsunwert machen können, überwindet. (1962)

Arno Schmidt   *Wahrheit?*

... Nein: »Wahrheit« ist nichts für uns; und diejenigen, die behaupten, sie wüßten mehr davon, die wissen am allerwenigsten (womit, ganz recht, unter anderem sämtliche Religionen gemeint sind; sowie alles, was sonst noch am Unendlichkeitsfimmel laboriert).

Aber ich bezweifle, daß im hier abzuhandelnden Fall *diese* Sorte Nicht-ganz-Irrtum gemeint ist – man scheint vielmehr wissen zu wollen, was mich eventuell daran hindern könnte, die CDU-Fürsten »blinde Führer von Blinden« zu nennen. Sei's drum: ich betrete auch diese (ziemlich plumpe) Falle, die Hände auf dem Rücken und mich aufmerksam umschauend; denn mich interessieren »Fallen«, und ich habe mich schon erfolgreich in mehreren befunden, mußte ich doch zum Beispiel sechs Jahre Soldat und Kriegsgefangener sein.

Da macht es mir wenig aus, Dinge zu äußern, wie etwa, daß mir die Betulichkeit all dieser EWGen einzig darauf hinauszulaufen scheint, möglichst einen leidlich konkurrenzfähigen Weltstaat zu gründen, in dem 90 Prozent der Bevölkerung Katholiken wären. Aber ich bin mir der Unfruchtbarkeit solcher Bemerkungen völlig bewußt. Denn ich wiege mich mitnichten mehr, wie zwischen 1945 und 1950 – eine Zeit, die mich an die schönste, »freieste« meines Lebens, nämlich die Jahre der Weimarer Republik, nie wiederkehrenden Angedenkens, erinnert – in der Illusion, daß es in Deutschland noch einmal gelingen könne, ein annähernd ähnliches Vierteljahrhundert herzustellen.

Ich bilde mir nicht mehr ein, stellvertretend für eine auch nur einigermaßen ansehnliche Minderheit von fünf Prozent zu sprechen: Meine Zeitgenossen haben mir seitdem, nicht nur durch demonstrative Nicht-Teilnahme an meinen eigenen Arbeiten, sondern vor allem durch ihre »Stimmabgaben« dargetan – und sie wußten es alle, daß sie damit Dinge wie »Adenauer« und »Wiederaufrüstung« wählten –, daß sie meine diesbezüglichen Ansichten nicht nur nicht teilen; sondern mehr noch: sie überhaupt nicht einmal hören wollen.

Und ich bin nun immerhin auch schon fast fünfzig; ich habe keine

Zeit mehr, Geduld mit Ochsen zu haben, die sich selbst den Fleischer zum König wählen. Daß ich, leider, ein zu guter Demokrat bin, um nicht höflich zurückzutreten, wenn ich »die Mehrheit« gegen mich sehe, ist eine Schwäche, ich weiß es wohl – zurückzuführen auf die oben angegebenen »Zwanziger Jahre« – aber ich brauche mich ihrer immerhin nicht zu schämen, wie? (Was unsere Attilaariche ja überhaupt nicht kennen.)

Und da sehe ich mich also heute, in der zweiten Hälfte des zwanzigsten Jahrhunderts, um – ich, ein fleißiger Übersetzer und immerhin auch ein Schriftsteller; einer von denen, die ihre »Aufgabe« darin erblicken, die Welt nach Kräften präzise abzubilden – ich, zwanzig Kilometer entfernt von der »Zonengrenze«, sehe mich ergo um; und was erblicke ich, als Deutscher, hinsichtlich dieser schon zweiten, niedrigeren Staffel der »Wahrheit«?

Im Westen einen Staat christlich-bornierter notstandsgesetz-süchtiger 40-Stunden-Wöchner: Arbeiten will keiner, fernsehen jeder. Unterminiert von ehemaligen, immer noch hochüberzeugten Nazis (und ich bin mir nicht recht sicher, ob man sich ihrer nicht gar gern »bedient«). Im Osten ein Siebenmonatskind von »Arbeiterstaat«, aus Mangel an Kohle und Eisen und Kunst dahinvegetierend. Schwer beim Rüsten sind beide. (Und Kanzler Ganzgott und Sänger Halbgott gibt's auf beiden Seiten.) Da ist die Lage für uns Schriftsteller einfach so: Wir müssen uns, im reinlichsten Interesse unserer Arbeit, dort aufhalten, wo uns die geringste Zahl von Denk- und Schreibhemmungen droht.

Und da bekenne ich es denn ganz offen: Wenn ich mich einst früher oder später (und ich fürchte immer, es werde »früher« sein!) vor die Wahl gestellt sehen werde zwischen einer dann vollausgebildeten braunen und schwarzen Diktatur (Generäle plus Katholiken) und einer »roten« – tcha, dann werde ich, gemäß meinem Prinzip der »geringeren Denkhemmung«, vermutlich den Osten wählen. Nicht jauchzend, wohlgemerkt, sonst wär' ich ja längst »drüben«; vielmehr wird es eine grausliche Wahl werden zwischen zwei »größeren Übeln«: Aber im Trans-Albingistan werden mir die Kinder auf der Straße hoffentlich nur ein dümmerliches »Formalist« hinterherrufen; während bei uns noch zusätzlich religiöser und nationaler Fanatismus über mich herfallen dürfte. Noch ist es nicht ganz soweit: Aber wir spurten ja mit 100 Millionen Beinchen darauf zu!

Wo ist bloß der Staat, der sein Grundgesetz mit dem all-herrlichen Satz begönne: »Die Welt ist groß genug, daß wir alle darin Unrecht haben können!«

(19. 7. 1963. – Aus einer Antwort auf die Frage nach ›Schwierigkeiten beim Schreiben der Wahrheit‹. – Als »Attilaarich« tat sich in dieser Zeit besonders der Geschäftsführende CDU-Vorsitzende Dufhues hervor, den am 21. 1. 1963 die »geheime Sorge« überfiel, die ›Gruppe 47‹ sei eine »geheime Reichsschrifttumskammer«; in Deutschland scheint es zu jeder Zeit Kammerjäger zu geben.)

Günter Kunert *Interfragmentarium*

Zu Franz K.s Werk

Aus seinem Bett erhebt sich ungestärkt
der Schläfer: Verstohlen
blickt er um sich ob auch
im Zimmer nichts von seinem Traum verblieb.

Wie sieht den Erwachten
heute der Spiegel an? Hat der
schon Verdacht geschöpft?

Von der Decke sinkt an einem Faden
(wer weiß denn an was für einem)
eine Spinne (wer weiß schon welcher Art)
auf den
am Tische Sitzenden herab zu hören was
er denkt.

Die Klingel gellt. Das Telefon. Die Wohnungstür.
Das Haustor. Die Hinrichtung. Die ganze Welt.
Sie bimmelt rasend schrillt und schreit
und gellt – und stirbt
lautlos mit einem Schlag.

Das Telefon ist stumm. Dickes gemeines
Schweigen steigt aus der Muschel. Vor dem
Hause aber steht niemand der fürchterliche graue
Niemand. Vor der Wohnungstür wirft
keiner einen Schatten und atmet
keiner lauernd.

Stille. Kasemattenstille. Felsenkellerstille.
Manchmal unterbrochen von Geräusch: Dumpf
geht über Decken und Stiegen ein Stampfen.
Ein Schreiten über Treppen und Böden durch
Flure und Kammern ein Schritt: jener
der Gewalt die viele Namen trägt.
Zu viele.

In seinem Bette liegt er schon
sterbensmatt nach einem lebenslangen Tag
der einen Tag aufs neue überlebt
mit letzter Kraft und einem Lächeln das
in die Fratze eingefressen
wie ekelhafter Aussatz ist und lauscht. Und
lauscht.

Und lauscht.

(1963. – Auf der Beratung des Politbüros des ZK der SED mit Schriftstellern am 25. 3. 1963 fragte Alexander Abusch: »... Schlimmer aber ist, daß Kunerts Kafka-Gedicht heute nicht einfach nur im Jahre 1963 eine Apologie des Kafka von vor 40 bis 50 Jahren ist. Heute ist Kunerts Gedicht mit solchen doppeldeutigen Zeilen wie »Die Gewalt, die viele Namen trägt, so viele«, auch gegen die Gewalt unserer sozialistischen Arbeiter-und-Bauern-Macht gerichtet ... Ich frage den Genossen Günter Kunert, der sich das sehr genau überlegen sollte und damit sicherlich vor die größte geistige Entscheidung seines Lebens gestellt ist, nämlich zurückzukehren aus den hoffnungslosen grauen Gefilden von Kafka und Benn in die lebensstarke Welt des umfassenden Aufbaus des Sozialismus ...«)

Franz Fühmann Nicht alle Wege führen nach Bitterfeld

Wir sprechen oft und mit Recht davon, daß der soziale und der persönliche Auftrag zusammenfallen muß, wenn ein Kunstwerk entstehen soll. Der soziale Auftrag nun ist in den letzten Jahren sehr oft formuliert und sehr leidenschaftlich verfochten worden: Er ist das, was wir mit einer Formel (die nicht zu lieben ich eingestehe) den Bitterfelder Weg nennen. Wie aber steht es mit dem persönlichen Auftrag? Ich glaube, daß jeder Schriftsteller sich immer wieder besinnen müßte, welche Themen, Stoffe und Genres ihm nach Maßgabe seiner Fähigkeiten, seines Talents, seiner Herkunft und seines Lebensweges am gemäßesten sind und wo er mit seinen spezifischen Ausdrucksmitteln das Beste und Qualifizierteste zu leisten vermag. Dies mag eine Binsenwahrheit scheinen, aber die gesamte öffentliche Kritik und wohl auch unsere Kulturinstitutionen drängen den Schriftsteller nicht in seiner spezifischen Richtung vorwärts, sondern in der Richtung der jeweiligen Tages-, Monats- oder Jahresaktualität, das heißt, sie sehen den Bitterfelder Weg nicht als Auftrag zur Eroberung eines Landes, einer neuen ästhetischen Provinz, sondern als schmalen Weg einer bestimmten Lebensänderung für einen bestimmten Genretyp: Der Schriftsteller gehe in einen Betrieb oder in eine LPG und schreibe dann einen Roman.

... es langt zu einer politischen Debatte, aber nicht zur künstlerischen Gestaltung. Was zum Beispiel empfindet ein Mensch, der weiß, daß er sein Leben lang so ziemlich dieselbe Arbeit für so ziemlich dasselbe Geld verrichten wird, als beglückend und was als bedrückend an eben dieser Arbeit; wo bringt sie ihm Reize, wo Freude, wo Leid, *in welchen Bildern, auf welche Weise erscheint sie in seinem Denken und Fühlen,* usw. usw. Ich weiß es nicht und kann es nicht nachempfinden, und der Arbeiter spricht, obwohl er mein Freund ist, nicht darüber, weil es für ihn die allerselbstverständlichsten Dinge sind, so selbstverständlich, daß man die Frage danach gar nicht versteht, weil man die Antwort eben in Fleisch und Blut hat, nicht im Mund.

... Wir sollten unserer Phantasie und unserer Fabulierlust in den uns innig bekannten Bezirken einen viel breiteren Spielraum geben und sollten selbst mit engen Vorstellungen von den Mitteln und Möglichkeiten unseres Schaffens brechen. Wir brauchen den nüchternen Bericht und das luftigste Phantasiegebilde, wir brauchen das Gegenwartsstück und die Utopie und den historischen Roman, und vor allem brauchen wir Qualität.

Ich möchte mich auf dieses Problem als Wunsch für unsere Kulturpolitik beschränken: entschiedene Förderung der Qualität in der Literatur und Bekämpfung alles Seichten, Geschluderten und Gehudelten, Kitschigen, Gedankenarmen, Banalen und Abgeschmackten. Es muß aufhören, jede thematisch begrüßenswerte, doch künstlerisch amorphe Arbeit als »Meisterwerk« oder »erneuten Beweis für unsere noch nie dagewesene Literaturblüte« zu feiern. Es muß aufhören, daß einer für Pfusch und Murks noch honoriert wird. Wir müssen uns echte Maßstäbe künstlerischer Leistung erarbeiten.

(1. 3. 1964. – Aus einem Brief an den DDR-Kulturminister.)

Volker Braun *Über das Deutsche Gespräch zu Leipzig am 4. März 1964*

Es wird berichtet, daß sich Leute aus Tübingen
Aufmachten, aus ihrem alten Staat.
Kamen sie her zum Reden. Einmal
In einen Satz hinein, den verstanden sie noch,
Setzte sich einer zu ihnen, der
Zog den Mantel aus, redete nicht, sondern
Setzte sich, und erst
Auf einigen Wunsch gab er sich zu erkennen als
Funktionär unseres Staates. Da
Sagten die Tübinger: sie seien Privatleute
Studenten, und mit Studenten
Sprächen sie hier. Nicht von Germania
Ginge die Rede: von Germanistik, adieu.
Er aber blieb auf dem Stuhl, und sie
Standen auf, ihre Stühle
Schoben sie unter den Tisch, der
Stand noch da, an dem
Hatten sie Platz gehabt. Und als sie abends
Aufgefordert wurden (von wieder anderen Leuten)
Sich zu entschuldigen – andernfalls
Fände das Reden sein Ende – fuhren sie
Am selben Tag nach Hause.

Ihr, Freunde, die ihre Besucher
Fortschickten, aus dem neuen Staat
Heim in den alten, weil sie noch nicht
Mit dem und jenem sprachen, aber doch mit den Unseren
Und sie vor den Kopf stießen, den sie doch
Zum Denken brauchen:
                            wollt ihr das deutsche Gespräch
Aufschieben auf den Tag, da jenseits der Grenze
Die Revolution ausbricht, ja auf
Noch später, nämlich
Bis diese Revolution ihre Kämpfer klug macht?
Aber wird die neue Ordnung, die revolutionäre
Dort eher errichtet werden
Wenn, die sie errichten könnten, hier
Diese Ordnung erblicken als Gouvernante
Die den Stock nimmt, statt zu reden, die
Den aus dem Zimmer weist, der den Stock
Nicht versteht?
...

Eines Tages werden
Eselsbrücken gebaut zwischen Pontius
Und Pilatus. Selbst auf den Sand wird gebaut. Rosig
Hebt sich hinter nichts ein Hinterland.
Eine wer weiß wie und was bedeutende Landschaft
Aus altem Eisen, Schlacke und Dunst lädt
Zum Fest der Reden und Gesänge. Globetrottel
Stromern zuhauf. Aus ihren Fesselballons
Steigen die ewigen Juden.
Fahrige Schüler, stapelfertig
Stolpern in die Freihäfen. Hast du nicht gesehn
Rasen die Rollkutschen der Redakteure über den Rammbock.
Triebwagen, täglich ungeschlechtlich vermehrt
Auf windigen Bahnhöfen, treiben was auf und ab. Auf große Fahrt
Gehen die Kleingärtner mit den Krümelhacken.
Schablonenmaler, ahoi, bestreichen das Feld
Mit der Oberhand. Die Wahlverwandten
Antrittsworte im Sack, machen Fortschritte
In den Hell-, Hohl- und Holzwegen. Im schönen Dunkel
                    Tappen sich Traumtänzer an die Brust. Auf Nebenstraßen
Wechseln die brotlosen Künstler fünfte
Räder am Wagen: hier ist freie Bahn
Den tüchtigen Danaiden. Brackwasser
Tragen sie in die östlichen Ströme. Verwalter
Aller Erbweisheit erhalten Repräservativgewalt.
Zwanzig Schnellverkehrer mit verbundenem Steiß besteigen

Das hinfällige Vieh Vergangenheit. Ideologische
Einzelbauern betreten den grünen Plan: das leere Stroh noch
Dreschen die Strohmänner. Und nach den umstrittenen Würsten
Werden Hunde geschickt. Denn
Wenn Hopfen und Malz verloren sind
Gibt es noch Pfifferlinge. Überdies
Die koexistentialistischen Binsen. Zuguterletzt
Die Spreu: was aber auch fällt, es fällt
Nicht ins Gewicht. Nichts ist
Des Aufhebens wert. Mit erhobener Stimme nur
Wird in den Wind geredet. Öffentliche Streite
Um eines Kaisers Bart zugunsten z. B. des alten
Fritzen veranstaltet ihre Hoheit, die
                              Unschuld vom anderen Lande.

(›Westfassung‹; die – selbstkritischere – ›Ostfassung‹ konnte damals in der DDR
nicht veröffentlicht werden.)

Stephan Hermlin   *Gegen den Dogmatismus in der Kunst*

... Die Quantität der zeitgenössischen Kunst scheint unüberseh-
bar. In dieser Schwierigkeit hilft sich der Dogmatismus, so gut er
kann. Er bringt die Weltliteratur in zwei großen Schubladen unter
– der sozialistischen, die ein kleines Unterfach mit der Aufschrift
»progressiv« besitzt, und der spätbürgerlichen. Die Einteilung ist pro-
visorisch, denn ein Zwischenfall, etwa eine politische Erklärung, kann
dazu führen, daß ein als sozialistisch geführter Schriftsteller aus seinem Fach verschwindet ...
... Der Dogmatismus zeigt eine ständige wachsende Unlust an
der Beschäftigung mit einzelnen künstlerischen Persönlichkeiten, an
wirklichen Werkanalysen. Er ersetzt solche Analysen durch willkür-
lich zusammengefügte Zitate, und zwar im besseren Falle. Meist
zieht er es vor, anstelle der Untersuchung eines Schriftstellers einen
zauberkräftigen Begriff zu setzen – Expressionismus, Surrealismus,
Dadaismus, Formalismus ist gegenwärtig etwas verbraucht, an seine
Stelle traten Modernismus und die Neuprägung Abstraktionismus.
Die Nennung eines solchen Begriffes ermöglicht, auf einen Schlag
gleich mit einer ganzen Reihe unbequemer Erscheinungen fertig zu
werden. Wir haben es hier mit einem wirklichen magischen Vorgang
zu tun.
... Einige unserer Freunde aus anderen sozialistischen Ländern haben Fragen gestellt, die – glaube ich – nicht immer genügend beantwortet wurden. Ich höre von Klaus Gysi, daß Peter Huchel seinen
neuen Gedichtband hier nicht veröffentlichen wolle. Ich bedauere das

sehr, aber ich entsinne mich auch, daß Huchel mir im vorigen Jahr sagte, sein Gedichtband, der bereits bei Rütten & Loening vorbereitet wurde, könne nicht erscheinen. Es ist eine Tatsache, daß Günter Kunerts letzte Gedichte bei uns nicht erscheinen konnten. Ein Gedichtband von Paul Wiens wird – so weit ich weiß – nicht herausgebracht. Dies sind Dinge, die man nicht rechtfertigen kann.

Als vor zwanzig Jahren Picasso, bereits damals ein alter Mann, der ein Riesenwerk hinter sich hatte, in die Kommunistische Partei eintrat, sagte er, er komme zum Kommunismus wie zu einer Quelle. Palmiro Togliatti, ehe er starb, richtete das Wort an alle Kommunisten der Welt. Sie hätten die Pflicht, sagte er, allen vorwärtsstrebenden, allen wegsuchenden Künstlern und Schriftstellern eine wahre Heimstatt zu bieten, sie müßten in einer Welt der manipulierten, auf einen immer engeren Bereich gedrängten Kunst die wahren Verteidiger künstlerischer Freiheit werden. Leider, fügte er hinzu, komme in diesem Sinne aus den sozialistischen Ländern nicht immer Hilfe. Wir dürfen diese Worte Togliattis nicht vergessen.

(Dezember 1964. – Rede auf dem internationalen Schriftstellerkolloquium über die ›Literatur in beiden deutschen Staaten‹ in Ostberlin.)

Erklärung der ›Gruppe 47‹ zum Krieg in Vietnam

Bundeskanzler Erhard hat der amerikanischen Regierung wiederholt versichert, das deutsche Volk stehe hinter der Vietnam-Politik der USA. In den Vereinigten Staaten selbst wächst der Widerstand gegen diese Politik. Immer mehr Amerikaner zweifeln an den Erklärungen, mit denen die Regierung der USA ihre Intervention in Vietnam zu rechtfertigen sucht.

Die amerikanische Regierung bezeichnet den Krieg in Vietnam als einen Konflikt zwischen beiden Teilen des Landes, entstanden durch eine Aggression des Nordens gegen den Süden. In Vietnam habe der Kommunismus die freie Welt angegriffen.

Die amerikanische Regierung behauptet, der Krieg verteidige die Freiheit des südvietnamesischen Volkes gegen eine kleine Minderheit ausländischer oder vom Ausland gesteuerter Partisanen. Die Vietkong seien der verlängerte Arm Nordvietnams und damit Chinas.

Die amerikanische Regierung erklärt, die Bombardierung Nordvietnams solle dem Expansionsstreben Chinas Einhalt gebieten. Der Krieg diene der Erhaltung des Weltfriedens.

Tatsächlich ist der Krieg in Südvietnam ein Bürgerkrieg, der bis zum Eingreifen der Vereinigten Staaten fast ausschließlich ein Kampf zwischen südvietnamesischen Revolutionären und der Regierung von Saigon war. Die USA haben das Genfer Abkommen von 1954, das freie Wahlen innerhalb von zwei Jahren vorsah, bewußt negiert und die Regierung Diem und deren Nachfolger gegen den Willen der Bevölkerung an der Macht gehalten . . .

160 000 Zivilisten sind allein zwischen 1961 und 1964 umgekommen.

Folterungen und Gefangenenmord sind seit Jahren an der Tagesordnung.

Tausende von Siedlungen wurden vernichtet, ihre Einwohner getötet oder in sogenannte Wehrdörfer deportiert, die nichts anderes als Konzentrationslager sind.

Napalmbomben, Giftchemikalien und neuartige Vernichtungswaffen treffen in wachsendem Ausmaße die Zivilbevölkerung.

Durch diese moderne Strategie der ›Verbrannten Erde‹ droht sich hier der Tatbestand des Völkermords zu erfüllen.

Angesichts dieser Tatsachen distanzieren wir uns von der moralischen und finanziellen Unterstützung des Vietnamkrieges durch die Bundesregierung. Wir begrüßen die Forderungen Frankreichs und der blockfreien Länder nach Einstellung der Luftangriffe und Regelung des Konflikts auf der Basis der Genfer Vereinbarungen.

Wir schließen uns den 5000 amerikanischen Professoren und Dozenten an, die für die sofortige Beendigung des Krieges und für die Neutralisierung ganz Vietnams eintreten.

Wir solidarisieren uns mit der amerikanischen Bürgerrechtsbewegung, deren Sprecher, Nobelpreisträger Martin Luther King, zu Demonstrationen für den Frieden in Vietnam aufgerufen hat.

Wir appellieren an alle Demokraten in der Bundesrepublik, diese Erklärung und ihre politischen Forderungen zu unterstützen und in die Öffentlichkeit zu tragen.

(November 1965. – Wurde von fast allen Autoren der ›Gruppe 47‹ unterschrieben.)

Peter Weiss   *Notwendige Entscheidung*

Die Aufteilung Deutschlands in zwei Staaten von diametral entgegengesetzter Gesellschaftsstruktur stellt die Teilung der Welt dar. Die Aussagen eines deutschsprachigen Autors liegen sogleich auf der Waagschale, wo sie den beiden verschiedenen Bewertungssystemen unterworfen werden. Dies vereinfacht meine Arbeit. Was ich schreibe, gerät unmittelbar in den Brennpunkt der Opinionen. Jedoch sind die Probleme und Konflikte, die ich benenne, nicht an dieses bestimmte Sprachgebiet gebunden, sondern nur Teil des Themas, das heute in allen Sprachen behandelt wird.

Obgleich die Zweiteilung der Welt in sich vielfach gebrochen und von komplizierten, einander oft bekämpfenden Tendenzen durchsetzt ist, ergeben sich aus ihr doch zwei deutliche Machtblöcke. Der eine Machtblock enthält die teils etablierten, teils sich heranformenden sozialistischen Kräfte sowie die Freiheitsbewegungen in den ehemals kolonialisierten oder noch unter Gewaltherrschaften stehenden Ländern. Der andere Machtblock enthält die vom Kapitalismus bedingte Ordnung, ansteigend vom freien, unbändig miteinander konkurrierenden Unternehmergeist bis zu den höchsten imperialistischen Konzentrationen. Innerhalb dieses Blocks sind jedoch auch, vor allem in den skandinavischen Staaten, umfassende Demokratisierungen zu finden und vom Klassenkampf hervorgezwungene soziale Einrichtungen. Das Werk der Arbeiterbewegungen oder -regierungen bleibt letzten Endes eingeschlossen unter der Oberherrschaft der Großkapitalverwalter, die ihren Besitz nie freiwillig herausgeben. Die hochentwickelte Wohlstandsgesellschaft ist nichts anderes als eine Klassengesellschaft auf erhöhtem Niveau, wo das ehemals revolutionäre Arbeitertum die Neigung entwickelt, die Normen der Bürgerlichkeit zu übernehmen ...

So wie die künstlerische Arbeit im westlichen Block den größten

Kaufwert hat, wenn sie dem Konsumenten einen ästhetischen und geistigen Genuß oder eine emotionale Sensation vermittelt, so wird auf der Gegenseite nach der praktischen Funktion des Kunstwerks gefragt. Das formale Experiment, der innere Monolog, das poetische Bild bleiben wirkungslos, wenn sie der Arbeit an der Neuformung der Gesellschaft nicht von Nutzen sind.

Herangewachsen unter der Vorstellung einer unbedingten Ausdrucksfreiheit sehen wir uns hier in unserm Vorhaben behindert – solange wir den Eigenwert der Kunst höher schätzen als ihren Zweck. Erkennen wir den Zweck, können wir auch um die Durchsetzung der kühnsten Formen kämpfen, denn wir wissen: zu einer Revolution der Gesellschaftsordnung gehört auch eine revolutionäre Kunst.

Es ist deshalb ein Widerspruch, wenn in einigen Ländern des Sozialismus die Kunst auf Grund ihrer innewohnenden Kraft niedergehalten und zur Farblosigkeit verurteilt wird, während sie sich in den bürgerlichen Ländern aus Mangel an Bindungen bis zum Anarchismus entfaltet ...

Die Richtlinien des Sozialismus enthalten für mich die gültige Wahrheit. Was auch für Fehler im Namen des Sozialismus begangen worden sind und noch begangen werden, so sollten sie zum Lernen da sein und einer Kritik unterworfen werden, die von den Grundprinzipien der sozialistischen Auffassung ausgeht. Die Selbstkritik, die dialektische Auseinandersetzung, die ständige Offenheit zur Veränderung und Weiterentwicklung sind Bestandteile des Sozialismus. Zwischen den beiden Wahlmöglichkeiten, die mir heute bleiben, sehe ich nur in der sozialistischen Gesellschaftsordnung die Möglichkeit zur Beseitigung der bestehenden Mißverhältnisse in der Welt ...

Ich sage deshalb: meine Arbeit kann erst fruchtbar werden, wenn sie in direkter Beziehung steht zu den Kräften, die für mich die positiven Kräfte dieser Welt bedeuten. Diese Kräfte sind heute überall auch in der westlichen Welt zu verspüren, und sie würden ein noch stärkeres Gewicht, eine größere Solidarität und ein noch umfassenderes Engagement bekommen, wenn sich die Offenheit im östlichen Block erweiterte und ein freier undogmatischer Meinungsaustausch stattfinden könnte.

(September 1965. – Bekannt geworden unter dem Titel ›Arbeitspunkte eines Autors in der geteilten Welt‹.)

Christian Geissler *Generale*

Die Generale Keitel und Jodl sind tot.

Man hat sie bei Mord und Totschlag, bei Befehl und Gehorsam in Sachen Mord und Totschlag ertappt und gehenkt.

Inzwischen sind zwanzig Jahre vergangen. Die Berufskollegen von Keitel und Jodl, ihre Befehls- und Gehorsamskollegen erhalten heute in unserem Land, von unserem Geld, entweder hohe Pension, oder, was schlimmer ist, sie erhalten, von der Dummheit unserer Wahlentscheidung jedesmal wieder gestützt, militärische und das ist politische Macht. Wie kommt das?

Es taucht aber noch eine zweite Frage auf. Einer der vier Haupt-Anklagevertreter damals vor dem Internationalen Gerichtshof führte seine Klagen im Namen der Vereinigten Staaten von Amerika. Und das hieß für uns naive Leute in jener Zeit, er führte seine Klagen im Namen von Gerechtigkeit, Freiheit und Humanität.

Gewiß, heute klingt das wie pure Ironie. Aber zumindest wir jungen Leute damals haben diesen sehr hohen Maßstäben des Gerichtes geglaubt. Die Unmoral der Nazis hatten wir durchschaut, wollten wir abschaffen. Am exakten moralischen Ernst der amerikanischen Anklagen wollten wir vernünftig politisch denken lernen.

Und wir haben gelernt.

Und wir erlauben uns, dieses Denken auch heute noch anzu-wenden. Beispielsweise auch, um mit Hilfe dieses Denkens die Moral der damaligen Ankläger *heute* beim Wort zu nehmen.

Oradour und Lidice – das sind heute Städte in Süd-Vietnam . . .

Ich möchte in dieser wichtigen Sache nicht falsch verstanden wer-den. Ich betone ausdrücklich, daß es kein Vergnügen ist, diejenigen, die uns damals von den Nazis befreit haben, heute anzuklagen. Aber eben gerade *weil* das damals *Befreiung* war und auch *Befreiung* bleiben soll, protestiere ich dagegen, daß das Urteil von Nürnberg von denen, die es gesprochen haben, zur Farce gemacht wird. Das heißt, ich protestiere im Namen der Befreiung von 1945 und also auch im Namen der vielen Toten, die diese Befreiung damals geko-stet hat, dagegen, daß wir 1965 schon wieder gemeinsame Sache ma-chen sollen mit Kriegsverbrechern . . .

Der verdorbene, wahnsinnige Heinrich Himmler hatte vollkom-men recht, als er 1945 in Flensburg zum damaligen deutschen Außen-minister Krosigk sagte:

»Die Zuspitzung der Gegensätze Ost-West wird rasch erfolgen. Die SS wird unentbehrlich werden. Ich fühle mich absolut sicher. Ich werde die Entwicklung im Verborgenen abwarten. Die Entwicklung wird schnell für mich arbeiten.«

Wer will leugnen, daß es sehr schnell gegangen ist? Und Amerika – das muß, so schauerlich es auch klingen mag, deutlich gesagt wer-den –, Amerika wird auf seinem jetzigen Weg, auf seinem fanatisch antikommunistischen Kreuzzug gar keinen besseren Verbündeten fin-den können als die alte deutsche SS, sofern man nämlich den Begriff SS endlich entmagisiert und ihn sachlich richtig versteht als die Be-zeichnung für die erste fanatisch antikommunistische europäische Truppe. Gehe ich zu weit?

Ich gehe vorläufig nur bis Süd-Vietnam. Demnächst allerdings, falls die Amerikaner ihren Leuten im Pentagon nicht doch noch das

Heft aus der Hand schlagen, demnächst wird man bei der Abschilderung der kriegspolitischen Situation noch in viele andere Länder gehen müssen.

(Rede zum Anti-Kriegstag 1965)

Gabriele Wohmann *Wörter mit Temperatur*

Man liest in den sogenannten Grußworten an die »Heimatvertriebenen aus den besetzten Ostgebieten«, dieser Festtag für Revanchisten oder Wirklichkeitsfremde, für »Spielscharen« und »Jungenschaften«, dieser Feiertag mit Volkstänzen, aber ohne Kuchen sei der »... Tag der Besinnung und des Bekenntnisses zur alten Heimat ... aus der sie gewaltsam vertrieben wurden.« Das stimmt nicht nur weich, es ergrimmt auch: verfängliche Mischung. Mit den Substantiven »Bekenntnis« und »Heimat« trifft die Sprache das immer unsachliche Gemüt, mit dem Prädikat »gewaltsam« vor dem Partizip »vertrieben« bewirkt sie Rachsucht. Ich weiß nicht, was ein Bekenntnis zur Heimat überhaupt ist, was es soll, was es nützt, wie es sich abspielt, aber ich weiß, daß es gewiß keine Unternehmung ist gegen den Krieg. »Heimatliebe und Heimattreue wurzeln tief in der Seele des deutschen Volkes. Sie haben die Menschen unserer deutschen Landschaft geprägt und dürfen nie verloren gehen.« Wer dies töricht und irreführend öffentlich verlauten läßt, fettgedruckt und schwarzgerahmt, wie es sich für eine so edel-absurde Mahnung ziemt, der ist, vorsichtig ausgedrückt, der Heimat mehr zugetan als dem Frieden. Wenn er aber nicht unbedingt für den Frieden ist, ist er nicht unbedingt gegen den Krieg. So wird also nur vom »Heimatrecht« geredet, großzügig vergessen ist die bedingungslose Kapitulation. »Auch dem deutschen Volke dürfen diese elementaren Rechte auf die Dauer nicht versagt werden.« Dürfen sie wirklich nicht? Wo ist, nach unserem unrechten Krieg, unser Rechtsanspruch? Wo steht geschrieben, was man uns alles nicht versagen darf? Ich glaube, lediglich in deutschen Zeitungen. Deutsche finden, man solle Deutschen auf die Dauer nicht böse sein. So lange sie die einzigen sind, die dies finden, sollten sie es wenigstens nicht verraten. Sie sollten abwarten, bis beispielsweise die Juden es fänden. Oder die Polen, oder die Holländer. Oder wer nicht alles, dessen »elementare Rechte« Deutsche verletzt haben. Aber die Deutschen, denen es schwer fällt, Atomteststopabkommen zu unterzeichnen, schätzen das Appellieren: »Frei von Rachegefühlen und Haß soll die Weltöffentlichkeit daher an diesem Tage an das Unrecht, das auf unserem Volke noch immer lastet, erinnert werden.« Ich könnte mir vorstellen, daß vom größten Teil dieser Weltöffentlichkeit eine derartige Forderung für genau so unverfroren wie einfältig gehalten wird.

(1965)

Günter Grass   *Gesamtdeutscher März*

Die Krisen sprießen, Knospen knallen,
in Passau will ein Biedermann
den Föhn verhaften, Strauß beteuert,
daß er nicht schuld ist, wenn es taut;
in Bayern wird viel Bier gebraut.

Der Schnee verzehrt sich, Ulbricht dauert.
Gesamtdeutsch blüht der Stacheldraht.
Hier oder drüben, liquidieren
wird man den Winter laut Beschluß:
die Gärtner stehn Gewehr bei Fuß.

In Schilda wird ein Hochhaus, fensterlos
das Licht verhüten; milde Lüfte
sind nicht gefragt, der alte Mief
soll konservieren Würdenträger
und Prinz Eugen, den Großwildjäger.

Im Friedenslager feiert Preußen
das Osterfest, denn auferstanden
sind Stechschritt und Parademarsch;
die Tage der Kommune sind vorbei
und Marx verging im Leipz'ger Allerlei.

Bald wärmt die Sonne und der greise
schon legendäre Fuchs verläßt
zum Kirchgang-Wahlkampf seinen Bau;
der Rhein riecht fromm nach Abendland
und Globke lächelt aus dem Zeugenstand.

Heut gab es an der Grenze keinen Toten.
Nun langweilt sich das Bild-Archiv.
Seht die Idylle: Vogelscheuchen
sind beiderseits der Elbe aufmarschiert:
jetzt werden Spatzen ideologisiert.

Oh Deutschland, Hamlet kehrte heim:
»Er ist zu fett und kurz von Atem ...«
und will, will nicht, auf kleiner Flamme
verkocht sein Image Pichelsteiner Topf;
die Bundesliga spielt um Yoricks Kopf.

Bald wird das Frühjahr, dann der Sommer
mit all den Krisen Pleite sein. –
Glaubt dem Kalender, im September
beginnt der Herbst, das Stimmenzählen;
ich rat euch, Es-Pe-De zu wählen!

(Dieser Text und die folgenden fünf wurden für ein von Hans Werner Richter her-
ausgegebenes Taschenbuch ›Plädoyer für eine neue Regierung oder Keine Alternative‹
geschrieben, das im Juni 1965 erschien.)

Helmut Heissenbüttel   *Ödipuskomplex made in Germany*

Papa hat ungefähr 1000 Jahre regiert der Ödipuskomplex des
deutschen Volkes heißt NSDAP danach haben wir es mit Opa versucht das ging ganz gut war aber keine Dauerlösung nun sind wir
ratlos wer rät uns Rätselrater werden gesucht wer hat uns diese
Suppe eingebrockt sagt Bild Opa sitzt im Glaskasten Papas Stellvertreter werden ausgerottet aber haben wir Papa vergessen uns geht es
noch besser als im Dritten Reich aber das ist keine Dauerlösung
haben die in Moskau und Washington auch Papas unser Ersatzödi-
puskomplex heißt Pankow Opapa o Papa oder in Rom Papas Regierung ist längst gestorben aber Stücke von Papa liegen noch in der
Luft das ist die Berliner Luft man kann die Berliner Luft noch nicht
ganz von dem Geruch reinigen der Josef hieß was wir fordern ist
kein Papa mehr auch kein Opa Schluß mit Ödipuskomplexen in der
Politik aufgeklärt wie wir uns haben aufgeklärt wie wir uns haben
aufgeklärt wie wir uns haben aufgeklärt wie wir uns haben wer am
vernünftigsten ist soll Macht haben Mensch macht das mal

Robert Havemann   *Nach zwanzig Jahren*

... Es sind gefährliche Tabus, die die westdeutsche Nachkriegspolitik aufgerichtet hat, weit gefährlicher als alle Tabus, die der
Westen dem Osten vorwirft. Aber die Zeit dieser Tabus ist vorüber.
Die falschen Wunschträume müssen aufgegeben werden. Wer will,
daß die Tabus auf der anderen Seite abgebaut werden, muß
bei sich selbst anfangen. Denn die Tabus der einen Seite bedingen oft
die der anderen. Vor einer neuen Bundesregierung steht die historische Aufgabe, eine Politik der wachsenden Schrittweite zu wagen.
Ohne diese größeren und größeren Schritte wird es nie gelingen, die

zehntausend kleineren Schritte zu gehen, die in die Zukunft eines wiedervereinigten Deutschland führen.

Ich will zum Schluß die wichtigsten Schritte einer solchen aktiven deutschen Außenpolitik einer neuen Bundesregierung, wie ich sie sehe, noch einmal punktweise skizzieren, ohne daß die Reihenfolge dieser Aufzählung irgend etwas über die wirklich mögliche zeitliche Reihenfolge der Schritte aussagen will:

1. Außerkraftsetzung der Hallstein-Doktrin. Herstellung diplomatischer Beziehungen zu allen Staaten, die dies wünschen, ohne Rücksicht auf die Beziehungen dieser Staaten zur DDR. Nichtanerkennung des Anspruchs irgendeines Staates, sich in die Beziehungen dritter Staaten untereinander einzumischen. Eintritt beider deutscher Staaten in die UNO.

2. Aufnahme von Verhandlungen mit der Regierung der DDR. Verstärkung des innerdeutschen Handels, Annullierung aller Embargobestimmungen, Gewährung von Handels- und Industriekrediten, Zusicherung der Nichteinmischung in die inneren Angelegenheiten, gegenseitige Hilfe bei der Verfolgung von Naziverbrechern, Maßnahmen zur Verbesserung des innerdeutschen Reise- und Zahlungsverkehrs.

3. Abzug aller Besatzungstruppen von deutschem Territorium auf Grund eines Friedensvertrages der ehemaligen Alliierten mit den beiden deutschen Staaten, Abzug aller ausländischen Truppen vom Territorium europäischer Staaten, Errichtung einer atomwaffenfreien, militärisch verdünnten Zone in Mitteleuropa, Abbau der Streitkräfte in beiden deutschen Staaten, Abschluß eines Nichtangriffspaktes zwischen der Nato und den Staaten des Warschauer Paktes.

4. Konstituierung eines ständigen Rates für gesamtdeutsche Fragen aus Vertretern beider deutscher Staaten.

Peter Weiss *Unter dem Hirseberg*

So wie ich selbst, zusammen mit vielen andern Emigranten, die Chance zum Neubeginnen verpaßt hatte, so wurde auch bei Euch die Chance verpaßt, man merkte es nur nicht unter dem äußeren Betrieb, der sich entfaltete. Die sozialistische Demokratie, die Ihr damals plantet, wurde unter dem Berg aus Hirsebrei begraben. Und wenn jetzt dort, wo die gebratenen Tauben fliegen, alles auch nur so vor Effektivität und Aufschwung strotzt, so kann ich doch nur Schlafende sehn im Brei, sie liegen da schmatzend und schnarchend und wiederkäuend im Schlaf, und wenn eine Stimme ruft: Brüder und Schwestern, es ist alles in bester Ordnung, ihr werdet weiter zu euerm Glücke geführt, so murmeln sie nur schlaftrunken Hurra, wälzen sich auf die andere Seite und schlummern weiter ...

Unsere Generation rechnet jetzt schon mit großen Zeiträumen. Die Aneinanderstellung dieser Zeiträume hat etwas Unheimliches. Da ist die Zeit vor dem Krieg, da ist die Zeit des Krieges und die lange Zeit nach dem Krieg. Dieser große schlafende Körper, als den ich Westdeutschland heute bei meinen Besuchen sehe, und von dem ich nur das Röcheln vernehme und die Anzeichen gesättigter Träume, zeigt nichts von den Veränderungen, die nach der Katastrophe, durch die dieses Land ging, zu erwarten gewesen wären. Es sind nur immer wieder diejenigen, die damals eigentlich hätten vernichtet werden sollen, doch dieser Vernichtung mit knapper Not entgingen, die noch daran tragen, und sie sind es, die sich mit dieser Katastrophe auseinandersetzen, sei es, weil viele von ihnen die Schuld übernommen haben, sei es, weil sie immer noch erfahren möchten, was damals eigentlich auf sie zukam. Für die Schläfer jedoch ist dies alles fern. Sie haben keinen Schaden daran genommen. Ihnen ist der Krieg nicht verhaßt. Sie fürchten ihn nicht einmal. Sie wehren sich nicht gegen ihre Wiederaufrüstung. Sie schliefen sogar ruhig neben der Wasserstoffbombe, wenn sie sie bekämen. Einmal ließen sie sich dazu ausersehen, Bollwerk gegen das Judentum zu sein, jetzt sind sie Bollwerk gegen den Kommunismus. Ihr Schlaf wird nur getrübt vom Traum von der Wiedervereinigung mit denen, die dazu bestimmt wurden, Bollwerk gegen alles das zu sein, was sie drüben im Westen verkörpern . . .

Zwischen den Sozialdemokraten gäbe es nun integre Leute, solche, die den Kampf gegen den Faschismus am eigenen Leibe erfahren haben, solche, die weiter blicken, als bis zum eigenen Herd. Aber es scheint, sie lassen sich nach Emigration und Kerkerdasein anstecken von den Traumstimmen aus dem Hirseberg, und geben ihrerseits vaterländische Brusttöne von sich.

Bedenklich ist all der Ballast, mit dem sie liebäugeln – vielleicht nur, um die Wahlstimmen der Halbherzigen, der Schlafenden, für sich zu gewinnen –, und ich frage mich, ob sie mit diesem Ballast je eine Regierung ausmachen können, die sich progressiv nennen ließe. Alles steht ihnen ja noch bevor. Und dies, ohne daß eine linke Opposition sie anspornen könnte, denn diese ist ihrer Meinungsfreiheit beraubt. Bevor steht der Aufstieg des Arbeiters aus der Unterdrückung, die soziale Verwaltung der Produktionsmittel, die soziale Wohlfahrt, die Erneuerung des Schulwesens, die Gleichberechtigung von Mann und Frau im Arbeitsmarkt, die Sicherung für die intellektuellen und künstlerischen Berufsgruppen und vor allem die Befreiung vom autoritativen Denken.

Dieser Grundton des Autoritären, der in Deutschland noch überall zu verspüren ist, an den Arbeitsstätten und in der privaten Sphäre, dieser drohende Grundton ist es, der mich immer wieder zum Wegreisen treibt.

Hubert Fichte *Gewitztheit oder moralischer Mut*

Ich betrachte Carl Friedrich von Weizsäcker nicht nur als notwendiges oder als das geringste Übel auf dem atomaren Ministersessel in Bonn. Der Gelehrte, der nie die Absicht hatte, für Hitler eine Atombombe zu bauen, weil er die fürchterlichen Folgen für die gesamte Menschheit voraussah, der sich ohne Minderung für die Überwindung des Krieges im Atomzeitalter ausspricht bis hin zur Verweigerung des Dienstes an der Waffe, der sich insbesondere gegen die atomare Bewaffnung der Bundeswehr wendet, der ohne Schonung die völlige Schutzlosigkeit der Zivilbevölkerung darstellt, der überdies auch der friedlichen Verwendung der Atomenergie mit gebotener Skepsis gegenübertritt und der Anwendung beweglicher Reaktoren, im Schiffbau etwa, mißtraut – seine Ernennung stellte nicht nur eine notwendige Kompromißlösung dar, sie wäre ein Glück für die Politik der Bundesrepublik ...

Er erscheint mir für diesen Posten im Augenblick als der Geeignetste auf Grund seiner diplomatischen Eingestimmtheit, seiner Fachkenntnis und seiner Fähigkeit, Fragen der diplomatischen Routine und der wissenschaftlichen Aktualität im Zusammenhang zu sehen mit den übergeordneten Problemen der Menschlichkeit – ein solches Amt würde es ihm ermöglichen, Bewußtsein dort zu bilden, wo es sich für die deutsche Demokratie im Augenblick am notwendigsten erweist: unter den Politikern.

Wahrheitsliebe, analytischer Verstand, Humor und eine unemotionale Sprechweise kennzeichnen ihn als den Typ des Politikers, wie er das Parlament der Zukunft prägen muß – wollen wir für unseren Staat weiterhin an den Gedanken von Freiheit, Gleichheit und Brüderlichkeit festhalten.

Die Gestalt Carl Friedrich von Weizsäckers bietet viele Faszetten, doch ging es hier um keine essayistische Würdigung des Philosophen, Astrophysikers oder des Privatmannes – sondern um Prosa zu dem Zwecke, ein im Grunde demokratisches Parlament aufzustellen in einer Welt, wo noch immer zwei Drittel der Bewohner hungern, in der die Folter weiterhin benutzt wird und die lügnerische Propaganda, eine Welt, die von sekundenschnellem Untergang täglich bedroht ist. Weizsäcker selbst hat immer wieder auf diese Gefährdung durch das atomare Wettrüsten hingewiesen.

Der Zweck, einen geeigneten Atomminister zu finden, möge entschuldigen, daß ein junger Schriftsteller die kritische Vorstellung eines Gelehrten wie Weizsäcker übernimmt, daß er sich in dem Bild, das er entwirft, auf einige Striche beschränkt.

Rolf Hochhuth   *Klassenkampf*

Auf achtundfünfzig Westdeutsche kam 1959 ein einziger vermögender. Zwar gab es 1953 eine halbe Million Privatpersonen mit einem versteuerbaren Vermögen von 41,4 Milliarden Mark. Innerhalb dieser Gruppe waren es aber wiederum nur zwei Prozent, denen die bedeutenden Vermögen gehören. Heute drehen höchstens noch zweitausendfünfhundert Bundesbürger (und ihre Zahl verringert sich schnell) kraft ihres Besitzes oder ihrer Kommandogewalt über die anonymen Kapitalgesellschaften die Lenkräder der Wirtschaft und damit der Regierung.

Einer der Tricks der Besitzer-Gazetten (die anderen haben keine) besteht in der Behauptung, der SPD-Kanzler-Kandidat gefährde die deutsche Wirtschaft, wenn er gegen den Mißbrauch der Macht in Großunternehmen angehe. Man unterstellt, Brandt stemme sich unzeitgemäß und wider alle Gesetze wirtschaftlicher Rationalisierung gegen die Konzernbildung schlechthin. Das tut er nicht. Er weiß sehr genau, daß dem Trend zum Großbetrieb, ob es sich nun um private oder auch gewerkschaftliche und staatliche Unternehmen handelt, nicht auf Kosten der Konkurrenzfähigkeit dieser Werke gegenüber den Mammut-Industrien des Auslands entgegengearbeitet werden darf. Nötig wie Brot aber ist, daß Brandt die Gefahren anvisiert, die sich aus der unkontrollierten Ballung von Werken zu Konzernen erstens für den freien Wettbewerb ergeben und zweitens für die Freiheit des Bürgers selber ...

Es heißt aber, dem Arbeiter, da der ja noch nicht wieder hinter Gittern sitzt, sondern durchaus beißen könnte, nicht einmal mehr die Würde eines gefangenen Löwen zuzugestehen, sondern ihn nur gutmütig verachten wie einen in Freiheit nutzbaren Esel, wenn man in der momentanen Friedfertigkeit der weitaus meisten schon die Garantie sieht, daß er auf ewig zu träge und stumpf geworden sei, um – wie in Großbritannien – den Klassenkampf auch seinerseits wieder aufzunehmen. Denn *die Unternehmer* in Deutschland *haben ihn niemals abgebrochen*; sie haben *deshalb mit Recht gesiegt!*

Sofort nach dem Krieg zerstörten sie das humane Ahlener Programm der CDU; sie brachten den Roßtäuscher-Trick fertig, Erhards Währungsreform den dadurch total Verarmten unter dem Anschein erträglich zu machen, auch Herr Krupp habe, wie jeder Postbote und Friseur, mit nichts als vierzig Mark in der Tasche wieder von vorn beginnen müssen; sie beseitigten 1954 das Gesetz, welches bis dahin die Konzerne verpflichtete, wenigstens an einem Teil der zu ihrer Expansion von der Steuer befreiten Riesen-Investitions-Summen die Mitarbeiter zu beteiligen ... Diese Beispiele ließen sich vermehren. Es genügt *eine* Zahl: siebzehn Jahre nach Beginn von Erhards vergoldetem Zeitalter besitzen sechsundsiebzig Prozent der

Westdeutschen überhaupt kein Vermögen, das der Steuer auch nur gemeldet werden müßte ...

Man überprüfe an diesem Tatbestand die »Begründung«, mit der »Volks«-kanzler Erhard Lebers Arbeitern die Bildung eines gemeinsamen Sparfonds verweigerte: »Die Bundesregierung lehnt die Konzentration massenhaften Vermögens in der Verfügung weniger ... ab.« Mr. Profumo flog schon wegen einer nur galanten Lüge aus Kabinett und Unterhaus. Unser fränkischer Biedermann blieb Regierungschef, obwohl er nicht einmal zugunsten eines schönen Mädchens, sondern auf Kosten der Mehrheit log. Warum schrie das Parlament Erhards folgenschwere Ausrede nicht nieder?

... Dieser Staat zahlt Kriegsverbrechern und Justizmördern, die das Verstecken eines vom Gas bedrohten Judenkindes mit der Guillotine bestraften, im Monat vierzehnhundert Mark, ja mehr. Acht-, neunmal soviel wie er den Eltern oder der verwitweten Mutter zweier Söhne gibt, die gefallen sind – und die *deshalb* nicht mehr sorgen können für ihre Alten im Dreck. Aber diese Eltern sind eben nicht wie die Witwe Reinhard Heydrichs oder die blutverschmierten Staatsanwälte Lautz und Fränkel sogenannte »131«, sondern »Nichtorganisierte« ...

Wie sehr unsere Gesetze das Recht verhöhnen: die krasse Unterscheidung zwischen Beamten und Angestellten bestätigt es wieder. Der Beamte, hört man, habe stets einen Teil seines Lohnes für die Pensionskasse abzweigen müssen. Der Angestellte nicht? Er wußte, wie schäbig seine Rente sein werde, zahlte deshalb private Lebensversicherungen. Herr Erhard wertete sie ab.

Denn nicht Adenauer, sondern Erhard ist haftbar für diese Dschungel-Gesetzgebung. Glaubhaft wird versichert, daß Adenauer von Wirtschaft so wenig versteht, daß er überrascht, ja betroffen war, als man ihm erzählte, Oetkers größte deutsche Handelsflotte sei ausschließlich dadurch finanziert worden, daß Bonn dem Pudding-Boss erlaubt habe, seine Riesengewinne aus den Nährmittelfabriken zehn Jahre und länger ohne Steuerabzug in die Werften zu stecken. Erfreulich, daß der Schiffsbau auf diese Weise angekurbelt wurde. Muß aber nun diese ganze Flotte, allein von Steuergeldern erbaut, *einem* Mann gehören? Hätte Herr Oetker die so oft beschworene Privatinitiative (auch Angestellte entwickeln Initiative) *nicht* aufgebracht, wenn ihm der Staat nur 49 oder 51 Prozent der mit Staatsgeldern gebauten Flotte geschenkt hätte? Wenn die Hälfte dieser Schiffe wie der Industrien, die auf diese Weise hochfinanziert wurden, nun einer Vermögensverwaltung gehörten, die zum Beispiel ihren Gewinn dazu verwendet hätte, unsere Wissenschaft und Schulen annähernd so zu unterstützen, wie das in der Sowjetunion geschieht? Und wenn ein sehr geringer Prozentsatz dieser Gewinne jenen Alten zugeflossen wäre, die aus dem Arbeitsprozeß ausgeschieden sind und deshalb nach der Währungsreform keine neuen Ersparnisse mehr haben bilden können? Leicht hätten sich so die abgewerteten Sparkonten dieser Deklassierten hundertprozentig wiederherstellen lassen. Aber Herr Erhard hat an die Armen nie gedacht ...

Bezahlen auch die ausgebeuteten Bewohner der Arbeiterviertel, die niemals mitfahren dürfen, noch immer fast allein den stupiden Blumenkorso unserer motorisierten Gesellschaft: für Kurzsichtige und Wahlredner sind diese Mietskasernen schon nicht mehr vorhanden, schon so wenig mehr sichtbar, daß sie Westdeutschland bereits als klassenlos preisen. Erst Bergwerkskatastrophen müssen sie daran erinnern, erstens daß Vollbeschäftigung für den Proletarier nicht schon identisch ist mit Glück, man denke nur an die Fremdarbeiter, zweitens daß wie eh und immer die Schwerstarbeiter und Meistgefährdeten eine Klasse für sich sind, in die keiner auch nur für eine Stunde eintreten möchte, der sich turnusmäßig auf der Sitzung seines Arbeitgeber-Clubs in irgendeinem Vier-Jahreszeiten-Hotel über die »uferlosen« Lohnforderungen des Personals empört. »Manche freilich müssen drunten sterben, wo die schweren Ruder der Schiffe streifen« – hätte sich etwas geändert inzwischen, so nur, daß nicht einmal mehr »ein Schatten fällt von jenen Leben in die anderen Leben hinüber«, in *unser* Dasein »bei dem Steuer droben«.

Sonst hielte man nicht selbst angesichts des heutigen Reichtums Besitzverteilung noch für ein *wirtschaftliches* Problem. Sie ist ein *moralisches*! »Freiheit ist nur in dem Maße, wie jeder Einzelne frei ist«, schrieb Jaspers – aber der nur Abhängige, der Besitzlose *kann nicht* frei sein. Am wenigsten frei in seiner Gesellschaft, die aus ihrer Beharrung auf der Unantastbarkeit des persönlichen Eigentums ihre ganze politische Moral bezieht. Bejaht die kapitalistische Welt die Freiheit jedes Einzelnen – und eine andere gibt es nicht –, so muß sie ihn teilhaben lassen an ihrem Kapital. Jede Alternative zu diesem Axiom ist Phrase und Betrug. Besitz ist kein Selbstzweck, sondern ein Mittel zur Freiheit – das *einzige* Mittel, freier bis frei zu werden in einer Gesellschaft, die das Geld zum Maß aller Dinge machte und damit zu ihrem bedeutsamsten Politikum. Politik aber hatte immer nur *eine* Moral: die Verwirklichung der Freiheit für jeden. Wie unsere Welt eingerichtet ist, kann Freiheit für den Einzelnen sich jetzt nur in Geld realisieren, nur im Eigentum.

(Dieser Text Hochhuths war es, der Bundeskanzler Erhard – nachdem er vorher schon von »unappetitlichen Entartungserscheinungen« in der modernen Kunst gesprochen hatte – zu den Sätzen verführte: »Es gibt einen gewissen Intellektualismus, der in Idiotie umschlägt. Da hört bei mir der Dichter auf, und es fängt der ganz kleine Pinscher an, der in dümmster Weise kläfft.« Kommentar von Ernst Bloch: »Die Sprache des Bundeskanzlers hat sich bis zur Kenntlichkeit verändert.« – »131«: Bezieht sich auf das in den 50er Jahren erlassene »131er Gesetz«, das »belasteten« Beamten die Rückkehr in den Staatsdienst ermöglichte.)

Zur Bundestagswahl 1965

Die drei im derzeitigen Bundestag vertretenen Parteien haben sich in allen wesentlichen Fragen auf die gleiche Politik geeinigt. Von der Führung der SPD werden Notstandsgesetze ebenso gefordert und mit erarbeitet, wie von den Repräsentanten der Regierungskoalition. In allen im Bundestag vertretenen Parteien befinden sich Befürworter eines Mitverfügungsrechts der Bundesregierung über Atomwaffen.

Die Bonner Parteien wissen sehr wohl, daß Notstandsgesetze und atomare Bewaffnung mit dem Buchstaben und dem Geist des Grundgesetzes unvereinbar sind. Deshalb weichen sie einer öffentlichen Diskussion über die wichtigen Grundfragen der deutschen Politik aus. Sie verharmlosen vielmehr die wahren Probleme und stellen im Wahlkampf keine Sachfragen zur Debatte, sondern führen ihn mit Schlagworten wie Entschiedenheit, Mut, Vertrauen und Gemeinsamkeit.

Die Bürger, die sich für die Erhaltung des Grundgesetzes entscheiden wollen, die Sicherheit durch Abrüstung wünschen, die eine friedliche Verständigung über Fragen Gesamtdeutschlands fordern, haben keine parlamentarische Vertretung mehr ...

Was ist in dieser Situation zu tun? Der Bogen der Überlegungen und Vorschläge spannt sich vom Befürworter einer Protestwahl durch Abgabe ungültig gemachter Stimmzettel über die Versuche, eine neue Wahlgemeinschaft zu schaffen, bis zum Angebot der Deutschen Friedens-Union, unabhängigen Persönlichkeiten ihre Listen zu öffnen.

Nach reiflicher Überlegung dieser Vorschläge und eingedenk der Tatsache, daß jetzt, wenige Monate vor der Wahl, eine neue Wahlgemeinschaft technisch nicht mehr möglich ist, erscheint uns die Kandidatur auf den Listen der Deutschen Friedens-Union die wirkungsvollste Art, einer neuen Politik den Weg zu ebnen. Wir appellieren an alle Demokraten in unserem Land, für das Angebot der Deutschen Friedens-Union einzutreten und durch Unterstützung der durch unabhängige Kandidaten erweiterten Listen mitzuhelfen, daß Vertreter einer neuen deutschen Politik Sitz und Stimme im V. Deutschen Bundestag bekommen.

(Juli 1965. – Gemeinsame Erklärung von Hochschullehrern, Pfarrern und Schriftstellern, u. a. Max Bense, Christan Geissler und Ernst von Salomon.)

Aufruf für eine neue Regierung

Die Unsicherheit im politischen Leben der Bundesrepublik wächst. Sie muß überwunden werden. Mit großen Worten und Versprechungen versuchen die Regierungsparteien, von ihrer Erschöpfung abzulenken. Kritik wird verhöhnt, Opposition nur als lästig empfunden.

Wir brauchen eine Politik, die auf die Zukunft vorbereitet ist. Sachlichkeit und Verhandlungsbereitschaft müssen das Wunschdenken ablösen, das die Regierungspolitik kennzeichnet.

Eine veränderte Welt verlangt neue Erkenntnisse auch in der Politik.

Darum ist ein Wechsel nötig. Darum plädieren wir für eine Regierung der Sozialdemokraten.

Ilse Aichinger, Reinhard Baumgart, Hans Bender, Ernst Bloch, Kasimir Edschmid, Günter Eich, Axel Eggebrecht, Albrecht Goes, Günter Grass, Peter Härtling, Rudolf Hagelstange, Geno Hartlaub, Walter Jens, Marie-Luise Kaschnitz, Wolfgang Koeppen, Ernst Kreuder, Siegfried Lenz, Reinhard Lettau, Friedrich Luft, Ludwig Marcuse, Christoph Meckel, Alexander Mitscherlich, Robert Neumann, Hans Erich Nossack, Marcel Reich-Ranicki, Hans Werner Richter, Paul Schallück, Ernst Schnabel, Hans Scholz, Martin Walser, Dieter Wellershoff, Wolfgang Weyrauch.

(August 1965. – Wahlanzeige, herausgegeben vom ›Wahlkontor deutscher Schriftsteller‹, in Westberlin, in dem von Juli bis September 1965 folgende Autoren mitarbeiteten: Nicolas Born, Hans Christoph Buch, F. C. Delius, Marianne Eichholz, Gudrun Ensslin, Hubert Fichte, Peter Härtling, Rolf Haufs, Günter Herburger, Hans-Peter Krüger, Martin Kurbjuhn, Hermann Peter Piwitt, Stefan Reisner, Klaus Roehler, Peter Schneider, Bernward Vesper-Triangel, Klaus Wagenbach. – Das ›Wahlkontor‹ hatte drei Aufgaben: Entwicklung von Slogans, Umschreiben von Vorlagen, Entwurf von ›Standardreden‹. Hier einige Beispiele:)

Slogans:

»Mit dem Schlagwort ›Formierte Gesellschaft‹ verläßt Erhard den Boden der Tatsachen und entschwebt in die Bereiche des Übersinnlichen. Nun hören wir manchmal noch seine Stimme aus den Wolken.« (Roehler/Vesper)

»Die Regierung gibt den Kleinen erst dann etwas ab, wenn die Großen satt sind.« (Schneider)

»Die Regierung liegt auf der Bärenhaut und wartet auf ein zweites Wunder.« (Buch)

»Die neue Zeit erfordert einen neuen Stil.« (Vesper)

»Auch der Staat kann dem Bürger danken.« (Härtling)

»Wählen Sie heute CDU. Aber wundern Sie sich morgen nicht darüber, daß Sie schon wieder eine unbewältigte Vergangenheit haben.« (Eichholz)

»Die Deutschlandpolitik ist viele Jahre eine Politik regierungsamtlicher Verlautbarungen gewesen. Sie hat sich nie des politischen Handwerks besonnen, das darauf aus ist, in kleinen Schritten Ergebnisse zu erzielen.« (Härtling)

»Wer die Einklassenschule verteidigt, der verteidigt die Dummheit. Es kann einer das ABC beherrschen und trotzdem ein Analphabet sein.« (Schneider)

»Auch jedes alte Wahre wird einmal zu einem neuen Unwahren.« (Wagenbach)

»Es bringt nichts ein, in einem Wartesaal dumpf vor sich hin zu dösen. Wir sollten uns wenigstens nach dem nächsten Zug erkundigen.« (Haufs)

»Die Pinscher bellen nicht umsonst. Vielleicht fürchtet Erhard, es könnte ihm eine Verzierung abgebissen werden.« (Fichte)

»Die Volksversicherung ist eine ehrliche Sache: eine Rente nach Punkten, verständlich, überschaubar, solide. Der Versicherte kann und soll Vertrauen haben zur Volksversicherung. Er kann mitrechnen.« (Delius)

»Die Völker der Welt erwarten zwanzig Jahre nach Kriegsende Anstrengungen des deutschen Volkes, seine nationale Frage selbst zu lösen.« (Vesper)

»Um kleine Schritte zu machen, muß man den Spalt in der Tür erstmal identifizieren. Dann kann man den Fuß reinstellen.« (Eichholz)

Umschreiben von Vorlagen:

(Vorlage:) »Zwanzig Jahre sind genug, genug der Teilung, genug der Unsicherheit unserer Politik. Wir haben eine wachsende Verantwortung für den Frieden. Der Friede in Europa, das heißt Deutschland. Und wir werden keinen wirklichen Frieden haben, bevor wir nicht auch mit den Völkern des Ostens zu einem Ausgleich kommen. Diese große Aufgabe muß endlich in Angriff genommen werden, statt immer nur darüber zu reden.«

(Umschreibung Haufs:) »Die Probleme verschimmeln, wenn man sie liegen läßt, aber sie verschwinden nicht. Wenn wir Frieden in Europa, Frieden in Deutschland haben wollen, dann müssen wir mit unseren Nachbarn in Osteuropa reden, auch mit den Russen. Kleine Schritte, das haben wir in Berlin gesehen, sind besser als keine Schritte. Keine Schritte, das bedeutet den politischen Ausverkauf Deutschlands heute schon.«

(Umschreibung Herburger:) »Zwanzig Jahre politischer Unsicherheit sind genug. Wir sind für den Frieden verantwortlich. Und der Friede in Europa, der heißt Deutschland. Aber wir werden nur dann Frieden haben, wenn wir mit unseren östlichen Nachbarn zu einem Ausgleich kommen. Es nützt nichts, über die Teilung nur zu reden und zu klagen. Wir müssen mit den fernen und nahen Nachbarn sprechen.«

»Die Bundesregierung hat bis heute keine Antwort auf die deutsche Frage gefunden. Sie hat endlos ihre Deutschlandinitiativen heruntergeleiert, ohne daß irgendein praktisches Ergebnis erzielt worden wäre. Niemand, der realistisch denkt, kann sich darüber wundern. Denn den Initiativen der Regierung lag und liegt kein Konzept zugrunde. Man kann nicht einfach die sogenannte ›Politik der Stärke‹ oben hereinwerfen und darauf warten, daß unten die Wiedervereinigung herauskommt. Wie stellt sich die noch amtierende Regierung die Wiedervereinigung denn vor? Eines ihrer Mitglieder hat kürzlich den hilflosen Satz geprägt: ›Deutschland muß wiedervereinigt werden, Deutschland wird wiedervereinigt werden.‹ Meine Damen und Herren, lassen Sie sich nicht für dumm verkaufen, Deutschland wird nicht einfach wiedervereinigt werden, weil es so sein muß. Ohne Gespräche, ohne Ausbau unserer wirtschaftlichen, kulturellen und menschlichen Beziehungen zur DDR gibt es keine Annäherung und erst recht keine Wiedervereinigung. Die Entspannung unserer politischen Beziehungen darf man nicht von der Wiedervereinigung erwarten, sondern umgekehrt: die Wiedervereinigung kann man nur von einer Entspannung erwarten.« (Schneider)

(Nach oberflächlichen Schätzungen erbrachte das ›Wahlkontor‹ der SPD einen Stimmenzuwachs von 0,02 %. Es traf sich nochmals ein gutes Jahr später, um anläßlich der bevorstehenden Großen Koalition am 29. 11. 1966 folgendes Telegramm an die SPD-Zentrale zu schicken: »Das Wahlkontor deutscher Schriftsteller ist enttäuscht und verbittert, daß die SPD, die stärkste Partei, es nicht wagt, den Bundeskanzler zu stellen. Wenn der CSU-Vorsitzende in das Kabinett aufgenommen wird, müssen auch wir Willy Brandt und Karl Schiller künftig in einem Atemzug mit Herrn Strauß nennen.« – Das ›Wahlkontor‹ war u. a. durch die Initiative von Günter Grass gegründet worden, der in dieser Zeit zahlreiche Wahlreden für die SPD hielt. Im folgenden ein Beispiel aus der Rede ›Des Kaisers neue Kleider‹:)

Wie vertraut klingt uns die Mär vom Kaiser und seiner neuen Garderobe. Wir, von Tabus umstellt. Absprachen werden täglich getroffen. Probleme löst man nicht, man klammert sie aus. Nur nicht dran rühren, es könnten die falschen Leute, also die Kommunisten, Beifall klatschen. Von der Oder-Neiße-Linie bis zum Empfängnisschutz, vom Knacken im Telefon bis zum sanktionierten Mord auf unseren Landstraßen reicht der Katalog dessen, wovon wir besser nicht reden sollten. Schweigt still, Ihr Bürger, oder übertönt das heimliche Grauen mit Beifall! Hübsch ist er gekleidet, unser Richtlinienkaiser! Haltet dem Kind, das da vorlaut reden, also am Tabu rühren will, vorsorglich die Hand vor den Mund. Inzwischen sind Andersens und also auch unsere Betrüger eifrig. Luftig sind ihre Schnittmuster. Ihre Scheren zwitschern gratis. Hurtig sind ihre Nähnadeln, doch ohne Faden. Jedem versprechen sie alles: Wiedervereinigung und Rückgewinnung der Ostgebiete, stabile Preise und Steuersenkungen, höhere Mieten für den Hausbesitzer und billige Wohnungen für jedermann. Herrn Ludwig Erhards »Sozialgesetzgebung aus einem Guß« und seine »formierte Gesellschaft« sind solche Luftklöße, die uns aufgetischt, sind solche Windsuppen, die uns täglich eingelöffelt werden. Oder – um im Bild und im Märchen zu bleiben – sind unseres Bundeskanzlers neue Kleider, also das dröhnende Nichts, das nach dem Kind verlangt und dem unbestechlich kindlichen Zeigefinger: »Aber er hat ja nichts an!«

AUFRUF

Wir bitten um Unterstützung der amerikanischen Politik für Hitler in Vietnam. Und für was in Europa?

Wir bitten um klare Bezeichnung der amerikanischen Propagandakompanien in Westberlin (Westberliner Tageszeitungen).

     Spandauer Volksblatt
     Der Tagesspiegel
     Der Kurier — Telegraf — BZ — Morgenpost

kurz, acht Westberliner Tageszeitungen bitten um Vertrieb in Saigon und Umgebung.

Wir bitten um Gasmasken und Luftschutzkeller für die Redaktionsstäbe der Westberliner Tageszeitungen. Wie leicht fällt aus Versehen so eine Napalmbombe der Amerikaner auf das Ullsteinhaus.

Wenn ihr die Ausdehnung des Krieges auf Mitteleuropa und Berlin wünscht, unterstützt die Westberliner Tageszeitungen! Spendet auf ihr Konto!

Berliner Weihnachts-Damoklesschwert 1965

Spendet für Johnsons Gallensteine!

Amerikas Führung treibt Anti-Kennedy-Politik in Vietnam.

Einzahlungen auch an das ehemalige Mitglied eines amerikanischen Geheimdienstes „Inspektor" Sikorski („Täglich müssen amerikanische Soldaten sterben. Und wir?") von der BZ, Axel-Springer-Haus.

Heute für die amerikanische Vietnam-Politik Geld spenden heißt sparen fürs eigene Massengrab.

Eure Rührung ist mörderisch
Das Wasser in euren Augen ist gut
für die ewigen Blindenverführer
Lasset die Toten die Toten begraben
Ergründet wie die Lebenden Lebende bleiben

Die Redaktion Neuss Deutschland, Abteilung Begräbnishilfe

W. Neuss	C. Delavaux
W. Gruner	C. Groenewold
R. Rochow	M. Koegler
E. A. Rauter	H. Rieck

(Am 1. 12. 1965 veröffentlichten die acht Westberliner Tageszeitungen – unter Anleitung des Marquis Springer – einen ›Aufruf an die Berlinerinnen und Berliner‹, allen Angehörigen von in Vietnam gefallenen US-Soldaten, die ihr »Leben zum Schutze der freien Welt vor gewaltmäßiger Ausdehnung des kommunistischen Machtbereichs opfern mußten«, eine Freiheitsglocke der Berliner Porzellanmanufaktur zu schicken. Wolfgang Neuss veröffentlichte daraufhin in seiner satirischen Zeitschrift ›Neuss Deutschland‹ die obenstehende Anzeige. Antwort der Berliner Presse: Anzeigenboykott gegen Wolfgang Neuss.)

Bananenrepublik?

Ulrike Marie Meinhof   *Vietnam und Deutschland*

Das wird nun systematisch unter die Leute gebracht: In Vietnam verteidigt Amerika die westliche Freiheit; in Vietnam stellt Amerika seine Bündnistreue unter harten, rührenden, dankenswerten Beweis; Vietnam – das könnte morgen schon Deutschland sein. Nichts von all dem ist wahr. Nachweisbar ist nur, daß die Bevölkerung, die derlei glauben gemacht wird und die Presse, die derlei glauben macht, bis hin zu den Politikern, die das bekräftigen, in diesem Krieg eine Funktion haben. Eine Funktion, die durchaus übersichtlich und benennbar ist, die aber mit deutschen Sicherheitsfragen nur sehr indirekt zusammenhängt. Die 100 Millionen Mark, die Bonn nach Vietnam geschickt hat und die Friedensglocken, die die Berliner Presse organisiert hat, haben nichts mit Vietnam, dafür sehr viel mit Bonner Politik zu tun.

Johnson ist auf das Einverständnis der westlichen Welt mit seinem Vietnam-Krieg angewiesen. Die Proteste in seinem eigenen Land gegen diesen Krieg sind längst weltöffentlich geworden. Sie reichen bis in Kongreß und Senat, sie spielen eine Rolle an den Universitäten, große Teile der amerikanischen Bürgerrechtsbewegung sind übergegangen zum Widerstand gegen den Krieg in Vietnam. Johnson braucht, das hat Dean Rusk die Nato-Ministerratstagung in Paris sehr deutlich wissen lassen, die Unterstützung der Nato-Länder für seinen Krieg als Argument gegen die Opposition im eigenen Land. Bonn, in der Ära John Foster Dulles groß geworden – triumphal waren Adenauers Amerika-Reisen in den fünfziger Jahren –, unterstützt den Vietnam-Krieg aus egoistischem, um nicht zu sagen aggressivem Interesse. Er beweist – fragwürdig genug – die Bedrohung aus dem Osten; er rechtfertigt die Strategie der Vorwärtsverteidigung, der Raketenbasen an den Grenzen der DDR; er gibt Gelegenheit, die USA täglich und stündlich an ihre Sicherheitsgarantien für Berlin und die Bundesrepublik zu erinnern; er liefert Nervosität und Zündstoff, wo Unfrieden in Deutschland gestiftet werden soll. Immerhin hat Barzel bekräftigt, was in der Regierungserklärung dokumentiert wurde: Es gäbe keinen Frieden in Europa ohne Wiedervereinigung. Sprich: Vietnam – das könnte morgen schon Deutschland sein. Die das propagieren, setzen sich dem Verdacht aus, dergleichen vorbereiten zu wollen.

Um solch bösartiger Erwägungen willen bleiben dann alle Fakten auf der Strecke, die in Sachen Vietnam einfach und klar sind: Daß die Bündnistreue der USA diesem Land aufgezwungen wurde – also keine ist –, das war 1954, als Dulles das Land unter Diem in den Manila-Pakt manipulierte; als die freien Wahlen 1956 nicht stattfanden, weil Vietnam dann neutral geworden wäre, zweifelhafte Bündnistreue abgewiesen hätte. Dann bleibt auf der Strecke, daß es in Süd-Vietnam westliche Freiheit im Sinne von Pressefreiheit, Meinungsfreiheit, Religionsfreiheit nie gegeben hat und daß der Vietkong eine Volksbewegung ist, die mit dem Wort »kommunistisch« nicht definiert werden kann.

Damit das alles auf der Strecke bleibt und nicht bekannt wird, verhängt die Berliner Presse einen Anzeigenboykott gegen Wolfgang Neuss, veröffentlicht ›Die Welt‹ nur 8 Zeilen über die 120-Zeilen-Erklärung der Schriftsteller und Hochschullehrer gegen den Krieg in Vietnam, dafür aber Krämer-Badonis Gegenaufruf und dreimal eine Serie von Leserbriefen gegen die praktisch unveröffentlichte Schriftstellererklärung. Es gehört zum Bonner Geschäft mit dem Vietnam-Krieg, daß der Bevölkerung Tatsachen vorenthalten werden, Zusammenhänge unklar bleiben, daß die Bevölkerung nichts durchschaut, aber mitmacht.

Es ist unwahrscheinlich, daß Bonn durch Vietnam-Solidarität zu eigenem Atomwaffenbesitz, zum Vietnam-Krieg in Deutschland vorstößt. Aber immerhin: »Handlungen, die geeignet sind und in der Absicht vorgenommen werden, das friedliche Zusammenleben der Völker zu stören ... sind verfassungswidrig.« (GG Art. 26)

(Januar 1966)

Gespräch zwischen Wolfgang Neuss und Peter Weiss über die Wiedervereinigung

WEISS: Wie kann man ein wiedervereinigtes Deutschland zustande bringen?

NEUSS: Mit einer Nichtanerkennung der DDR.

WEISS: Das heißt, die Produktionsmittel, die jetzt sozialisiert sind, gehen wieder zurück in den privaten Besitz, die Bodenreform wird aufgehoben zugunsten des Großgrundbesitzes, kurz, die sozialistischen Arbeiter würden mit Freuden wieder in den privaten Unternehmen arbeiten. Das wäre also die Wiedervereinigung, gesehen von Westdeutschland aus.

NEUSS: Ja, das reicht noch nicht ganz, denn wir können ja als Europäer – mit einer freien Marktwirtschaft nicht mit einem kommunistischen Polen als Nachbar leben.

WEISS: Das hieße, die sozialisierten Produktionsmittel in Polen würden wieder zurückgehen in Privatbesitz, und die feudale Klasse würde wieder ihren Großgrundbesitz etablieren. Das wäre also eine Vereinigung Europas von Westdeutschland aus – kurz, das Gespenst des Kommunismus wäre noch weiter nach Osten verschoben.

NEUSS: Ja, das reicht aber noch nicht, denn eine polnische freie Marktwirtschaft mit einer Sowjetunion an der Ostgrenze, das wäre ja ein ewiger Unruheherd – und Europa streckt sich bekanntlich bis zum Ural.

WEISS: Die Eskalation müßte weitergehen – bis an die Chinesische Mauer.

NEUSS: Das wäre gut – von der anderen Seite kämen dann die Amerikaner.

WEISS: Die sind ja schon da.

NEUSS: Zu früh – ich sage ja –, diese radikalen Amerikaner können nicht abwarten, bis wir soweit sind – und wir haben uns noch nicht genügend *formiert*.

(April 1966)

Erich Fried   *Gleichheit Brüderlichkeit*

Vietnam ist Deutschland
sein Schicksal ist unser Schicksal
Die Bomben für seine Freiheit
sind Bomben für unsere Freiheit

Unser Bundeskanzler Erhard
ist Marschall Ky
General Nguyen Van Thieu
ist Präsident Lübke

Die Amerikaner
sind auch dort die Amerikaner
Katholiken und Protestanten
sind dort Katholiken

doch die Sozialdemokraten
sind die Buddhisten
die Gewerkschaften sind die Vietcong
Hanoi ist Pankow

Saigon ist Bonn
und Westberlin ist Da Nang
Ein großer Teil des Landes
ist finsterer Urwald

Um festzustellen
wer bei uns Thich Tri Quang wird
ist die Umgebung von Bonn
noch zu wenig erforscht

Bonns Landesvaterrecht
über Berlin ist drum wichtig
und die Stadtkinder dort
sind strengstens zu kontrollieren

Ein buddhistisches Westberlin
wäre nur kleine Schritte
entfernt von Hanoi
Zwar es gibt auch loyale Buddhisten

die nicht wie Berliner
den eigenen Nabel beschauen
und Spiele spielen vor denen
der Landesvaterschaft grauset

In Vietnam ists für derlei zu spät
dort schützt man mit Notstandsgesetzen
die Kinder und ihre Mütter
faßt sie sicher und hält sie warm

und erhält in ihnen
ein brennendes Wissen lebendig
daß die Zukunft die Wiedervereinigung sein muß in Freiheit

Was denen dort teures Recht ist
erreicht mit Mühe und Not
uns hier ist es billig
in Vietnam schlägt das Herz von Deutschland

(1966)

Martin Walser   *Praktiker, Weltfremde und Vietnam*

Die Machtverwalter und ihre Hilfswilligen täuschen sich, wenn sie fürchten, sie stünden einem stachligen Intellektuellenkader gegenüber. Noch nicht. Wir müssen uns zuerst noch einigen.

Der politische Praktiker Günter Grass hat sich in Princeton, mitten im kriegführenden Land, gegen einige Kollegen gewendet: »...

aus Schriftstellers Sicht, gewissermaßen als verschämte Elite, soll protestiert, der Krieg verdammt, der Frieden gelobt und edle Gesinnung gezeigt werden.« Das ist Ironie. Da bin ich ziemlich sicher. Und Enzensberger ruft Peter Weiss und anderen zu: »Wer klopft sich da eigentlich immerfort selbst auf die Schulter? Wer behauptet da im Ernst, er gefährde sich und nimmt den Mund voll mit seinen Mutproben? Ist der Klassenkampf ein Indianerspiel, die Solidarität ein Federschmuck für Intellektuelle?«

Ein richtiger Wettbewerb also: wer ist am wenigsten »idealistisch« – theoretisch-weltfremd. Enzensberger, bemüht praktisch, will dumme Politik nicht durch Philanthropie ersetzen lassen, sondern durch Politik, »die auf Kenntnissen beruht«. Und Grass scheint froh darüber zu sein, daß es eine Menge Schriftsteller gibt, die »gelegentlich ihren Schreibtisch umwerfen und«, fährt er weniger bildhaft fort, »demokratischen Kleinkram betreiben. Das aber heißt: Kompromisse anstreben.«

. . . So hätten wir glücklich drei Verhaltenweisen unter uns.

1. Die blanken SPD-Kämpen, die sich, von Kompromißnarben bedeckt, für die Leibwache der Wirklichkeit halten müssen.

2. Den Bekenner, der verstiegen genug ist, Kolonialismus Kolonialismus und Imperialismus Imperialismus zu nennen, obwohl er doch auch weiß, daß es dazwischen Wörter gibt wie Entwicklungshilfe oder Counterpart Financing System; der sogar selber auf der Seite lebt, die er verneint.

3. Der skrupelreiche Zögerer, der der Wählbarkeit der SPD nichts zufügen kann und will, dem aber die SPD-CDU-Differenz momentan zu winzig zu sein scheint, als daß sich mehr als der Einsatz eines Kreuzes auf einem Stimmzettel lohnte; seiner Geneigtheit, bei fremden Völkern mitzufühlen, gibt er nicht nach, weil er sein Mitgefühl von allzu vielen Unvereinbarkeiten, Heucheleien etc. zersetzt sieht; hinderlich ist ihm vor allem seine Gebundenheit an sich selber, kurz: er glaubt sich die Haltung nicht, die er von sich fordern möchte, also unterdrückt er sie und, trifft er sie bei anderen an, reagiert er mißtrauisch.

Diese drei Verhaltensweisen können sich in dem und jenem mischen, ganz rein kommen sie kaum vor. Sie sind natürlich von den Personen, an denen sie hier beschrieben wurden, unabhängig. Und sie wären nicht sonderlich interessant, gäbe es nicht diesen Krieg in Vietnam.

Das ist unser Krieg. Mit vollem Recht sprechen die amerikanischen Militärsprecher auf den Pressekonferenzen in Saigon von den Free World Forces. Die Streitkräfte der Freien Welt. Wir gehören zu dieser Freien Welt. Das sind unsere Streitkräfte. Die Zeitungen in Berlin haben das genauer empfunden als wir wahrhaben wollen. Die Amerikaner sind unsere engsten Verbündeten, unsere engsten politischen Freunde. Sie führen diesen Krieg auch in unserem Namen ...

Es ist schon ein bißchen grotesk, daß sich einige Schriftsteller gerade jetzt die Argumente des Establishments gegen den Außenseiter zu eigen machen. Ein paar hundert Jahre lang hatte Schriftstellerei mit Aufklärung zu tun, die Berechenbarkeit der Wirkung zählte nicht zu den erfüllenswerten Bedingungen. Die Wirkungen blieben trotzdem nicht aus. Heute scheint der Lautsprechereinsatz für eine längst wählbar gewordene, in allen Oberförstereien durchgesetzte SPD zum politischen summum bonum einer ganzen Schreibergeneration zu werden. Das nennt sich dann, vibrierend vor Bescheidenheit, »demokratische Kleinarbeit« ...

Selbst wenn wir einsehen müßten, daß wir von unserer gegenwärtigen Regierung nichts anderes verlangen können als diese Claqueurs-Auftritte in Washington – aber auch das will ich nicht sehen –, dann möchte man wenigstens von der Sozialdemokratischen Partei erwarten dürfen, daß sie, käme sie an die Regierung, unsere Gesellschaft anders vertritt. Möchte man. In Wirklichkeit hat diese Partei bis heute lediglich ihre Vorweg-Anpassung demonstriert. Als hinge ihre Wählbarkeit noch mehr von Washington ab als von uns, hat sie nicht gewagt, über Vietnam das zu sagen, was sie, ihrem geschichtlichen Auftrag nach, hätte sagen müssen.

Sollen wir uns dieser Vorweg-Anpassung auch noch anpassen? Oder könnte man deutsch-amerikanische Freundschaft auch so praktizieren, daß man Stimmen wirbt für die starke inneramerikanische Opposition gegen den Vietnam-Krieg? Wir sind wahrscheinlich der einzige westeuropäische Staat (außer Portugal und Spanien), in dem die Kritik am amerikanischen Krieg keinerlei politischen Ausdruck gefunden hat. Das liegt eben an der besonderen Auffassung, die die SPD von ihrer Wahlwürdigkeit hat. Deshalb ist es nötig, einzuspringen für diese SPD, die bis zur Bewußtlosigkeit damit beschäftigt ist, sich für ihren Auftritt zu schminken ...

(27. 9. 66; Rede zur Eröffnung einer Vietnam-Ausstellung)

Walter Jens   *Der Schriftsteller und die Politik*

Die deutschen Schriftsteller meiner Generation, die zwischen 1920 und 1930 Geborenen, in deren Namen ich sprechen darf, waren Kinder, als Hitler zur Macht kam, das heißt: die Vorstellung einer ideologisch geeinten und solidarisch handelnden Klasse ist ihnen fremd. Sie kennen Rebellen und Mörder, Feige und Verwegene, den Arbeiter im Schützenloch vor Stalingrad, das Schneehemd und das Hakenkreuz, die preußischen Grafen Moltke und Trott im Angesicht des Volksgerichts; sie wissen, was ein Partisan, ein Maquis und ein

Quisling ist; aber die Erfahrung – und darauf kommt es an – hat sie gelehrt, daß es in *allen* Klassen Märtyrer und Knechte gibt ...

Der deutsche Schriftsteller unserer Tage, von keiner Klasse beauftragt, von keinem Vaterland beschützt, mit keiner Macht im Bund, ist ... ein dreifach einsamer Mann. Doch gerade diese Stellung inmitten der Pole, die Bindungslosigkeit eben läßt ihn – eine ungeheure, einzigartige Chance! – so frei sein wie niemals zuvor. Im Unterschied zu Sartre und im Einklang mit Camus (dem einzigen Autoren dieses Jahrhunderts, der zu Recht ein Gran von Tolstoischer Moralität beanspruchen durfte) fürchtet er nicht, sich durch solche Janusposition realer Wirkungsmöglichkeiten zu begeben. Im Gegenteil, das Unrecht in Algerien und Ungarn mit gleicher Schroffheit nuanciert beim Namen nennend und über die Mauer keineswegs den ›Spiegel‹ vergessend, ist er, der Aporetiker, vielleicht der einzige, dem es noch gelingt, verschiedenartige Phänomene mit den eigenen, nur ihnen zukommenden Maßen zu messen und dem Stalinisten als Sozialist, dem Klerikalen als Christ und dem Fanatiker als Demokrat den Spiegel vorzuhalten. Mag das homerische Rühmen, das Macht- und Fürstenlob, der Walthersche Ton, dem Schriftsteller genommen sein, die zweite, ihm von Hesiod übertragene Funktion, das Warnen, kommt ihm heute mehr noch zu als in vergangener Zeit. In einem Augenblick, da der blinde Gehorsam regiert, ist das Nein des Warners, das erasmianische Zögern, sind Bedenklichkeit und sokratische Vorsicht wichtiger denn je ... und dies zumal in einem Land, wo das Ja mehr als das Nein, die Regierung mehr als die Opposition und der Angreifer mehr als der Verteidiger gilt ...   (1966)

Hans Magnus Enzensberger   *Notstand*

Leben wir in einer Bananenrepublik? Werden wir von Gorillas regiert? Liegt Bonn in Haiti oder in Portugal? Und wer hat dort das Heft in der Hand? Ist es Marschall Castel Branco, oder ist es der Marschall Ky? Stehen vielleicht bei uns, wie im fernen Kongo, die Gangster auf den Straßen, mit entsicherten Maschinenpistolen? Oder wie weit ist es eigentlich von hier bis nach Saigon? Liegt das etwa um die Ecke?

Aber woher denn! Aber nein. Davon kann doch überhaupt keine Rede sein.

Zwar, das muß man schon zugeben, wird unsere Republik exotischer von Tag zu Tag. Zwar reibt man sich schon beim Frühstück die Augen, wenn die Zeitung kommt. Zwar wird hier das Groschenblatt zum Parlament gemacht und das Parlament zum Gesangverein; zwar stopfen sich hier die regierenden Parteien so lange das Geld der Steuerzahler in die eigenen Taschen, bis man ihnen eins auf die langen Finger gibt; zwar fallen hier Rabattmarken ab beim Einkauf von Schützenpanzern, die teuren Flugzeuge kommen schneller herunter als hinauf, und die U-Boote haben manchmal so merkwürdige Ritzen im Rumpf; zwar kriegt hier jeder Wähler vor der Wahl ein kleines Trinkgeld, das er sorgfältig aufbewahren muß und auf Verlangen zurückzahlen; zwar wird hier mit Interviews regiert, und so lange hacken die Krähen einander die Augen aus, bis keine mehr sehen kann; zwar gilt hier als der Gipfel der Staatskunst die Roßtäuscherei – und das alles nimmt sich eher exotisch als europäisch aus – aber scharf wird schließlich immer noch nicht bei uns geschossen; immer noch kann man in aller Ruhe zum Friseur gehen; immer noch gibt es im ganzen Land kein einziges Konzentrationslager; korrekt hebt der Schupo die Hand an die Mütze, wenn man ihn fragt: Wo geht es hier, bitte schön, zum Bundesverfassungsgericht? Das wollen wir doch mal festhalten.

Und was die starken Männer angeht, nach denen die schwächsten Köpfe der Nation sich sehnen: Diese starken Männer gibt es glücklicherweise nicht. Kein Ky, kein Branco sitzt in Bonn, kein Salazar und kein Duvallier. Dort sitzt weiter nichts als eine Schar von traurigen Grossisten, die Konkurs gemacht haben und nicht zum Amtsgericht wollen. So harmlos sind diese Leute, und so gefährlich ...

Was da immer noch den starken Mann markiert, das ist ja ganz weich in den Knien! Das hat ja Angst!

Und weil sie Angst haben, diese politischen Bunkerleichen, weil sie selber der Notstand sind, von dem sie faseln, darum hecken sie die Paragraphen, die diesen Notstand verewigen sollen. »Im Ernstfall«, sagt der Herr von Hassel, »kann nur das funktionieren, was schon im Frieden funktionierte.« Da es aber im Frieden nicht funktionieren will, wird es das einfachste sein, den Frieden ganz abzuschaffen.

Zu einem Teil ist dieses Werk ja schon getan. Vier verfassungswidrige Gesetze sind schon seit über einem Jahr verkündet. Aber weil sie Angst haben, und Angst vor ihrer eigenen Angst, darum soll der Rest in der Schublade bleiben.

Wir haben mit ihnen nichts mehr zu reden. Aber wir verlangen, daß jetzt endlich die Vernunft gehört wird. Wir verlangen, daß das Gesetz aus dem Bunker tritt. Wir verlangen, daß das Parlament, am hellichten Tage, diesem Spuk ein Ende macht. Die Republik, die wir haben, wird noch benötigt. Wenn man uns fragt, und wenn man uns nicht fragt, erst recht: Eine Bananenrepublik lassen wir aus diesem Land nicht machen.

30. 10. 1966. – Rede auf dem gegen die geplanten ›Notstandsgesetze‹ gerichteten Frankfurter Kongreß ›Notstand der Demokratie‹. Auf derselben Kundgebung sprach *Ernst Bloch*:

Ernst Bloch *Anfänge*

Wir kommen zusammen, um den Anfängen zu wehren!

Diese kennen wir bereits aus den ersten Sätzen der Notverordnung; die weiteren sollen uns erst später bleich machen.

Absicht und Tenor der Sache sind so klar wie unheimlich, auch wenn, ja gerade wenn die Ausführungsbestimmungen, die ergänzenden, noch geheime Reichssache sind. Hier kann auch Wehner nicht beruhigen, nicht abwarten und den bisher üblichen Tee trinken lassen. Die Zeit ist nicht danach, daß sie uns so viel Zeit läßt.

... Hierzulande war noch kein Ausnahmegesetz gegen radikales Rechts gerichtet, immer nur gegen Links, gegen die Seite, wo in Deutschland ohnehin das Herz nicht oft geschlagen hat. Und je diskreditierter parlamentarische Demokratie in bürgerlicher Gesellschaft, desto leichter kann deren Selbstausschaltung in das Land führen, es wenigstens berühren lassen, woraus noch kein Demokrat zurückkam, lebend, unbeschädigt. Worin von einem Ermächtigungsgesetz wirklich ein ausgedehnter Gebrauch gemacht worden ist und nicht nur die Schornsteine der Industrie geraucht haben. Auch eine weniger mörderische Perspektive reicht schon für gebrannte Kinder aus – und für die Welt, die den Brand austrat.

Die Spuren also schrecken, wir wollen uns von ihnen endlich aufschrecken lassen. Hegel sagte einmal: Das einzige, was aus der Geschichte gelernt werden könnte, sei, daß man nie etwas aus ihr gelernt hat. Soll das auch jetzt so bleiben? Darum Schluß mit dem bereits mehr als durchsichtigen Notstandsplan; er ist selber der sichtbarste Notstand geworden, sein Anlaß ist an den Haaren herbeigezogen, seine Begründung lauter Nebel machende Ideologie.

Heinrich Böll *Die Freiheit der Kunst*

Die Kunst bringt nicht nur, sie bietet nicht nur, sie ist die einzig erkennbare Erscheinungsform der Freiheit auf dieser Erde. Natürlich zieht sie die Freiheit nicht aus der Tasche wie eine Münze, die man wechseln, zu Freiheiten zerstückeln kann, die die Freiheit konsumfähig machen. Ihre Last ist, daß sie Freiheit nur hat, ist, bietet, bringt, wenn das von ihr erst geordnete und geformte (was gleichbedeutend ist mit: erst in Unordnung gebrachte und deformierte) Material erkannt wird; ja, geordnet und geformt, in Unordnung gebracht oder deformiert – nicht eingeordnet und formiert. Das ist es, was die Gesellschaft mit ihr unternimmt: einordnen, formieren in die Marktordnungen der freien Marktwirtschaft hinein – die Freiheit zerstückeln.

Anstelle von Gesellschaft würde ich sagen können Staat, wenn wir einen hätten; ich erblicke den Staat im Augenblick nicht. Als einer, der mit Kunst zu tun hat, also einen gewissen Sinn für Material und Ordnung bzw. Unordnung hat, beobachte ich dieses Nichtvorhandensein des Staats mit einer aufgeregten Neugierde; dieser Vorgang der vollkommenen, sich bis ins letzte Detail erstreckenden Deformierung des Staates – das ist natürlich ein aufregender Vorgang. Einer, der mit *ihr* zu tun hat, braucht keinen Staat, er weiß aber, daß fast alle anderen ihn brauchen, und so erfüllt ihn dieses immer Nichtiger-, immer Formloser-Werden mit Entsetzen, weil er fürchten muß, daß da einer kommen wird, kommen soll, erwartet wird, der Ordnung schafft: ein politischer Messias, der klug genug sein wird, der Kunst alle Freiheiten zu lassen – er weiß auch, daß die ungeheure, eigentlich schon krankhafte Aufmerksamkeit, die *ihr* zuteil wird, einer irregeleiteten Sehnsucht nach Ordnung entspringt, die der nicht-vorhandene, sich auflösende Staat nicht mehr bietet, die man also bei *ihr* sucht. Dort, wo der Staat gewesen sein könnte oder sein sollte, erblicke ich nur einige verfaulende Reste von Macht, und diese offenbar kostbaren Rudimente von Fäulnis werden mit rattenhafter Wut verteidigt ...

Was sich unseren Augen in der Öffentlichkeit bietet, ist ja das perfekt-adrette Nichts, in seiner Nichtigkeit begabt, adrett und verfault gleichzeitig zu wirken, am Fernsehschirm noch nach Fäulnis zu riechen; und wenn etwas, das nicht mehr da ist, einfach dadurch, daß es nicht mehr da ist, immer stärker wird, also ein durch Nichtigkeit gekräftigtes Dasein führt, so finde ich, ist das ein Spielchen, ein Vorgang, ein Happening, das entschieden und schon viel zu lange zu weit geht – und es wird nicht geschossen. Unbegrenzt ist die Geduld der deutschen Gesellschaft, die sich offenbar immer noch in der Einübung jenes Stadiums befindet, die mit ›fünf nach zwölf‹ immer noch am besten zu bezeichnen ist. Die Kunst, von der wir hier sprechen, kann nicht staatliche Freiheit und Ordnung ersetzen, sie kann nicht, selbst wenn sie Fäulnis als Material wählt, das Verfaulen aufhalten – das ist die Krise der Literatur, des Kabaretts, der Malerei, der Bildhauerei – das, wie ich schon sagte, krankhafte Interesse der Gesellschaft für sie entsteht vielleicht aus dem Wunsch, sich selbst zu finden; und sie findet sich selbst, findet: Unfaßbarkeit und Fassungslosigkeit ...

(14. 10. 1966; Rede in Wuppertal. – Die Sätze über den damaligen Erhard-Staat sind heute noch beliebtes CDU-Zitat über Schriftsteller-Vorstellungen vom Staat.)

Peter Brückner *Zur Eröffnung des Republikanischen Clubs Berlin*

Allseitige Aneignung innerer und äußerer Wirklichkeit – wie Marx schreibt: durch alle menschlichen Sinne, ist nur als kollektive Leistung denkbar. Sie, etwa im Club, anzustreben, kann leicht den Eindruck einer postjakobinischen Verschwörung machen, wenn die politischen Verhältnisse und die Sprachregelungen des Establishment danach sind. Meine lieben Mitverschwörer: Der republikanische Clubbist soll gewiß für das Establishment *und* für den Thermidor ein Knüppel aus dem Sack sein: Jemand also, der sich seinen politischen Kopf nicht selbst abschlägt, sondern wenigstens am Feierabend davon Gebrauch machen wird. Doch ist der Kopf des Clubbisten nicht sein einziger gefährlicher Körperteil. Ich wage mir anzudeuten, solch ein Club könnte sich auch als eine Versammlung von Menschen auslegen, die ein Stück repressionsfreier Lust für eine gute Sache halten.

Zu solchen Leistungen sind wir offenbar entschlossen. »Die Tätigkeit des Clubs ist auf die Beteiligung an der politischen Meinungs- und Willensbildung in der Westberliner Bevölkerung gerichtet«, heißt es in § 2 unserer Satzung. Und: die Mitglieder verstehen sich »als Teil der politischen Linken«. Die republikanische Tradition, auf die sich unsere Satzung beruft, impliziert die Hoffnung auf gesellschaftliche Bewegung, die man den Umständen erst abgewinnen muß. Mit einem Club wird eine Institution für das »kritisch raisonnierende Publikum« geschaffen – das sich erinnern, das sich informieren, sich auf die Suche nach sogenannten unpassenden Nachrichten begeben will. Jedoch: es fehlt ihm heute die für seine Wirksamkeit konstitutive raisonnierende Öffentlichkeit. Seit kurzem gibt es in Berlin nicht einmal mehr widerspenstige Publizistik. Heutzutage ist Kritik am Establishment wie ein Gespenst: – man kann an es glauben, auch ohne es wirklich zu sehen, aber mancher sieht es auch und glaubt es nicht. Beide Haltungen neigen dazu, Bestehendes zu verfestigen. Ein echt Gespenst, auch klassisch hats zu sein, doch darf sich der Republikanische Club sicher nicht mehr wie seine klassischen Ahnen, im Zenith der bürgerlichen Gesellschaft, interpretieren. Als Institution einer neuen Linken muß auch er erst aus dem Ghetto der politischen Isolierung ausbrechen, und teilt damit Funktion und Schicksal jeder außerparlamentarischen Opposition.

Es liegt übrigens etwas Witziges in dem gewiß richtigen Versuch, den Club als Glied der außerparlamentarischen Opposition zu sehen – etwas Witziges, weil an Halbseiten-Hypothesen erinnernd. Wenn *wir* die Politik des parlare, das Ziel des herrschaftsfreien Dialogs Aller mit Allen gegen das dictare des Thermidor, das Manipulative des Establishments stellen, so liegt am Ende das wahre Parlament außerhalb des Parlaments, und ist zugleich – die Opposition.

(20. 5. 1967. – Der ›Republikanische Club‹ war von zahlreichen Schriftstellern mitbegründet worden.)

Uwe Johnson *Über eine Haltung des Protestierens*

Einige gute Leute werden nicht müde, öffentlich zu erklären, daß sie die Beteiligung ihres Landes am Krieg in Vietnam verabscheuen; was mögen sie da im Sinn haben? Die guten Leute sagen sich den Ausspruch nach, es sei Krieg nicht mehr erlaubt unter zivilisierten Nationalstaaten; die guten Leute haben sich nicht gemuckst, als die Kolonialpolitik zivilisierter Nationalstaaten jene Leute in Vietnam bloß mit Polizei dabei störte, erst einmal eine Nation zu werden. Die guten Leute hört man klagen, es wende das mächtigste Land der Erde gegen ein kleines Land fortgeschrittene Waffensysteme an, zum Teil experimentell, gerade das Probieren mit tüchtigeren Vernichtungsmitteln erbittert die guten Leute; die guten Leute haben still in der Ecke gesessen, als die Armeen sich auswuchsen, noch die Diät der Manöver haben sie dem Militär gegönnt, nun schreien sie über die natürliche Gier der Maschine nach lebensechtem Futter. Die guten Leute haben es mit der Moral, die Einhaltung des Genfer Abkommens wünschen sie sich, Verhandlungen, faire Wahlen, Abzug der fremden Truppen, Anstand sagen sie und Würde des Menschen; sie sprechen zum übermenschlichen Egoismus eines Staatswesens wie zu einer Privatperson mit privaten Tugenden. Die guten Leute mögen am Krieg nicht, daß er sichtbar ist; die guten Leute essen von den Früchten, die ihre Regierungen für sie in der Politik und auf den Märkten Asiens ernten. Die guten Leute wollen einen guten Kapitalismus, einen Verzicht auf Expansion durch Krieg, die guten Leute wollen das sprechende Pferd; was sie nicht wollen, ist der Kommunismus. Die guten Leute wollen eine gute Welt; die guten Leute tun nichts dazu. Die guten Leute hindern nicht die Arbeiter, mit der Herstellung des Kriegswerkzeugs ihr Leben zu verdienen, sie halten nicht die Wehrpflichtigen auf, die in diesem Krieg ihr Leben riskieren, die guten Leute stehen auf dem Markt und weisen auf sich hin als die besseren. Auch diese guten Leute werden demnächst ihre Proteste gegen diesen Krieg verlegen bezeichnen als ihre jugendliche Periode, wie die guten Leute vor ihnen jetzt sprechen über Hiroshima und Demokratie und Cuba. Die guten Leute sollen das Maul halten. Sollen sie gut sein zu ihren Kindern, auch fremden, zu ihren Katzen, auch fremden; sollen sie aufhören zu reden von einem Gutsein, zu dessen Unmöglichkeit sie beitragen.

(1967)

Peter Härtling   *Helmut Schmidt*

... Unbezweifelbar trachtete Schmidt, sich vor das Publikum zu stellen als ein Rhetoriker von unbefangener, auch jungenhafter Frische, unter dessen Hauch die Dinge der Politik sich erwärmen, ein wenig Kennedy gleichend und diesem Vorbild nacheifernd. Wie Kennedy mißtraut er dem Unbürgerlichen der Bohème, geriert sich straff, ein kluger Leutnant, der mit seinen Leuten umzugehen versteht ...

Er wirkt immer frisch, den Reklamemännern vergleichbar, die für Deodorants werben oder für herbes Eau de Cologne. Wer ihm zuschaut, bemerkt sogleich, daß er seine Forschheit schmaläugig kontrolliert, daß er sich in der Hand hat und unentwegt an seine Wirkung denkt. ...

Schmidt neigt dazu, durch eine dynamische, durch scharfe Gesten sich ausdrückende Gebärdensprache seine Hörer zu überrumpeln. Er wirft sie nieder. Er will sie bezwingen. Seine Sprache ist der Bilder mächtig, aber sie krankt an einer politischen Formelhaftigkeit, die sie streckenweise farblos, bleiern macht: »Das bedeutet, daß die Bürgergemeinde im demokratischen Staat zwei Ebenen anerkennen muß: die Ebene derjenigen Dinge, über die man auf demokratische Weise abstimmen kann und muß, um zur Entscheidung zu gelangen und die Ebene derjenigen Sachen, über die man nicht abstimmen darf.« Hier verwüstet Sprache sich selbst, indem sie bedacht reglementiert: Dinge und Sachen werden auf Ebenen gelegt, Sachverhalte und Bewegungen werden abstrahiert, platt gehauen ...

Schmidt macht es seinen Hörern, seinen Betrachtern und seinen Freunden nicht leicht. Auch seinen Gegnern nicht. Die Attraktion der ersten Jahre ist einem Mißtrauen gewichen, das er kühl, mit aufgesetzter Besessenheit zu überwinden versucht. Er hat sich noch nicht entschieden – soll er den kämpferischen Vorredner, den scharfzüngigen Angreifer beiseite schieben zugunsten eines herrenhaften Bürgerbildes, das eher in die gleichmäßige Landschaft der Großen Koalition paßt? Er steht dazwischen. Nun wirkt die elegante Attitüde erlernt. Er blendet mit Sachkenntnis und verblüfft durch taktische Finessen ...

Schmidt hat die Große Koalition gewollt, hat seinerzeit in den nächtlichen Sitzungen für sie plädiert, mit einem Eifer, der manche erstaunte. Er führte seinen Weg nur fort; nivellierte die Krater der Nachkriegspolitik, kittete die schlimmen Risse um einer politischen Wohlanständigkeit willen, die man als Phantom bezeichnen mag. Schmidt ist diesem Phantom verfallen. Es ist das der höheren Staatskunst auf dem Boden einer sprachlosen Sicherheit. Wer aufbegehrt, muß eben wissen, daß es Grenzen gibt. Er hat es mehrfach ausdrücklich gesagt. Selbstdisziplin wird zur Aufgabe gestellt ...

Heute hat Schmidt sich einer Gesellschaft zugeordnet, die er verteidigt, indem er ihre unruhigen Ränder zu befrieden trachtet. Vielleicht habe ich ihn falsch verstanden, fehlerhaft portraitiert. Er sei kein Opportunist, wird er mir entgegenhalten können. Er ist keiner. Er ist das Geschöpf einer Entwicklung, die ich bedauere. Denn er findet Sätze für das Gleichmaß einer Politik, die Rede und Widerrede verlernt hat. Er wäre ein Oppositioneller von Rang, wenn er nicht aus Neigung der Macht seinen beredten Tribut zahlen würde. Er tut es wissentlich.   (1967)

Peter Schneider   *Kein Verkehr*

Wenn ich auf die Straße hinaustrete, sehe ich keinen Verkehr zwischen den Leuten, keine Gruppen, die sich über die Zeitung unterhalten, es liegt kein Gespräch in der Luft. Ich sehe Leute, die so aussehen, als lebten sie unter der Erde und als wären sie das letzte Mal bei irgendeinem dritten oder vierten Kindergeburtstag froh gewesen. Sie bewegen sich, als wären sie von einem System elektrischer Drähte umgeben, das ihnen Schläge austeilt, falls sie einmal einen Arm ausstrecken oder mit dem Fuß hin und her schlenkern. Sie gehen aneinander vorbei und beobachten sich, als wäre jeder der Feind des anderen. Das ganze Leben hier macht den Eindruck, als würde irgendwo ein großer Krieg geführt und alle würden auf ein Zeichen warten, daß die Gefahr vorüber ist und man sich wieder bewegen kann.

Wenn ich in die Bäckerei trete, passe ich auf, daß ich mich mit den Händen nicht auf die Glasabdeckung stütze, ich bin darauf hingewiesen worden, daß sie einstürzen könnte. Wenn ich auf einen Kuchen deute, strecke ich die Hand nicht zu weit aus, ich bin darauf hingewiesen worden, daß ich ihn infizieren könnte. Wenn ich bezahle, achte ich darauf, daß ich das Geld auf die Gummiunterlage lege, ich bin darauf hingewiesen worden, daß sie dafür da ist. Und dies alles geschieht nicht mir, sondern uns allen.

Wenn ich gemeinsam mit jemand irgendwo warte, vermeiden wir es uns anzusehen, uns zu berühren, irgendeine Beziehung herzustellen. Ich habe einmal drei Stunden in einem vollen Wartezimmer verbracht, zwischen Leuten, die alle aus den gleichen Verhältnissen kamen, alle dieselben Schwierigkeiten hatten, ohne daß ein einziges Wort gefallen wäre, aber als dann endlich einer kam und die Tür mit der Aufschrift ›Nicht eintreten‹ öffnete, da sprangen alle auf und riefen: Nicht eintreten.

Die Menschen hier leben in so schlimmen Verhältnissen, daß sie einem die Faust zeigen, um ihr Bedürfnis nach Freundlichkeit auszudrücken; wenn sie einen anschreien, so meinen sie, daß man sich endlich um sie kümmern soll; und so oft, so hundertfach sind ihre Interessen und Wünsche beleidigt worden, daß sie es für einen Anschlag auf ihr Leben halten, wenn einer bei Rot über die Straße geht.

(1967)

Reinhard Lettau *Von der Servilität der Presse*

Man hat mich gebeten, ein paar Worte zur Information der Öffentlichkeit durch die Berliner Presse zu sagen. Dies ist schwierig, selbst für einen Gast (denn ich bin nur ein Gast in Berlin), denn der frische Blick eines Gastes soll ja alles klarer und besonders deutlich zeigen. Was man aber hier sieht, das ist sehr klar und deutlich, es hat sich längst herumgesprochen. Es ist traurig, immer wieder dasselbe sagen zu müssen. Nirgendwo in der Welt, außer in Westberlin, ist es ein Geheimnis, daß der Polizeipräsident Duensing hysterisch ist und absichtlich oder unabsichtlich falsche Statements herausgibt, die er nachträglich entweder aus Ignoranz oder aus Bosheit nicht dementieren läßt. In der ganzen Welt, außer in Westberlin, weiß man, daß die hiesige Presse polizeihörig und servil ist und im Zweifelsfall immer auf der Seite der Autorität steht, anstatt, wie jede andere demokratische Presse, ihrer Verantwortung nachzukommen, die darin bestünde, jede Autorität immer und überall und unentwegt in Frage zu stellen und zu kontrollieren.

Wer hat noch die Energie, diese Unkorrektheiten, die ja mehr als Unkorrektheiten sind, – diese Sünden gegen die Demokratie noch täglich zu erinnern und aufzuzählen, wenn immer wieder der Verstoß von gestern durch neue Anschläge heute übertroffen, durch neue Obszönitäten überflügelt wird. Wenn in öligen Leitartikeln Demokratie und Freiheit gepriesen, zwei Seiten weiter aber jene verunglimpft werden, die sich die Worte der Leitartikel zu Herzen genommen haben. Seine Meinung soll man sagen dürfen, aber nur, wenn es opportun ist. Gegen Notstandsgesetze demonstrieren: das können nur »Krakeeler«, »Radaubrüder«, »Radikalinskis« sein. Sie sollen lieber »diskutieren«, das sei, so heißt es neuerdings immer, »besserer Stil«. Nun, wir haben diskutiert, wir haben jahrelang versucht, mit den Befürwortern der Notstandsgesetze, des Krieges in Vietnam und der Springerschen Pressemonopole zu diskutieren. Was passierte? Die Herren kamen nicht. Wir hatten Vertreter von acht Westberliner Zeitungen zu einer Diskussion ins Rathaus Wilmersdorf eingeladen. Schütter und dünn kamen zwei Herren, von denen einer vom ›Spandauer Volksblatt‹ war, der andere vom ›Tagesspiegel‹. Man genierte sich, ihnen zu widersprechen, da sie in der Minderheit waren. Diese Zeitungen genieren sich aber nicht, die Minderheiten zu verfolgen. In den Zeitungen war von unseren Diskussionen nichts zu lesen. Am Morgen nach unseren Notstandsdiskussionen stand keine einzige Zeile über diese Diskussionen in der Zeitung. Stattdessen aber seitenlange Berichte über einen Fackelmarsch der Antistalinisten. Nun sind wir zwar auch nicht Freunde von Stalin. Nur halten wir es nicht gerade für das wichtigste, heute in Westberlin unter Polizeischutz gegen Stalin zu demonstrieren. Wir finden das ziemlich lächerlich.

Unsere Alternativen sind also: Diskutieren, wie man es uns empfiehlt. Dann hört allerdings niemand unsere Argumente. Oder: Provozieren, Demonstrieren. Dann schreit hysterisch Rektor Lieber, wir praktizieren »direkte Demokratie«. Mit den Rezepten des Polizeipräsidenten, des Rektors und der Westberliner Presse hätte man allerdings nie die Tuilerien erstürmt und man hätte in Boston den englischen Tee nicht in den Hafen geworfen. Mit den Lieber-Duensing-Springer-Rezepten wären wir heute noch in der Steinzeit.

(19. 4. 1967. – Rede in der FU Berlin; Antwort der Westberliner Behörden: Ausweisung Lettaus als lästiger Ausländer. Die Ausweisung wurde nach wochenlangen Auseinandersetzungen und dem Protest zahlreicher Berliner zurückgenommen.)

Außerparlamentarische Opposition

Zum Tod des Studenten Benno Ohnesorg

Am 2. Juni abends, bei einer Demonstration gegen die Anwesenheit des Schahs von Persien in Berlin, erschoß ein Polizist den Studenten Benno Ohnesorg. 47 Demonstranten und Polizisten wurden zum Teil schwer verletzt.

Der Regierende Bürgermeister Albertz greift jeder Untersuchung vor und macht allein die demonstrierenden Studenten verantwortlich.

Wir halten fest: Seit Monaten wiegelt die Springer-eigene Presse von Berlin die Bevölkerung und also auch die Polizei gegen die Studenten auf. Die blutigen Ausschreitungen wurden bereits am Mittag von Anhängern des Schahs ausgelöst, die mit Stöcken und Totschlägern bewaffnet waren. Erst der Einsatzbefehl des Polizeipräsidenten Duensing, erteilt, nachdem der Schah die Oper bereits betreten hatte, hat die blutigen Vorgänge vor der Deutschen Oper verursacht.

Wir klagen an: den Verleger Axel Springer der Anstiftung zur Körperverletzung, den Polizeipräsidenten Duensing der Beihilfe zu Körperverletzung bis Totschlag. Nicht die Studenten – ein feudaler Potentat, eine hysterische Presse, ein kopfloser Polizeipräsident haben dem Ansehen der Stadt Berlin, die wir lieben und in der wir arbeiten, unabsehbaren Schaden zugefügt.

Wir fordern: den Rücktritt des Polizeipräsidenten Duensing, die Einsetzung eines parlamentarischen Untersuchungsausschusses, ein disziplinarisches Verfahren, das der Innensenator Büsch und der Regierende Bürgermeister Albertz gegen sich selbst einleiten.

Wer mit den Knüppeln und Pistolen der Polizei, mit Demonstrationsverbot und Schnellgerichten regieren muß, ist nicht fähig für ein öffentliches Amt in dieser Stadt.

Nicolas Born; Hans Christoph Buch; Günter Grass; Günter Herburger; Reinhard Lettau; Klaus Roehler; Peter Schneider; Bernward Vesper-Triangel; Hans Werner Richter; H. M. Enzensberger; Bernard Larsson; Klaus Völker; Leni Langenscheidt; Lambert M. Wintersberger; Peter Herzog; Arwed Gorella; Stefan Wigger; Klaus Wagenbach; Wolfdietrich Schnurre; Jochen Ziem; Curt Bois; Doris Heiland; Ingrid Ortgris; Martin Kurbjuhn; G. B. Fuchs; Ingeborg Drewitz; Rolf Haufs; Hermann P. Piwitt; Volker v. Törne; Kurt Conradi; Klaus Stiller; Waltraud Mau; Günther Weisenborn; Ernst Schnabel; Peter O. Chotjewitz; Hanspeter Krüger; Rudolf Hartung; Hartmut Lange; Dieter Sturm; Barbara Morawiecz; Johannes Schaaf; Horst Tomayer; Johannes Schenk; Rudolf Springer; Robert Wolfgang Schnell; Ute Erb; Nicolaus Neumann; Wolfgang Staudte; Dieter Ruckhaberle; Wolfgang Neuss; Carl Guggomos; Renate Gerhardt; Ulrich Gregor; Christian Chruxin; Eckard Kroneberg; Hildegard Brenner; Walter Huder; August Scholtis; Gerhard Schoenberner; Falk Harnack; Paul Vasil; Hans Hoser; Jenö Vincze; Nina v. Porgembsky; Thomas Ekkelmann; Sarah Haffner; Reimar Lenz; Stefan Reisner.   (5. 6. 1967)

Aus einer Rede von Christian Geissler am selben Tag:

›Diejenigen, die am Straßenrand stehen und nach Gas und nach Gewehren schreien, die haben bei Springer gelernt. Sie alle wollten, als sie noch jung waren, bessere, freundlichere Sachen lernen. Aber dann hat man ihre Gehirne tagaus tagein mit der gleichen Droge gespritzt. Mit Haß und Hochmut und Zynismus. Und nun sind sie im Rausch und möchten totschlagen. Das kennt man.

Diejenigen, die uns, ob dumm oder dienstverpflichtet, am liebsten gleich heute abend noch fertig machen möchten, genau die sind gleichzeitig eben auch unsere Leute, ob ihnen oder uns das gefällt oder nicht. Aber warum steht das dann feindlich gegeneinander? Weil man die meisten von ihnen schon wieder gründlich dumm geschlagen hat. Man hat ihre Angst benutzt, um sie beherrschen und gehorsam halten zu können.

Und jetzt stehen sie uns kalt und teilnahmslos gegenüber, viele von ihnen feindlich.

Aber wir machen einen Fehler, wenn wir uns in diese Kälte und in diese Feindschaft hineinziehen lassen. Wir würden auf diesem Wege verlieren, was wir haben. Wir haben die vernünftige, gerechte Sache auf unserer Seite und haben also, meine ich, Anlaß, mit Vergnügen und mit Entschlossenheit für dieses Land hier zu kämpfen, für die Entwicklung einer demokratischen Ordnung, für das Vorwärtskommen von Fortschritt und Frieden.

Nicht die Leute hier ringsum sind niederträchtig, sondern das System ist es, unter dem sie leben und in das sie eingefaßt sind.

Dieses System muß geändert werden. Und es wird auch geändert werden. Denn dies hier ist unser Land!

Peter Handke   *Bemerkung zu einem Gerichtsurteil*

Vor einigen Tagen ist in Berlin der Polizeibeamte Kurras von der Anklage der fahrlässigen Tötung, begangen an dem Studenten Benno Ohnesorg, freigesprochen worden. Wie bei anderen war auch meine Reaktion auf dieses Urteil Traurigkeit und Wut, Wut und Traurigkeit. Aber diese Emotionen sollen zum Nachdenken darüber führen, welcher Sachverhalt genau diese Wut und Traurigkeit bewirkt. Das Urteil über Kurras (man könnte sagen: das Urteil für Kurras) zeigt die ganze fatale Lage eines Rechtspositivismus, der, so gesetzestreu er sich gibt, sich doch gerade die Gesetze auswählen darf, nach denen er dann, nach der Auswahl, leicht gesetzestreu sein kann. Die scheinbare Rechtstreue des Richters ist nur eine Variante der Willkür: so kann er Sachverhalte ausklammern und erklären, sie gingen das Gericht nichts an, weil sie politische Vorgänge seien, wobei er verkennt, daß auch politische Vorgänge in den rechtlichen Vorgang der Wahrheitsfindung einbezogen werden müssen.

Das Urteil macht aufmerksam auf die bedenkliche Haltung von Richtern, die die Gesetze als rein formale Normen über Handlungen und Unterlassungen sehen, die das Recht von gesellschaftlichen Vorgängen isolieren wollen, die das Recht rein bewahren wollen und es auf diese Weise nur schmalspurig, statisch, absolut und absolutistisch machen.

»Im Zweifel für den Angeklagten«: nach diesem Grundsatz hat sich das Gericht trotz wahrhaft »erdrückender« Beweise gerichtet. Nicht einmal Fahrlässigkeit im Umgang mit der Waffe oder zumindest Überschreitung einer Notwehr konnte dem Beamten nachgewiesen werden. Wer sich freilich öfter in Gerichtssälen aufhält, weiß, daß in keinem Gerichtssaal der Welt ein Bürger, gegen den diese Schuldbeweise vorgelegen hätten, freigesprochen worden wäre, gesetzt den Fall freilich, der Prozeß wäre als Strafprozeß ohne politische Implikation geführt worden. Der Richter im Kurras-Prozeß, der jede politische Relevanz des Prozesses leugnete, hat gerade durch sein Urteil diese politische Relevanz mißbraucht: wieder einmal war zu beobachten, daß, je politischer ein Fall ist, die Richter desto emotionaler und kindischer auf das sogenannte reine »vernünftige« positive Recht zurückgreifen. Auf diese Weise wird aus dem Prozeß der Wahrheitsfindung, der dem Urteil vorausgehen sollte, das Politische zwar ausgeklammert, ist aber dann in dem Urteilsspruch wieder zu finden. Gerade die Ausklammerung des Politischen ist das im schlechten Sinn Unrechtliche, Politische an diesem Urteil. Der Rückzug auf das Recht in politischen Prozessen ist die Politik der Richter.

Aber man hat uns gelehrt, noch im Schlimmsten auch das Positive zu sehen. So will ich auch hier das Gute suchen: Wir alle wissen, daß kein Angeklagter restlos der Schuld überführt werden kann. Der jüngste Fall der sogenannten Enzianmörder beweist das. Ja sogar wenn der Angeklagte gesteht, bleiben immer noch Zweifel, ob das die Wahrheit oder nur Selbstbezichtigung ist. Keinen Angeklagten der Welt kann man mit wirklicher Sicherheit schuldig sprechen. Ein letzter Zweifel zeugt immer für ihn. Das ist gut so. Auf diese Weise müssen von jetzt an, das möchte ich sozusagen fordern, nur noch Freisprüche gefällt werden, und ich möchte noch weiter gehen und Steuergelder sparen helfen, indem ich fordere, daß die Gerichte, wenn sie ohnedies nur Freisprüche mehr fällen, abgeschafft werden, daß die Gefängnisse abgeschafft werden, daß überhaupt alle Rechtseinrichtungen abgeschafft werden, daß überhaupt alle dem einzelnen übergeordneten Institutionen des Staates abgeschafft werden!

Im Hinblick auf eine solche utopische, noch nicht verwirklichte Welt (aber auch nur im Hinblick auf diese) möchte ich das Urteil für den Polizeibeamten Kurras begrüßen!

(1967; Rede anläßlich der Verleihung des Gerhart-Hauptmann-Preises.)

Günter Grass *Faschistische Methoden*

Am 9. September dieses Jahres stellte die »Berliner Morgenpost« unter einer knalligen Schlagzeile Behauptungen auf, die ich ihrer Infamie wegen nicht wiederholen will. Es wurden dem bald 80jährigen, in Ost und West geehrten Schriftsteller Arnold Zweig Äußerungen in den Mund gelegt, die Arnold Zweig als »faustdicke Lügen« der »Berliner Morgenpost«, des Düsseldorfer »Mittags« und des »Hamburger Abendblatts« bezeichnete, denn dreistimmig tönte die Diffamierung, nachdem die Berliner »Nachtdepesche« mit einer falschen Meldung den Ton angegeben hatte.

Der Zweck aller Lügen war es, einen Konflikt zwischen Arnold Zweig und der Deutschen Demokratischen Republik, in der er nach freier Wahl lebt, zu erfinden. Die Tatsache, daß sich die DDR, während und nach der Nahost-Krise, dem Staat Israel gegenüber unvernünftig und ausschließlich machtpolitisch verhalten hat, sollte den Zwecklügen den Anschein von Wahrheit geben. Ein Journalist, Heimann aus Haifa, und der Israelische Schriftstellerverband wurden, um die Falschmeldung seriös zu kleiden, als Zeugen und Quellen der Information genannt.

Als nach Arnold Zweigs Dementi auch Heimann und der Israelische Schriftstellerverband dementierten, brachen die Lügen zusammen: Übrig blieb und bleibt die Beleidigung eines großen deutschen Schriftstellers; übrig bleibt die abermals bestätigte Erkenntnis, daß es den Zeitungen des Springer-Konzerns in der Bundesrepublik und in West-Berlin immer noch möglich ist, mit wahrhaft faschistischen Methoden Zweckmeldungen zu verbreiten, die zwar den politischen Vorstellungen des Herrn Springer und seiner dienstwilligen Journalisten entsprechen, den Betroffenen jedoch – diesmal Arnold Zweig – gefährlich schädigen könnten, gäbe es keine Gegenstimmen.

Die empörten Reaktionen vieler westdeutscher Tages- und Wochenzeitungen, der spontane Wille der Rundfunk- und Fernsehanstalten, die Wahrheit wiederherzustellen, lassen immerhin hoffen, daß die lange Zeit, in der die Springer-Presse wie ein verfassungswidriger Staat die demokratische Ordnung der Bundesrepublik verletzen konnte, demnächst vorbei sein wird.

Es wird Aufgabe des Deutschen Presserates, des Bundestags und des Bundesverfassungsgerichts sein, gegen die zunehmende Schädigung der parlamentarischen Demokratie durch die Zeitungen des Springer-Konzerns einzuschreiten. Aber auch dem einzelnen Bürger in unserem Land fällt die Verantwortung zu, seinen Protest gegen die zweckdienliche Verleumdung des Schriftstellers Arnold Zweig anzumelden und – da ihm diese Entscheidung offensteht – seine Lesegewohnheiten als Zeitungsleser zu überprüfen. Wir haben die Zeitungen, die wir verdienen.

Als Rest bleibt wieder einmal die bittere Erkenntnis, daß die Teilung unseres Landes jeden Versuch erschwert, Arnold Zweig direkt unsere Verbundenheit mit seiner Person und seiner Arbeit mitzuteilen. Keine der genannten Springer-Zeitungen hat sich bisher bei Arnold Zweig entschuldigt.

Da dieser um sich greifende Meinungsterror nicht durch die Bürger unseres Staates und also auch nicht durch mich verhindert wird, entschuldige ich mich – wie ich weiß, stellvertretend für viele –, indem ich Arnold Zweig bitte, trotz allem die Bundesrepublik und West-Berlin nicht mit den Springer-Zeitungen zu verwechseln.

(25. 9. 1967; in der Fernsehsendung ›Panorama‹. Antwort der Springerpresse: 1. »Dreckschleuder«, »infam«, »blind, ungeheuerlich und neurotisch«, »redet Ulbrichts Propaganda-Chinesisch«, »Art von Terror«. 2. Einige ›Bild‹- und ›Welt‹-Redakteure stellten Strafantrag. 3. Über zwei Jahre später, im Januar 1970, wird der Strafantrag zurückgezogen.)

Gegen das Monopol von Axel Springer

Der Springer-Konzern kontrolliert 32,7 Prozent aller deutschen Zeitungen und Zeitschriften. Dadurch ist die zuverlässige Information der Öffentlichkeit gefährdet. Die Schriftsteller der Gruppe 47 halten diese Konzentration für eine Einschränkung und Verletzung der Meinungsfreiheit und damit für eine Gefährdung der Grundlagen der parlamentarischen Demokratie in der Bundesrepublik Deutschland.

1. Wir haben daher beschlossen: Wir werden in keiner Zeitung oder Zeitschrift des Springer-Konzerns mitarbeiten.
2. Wir erwarten von unseren Verlegern, daß sie für unsere Bücher in keiner Zeitung oder Zeitschrift des Springer-Konzerns inserieren.
3. Wir bitten alle Schriftsteller, Publizisten, Kritiker und Wissenschaftler, die Kollegen im PEN und in den deutschen Akademien zu überprüfen, ob sie eine weitere Zusammenarbeit mit dem Springer-Konzern noch verantworten können.

Inge Aicher-Scholl, Ilse Aichinger, Fritz Arnold, Ernst Augustin, Wolfgang Bächler, Heiner Bastian, Reinhard Baumgart, Jürgen Becker, Hans Bender, Peter Bichsel, Horst Bienek, Ernst Bloch, Heinrich Böll, Nicolas Born, Uwe Brandner, Susanne Brenner-Rademacher, Wanda Bronska-Pampuch, F. C. Delius, Tankred Dorst, Wolfgang Ebert, Günter Eich, Hans Magnus Enzensberger, Hans Geert Falckenberg, Erich Fried, Max Frisch, Barbara Frischmuth, Gerd Fuchs, Günter Bruno Fuchs, Christian Geissler, Christian Gneuß, Günter Grass, Lars Gustafsson, Peter Härtling, Peter Hamm, Rudolf Hartung, Rolf Haufs, Helmut Heissenbüttel, Hans Werner Henze, Günter Herburger, Richard Hey, Wolfgang Hildesheimer, Walter Höllerer, Hans Heinz Holz, Josef W. Janker, Walter Jens, Hellmuth Karasek, Ursula v. Kardorff, Yaak Karsunke, Marie Luise Kaschnitz, Heinar Kipphardt, Alexander Kluge, Barbara König, Walter Kolbenhoff, Hanspeter Krüger, Horst Krüger, Michael Krüger, Gregor Laschen, Siegfried Lenz, Reinhard Lettau, Gerd Loschütz, Hans Mayer, Alexander Mitscherlich, Horst Mönnich, Burkhardt Nadolny, Wolfgang Neuss, Hans Noever, Klaus Nonnenmann, Helga Novak, Tadeusz Nowakowski, Enno Patalas, Hermann Piwitt, Elisabeth Plessen, Fritz J. Raddatz, Renate Rasp, Marcel Reich-Ranicki, Hans Werner Richter, Klaus Roehler, Gerhard Rühm, Peter Rühmkorf, Paul Schallück, Michael Schenkelberg, Ernst Schnabel, Franz Joseph Schneider, Peter Schneider, Wolfdietrich Schnurre, Gerhard Schoenberner, Franz Schonauer, Günter Seuren, Joachim Seyppel, Ulrich Sonnemann, Jörg Steiner, Hannelies Taschau, Vagelis Tsakiridis, Thomas von Vegesack, Guntram Vesper, Bernward Vesper-Triangel, Klaus Völker, Klaus Wagenbach, Martin Walser, Otto F. Walter, Peter Wapnewski, Hubert Wiedfeld, Roland H. Wiegenstein, Urs Widmer, Gabriele Wohmann, Jochen Ziem.

(Oktober 1967)

Günter Eich   *Sammlerglück*

Ich glaube, meine Sammlung historischer Gummiknüppel aus Ost und West war die einzige ihrer Art. Jetzt habe ich sie an einen

schwedischen Interessenten en bloc abgestoßen, gerade noch rechtzeitig, wie ich glaube, vor den Notstandsgesetzen. Man kann solche
Gegenstände zu meiner Überraschung nicht immer im legalen Handel erwerben. Allmählich wäre ich in Schwierigkeiten gekommen.

Bebilderte Kataloge habe ich noch, in magerer Siebencicero auf
Rotationspapier gedruckt und geschmacklos geheftet. Interessenten
können ihn gegen Voreinsendung von DeEm fünfzig erhalten. Der
Versand erfolgt diskret.

Meine Sammlung war nicht vollständig – wie sollte sie auch –,
hatte aber Höhepunkte, hatte Stücke voller Poesie. Ihr kennt die
Muscheln, in denen man das Rauschen des Meeres hört. Mein Stück
77 München muß man allerdings höher ansetzen als am Ohr, aber die
Wirkung einiger auch leichter Schläge ist ganz ähnlich. Man hört
noch heute ein Stück Schwabinger Bohème, Wasserwerfer, Einsatz
der Berittenen, die Oberstimme aus dem Funkwagen, und die Ak-
klamation nordmünchner Heimatdichter, – ein verspätetes Schwabinger Glück, woran doch sonst die Vergänglichkeit nagt und einen
mit Wehmut erfüllt. An einem andern Modell, 67 Berlin, finden sich
unter einem guten Fixativ Mädchenhaar und Mädchenhaut, wie sie
beide so oft besungen werden. Hier scheinen sie gewissermaßen als
stenographische Kürzel auf.

Manchen Abend habe ich sinnend inmitten meiner Sammlung verbracht, träumend und mit weit schweifenden Gedanken zwischen
Marquis de Sade und Paul Lincke.

Das freilich ist nun vorbei. Ich sammle jetzt Einwegflaschen und
bin damit jeder Änderung des Grundgesetzes gewachsen.

(1967)

Günter Bruno Fuchs *Geschichte von der Ansprache anläßlich einiger Vorfälle in der Innenstadt*

Jeder Hauswirt ist unentbehrlich. Wie ein Keller unentbehrlich
ist. Und auf Häuser können wir nicht verzichten. Ohne Häuser, das
reizt nur zum Widerspruch.

Jede Prostituierte trifft uns empfindlich. Jeder Hergelaufene ist
wie ein Haus ohne Hauswirt. Raus.

Beachten wir: Was sich auf Ruhestörung beruft, soll uns im Auge
bleiben. Die Bezeichnung Nachbar ist keine Bezeichnung, sondern
ein Ausweis, der keiner Zumutung auszusetzen ist.

Das Land. Das hat sich nicht vorgestellt, was es hier mitmacht. Es
versteht keinen Spaß. Jeder soll, wo seine Eltern aufgewachsen sind,
hingehen. Ja, da ist auch Platz für den. Die dorthin nicht gehen
wollen, verschwinden. Es ist so.

Der Hauswirt ist Dach und Keller in einer Person. Dazwischen leben wir. Wir wollen wieder in ruhigen Etagen leben. Es ist so. Gerade jetzt auch einstimmig. (1967)

Neu! Unkonventionell! Warum brennst Du, Konsument? Neu! Atemberaubend!

Die Leistungsfähigkeit der amerikanischen Industrie wird bekanntlich nur noch vom Einfallsreichtum der amerikanischen Werbung übertroffen: Coca Cola und Hiroshima, das deutsche Wirtschaftswunder und der vietnamesische Krieg, die Freie Universität und die Universität von Teheran sind die faszinierenden und erregenden Leistungen und weltweit bekannten Gütezeichen amerikanischen Tatendranges und amerikanischen Erfindergeists; werben diesseits und jenseits von Mauer, Stacheldraht und Vorhang für freedom und democracy.

Mit einem neuen Gag in der vielseitigen Geschichte amerikanischer Werbemethoden wurde jetzt in Brüssel eine amerikanische Woche eröffnet: ein ungewöhnliches Schauspiel bot sich am Montag den Einwohnern der belgischen Metropole:

Ein brennendes Kaufhaus mit brennenden Menschen vermittelte zum erstenmal in einer europäischen Großstadt jenes knisternde Vietnamgefühl (dabeizusein und mitzubrennen), das wir in Berlin bislang noch missen müssen.

Skeptiker mögen davor warnen, »König Kunde«, den Konsumenten, den in unserer Gesellschaft so eindeutig Bevorzugten und Umworbenen, einfach zu verbrennen.

Schwarzseher mögen schon unsere so überaus komplizierte und kompliziert zu lenkende hochentwickelte Wirtschaft in Gefahr sehen.

So sehr wir den Schmerz der Hinterbliebenen in Brüssel mitempfinden: wir, die wir dem Neuen aufgeschlossen sind, können, solange das rechte Maß nicht überschritten wird, dem Kühnen und Unkonventionellen, das, bei aller menschlichen Tragik, im Brüsseler Kaufhausbrand steckt, unsere Bewunderung nicht versagen.

Auch der Umstand, daß man dieses Feuerwerk Anti-Vietnam-Demonstranten andichten will, vermag uns nicht irrezuführen. Wir kennen diese weltfremden jungen Leute, die immer die (Plakate) von gestern tragen, und wir wissen, daß sie trotz aller abstrakten Bücherweisheit und romantischer Träumereien noch immer an unserer dynamischen-amerikanischen Wirklichkeit vorbeigegangen sind.

(24. 5. 1967; Flugblatt der Westberliner ›Kommune I‹. – »Brüssel«: Zwei Tage vorher starben bei einem Kaufhausbrand in der Brüsseler Innenstadt über 300 Menschen. – Wegen dieses Flugblatts wurden Rainer Langhans und Fritz Teufel angeklagt. Im Prozeß wurden zahlreiche literarische Gutachten vorgelegt: »Die Texte erhalten erst in Beziehung auf die angegriffene Situation ihren Zusammenhang. Die Verfasser bedienen sich einer in der modernen Literatur möglichen Methode: etwas, das sie als Unrecht empfinden, das sich aber die Phantasie der Menschen gewöhnt zu haben scheint, versuchen sie durch Vergleiche zu radikalisieren, die der Erfahrungswelt des Lesers näher sind.« [Alexander Kluge] »Titel, Sprache, Erzähltechnik erweisen den Text des Flugblatts als einen fingierten Zeitungsartikel, dessen Nachrichtenquelle ein erfundenes Mitglied einer erfundenen belgischen ›Aktion für Frieden und Völkerfreundschaft‹ ist. Die Fiktion eines Zeitungsartikels übertreibt und führt das ad absurdum, was nach Ansicht der Flugblattverfasser den realen Zeitungen vorzuwerfen ist: Voreingenommenheit und mangelnde Wahrheitsliebe.« [Peter Szondi] Die »Voreingenommenheit und mangelnde Wahrheitsliebe« vieler Zeitungen – und Gerichte – blieb. 1967 wurde Fritz Teufel freigesprochen; die Justiz rächte sich 1971 in München mit einer drakonischen Strafe.)

Reinhard Baumgart am 28. 12. 1970:

Wenn in Prag, Madrid oder Moskau ein Autorenprozeß droht oder durchgeführt wird, ist Solidarität mit den fernen Kollegen hier in der Bundesrepublik nicht schwer herzustellen ... Doch alle diese Nachrichten kommen fast immer aus solcher Ferne, daß man die nächste Nähe darüber leicht aus den Augen verliert. Gibt es in der Bundesrepublik Autorenprozesse?

In Stadelheim, wo schon Ludwig Thoma wegen Majestätsbeleidigung einsaß, sitzt seit dem 13. Juni Fritz Teufel in Untersuchungshaft, grob gesagt wegen Justizbeleidigung. Er wird – man kann es vager gar nicht ausdrücken – in Zusammenhang gebracht mit den im März und Mai versuchten Brandstiftungen im Münchner Amtsgericht und Landeskriminalamt. Die Verdachtsgründe reichten im letzteren Fall schon bald nicht mehr aus für die Verlängerung des Haftbefehls, im anderen Fall stützen sie sich auf nichts weiter als je ein Stück Aluminiumfolie, Packpapier und Isoliergummi ...

Fritz Teufel, fürchte ich, wäre in diese Art »Anklage« nie hineingerutscht, hätte an seinem Namen nicht von jeher Brandgeruch gehaftet, wäre er nicht 1967 als Mitverfasser der berühmten Berliner Kaufhausbrand-Flugblätter, als ein Agitator mit pyromanischer Thematik zum erstenmal öffentlich bekannt und auch gleich juristisch belangt worden.

Ein ganzes Rudel von Universitäts-Germanisten und anderen Schriftlichkeitsexperten hat damals für die Große Strafkammer Moabit begutachtet, um zu beweisen: Diese Flugblätter mit ihren Kaufhausbrand-Phantasien waren »nichts als« Musterfälle aggressiv satirischer Literatur. »Nichts als« – das mußte sich für den Autor so unglaublich und lächerlich anhören wie für den Landgerichtsdirektor, doch seitdem war Fritz Teufel gerichtsnotorisch definiert als unser aller Kollege ...

Möglich, daß daraus wieder ein Prozeß gegen die Justiz statt gegen diesen ihren Intimgegner wird, denn »die Justiz«, schrieb der Angeschuldigte und Angeklagte aus Stadelheim, »schlägt so lange ins Wasser, bis sie in den Wellen ertrinkt«. Das freilich ist nun wieder nur Literatur: Rhetorik und Utopie. Die Verhandlung erst wird erweisen, ob sie einen Straftatbestand aufklären will und kann oder ob da nur blindlings ein Autor abgestraft werden soll, der lediglich auf dem Papier schon einmal Brand gelegt hat und dessen Hauptarbeitsgebiet tatsächlich die Justizkritik war. Dann wäre München tatsächlich Schauplatz eines Autorenprozesses, Prag und Athen uns also auf den Leib gerückt, und entsprechend sollten wir reagieren.

(Das Urteil – und andere – führte zu einer Resolution zahlreicher Schriftsteller – darunter Heinrich Böll, Bernt Engelmann, Hans Magnus Enzensberger, Alexander Kluge, Renate Rasp, Martin Walser und Gerhard Zwerenz –: »Überall in der BRD sind politische Gefangene immer offener werdender Unterdrückung ausgesetzt; ebenso Jugendliche, die sich auf Grund der gesellschaftlichen Verhältnisse kriminalisiert haben. Die Methoden der Polizei [Razzien ohne Hausdurchsuchungsbefehle, unbegründete Festnahmen, Überwachung der Wohnungen usw.] betreffen einen wachsenden Teil der Bevölkerung. Unzureichendes juristisches Beweismaterial wie im Fall Teufel kann nicht zu einer Verurteilung ausreichen. Werden ihm und anderen dennoch Prozesse gemacht, so sind es Prozesse, in denen politische Theorien und Gesinnung exemplarisch bestraft werden.«)

Marie Luise Kaschnitz   *Brandsatz*

Einen Brandsatz heimlich in ein Warenhaus legen ist kein Kunststück, Fräulein, und dann weglaufen und es brennt in der Nacht. Wenn Sie protestieren wollen, verbrennen Sie sich doch selber, natürlich öffentlich, etwa vor der Hauptwache, beim U-Bahn-Eingang, auf dem neuen versenkten Platz. Sie müssen nur genug Petroleum mitnehmen und Streichhölzer und ein leichtes Sommerkleid anziehen, am besten eines aus Nylon, das gibt eine schöne Flamme, und fremdes Eigentum beschädigen Sie dabei nicht. Euereins will immer davonkommen, etwas anzetteln und davonkommen mit heiler Haut. Kerls, wollt Ihr denn ewig leben, sagte einmal ein König zu seinen jungen Soldaten, er selbst war da schon alt, aber gerade deswegen, nur die alten Leute sind Idealisten, und, Kellner, noch ein Bier.

(1968. – In der Nacht zum 3. 4. 1968 hatten Andreas Baader, Gudrun Ensslin, Thorwald Proll und Horst Söhnlein in einem Frankfurter Kaufhaus Brände gelegt, »um gegen die Gleichgültigkeit der Gesellschaft gegenüber dem Morden in Vietnam zu protestieren«; es entstand Sachschaden. Ein Frankfurter Gericht verurteilte am 31. 10. alle vier Beteiligten zu je drei Jahren Zuchthaus, eine der höchsten Strafen in einem politischen Prozeß der BRD nach 1945.)

Hans Magnus Enzensberger   *Klare Entscheidungen und trübe Aussichten*

Im Oktober 1962, am Tag der kubanischen Raketenkrise, unternahm die Bundesregierung ihren ersten unverhüllten und weithin sichtbaren Angriff auf die Grundrechte der Verfassung: die überfallartige Operation gegen das Nachrichtenmagazin *Der Spiegel* und ihren Herausgeber Rudolf Augstein. Noch einmal handelten die »Linksintellektuellen«, noch einmal mobilisierten sie die öffentliche Meinung des Landes, derart, daß es zu einer Regierungskrise kam. (Der Prozeß gegen den *Spiegel* verlief, Jahre später, im Sande.)

Ein paar Jahre später kam die Niederlage. Sie läßt sich auf die Bundestagswahlen von 1965 datieren. Diese Wahl war der letzte Versuch, in Westdeutschland einen Regierungswechsel mit parlamentarischen Mitteln zu erreichen, das Machtmonopol der herrschenden CDU und ihre desaströse Politik zu ändern. Eine sehr große Zahl von Schriftstellern hat sich an diesem Versuch beteiligt. Sie setzten dabei auf die deutsche Sozialdemokratie, eine ehemalige Arbeiterpartei, die trotz ihrer verzweifelten Anpassungsversuche nie zur Regierungsverantwortung gelangt war. Die Galionsfigur der deutschen Nachkriegsliteratur, ihr bester Erzähler, ihr internationaler Champion und nationaler Bestseller, Günter Grass, engagierte sich in diesem Wahlkampf rückhaltlos als Sprecher in Massenversammlungen – ein Vorgang ohne Beispiel in unserer Geschichte. Dutzende von Autoren schlossen sich in einem »Wahlkontor deutscher Schriftsteller« zusammen. Flugblätter wurden verteilt, Artikel geschrieben, Anzeigen in die Zeitung gerückt.

Die Sozialdemokratie verlor die Wahlen. Aber nicht dies war die wahre Niederlage der Opposition. Die Katastrophe trat erst ein Jahr später ein, im letzten Winter, als die ökonomisch und politisch herrschende Klasse und ihre Partei plötzlich in eine schwere strukturelle Krise geriet. Das Fiasko der Deutschland- und der Ostpolitik, die Rezession, das persönliche Unvermögen des Kanzlers Erhard, der rapide Prestigeverlust der Regierungspartei ließen eine panikartige

Stimmung aufkommen. Der Retter in der Not war die Sozialdemokratie. Sie trat als Juniorpartner in die bankerotte Regierung ein. Der *sell-out* war vollständig. Seitdem gibt es in Deutschland keine organisierte Opposition mehr. Die parlamentarische Regierungsform ist vollends zur Fassade für ein Machtkartell geworden, das der verfassungsmäßige Souverän, das Volk, auf keine Weise mehr beseitigen kann. Abstimmungen im Bundestag gleichen seitdem der Prozedur, die in den Volksdemokratien üblich ist; Debatten sind überflüssig geworden. Die Regierung ist dabei, diese Situation durch Manipulationen des Wahlrechtes und durch Notstandsgesetze zu zementieren. Das Ende der zweiten deutschen Demokratie ist absehbar.

Was hat all dies mit Literatur zu tun? Es ist zunächst das Ende einer Literatur, deren Aspiration es seit 1945 gewesen ist, mit ihren geringen Kräften, durch immanente Kritik und durch direkten Eingriff in den Mechanismus der Meinungsbildung und der Parlamentswahlen die Konstruktionsfehler der Bundesrepublik auszubalancieren. Ihre Niederlage verdankt sie aber nicht nur ihrer zahlenmäßigen Schwäche und ihrer Unterlegenheit im innenpolitischen Machtspiel. Denn was war das eigentlich für eine Opposition? Welches waren ihre theoretischen und historischen Prämissen? Wie sah die »Vernunft« aus, die sie zu mobilisieren hoffte? Was waren das für Leute? Die Antwort ist: Es waren Spätliberale, brave Sozialdemokraten, Moralisten, Sozialisten ohne klare Begriffe, Antifaschisten ohne Zukunftsentwurf. Es waren Leute, die den Leviathan überreden, den sich formierenden Spätkapitalismus von innen her reformieren, die unverändert massiven Machtstrukturen zur Selbstauflösung veranlassen wollten.

Heute läßt eine sozialdemokratische Regierung in Berlin auf demonstrierende Studenten schießen, Abgeordnete hetzen den Pöbel öffentlich dazu auf, Andersdenkende auf der Straße niederzuschlagen; alle Parteien sind sich darin einig, daß die Verfassung, so wie sie ist, verschwinden muß; die Treibjagd auf die außerparlamentarische Opposition hat begonnen.

Seitdem diese Entwicklung abzusehen ist, hat die deutsche Literatur ihre politische Kohärenz verloren. Der erste, der aus ihrem Konsensus ausgebrochen ist, war Peter Weiss. Der naive und krude Leninismus, zu dem er sich bekannte, fand wenig Anhänger; aber der entschiedene Bruch mit den politischen Prämissen der *Gruppe 47*, den er vollzog, blieb nicht ohne Folgen. Eine Minderheit von Autoren, die fähig waren, die Konsequenzen der Bonner und Berliner Ereignisse des letzten Jahres zu überblicken, hat sich politisch radikalisiert. Die literarische Kontroverse, welche in den letzten Monaten im Vordergrund des Interesses stand, war eine Auseinandersetzung zwischen Günter Grass und Erich Fried, einem Dichter, der, vom englischen Publikum ignoriert, seit vielen Jahren in London lebt. Nicht zufällig hieß das Buch, um das es ging, *und Vietnam und.* Daß sich eine politische Kontroverse an einem Gedichtband entzündet, mag britische Leser überraschen; weniger überraschend ist es vielleicht, daß sich die Selbstprüfung der »linken« Schriftsteller an den revolutionären Prozessen in der Dritten Welt orientiert.

In der Tat, was auf der Tagesordnung steht, ist nicht mehr der Kommunismus, sondern die Revolution. Das politische System der Bundesrepublik ist jenseits aller Reparatur. Man kann ihm zustimmen, oder man muß es durch ein neues ersetzen. *Tertium non dabitur.* Es sind nicht die Schriftsteller, welche die Alternative derart zugespitzt haben; im Gegenteil, sie haben zwanzig Jahre lang versucht, ihr auszuweichen. Es ist die Staatsmacht selbst, die dafür sorgt, daß die Revolution nicht nur notwendig (das wäre sie schon 1945 gewesen), sondern auch denkbar wird – wenn auch nicht, in absehbarer Zeit, möglich. Und nicht die Schriftsteller, sondern die Studenten haben sich der Alternative zuerst gestellt und sie am eigenen Leibe erfahren. In den Berliner Polizeipogromen vom Sommer dieses Jahres haben sich die ersten Kerne einer revolutionär gesinnten Opposition gebildet.

Erschien zuerst in Englisch unter dem Titel »The Writer and the Politics«, 28. 9. 1967. – Die ersten vier Sätze des letzten Absatzes (»In der Tat . . . dabitur.«) – wie zu sehen, doch *sehr* aus dem Zusammenhang gerissen – nahm der ›Spiegel‹ zum Anlaß für eine Umfrage. Hier einige Antworten:

Jürgen Becker:

Ich kann mit Enzensbergers Alternative nichts anfangen; sie erscheint mir außerhalb der Realität. Eine Revolution in Westdeutschland kann ich mir nicht denken, weil ich hier ihre Voraussetzungen und Bedingungen nicht vorfinden kann. Ich finde hier einen Staat vor, dessen politische Praxis, wenn sie mich nicht zur äußersten Gleichgültigkeit zwingt, nur krank machen kann, dessen politisches System ich jedoch einem solchen vorziehe, wie es nach einer gewaltsamen Veränderung der Verhältnisse vorstellbar wird . . . In den seltenen Augenblicken von Hoffnung denke ich an einen sehr langen, langsamen Aufklärungsprozeß, der die Menschen, ihr Bewußtsein, ihr Denken, ihr Verhalten so ändert, daß sich mit ihnen, fortwährend, die Verhältnisse ändern. So ändern, daß es keiner Systeme mehr bedarf, die des Ersatzes durch Systeme bedürfen.

Paul Celan:

Ich hoffe, nicht nur im Zusammenhang mit der Bundesrepublik und Deutschland, immer noch auf Änderung, Wandlung. Ersatz-Systeme werden sie nicht herbeiführen, und die Revolution – die soziale und zugleich antiautoritäre – ist nur von ihr her denkbar. Sie fängt, in Deutschland, hier und heute, beim Einzelnen an. Ein Viertes bleibe uns erspart.

Erich Fried:

Man darf Enzensberger nicht aus dem Zusammenhang reißen! Er schrieb nämlich weiter: »Es ist die Staatsmacht selbst, die dafür sorgt, daß die Revolution nicht nur *notwendig* (das wäre sie schon 1945 gewesen) sondern auch *denkbar* wird – wenn auch nicht, in absehbarer Zeit, möglich.« . . .

Den Versuch, alle, denen die Revolution vorstellbar wird, als leichtfertige Schwätzer oder komische Figuren abzuschreiben, sollte man also Unwissenden wie Grass überlassen, dem es selbst an komischer Begabung nicht fehlt. – Bleibt die Frage, ob die Bundesrepublik (ja sogar eine »demokratischere« Demokratie wie England!) durch Reformen genesen kann. Ähnlich wie Augstein oder Heinrich Böll bezweifle ich es, glaube aber nicht wie Augstein, daß man einerseits den von Hitler und seinen Rechtsnachfolgern ausgebauten bundesdeutschen Antikommunismus und anderseits alle wirklichen oder vermeintlichen Schwächen kommunistischer Modelle (zum Beispiel in der DDR) als unwandelbar betrachten muß.

In Wirklichkeit hat die Revolution an allen vier Ecken der Welt schon längst begonnen. Doch keine Bange, bitte: Auch Revolutionäre verachten nicht den Kampf um Reformen. Im Gegenteil, er hilft die besten Traditionen des Kampfes und der Demokratie (immer noch: Volksmacht, Volksherrschaft!) stärken, deren Schwäche auch nach einer Revolution noch zu Deformationen führen kann. Der Revolutionär zieht also oft am selben Strang wie der Reformist, allerdings ohne bei einem kleinen Teilerfolg vor Freude locker zu lassen oder sich an ihm zu erhängen!

Unerfindlich bleibt freilich, warum in der Bundesrepublik der Gedanke an *außerparlamentarische Aktionen* so verpönt ist. Was sonst tun Gewerkschaften, aber auch Interessengruppen (pressure groups) jeder Art? Selbst der viel zu lange gerühmte Pluralismus, dessen Niedergang und immanente Formierungstendenzen die Revolution zuletzt nötig machen, war im wesentlichen ein System außerparlamentarischer Aktion. Oder soll die nur *den anderen* erlaubt sein?

Günter Grass:

Es hat wenig Sinn, sich mit der einen oder anderen Behauptung auseinanderzusetzen, solange sich Enzensberger, seinen Fähigkeiten entsprechend, nicht bemüht, den Beweis anzutreten und die Alternative deutlich zu machen. So gelesen werte ich diesen Absatz als einen Beleg der Leichtfertigkeit im Umgang mit der Demokratie in der Bundesrepublik. Auch fehlt es nicht an modischer Attitüde: Man trägt wieder revolutionär und benutzt das vorrevolutionäre Geplätscher als Jungbrunnen. Dabei kommt es nach wie vor darauf an, die Ursachen der Krise unserer Demokratie zu erkennen, zu benennen und zu beheben, es kommt darauf an, die parlamentarische Demokratie endlich zu etablieren; das macht Mühe, verlangt einen langen Atem. Der Ruf nach der Revolution hingegen verlangt, wenn er nicht in Bolivien ausgestoßen wird, also hierzulande, allenfalls Gratismut, eine treffliche Wortprägung, die wir Hans Magnus Enzensberger verdanken.

Helmut Heissenbüttel:

... Alle revolutionären Aktionen sind heute Teile einer die ganze Welt umfassenden Bewegung parteifraktioneller Art. Daß dabei die Parteien, die sich als gleichgerichtet verstehen, dennoch in Afrika oder in Indien oder in Südamerika anders aussehen als in Rußland, Europa oder China, ändert nichts an der grundlegenden Unterscheidung. Der Begriff der Revolution ohne parteifraktionelle Einschränkung gewinnt denn auch vielfach da, wo er meist wieder aufgegriffen wird (nicht, oder noch nicht bei Enzensberger, soweit ich sehe), eine Spitze *gegen jedes* parteifraktionelle Denken und Organisieren. Das heißt aber, daß im Grunde nicht Revolution im historisch zu definierenden Sinne gemeint ist, sondern Anarchie. Anarchistische Reaktionen gegen die sich ausgleichende nachbürgerliche nachindividuelle Gesellschaft bilden, so scheint mir, die einzige Alternative gegen die parteifraktionelle Zweiteilung in kommunistische und nichtkommunistische Welt. Alle anarchistischen Reaktionen (und es ist durchaus vorstellbar, daß etwa in Cuba oder in China versucht wird, solche Reaktionen mit einzubeziehen) sind dadurch gekennzeichnet, daß sie genau abzugrenzen sind in ihrer negativen Zielsetzung, in dem, was nicht gewollt wird, aber in unbestimmte Phraseologie verschwimmen, wenn man nach positiven Programmpunkten fragt. Die »neue Gesellschaft« ist ja nur ein Wortfetisch. Was nötig wäre, wäre, die Bedingungen des Sozialismus neu zu durchdenken und zu bestimmen, auf dem Weg, den die sogenannten Revisionisten der sogenannten kommunistischen Welt angedeutet haben. Daß alle Menschen gleich sind vor dem Gesetz, in der vernünftig gewählten Entscheidung und in der Möglichkeit, materiell zufriedenstellend zu leben, daß aber zugleich diese Gleichheit nur auf der Basis der restlosen Anerkennung psychologischer, physiologischer und verhaltensmäßiger Ungleichheit realisiert werden kann, dieser extreme Widerspruch ist noch gar nicht auf die Praktiken der heutigen Gesellschaft bezogen worden . . .

Günter Herburger:

Woher eine Revolution nehmen ohne Krise. Beide Verwaltungssysteme, die des Ostens und die des Westens, ächzen zwar, jedoch sie funktionieren. Ihre Funktionäre könnten ausgetauscht werden.

Die Grüppchen in den Universitäten und ihre zehnfach latente Anhängerschaft reichen nicht aus, irgend etwas in unserer Gesellschaft zu erreichen. Die Macht besitzen die anderen. Und reformieren läßt sich auch nichts, denn die Dreißiger und Vierziger, die allmählich aufrücken, verhalten sich genau so unpolitisch wie die Väter. China könnte ein Beispiel sein, wie festgefrorene Funktionäre wieder losgelöst werden, aber China ist weit, das Beispiel kommt bei uns als literarische Fata Morgana an. In einer Massenzivilisation werden, da sie Spezialisten verlangt, immer die Funktionäre die Macht behalten.

Bleibt nur übrig, die eigenen Kinder zu ganz hochmütigen, lärmenden und fröhlich süchtigen Leutchen zu erziehen.

Rolf Hochhuth:

Revolutionen setzen Ideen voraus, die von der Not geboren wurden und Brände legen. Die leise, sorgsam getarnte Herbeiführung des Notstands in Deutschland durch Bonn wird von der Mehrheit der Deutschen nicht bemerkt, geschweige denn als Gefahr erkannt – also fehlte dem halben Dutzend Intellektueller, die revolutionären Geistes sind, jede Gefolgschaft.

Die Opposition als Partei wurde von Wehner »liquidiert«. Daher sehe ich heute nur noch eine einzige Chance, diese durch Wehner vor ihrem Verschwinden gerettete schwarze Oligarchie samt ihren Mitläufern aus SPD und NSDAP zu schwächen: ihre systematische Unterwanderung durch anständige Menschen.

Da gibt es ein hoffnungsvolles Beispiel: der Umweg Gustav Heinemanns ins Justizministerium und die damit immerhin vollzogene Ablösung Kopf-Jägers. Heinemann wie Renate Riemeck beweisen, daß die unmoralische Hürde der Fünf-Prozent-Klausel nur noch von Nazis, nimmermehr aber von Demokraten in Deutschland übersprungen werden kann. Daß heute Frau Professor Riemeck, neben Frau Hamm-Brücher die einzige profilierte Frau in der deutschen Politik, »draußen« steht, zur Ohnmacht verurteilt – zeigt, daß Heinemanns Kompromiß, ethisch anfechtbar, praktisch notwendig ist.

Intellektuelle verachten Kompromisse – sehr bedeutende Köpfe allerdings nicht, wie Lenin, wie Churchill, ja wie sogar noch Heuss: war es nicht gut, daß wenigstens *er* mitmachte und damit auch *sein* Profil neben dem Adenauers am Anfang über unsrer Republik stand, ein Janus-Kopf, wo heute nur mehr ein – Schafskopf ist?

. . . So wird auch heute für Studenten wie Nevermann, wie Dutschke, wie Gisela Erler der Weg in die Praxis nur zu erkämpfen sein, wenn sie mit Hilfe eines Wahlkreises die Führungsriege der SPD *zwingen,* ihre Mitarbeit zu dulden. Wählerstimmen sammeln – wer diese Arbeit scheut, wird nicht zugelassen zur Mitwirkung. Wenn Enzensbergers Nürnberger Rede auch in hundert Jahren vielleicht zu den großen »klassischen« Reden der Deutschen gezählt werden wird – heute verhallt sie, solange nicht Enzensberger beispielsweise Mitarbeiter im parlamentarischen Ausschuß zur Vorbereitung der Strafrechtsreform ist . . .

Es gibt keine Revolution in Deutschland, weil es dort keine Intellektuellen gibt, Ideenträger, die ihr Leben einsetzen oder auch nur ihren Job. Der Schreiber ist keine Ausnahme.

Reinhard Lettau:

Ich gebe Enzensberger völlig Recht, glaube aber nicht, daß ausgerechnet die Deutschen bereit sein würden, für eine Revolution zu kämpfen, da sie sich doch nicht einmal die gegenwärtigen, wirklich nur minimalsten bürgerlichen Freiheiten erkämpft oder verdient haben, sondern im Gegenteil, unter der Führung der Brandt-Strauß-Koalition, sie unentwegt und auf die zynischste Weise pervertieren.

Martin Walser:

Sicher ist – und das sollten Mao-lesende Studenten wissen –, daß eine Revolution nicht importiert werden kann. Ebenso sicher ist: Wer bei uns, gelenkig vor lauter Realismus, die Evolution als einzig fromme Gegenwart predigt, der ist schon von der Vertröstung geschluckt, er wird, wider besseren Willen, dazu dienen, die herrschende ze-de-uh-es-pe-deh-Immobilität mit einem Anschein von Bewegung zu dekorieren; zu diesem Dienst sind vor allem wir, die Intellektuellen, leicht zu verführen: Mit Herakles-Geste vernichten wir dann und wann ein zum Abschuß freigegebenes Tabu.

Daraus ergibt sich: Wer die Evolution wirklich will, der muß die Revolution betreiben. Das heißt: Er muß die Demokratisierung dieser Gesellschaft fordern bis zu einem Grad, der von den jetzigen Stoppern als sündhaft, gesetzeswidrig oder gar kommunistisch diffamiert wird.

Diese Revolution wird, wie es unserer Tradition entspricht, eine Revolution auf Raten sein. Es ist aber illusionär, die Parteien einfach »ersetzen« zu wollen. Sie sind nichts Defektes, sondern etwas Vorläufiges. Und die Große Koalition ist insofern eine fortschrittliche Regierungsform, als sie unser Bewußtsein präpariert für die Ablösung des naiven Parlamentarismus.

Unsere demokratische Geschichte hat gerade erst begonnen und wird doch noch 100 oder 100 000 Jahre dauern; da ist ein bißchen sehr kühn, wenn uns SPD und CDU und ihr intellektueller Set bedeuten wollen, prinzipiell hätten wir mit dem angelsächsischen Muster der Privilegien-Demokratie schon das Ziel unserer Geschichte erreicht. Im Gegenteil: Wir sind am Anfang. Die Revolution – auf Raten – geht weiter.

Erklärung zur Internationalen Vietnamkonferenz Westberlin am 17./18. Februar 1968

Vietnam ist das Spanien unserer Generation. Wir dürfen nicht durch Schweigen oder Neutralität gegenüber dem revolutionären Kampf des vietnamesischen Volkes Schuld auf uns laden. Daher begrüßen wir die Initiative der jungen Generation, die dazu beiträgt, die Weltmeinung gegen die US-amerikanische Intervention in Vietnam und die dadurch verursachte Vernichtung des vietnamesischen Volkes zu mobilisieren. Wir solidarisieren uns mit den Streiks, die ein Ende dieser Intervention fördern, und mit all denen, die amerikanische Bürger, welche ihren Militärdienst verweigern oder aus ihm desertieren, unterstützen.

Wir begrüßen deshalb diese vom SDS einberufene Konferenz junger sozialistischer Gruppen aus den verschiedenen Ländern Europas zur Unterstützung des Kampfes gegen die amerikanische Intervention in Vietnam und die Quisling-Regierung in Saigon und setzen uns für das Recht des vietnamesischen Volkes ein, seine Zukunft selbst zu bestimmen.

Dr. Johannes Agnoli, Ilse Aichinger, Michelangelo Antonioni, Ingeborg Bachmann, Reinhard Baumgart, Prof. Norman Birnbaum, Prof. Ernst Bloch, Nicolas Born, Dr. Margherita von Brentano, Hans Christoph Buch, Prof. Noam Chomsky, Franz Josef Degenhardt, F. C. Delius, Prof. E. R. Dodds, Dr. Ingeborg Drewitz, Günter Eich, Hans Magnus Enzensberger, Ute Erb, Dr. Jürgen Feldhoff, Hubert Fichte, Prof. Ossip K. Flechtheim, Erich Fried, Dr. Peter Furth, Prof. Hellmut Gollwitzer, Prof. Wilfried Gottschalch, Sarah Haffner, Heinrich Hannover, Prof. Eduard Hapke, Dr.

Walter Hasenclever, Rolf Haufs, Prof. Hans Werner Henze, Günter Herburger, Wolfgang Hildesheimer, Prof. E. J. Hobsbawm, Dr. Peter Hübner, Prof. Michael Landmann, Dr. Reinhard Lettau, Horst Mahler, Ernest Mandel, Prof. Herbert Marcuse, François Maspéro, Prof. Arno J. Mayer, Ulrike Marie Meinhof, Dr. Klaus Meschkat, Prof. Klaus Mollenhauer, Prof. Wolfgang Müller, Maurice Nadeau, Nicolaus Neumann, Wolfgang Neuss, Dr. Bahman Nirumand, Hermann Piwitt, Dietger Pforte, Arno Ploog, Dr. F. J. Raddatz, Stefan Reisner, Hans Werner Richter, Jean Paul Sartre, Peter Schneider, Laurent Schwarz, Jürgen Seifert, Prof. Jacob Taubes, Mary Tucholsky, Prof. Kenneth Tynan, Bernward Vesper-Triangel, Dr. Klaus Wagenbach, Martin Walser, Prof. Gertrud Weismantel, Gunnilla Weiss, Peter Weiss, Prof. Raymond Williams, Prof. Richard Wollheim, Monica Vitti, Peter Paul Zahl, Gerhard Zwerenz.

(Die Konferenz wurde vom Westberliner Senat zuerst verboten, nach massiven Protesten aber wenige Tage vor Beginn zugelassen.)

Erich Fried   Vietnam und unsere Opposition in den großen Städten

Fast alle größeren Oppositionskundgebungen und Aktionen, die wir im sogenannten »westlichen« Teil Europas und in Nordamerika bisher zu verzeichnen haben, finden entweder in Städten statt, sie entstehen in Städten, und die Kämpfe um sie werden hier, in Metropolen und großen Städten, ausgetragen, oder sie gehen von den Städten aus und kehren meistens in die Städte zurück.

Das ist nicht als Loblied der westlichen Städte gemeint. Daß es bisher nicht gelungen ist, über unsere Städte hinauszukommen, ist eine Schwäche, aber es ist bisher fast überall Tatsache.

In den Städten sind Intellektuelle, Künstler, Studenten in größerer Zahl versammelt – ebenso Arbeiter, auch wenn die Verbindung zu diesen – besonders in der Bundesrepublik und Westberlin – erst in einzelnen Ansätzen besteht, die in letzter Zeit desto erfreulicher sind. Also: In den Städten sind jene versammelt, denen ihr Antagonismus zu der Gesellschaftsordnung, unter der sie leben, noch am ehesten klarwerden kann – Antagonismus zu einer Gesellschaftsordnung, deren herrschende Klasse auch den Krieg Amerikas in Vietnam offen und auf Schleichwegen unterstützt. Auch die meisten anderen Gruppen jüngerer Menschen, deren Integrierung der herrschenden Gesellschaftsordnung schwerfällt, sammeln sich in den Städten . . .

In den großen Städten finden wir also nicht nur die Menschen, nicht nur die *Informationsquellen,* nicht nur eine *Lebensform,* die trotz aller Entfremdungsfaktoren doch viele erst einmal aus dem festeingefahrenen Drucksystem herausgesprengt hat, in dessen Idiotie die Kritik gar nicht heranreifen kann. Nein, wir finden in ihnen auch ein potentielles *Forum;* das Wort selbst bezieht sich auf den Marktplatz der antiken Stadt.

Natürlich: Diese Aussage steht nicht jenseits der Dialektik. Das

Forum *Stadt* ist nicht nur unsere, sondern ist ebenso Forum des Feindes. Ja nicht nur *ebenso,* sondern *mehr* so, solange er herrscht. Wessen das Forum ist, das ist Machtfrage, das ist Kampffrage! – In den großen Städten befinden sich auch die Führungsgremien der herrschenden Klasse und Zusammenballungen ihrer Exekutive, von ihrer legislativen und judiziellen Gewalt verklärt und ergänzt!

Dagegen aber sind die großen Städte auch wieder jene Orte, jene Umschlagplätze und Knotenpunkte, an denen *aller* Augen – und ich meine auch Augen jenseits des Stadtbereiches selbst! – auf diese Unterdrückungsmaschinerie der herrschenden Klasse gerichtet sind. Hier in den großen Städten kann die Unterdrückung ihre Arbeit nicht unter Ausschluß der Öffentlichkeit leisten, und je größer die Stadt, desto weiter über den Machtbereich der an Ort und Stelle bestehenden konkreten Form der Klassenherrschaft reicht diese Öffentlichkeit hinaus.

Auch darin sind die großen Städte zugleich unsere große *Gefahr* und unsere große *Gelegenheit*! Eine Gelegenheit ohne Gefahr gibt es frühestens erst nach Aufhebung der Klassengesellschaft. Hier, in diesem gefährlichen und nicht durch uns, sondern durch die Machenschaften der herrschenden Klasse gefährdeten und sich selbst gefährdenden Westberlin, sollen wir uns übrigens daran erinnern, daß in *anderen* Großstädten aus konkreten gesellschaftlichen Gründen, die wir sehr wohl kennen, die Umstände in vieler Hinsicht weit günstiger für unsere Opposition sind als gerade hier. Dazu aber auch *hier* die Antithese zu finden, das wird – wenigstens *zum Teil* – von *uns* abhängen ...

Vieles von unserem Kampf, nicht nur hier in Berlin, ist untrennbar verknüpft mit der Erkenntnis, daß der Geist Macht wird, wenn er die Massen ergreift. Dies zu vergessen, ist eine Unterschätzung des Überbaus, vor der nie genug gewarnt werden kann! – Ich wiederhole: *Wenn* er die *Massen ergreift*! Das ist zugleich Warnung vor nicht weithin verständlichen Einzelaktionen *und* vor der Selbstgenügsamkeit untätiger Geister, die zwar wissen, daß es nicht genügt, die Welt zu *erkennen,* die aber glauben, für sich und ihre Studenten ihr Teil zu tun, wenn sie sich von ihr verändern *lassen* ...

Aber vergessen wir nicht, hierzulande zehren die Kräfte der Unterdrückung immer noch von dem reichen Kapital, das die Hitlerzeit ihnen hinterlassen hat, von einem Begriff der Ruhe und Ordnung, dessen Vorbild das Hitlersche Klassenkampfverbot war – selbst eine Kampfhandlung des Klassenkampfes. – Und nur die Abwürgung der Tradition der Arbeiterschaft in den Hitlerjahren machte es möglich, daß in der Bundesrepublik – sehr zum Unterschied etwa von England oder Skandinavien – die außerparlamentarische Opposition im Geruch des Illegalen, des Hochverräterischen steht. Auch die KP hätte ohne diese Tradition aus der Hitlerzeit und ohne den Versuch, nach Hitler im Antikommunismus »kulturelle Kontinuität«

und Anschluß an die führenden westlichen Imperialisten zu finden, *nicht* verboten werden *können*. –

Unsere Opposition in den Städten hat deshalb viele Aufgaben miteinander zu verbinden: Aufklärungsarbeit und Überwindung des falschen Ohnmachtsgefühls, das der Terror der Imperialisten allen potentiellen Gegnern einflößen will; Verbindungen mit der antiimperialistischen Opposition in anderen Ländern aufnehmen und intensivieren; Entlarvung von Denkformen und Denktabus aus der Hitlerzeit, und – bei aller offenen Kritik – die Entfaltung einer umfassenden *Solidarität* mit anderen Gruppierungen, die gegen den Mordkrieg in Vietnam kämpfen. *Nur* durch Querverbindungen, nur durch Solidarität kann die Gefährdung überwunden werden, die jede Isolierung und ihre geistige Spiegelung auf die Dauer bedeutet.

(17./18. 3. 1968; Rede auf der Internationalen Vietnamkonferenz Westberlin.)

Am 21. 3. veranstalteten die Westberliner SPD, CDU und FDP vor dem Schöneberger Rathaus eine ›Gegenkundgebung‹, in der das Faustrecht nicht nur gefordert, sondern auch angewandt wurde.

Günter Grass *Menschenjagd*

Am 21. Februar wurden in Berlin Studenten oder junge Bürger, von denen man annahm, sie seien Studenten, durch die Straßen gejagt und niedergeschlagen. Diese Menschenjagd kam nicht von ungefähr, sie kann sich jeden Tag wiederholen, der Appell an aggressive Instinkte ist, nachdem ihn die vier Berliner Springer-Zeitungen als Stil lange praktiziert haben, zum Regierungsstil erhoben worden . . .

Ich kenne die handelsüblichen Ausreden. Niemand sage, die Studenten haben angefangen. Die Studenten haben protestiert, immer mit Grund und manchmal mit verstiegenen Argumenten. Aber kein Student hat in dieser Stadt einen Andersdenkenden tätlich angegriffen, niedergeschlagen, verletzt.

Niedergeknüppelte Studenten füllten die Krankenhäuser. In allen Berliner Springer-Zeitungen, dagegen in keiner Studenten-Zeitung wurde zum Härterwerden, zum Durchgreifen aufgerufen. Ich rede hier nicht von den schwachsinnigen Plakataufschriften beider Seiten.

Ich rede von dem organisierten Schlägerterror der einen Seite.

Meine Kritik am SDS, die ich gerne und mit Argumenten fortführen möchte, muß verstummen, solange diese Minderheit unter den Augen der Polizei wie Freiwild gejagt wird. Hier gibt es kein Deuteln. Am Sonntag, dem 18. Februar, fand eine Demonstration durch die Innenstadt und eine Kundgebung vor der Oper statt, an der sich Studenten, Gewerkschaftler und Sozialdemokraten mit den verschiedensten und widersprüchlichsten Argumenten gegen den Krieg in Vietnam beteiligten . . .

Wie schlecht muß es um eine Demokratie bestellt sein, die sich wie ein Stier durch rote Tücher reizen und zur blinden Wut verlocken läßt. Wie schwach und unsicher ist eine Demokratie, die mit einer Gegen- und Großveranstaltung die Minderheit einzuschüchtern versucht. Wie feige wird eine Demokratie vertreten, wenn ihre gewählten Abgeordneten einen marktschreierischen Appell an Pogrominstinkte zulassen.

Einen Tag vor dieser Großveranstaltung erhielt der Regierende Bürgermeister von mir einen Brief, aus dem ich nun, da es zu spät ist, zitieren muß, »Ihr angedeutetes Vorhaben, noch in dieser Woche auf einer Großveranstaltung die Meinung der Berliner Bevölkerung laut werden zu lassen, zeigt an, daß Sie nicht bereit sind, die Erfahrungen der letzten Tage zu nutzen. Ich möchte jetzt und noch rechtzeitig darauf hinweisen, daß die von Ihnen geplante Gegen- und Großveranstaltung die Kluft zwischen den Studenten und der Bevölkerung dieser Stadt noch vergrößern wird. Deshalb wären Sie gut beraten, wenn Sie eine Veranstaltung mit solch provozierender Zielsetzung unterließen.«

Klaus Schütz meint Sozialdemokrat zu sein . . ., aber wer die soziale Demokratie dem CDU-Niveau der Herren Amrehn und Wohlrabe anpaßt, schädigt die Partei.

(März 1968)

Nicolas Born *Berliner Para-Phrasen*

Unsere Geduld ist am Ende.
Wir haben es satt, uns von einer Majorität
auf der Nase herumtanzen zu lassen.
Wir haben es satt, Berlin vom Radau-Verleger beleidigen zu lassen.
(: wenn ihm Berlin unappetitlich geworden ist,
soll er doch in den Osten gehen).
Wir haben es satt, uns das Demonstrationsrecht rationieren zu lassen.
Wir haben es satt, uns von administrativen
Krakeelern in Deutsch unterrichten zu lassen.
Wir haben es satt, uns von gewaschenen Schlägern schlagen zu lassen.
Wir haben es satt, uns von kurzmähnigen Greifern greifen zu lassen.
Wir haben es satt,
den Kudamm von uniformiertem Mob blockieren zu lassen.
Seht sie an diese Typen,
dann wißt ihr, denen kommt es nur darauf an,
unsere freiheitliche Grundordnung zu zerstören.

Aber hüten wir uns vor Verallgemeinerung.
Wir haben es zu tun mit einer Handvoll Radikaler
mit dem harten Kern der Reaktion
der Gewalt predigt.
Diese Handlanger des Westens wollen eine
jugendfreie Notstandsgesellschaft.
Sie wollen die Jugend abschaffen
(im Rahmen der Unverhältnismäßigkeit der Mittel)
Aber was sie an deren Stelle setzen wollen –
darauf sind sie die Antwort bisher schuldig geblieben.

(1968)

Appell an den Berliner Senat

Eine Krise Berlins ist eine Krise der Bundesrepublik. Deshalb wenden wir uns an den Senat und an die Vorsitzenden der verantwortlichen Parteien.

Was Blockade und Mauerbau nicht erreichten, droht uns heute durch die Politik des Berliner Senats: Im Gleichklang mit den Parolen der vier Berliner Springer-Zeitungen riskiert er, rechtsstaatliche Prinzipien zu zerstören und damit die demokratische Alternative zum Ostteil dieser Stadt preiszugeben.

Am Mittwoch, dem 21. Februar, hat die Freiheitsglocke Pogromstimmung wachgeläutet. In Berlin wurden Studenten und Bürger, die aussahen wie Studenten, durch die Straßen gehetzt und geprügelt. Zwar haben Polizeibeamte verhindert, daß der

Ruf »Schlagt sie tot!« in die Tat umgesetzt wurde, aber sie haben die Schläger in vielen Fällen weder verhaftet noch deren Namen festgestellt.

Notwendig sind Diskussionen über die Methoden der studentischen Opposition. Jede Kritik jedoch muß verstummen, solange Studenten unter den Augen der Polizei wie Freiwild gejagt werden können. Der Deutsche Bundestag hat es versäumt, beizeiten gemäß seiner politischen Verpflichtung die Debatte über den Vietnamkrieg zu beginnen. Der Protest der Jugend ist nicht zuletzt eine Reaktion auf solche Versäumnisse und auf die zunehmende Arroganz der politischen Macht.

Die Unruhe der Jugend ist berechtigt. Wir fordern die politischen Parteien auf, die vielfältigen Ursachen dieser Unruhe endlich zu begreifen und ihre Berliner Vertreter daran zu erinnern, welcher demokratischen Aufgabe diese Stadt verpflichtet ist. Unser Grundgesetz spricht eine deutliche Sprache.

(8. 3. 1968. – Erklärung von Professoren, Schauspielern und Schriftstellern, darunter u. a. Nicolas Born, Günter Bruno Fuchs, Günter Grass, Peter Härtling, Helmut Heissenbüttel, Alexander Kluge, Hans Werner Richter, Wolfdietrich Schnurre.)

Wolf Biermann   *Drei Kugeln auf Rudi Dutschke*

Drei Kugeln auf Rudi Dutschke
Ein blutiges Attentat
Wir haben genau gesehen
Wer da geschossen hat
    Ach Deutschland, deine Mörder!
    Es ist das alte Lied
    Schon wieder Blut und Tränen
    Was gehst Du denn mit denen
    Du weißt doch was Dir blüht!

Die Kugel Nummer Eins kam
Aus Springers Zeitungswald
Ihr habt dem Mann die Groschen
Auch noch dafür bezahlt
    Ach Deutschland, deine Mörder!

Des zweiten Schusses Schütze
Im Schöneberger Haus
Sein *Mund* war ja die Mündung
da kam die Kugel raus
    Ach Deutschland, deine Mörder!

Der Edel-Nazi-Kanzler
Schoß Kugel Nummer Drei
Er legte gleich der Witwe
den Beileidsbrief mit bei
    Ach Deutschland, deine Mörder!

Drei Kugeln auf Rudi Dutschke
Ihm galten sie nicht allein
Wenn wir uns jetzt nicht wehren
Wirst Du der Nächste sein
    Ach Deutschland, deine Mörder!

Es haben die paar Herren
So viel schon umgebracht
Statt daß sie *Euch* zerbrechen
Zerbrecht jetzt ihre Macht!
    Ach Deutschland, deine Mörder!

(Rudi Dutschke war am 11. 4. 1968 in Westberlin angeschossen worden. – Von den Protesten hier nur das Telegramm der Ersten Vorsitzenden des Berliner Schriftstellerverbandes, Ingeborg Drewitz: »Ich verurteile die Politik der Aufhetzung in dieser Stadt, die Respektlosigkeit vor unbequemen Meinungen, das Keileintreiben zwischen die Generationen. Ich verurteile die Verantwortlichen für die Stimmung der Intoleranz, die sich im Attentat auf Rudi Dutschke abermals entladen hat.«)

Mehr Demokratie wagen?

Rolf Hochhuth   *Die Sprache der Sozialdemokraten*

Niemand in Bonn außer dem Sicherheitsdienst wird uns heute mehr zuhören – oder nur einige wenige Freie Demokraten, die spätestens resignieren mußten während der Lesung vom 15. Mai, als die Anträge ihrer Abgeordneten auf *namentliche* Abstimmung gerade auch in Einzelfragen von den sogenannten ›Kollegen‹ in der SPD mit einem Hohn, einer Selbstgerechtigkeit zurückgewiesen wurden, als könne es den Sozialdemokraten nie wieder zustoßen, in dem Hohen Haus am Rhein als verächtlich abgetane Minderheit zu sitzen. Diese Sprache der SPD – man atmet auf, daß Willy Brandt nicht anwesend war – sollte der Partei nie vergessen werden! Mancher allerdings hatte auch nur Angst und war deshalb entrüstet – zum Beispiel der Herr Gscheidle, weil er sich selber ertappte; so lange war er Gegner dieser unheimlichen Handschellen-Verordnungen gewesen, nun fiel er doch noch um, damit er sich nicht dem – schlimme Erinnerungen weckenden – Kommandantenton seines Fraktions-Dompteurs Schmidt aussetze ...

Daß nicht *zwei* – nicht zwei! – Sozialdemokraten sich in Bonn aufrafften, auch nur *einmal* den zwingenden Bitten der Freien Demokraten nach *namentlicher* Abstimmung zu folgen, denn die FDP hatte nur 48 Stimmen, hätte jedoch 50 benötigt, um wenigstens einmal bei ihren 18 Änderungsanträgen vielleicht gehört zu werden – daß selbst diese zwei Sozialdemokraten sich nicht ermutigen konnten, der Minderheit beizustehen, das verbietet es, für diese SPD noch zu erhoffen, was einst Abraham für Sodom hoffen durfte: die Stadt werde nicht gänzlich verrotten, weil doch wenigstens *zehn* Gerechte darin seien ...

Welcher Deutsche wäre 1968 noch so vertrauensselig, sich in der Obhut der deutschen sogenannten Justiz geborgener zu fühlen als unter dem Oberkommando britischer oder amerikanischer Besatzungsoffiziere? Es war nicht der Verbindungsmann zwischen dem Ministerium Ribbentrop und den gemeinsam mit Goebbels gekauften und heimlich als Nazisender benutzten Rundfunkanstalten fremdsprachiger Völker, der Jurist Kiesinger; es waren nicht *Deutsche,* es waren Besatzungstruppen, die in Deutschland die Demokratie errichtet haben! Welchen Anlaß hätte 1968 ein Deutscher, der auf die Politiker Jakob Kaiser, Kurt Schumacher und Reinhold Maier folgenden Generation von Parlamentariern zu *vertrauen*?

Ich frage das deshalb, weil der zweite Vorsitzende des Rechtsausschusses, der SPD-Abgeordnete Reischl, dem Dr. Rutschke von der FDP vorwarf, Verfassung als das »kodifizierte Mißtrauen« bezeichnet zu haben. Der SPD-Mann war ernstlich gekränkt, denn er ist von Beruf Richter, und – nicht wahr? – wie kann man einem deutschen Richter mißtrauen!

Der Sozialdemokrat Reischel ließ allerdings die alle Hindernisse überspringende Forschheit vermissen, in der sich etwa der CDU-Mann Paulssen, einst Chef der Arbeitgeberverbände und, gemessen an dem jetzigen, ein sehr vertrauenerweckender Mann, öffentlich – sogar *öffentlich*! – auf die Frage vernehmen ließ, warum denn die armen Bosse immer den Gewerkschaftsforderungen nachgäben. Paulssen: Solange es keine Notstandsgesetze gibt, sind wir denen wehrlos ausgeliefert, bei dieser Situation auf dem Arbeitsmarkt ...

Als ein FDP-Abgeordneter daran erinnerte, genau mit dieser von ihm heute vorgetragenen Sorge habe die SPD doch selber einst ihren Streichungsantrag begründet, schloß der Sozialdemokrat Schmitt-Vockenhausen – und ich dachte, der ist der treffendste Darsteller von Brechts Fleischkönig Pierpont Mauler, ließ doch die Erregung den Doppelzentner fast in Versen sprechen, während er sich einmal um die eigene Achse drehte –:

»Was soll die Panikmache heute hier
wo doch die Dinge (so) klar und offen sind!«

Der SPD-Mann Matthöfer verwarf die Forderung der FDP, jeden einzelnen Abgeordneten in den Einzelfragen – denn nicht nur der Teufel, auch die Wahrheit steckt im Detail – durch *namentliche* Abstimmung vor der Geschichte für seine Mitwirkung haftbar zu machen, als – »Anträge ... die reinen Agitationscharakter ... haben.« Begründung: »... weil man von vornherein weiß, daß sie abgelehnt werden.«

Dies also ist die Auffassung, die 1968 ein Sozialdemokrat im Bundestag von Demokratie zum besten gibt: Anträge, von denen man vorher weiß, daß sie abgelehnt werden, weil eine Minderheit sie stellte, haben ›reinen Agitationscharakter‹. Soweit also ist die SPD gekommen. Wenn schon einer der Unterlegene ist, dann soll er wenigstens die Schnauze halten!

... Viele *Namen* sind hier genannt worden: Man wird einwenden, die Bedeutung dieser Namen stehe in keinem Verhältnis zum Ernst der Freiheitsbedrohung, die uns erregt. Aber dieser Einwand entspringt einer modischen Denkweise – Studenten besonders neigen dazu, die Aufmerksamkeit, die man einzelnen Personen in der Politik – um ihrer Ämter willen – zuwendet, für Verschwendung zu halten, sie verächtlich abzutun als »Personalisierung der Konflikte«. Alle diese Männer, entgegnen sie, seien doch »beliebig austauschbar«. Ich möchte antworten, ersetzlich sind nur die negativen Erscheinungen – wie rar die positiven sind, man spürt's schon daran, daß ihrer so wenige da sind. Die profiliertesten der Studenten, Dutschke, Cohn-Bendit versäumen selten zu betonen, es gäbe ihrer viele – gäbe *viele* Dutschkes; die Prominenten fürchten nichts so sehr, wie den Verdacht zu wecken, Nutznießer von Personenkult zu sein. Und ihre Anhänger, das ist menschlich verständlich, hören gern, Dutschkes seien sie schließlich alle – denn niemand mag gern nur ein ›Anhänger‹ sein. Wer sich aber der Mühe unterzieht – es ist nicht schwer –, zu studieren, wie in Politik und Geschichte gerade jene Entscheidungen zustande kamen, die das Leben von Ungezählten festlegten oder wegwischten, der wird *erschrecken,* wie gering die Zahl derer am Hebel war. Einzelne, noch immer, werfen die Würfel – daran ändert nichts, daß unüberschaubare anonyme Mächte und Apparatschiks und Wählermillionen, mit denen man Blindekuh spielte, es gewesen sind, die diese einzelnen an den grünen Tisch setzten . . .

Fast zehn Jahre später hat das Erscheinen des über jeden halben der ›*Dreizehn Tage*‹ der Kuba-Krise präzise Auskunft erteilenden Reports von Robert Kennedy Enzensbergers Beobachtung voll bestätigt: weniger als ein Dutzend einzelner haben damals die Schleuse zur Sintflut verschlossen gehalten. Technisch ist es durchaus möglich, daß der Austausch Kennedys gegen den ›einen unvergleichbaren‹ Rußlandhasser Foster Dulles – würde der damals noch das Weiße Haus beherrscht haben wie jahrelang unter Eisenhower – statt zur Blockade Kubas zum Atomkrieg geführt hätte. Bismarck, der Anti-Theoretiker schlechthin, folgerte aus jahrelanger Praxis: »Der Staat und seine Einrichtungen sind nur möglich, wenn sie als permanent identische Persönlichkeiten gedacht werden.«

Das stimmt im Guten wie im Bösen. Gesetze sind Neutra – täusche man sich nicht: keinen Strauß können sie binden.

(28. 5. 1968; Rede auf einer Versammlung gegen die Notstandsgesetze.)

Erklärung gegen die ›Vorbeugehaft‹

Wir erheben nachdrücklich und öffentlich Protest gegen die Absicht der Koalitionsparteien CDU/CSU und SPD, eine sogenannte Vorbeugehaft einzuführen. Wir erblicken darin rechtspolitisch die Wiederaufnahme von Praktiken des Nationalsozialismus und sehen den Weg bereitet für die Neueinrichtung der sogenannten Schutzhaftlager. Die Einführung einer Vorbeugehaft richtet sich keineswegs – wie von den Urhebern dieses Gedankens zum Teil behauptet – allein gegen »Rocker und Schläger«; die beabsichtigten Regelungen laufen vielmehr auf eine Generalermächtigung hinaus, die nach den Äußerungen des SPD-Abgeordneten und Berliner Polizeipräsidenten Hübner und nach den Forderungen der CSU auch gegen potentielle »Demonstrationstäter« angewandt werden sollen.

Der wahre Adressat dieses Vorhabens sind also offenbar die Gegner der Regierungspolitik; die Vorbeugehaft würde einer Regierung jederzeit die Möglichkeit geben, die demokratische Opposition auszuschalten. Was im Rahmen der »Notstandsgesetzgebung« als allzu auffällig nicht über die Bühne des Bundestages gehen konnte, soll nun offenbar in unverdächtiger Verpackung nachgeholt werden. Die Vorbeugehaft verstößt gegen einen Kernbestand der freiheitlichen Demokratie, nämlich gegen das Prinzip der Rechtsstaatlichkeit. Kommt es zur Einführung einer solchen Klausel, so ist der direkte Widerstand gegen diese Bestimmung und die Verweigerung jedes Vollzugs entsprechender Anordnungen Recht und Pflicht der Demokraten.

(1968; Herausgegeben von der Ostermarschgruppe, an der zahlreiche Schriftsteller [Ernst Bloch, Franz-Josef Degenhardt, Rolf Hochhuth, Walter Jens, Walter Jungk, Erich Kästner, Martin Walser u. a.] teilnahmen.)

Luise Rinser *Wir haben schon einmal geschlafen*

Wir haben erfahren, daß es Mächte gibt, welche den Menschen der äußeren und bis zu einem gewissen Grade auch der inneren Freiheit berauben können. Wir haben erfahren, daß der seiner äußeren Freiheit beraubte Mensch die Freiheit seines Gewissens bewahren kann, wenn er stark und mutig ist. Wir wissen aber auch, daß die radikale Bedrohung der Freiheit noch aussteht: das, was man die Manipulierung des Menschen nennt – die gezielte und unentrinnbare Steuerung des Menschen in eine bestimmte Richtung gegen sein Gewissen. Aber auch ohne an dieses Äußerste und Ärgste zu denken, müssen wir wissen, daß uns noch große Prüfungen bevorstehen und unser Gewissen vor schwere Entscheidungen gestellt werden wird ...

Absolute Freiheit gibt es nicht und auch die relative Freiheit, die politische Demokratien gewähren, ist unzulänglich und immer bedroht. Warum ist das so?

Weil die meisten von uns nicht wissen oder nicht wissen wollen, was Freiheit ist. Demokratie ist freiheitliche Ordnung. Eine freiheitliche Ordnung kann nur dort sein, wo ein jeder freiwillig auf private oder Gruppenfreiheiten verzichtet. Wer aber tut das schon? Alle wollen frei sein, aber nichts tun für die Freiheit. Freiheit ist den meisten nur die eigene Freiheit. Aber man muß die Freiheit *aller* wollen auf Kosten eigener Freiheiten.

Die Freiheit aller wollen heißt aber nicht: eine vage Toleranz gegen alles und alle propagieren, und es heißt nicht, eine bequeme Koexistenz mit dem Unrecht wollen. Toleranz wird zum Bösen, wenn sie duldet, daß eine Gruppe die Freiheit einer anderen bedroht. Hier endet die demokratische Verpflichtung zum Geltenlassen der Pluralität politischer Ansichten und Möglichkeiten.

Hier beginnt die ethische Verpflichtung zum Widerstand ...

Noch sind wir frei, das heißt genügend frei, um den Versuchen, die Freiheit zu brechen, widerstehen zu können. Wir können die Chance verpassen, so wie sie schon oft verpaßt wurde. Wir in unserm eigenen Land haben schon einmal geschlafen. Für dieses eine Mal können wir allenfalls Entschuldigungen finden. Wir hatten keine Erfahrung mit der Diktatur. Für ein zweites Mal gäbe es schlechthin keine Entschuldigung. (Rede auf dem Europatreffen gegen Neonazismus, Juli 1968)

Peter Handke   *Monopol-Sozialismus*

Auf die Tatsache, daß unter den Interventionstruppen auch Truppen der DDR sind, hat man in der Bundesrepublik reagiert mit Beteuerungen der Scham, darüber, daß wiederum Deutsche ... und so weiter. Diese immer wieder geäußerte Scham aber erweist sich bei genauerem Hinhören geradezu als aggressive Scheinheiligkeit, Erleichterung und Schadenfreude, als zureichender Grund, wieder verachten zu können. Die Bundesrepublik wäscht ihre Hände ..., während doch gerade sie, wenn auch sicher nicht böswillig, so doch wohl ein bißchen leichtfertig, durch ihre Art der Anteilnahme nicht nur privater Personen, sondern auch der Vertreter des Staates und der Wirtschaft für Vorwände zur Intervention geradezu gesorgt hat.

Die westdeutsche Informations*auswahl* über die Tschechoslowakei hat auch die Bewohner der Tschechoslowakei selber betroffen. Und müssen nicht auch wir ähnlichen Ekel, den wir vor den Rechtfertigungssätzen des DDR-Fernsehkommentators von Schnitzler empfinden, auch vor den Sätzen des bundesrepublikanischen Politikers Helmut Schmidt empfinden, der es mit gedämpfter Stimme bedauert, daß die ČSSR ja leider nicht »unserem« Beistandsbündnis angehört, so daß man ihr, außer moralisch, nicht beistehen kann, und vor allen jenen Politikern, die jetzt vor antikommunistischen Reflexen zucken, und vor allen jenen Fernsehkommentatoren wie etwa dem Professor Otto B. Roegele, die wieder stumpfsinnig behaupten können, daß alle Friedensbemühungen der Sowjetunion sich nun als Heuchelei herausgestellt haben und daß die NATO gestärkt werden müsse, und vor allen anderen, die nun ungeniert statt »Marxismus« »Verbrechertum« sagen können.

Aber es ist klar: Der Marxismus als offizielle Institution hat sich mit diesem Ereignis verächtlich gemacht ... er hat sich in der Praxis, im Staat, auf einen dumpf-statistischen, fröhlich-optimistischen Ökonomismus reduziert und wurde, in der Philosophie des Staates, zu einem simplen Erziehungssystem zur Erhöhung der Produktionsraten. »Im Namen des Marxismus als Politik haben die Marxisten *Entfremdungen* hingenommen, die der Marxismus als Philosophie verwerfen mußte und verwirft« (Lefèbvre).

Ein Ergebnis dieser Entfremdung von den eigenen Aktionen scheint jener ganz unsinnige, unbegreifliche Einmarsch der Truppen des Warschauer Pakts in die Tschechoslowakei zu sein.

Es ist nun wichtig, daß die Angehörigen meiner Generation, die wie ich das ökonomische Modell des Marxismus als das einzige noch mögliche Modell einer halbwegs annehmlichen Ordnung ansehen, redend, schreibend und praktizierend dafür sorgen, daß dieses Modell, sollte es die Praxis ihres Staates werden, nicht sich selber sogleich wieder für alle Zeit unmöglich macht, indem es jedem verändernden Widerspruch, jeder *neuen* Möglichkeit, statt mit weiterveränderndem

Widerspruch und *anderer* Möglichkeit, mit brutaler Sanktion begegnet. In der Theorie nur die *Möglichkeit* offenzulassen für Sanktionen, das bedeutet schon, in der Praxis für diese Möglichkeit *zu sorgen.* Von meiner Generation (für die ich freilich nicht sprechen möchte) erwarte ich, daß sie den Gegensatz zwischen dem Marxismus als *Bewegung,* als Philosophie, als Handlungsantrieb und dem Marxismus als Statik, als Politik, als so oft schändlichem und schändlich erstarrtem Staat endlich beseitigt.

(1968)

Volker von Törne
Lied vom Terroristen Karl Heinz Pawla

Hört die Schandtat von dem frechen
Karl Heinz Pawla aus Berlin:
Dieser schwarze Sohn von Tschechen
ohne Zucht und Disziplin,
lange Haare, ungewaschen
und die Hände in den Taschen,
trat er vor das Landgericht
als ein schlimmer Bösewicht.

Finster stand der Lichtesscheue
in Justizias heilgem Haus,
ohne Demut, ohne Reue,
und zog sich die Schuhe aus.
Alle Bürger warn erschrocken,
als er dastand in den Socken,
und er grinste ins Gesicht
den hohen Herrn vom Landgericht.

Schließlich trieb ers immer bunter,
ohne Zucht und ohne Scham,
er ließ seine Hosen runter,
weil ihm ein Bedürfnis kam:
In Justizias heilgen Hallen
ließ er hinter sich was fallen
mitten in das Landgericht:
Sowas tut ein Deutscher nicht!

Das ging den Richtern an die Ehre,
ihre Würde war beschmutzt.
Des Gesetzes ganze Schwere
haben sie darob benutzt

und den Strolch ins Loch geschmissen,
weil er aufs Gericht geschissen,
und so siegten Zucht und Pflicht
vorm Berliner Landgericht.

(1969)

Heinrich Böll   *Blumen für Beate Klarsfeld*

In recht schulmeisterlicher Weise hat Günter Grass in einer Rede festgestellt, es habe kein »Anlaß bestanden, Beate Klarsfeld Rosen zu schicken«. Nun, mir erscheint diese Feststellung ziemlich anmaßend, peinlich und, da öffentlich getan, ganz und gar fehl am Platze. Ich frage mich mit der mir zustehenden Bescheidenheit, ob es Günter Grass zusteht, festzustellen, ob und wann ich Anlaß habe, einer Dame Blumen zu schicken. Ich hatte Anlaß und bin bereit, den Anlaß allen Schulmeistern unter meinen Kollegen öffentlich kundzutun. Ich war diese Blumen Beate Klarsfeld schuldig:

A 1. als konsequente Forsetzung meines bisherigen schriftstellerischen Tuns, mag's so belanglos oder belangvoll sein, wie es eben sein mag und wie die Schulmeister feststellen mögen;

2. weil ich's mir selbst schuldig war, als Person, als einer, der soeben 3 x 17 alt geworden ist und der 15 Jahre und einen Monat alt war, als der bürgerliche Politiker von Papen Hitler zur Macht verhalf;

3. meiner Mutter wegen, in Erinnerung an sie, die im November 1944 während eines Tieffliegerangriffs starb; sie vereinte Eigenschaften in sich, die selten vereint sind! Intelligenz, Naivität, Temperament, Instinkt und Witz, und sie bestärkte mich darin, die verfluchten Nazis zu hassen, ganz besonders jene von der Sorte, zu der Herr Dr. Kiesinger zählt: die gepflegten bürgerlichen Nazis, die sich weder die Finger noch die Weste beschmutzten und die nun nach 1945 weiterhin schamlos durch die Lande ziehen, die sogar vom Zentralkomitee deutscher Katholiken eingeladen werden, Reden zu halten.

4. meiner »Generation« wegen: den Toten und den Überlebenden, unter den Überlebenden denen, die es sich nicht leisten können, Frau Klarsfeld via »*flower power*« ihre Sympathie auszudrücken, weil sie sonst ihre Posten als Volksschullehrer, Studienräte, Fernsehredakteure, Verlagsdirektoren verlören. Ich kann's mir leisten und leiste es mir, spiele den »Freiheitsbock« für viele, von denen ich weiß, daß ihre Freiheit nicht so weit geht wie meine.

B 1. Weil – siehe die Rede von Günter Grass – unsere, der gesamten kritischen Schriftsteller Kritik an Dr. Kiesinger immer noch positiv für die Bundesrepublik zu Buche schlägt: Wir spielen die lächerliche Rolle des »Gewissens der Bundesrepublik«, sind im Ausland

273

vorzeigbar, wo man gleichzeitig über die Neonazis in der BRD herziehen kann, während die resp. Regierungschefs der entsprechenden Länder mit Dr. Kiesinger frühstücken. Wie immer und mit welchem Kaliber wir Kiesinger angreifen: es passiert uns nichts, weil wir die »prominenten« Vorzeigeidioten der BRD sind. Mag sein, daß uns irgendwo heimlich einer ins Kerbholz gehauen wird und eines Tages in der Ära Strauß – wiederum mit Willy Brandt als Vizekanzler – die Rechnung präsentiert wird;

2. weil aus der denunziatorischen Mottenkiste der bürgerlichen Primitivpsychologie sofort jenes Wort heraussprang, dessen sich leider auch Günter Grass bedient: das Wort »hysterisch«.

Schlußbemerkung: Zum drittenmal: Ich bestimme selbst (natürlich mit der mir zustehenden Demut!), ob ich Anlaß habe, einer Dame Blumen zu schicken.

(10. 1. 1969. – Am 7. 11. 1968 hatte Beate Klarsfeld Bundeskanzler Kiesinger öffentlich wegen seiner Nazivergangenheit geohrfeigt. – »Rede«: Rede von Günter Grass zur Verleihung der Carl von Ossietzky-Medaille am 9. 12. 1968)

Günter Grass   *Prügelgewohnte SPD*

Wer gestern noch seine schönpolierte Musiktruhe mit der Internationale bediente, wird morgen Götterdämmerung auflegen und dem Urraunen lauschen wollen. Mit anderen Worten gefragt:

Werden die Notstandsgegner von gestern und heute die wachsamen Demokraten von morgen sein? Ich zweifle daran und befürchte, daß zunehmende Resignation und weitere Abkehr vom Staat und seiner Verfassung die Antwort der Gegner auf die überstürzte Entschlußfreudigkeit der Befürworter sein wird. Und werden die Sozialdemokraten, die die Notstandsgesetze nach den Worten des Justizministers Heinemann als Garantie der demokratischen Freiheit im Notstandsfall werten, in der Lage sein, das Volk vor dem Mißbrauch dieser Gesetze zu schützen? Ich zweifle daran.

Denn ziemlich allein gelassen, zermürbt sich die SPD an den Folgen ihrer Entscheidung vom Dezember 1966 und an den Folgeerscheinungen der Adenauer-Ära, die auf dem ohnehin prügelgewohnten Rücken der SPD ausgetragen werden.

Doch wer meint, links von der SPD zu stehen, und wer glaubt, nun Anlaß zur Schadenfreude zu finden, der möge sich bewußt sein, daß mit dem Abgesang dieser großen demokratischen Partei auch und wieder einmal der Abgesang der Demokratie in Deutschland angestimmt werden könnte.

Vor diesem von mir nur skizzierten Hintergrund sollten, so meine ich, besonders die Studenten, nach über zwei Jahren Studentenprotest, Bilanz ziehen, damit ihre Initiative nicht versandet, damit sie im Herbst dieses Jahres nicht fassungslos einem Wahlergebnis gegenüberstehen, das sie in jene apolitische Resignation hineintreiben könnte, die vor gar nicht langer Zeit für die Studenten auf den deutschen Universitäten und Hochschulen bezeichnend gewesen ist.

Wie groß waren die Hoffnungen, als von Berlin aus und dann in der Bundesrepublik zum erstenmal in der deutschen Geschichte Studenten von links her politisch zu argumentieren begannen. Der Protest der Studenten fand nicht nur bei den Schülern ein Echo ...

Wäre es nicht politisch folgerichtig gewesen, wenn gerade der Studentenprotest Willy Brandts neue Formel von der Anerkennung bzw. Respektierung der Oder-Neiße-Grenze bis zu einem Friedensvertrag aufgegriffen hätte? Wie sehr ist ein solcher Versuch, eine neue Deutschland- und Ostpolitik zu beginnen, gerade auf die Mithilfe der jungen Generation angewiesen. Doch davon war nichts zu hören.

(10. 5. 1969)

Heinrich Böll   *Einigkeit der Einzelgänger*

Diese verfluchten Äpfel, deren fauliger Geruch angeblich Schiller stimulierte, haben viel Unheil angerichtet; sie haben zu einem Klischee beigetragen, das für einen dümmlichen Kult zurechtgeschnitten ist. Der faulige Geruch des gesamten EWG-Apfelberges bringt uns nicht eine einzige Zeile von Schiller ein – jedenfalls nicht von Friedrich. Durch exzessives Whiskytrinken wird irgendeiner nicht zu William Faulkner, wahrscheinlich nur leberkrank. Ein Autor wird einer durch das, was schwarz auf weiß vorliegt, nicht durch austauschbare Eigenheiten, die unter Bankiers und Arbeitern so verbreitet sind wie unter Autoren ...

Gut. Wir sind also Einzelgänger – mehr oder weniger sensibel. Der eine hat die kaltgewordene Tasse Kaffee neben sich stehen, raucht Zigaretten, der andere hat die Rotweinflasche zur Hand und hält sich an der Tabakspfeife fest; der eine arbeitet nachts, der andere morgens; einer schreibt auf der Schreibmaschine ganz gute Sachen, der andere mit Bleistift oder Füllfeder weniger gute, oder umgekehrt ...

Wir schreiben, reden, denken, diskutieren und reflektieren viel über das Industriezeitalter – daß wir, ob wir nun die Stillen oder die Lauten im Lande sind, industrialisiert oder ganz gewiß industrialisierbar sind, sollte uns spätestens in diesem Herbst klarwerden. Die Maschinen, denen wir uns via Verlagsvertrag ausgeliefert haben, stehen schon bereit. Im Normalverlagsvertrag kann jeder von Ihnen nachlesen, was er wahrscheinlich unterschrieben hat: daß er dem Verlag seine Arbeit bis zum Erlöschen der gesetzlichen Schutzfrist überläßt. Das bedeutet: Wenn einer mit 30 seinen ersten Vertrag unterschreibt und die Chance hat, 60 zu werden, dann unterschreibt er einen Vertrag, der für 100 Jahre gilt. Da lacht jeder Rechtskundige.

Wer also nicht in beliebiger Form ausgeliefert werden möchte, muß sich notwendigerweise diesen Vertrag und seine Paragraphen einmal anschauen.

Einigkeit der Einzelgänger – das klingt, als suchten wir die Quadratur des Kreises – oder eine platte Gleichmacherei. Wir suchen beides nicht. Dieser Verband hat in einem Jahr nicht nur einiges, er hat viel erreicht, im Vordergrund. Er hat sich nicht vorgenommen, den Hintergrund zu klären. Der Verband kann nur sozialpolitisch Avantgarde betreiben, er kann damit viel Zeit und Freiheit für den Hintergrund erwirken. Die Ziele könnten von einer absurd bürgerlich-idealistischen Auffassung so denunziert werden, als ginge es nur ums Geld. Diese Denunziation wäre schon deshalb nicht angebracht, weil Geld nie nur Geld ist. Es geht also *nie* nur ums Geld. Es sollte auch bei Tarif- und Lohnauseinandersetzungen anderer Art nie *nur* ums Geld gehen. Nur Bankiers können so naiv sein, zu glauben, oder vorgeben, zu glauben, Geld wäre nicht politisch. Autoren können sich das nicht leisten.

(November 1970. Rede auf dem Stuttgarter Kongreß zur Gründung der Schriftsteller-Gewerkschaft)

Siegfried Lenz *Verlorenes Land – Gewonnene Nachbarschaft*

Ich weiß, gerade in der letzten Zeit ist die neue Ostpolitik einem schneidenden Gegenwind ausgesetzt. Das aber scheint mir ein Anlaß, zu fragen, was das Ziel dieser Politik war und immer noch ist. Welche Hoffnungen sich mit ihr verbinden ...

Ihre Notwendigkeit läßt sich damit begründen, daß es zu einer Friedenspolitik keine Alternative gibt. Mehr als 25 Jahre nach dem Ende des letzten Weltkrieges war es erforderlich, die Hinterlassenschaft zu ordnen, die nach diesem größten Tobsuchtsanfall der Geschichte übrig geblieben war ...

Meine Damen und Herren, ich bin selbst in Warschau gewesen. Als der Bundeskanzler zur Unterzeichnung des deutsch-polnischen Vertrages nach Warschau fuhr, lud er auch zwei Schriftsteller ein, ihn auf dieser Reise zu begleiten: Günter Grass und mich. Wir stammen beide aus dem Osten. Wir sind – im Sinne des Vertrages – Betroffene. Wir haben beide, mehr oder weniger verkappt, eine Huldigung an unsere Heimat geschrieben – Günter Grass an Danzig, ich an Masuren. Und schließlich haben wir beide – mit der Anerkennung der Unverletztheit der polnischen Westgrenze – nicht nur eine literarische Provinz verloren. Dennoch nahmen wir die Einladung an. Einverstanden damit, was wir durch pure Anwesenheit ausdrückten.

Ich möchte hier sagen: ich habe die Vorwürfe ernst genommen, die man mir gemacht hat. Ich habe den Zorn zu verstehen gesucht. Die Erbitterung meiner Landsleute und ihre Resignation, die die Post mir auf schwarzumrandeten Briefen brachte, habe ich mir immer wieder zu erklären versucht. Und ich dachte mir auch etwas bei den Drohungen, die mich erreichten. Es gibt viele, die ein Recht haben auf ihren Schmerz über das Verlorene. Ich respektiere diesen Schmerz. Und ich achte die Leiden, die viele meiner Landsleute während der Flucht auf sich nehmen mußten. Aber, meine Damen und Herren, wir haben uns auch der Leiden zu erinnern, die wir anderen zufügten: ein Fünftel der polnischen Bevölkerung wurde durch Deutsche ermordet. Zu kaum einem anderen Volk haben wir so viele schwerwiegende inoffizielle Beziehungen wie zu Polen, und zwar psychologische und moralische, menschliche und historische Beziehungen. Und die Gerechtigkeit verlangt von uns, daß wir uns auch daran erinnern, wie alles begann. Schließlich hat auch die Geschichte ihre Kausalität; die müssen wir anerkennen.

Es kann doch wohl nicht bestritten werden: das Land, das verlorengegangen ist, ging nicht am Tag der Unterzeichnung verloren. Wir büßten es vielmehr ein, als wir uns zum Krieg bereitfanden. Als aus den jetzt verlorenen Provinzen sogenannte Bereitstellungsräume gemacht wurden zum Angriff. Dieses Land, es kam uns abhanden in einer Zeit, als wir mit der Furcht und dem Zittern einverstanden waren, das die unterworfenen Völker vor uns empfanden. Die Völker des Ostens, denen ein arrogantes Herren-Rassenbewußtsein für alle Zukunft Sklavendienste zugedacht hatte. Nein, der Verlust hat allemal früher stattgefunden. Daß es ein langandauernder, ein gestreckter Verlust ist, das liegt an den Illusionen, die man vielen einpflanzte. Und an den schlimmen Verheißungen, die man jahrelang sonntags verkündete. Alle die Mitbürger, die heute mit Erbitterung oder Trauer die Ostpolitik Willy Brandts beantworten, übersehen, daß man sie selbst jahrelang getäuscht hat. Jetzt bietet man ihnen ein Datum ihrer Enttäuschung und ihres Zorns an: das Datum der Unterzeichnung. Aber dies Datum hat doch nichts anderes gebracht, als ein Ende gefährlicher Heimkehr-Illusionen. Ein Ende der leichtfertig entfachten Hoffnungen, daß eine Wieder-Inbesitznahme möglich sei ...

Am 7. Dezember 1970, am Tag der Vertragsunterzeichnung in Warschau, wurde nichts abgetreten, verschenkt oder, als Preis für die Friedenspolitik, bedenkenlos entrichtet. In der Grenzerklärung wurde ein bestehender Zustand bestätigt, der ohne Gewalt nicht zu ändern ist.

(Wahlrede für die SPD im Wahlkampf Schleswig-Holstein, Frühjahr 1971)

Für den Abschluß der Weimarer Verträge

Das PEN-Zentrum Bundesrepublik Deutschland verfolgt mit Sorge die denunziatorischen Argumente gegen die Verträge von Warschau und Moskau. Um die Isolierung der Bundesrepublik Deutschland und den sinnlosen Verzicht auf die durch das Berlin-Abkommen garantierten Erleichterungen zu vermeiden und im Interesse einer weiteren und dauerhaften Verbesserung der Beziehungen zwischen den kulturellen Organisationen der BRD und ihren Partnern in Ost und West befürwortet das PEN-Zentrum Bundesrepublik Deutschland die unverzögerte Ratifizierung dieser Verträge.

(8. 4. 1972)

Kollegendiskussion über einen Bürgermeister und späteren Justizminister

Günter Grass:

Zurück aus Schleswig-Holstein, finde ich beschämendes Material: Mein Schriftstellerkollege Heinar Kipphardt, zur Zeit Dramaturg an den Kammerspielen München, ist unter die Hexenjäger gegangen. Auch wenn er sich maßgeschneidert links gibt, scheint er bei der »Aktion Widerstand« Beispielhaftes gefunden zu haben: Er arbeitet mit Abschußlisten, er reiht in Paßphotoformat Bildchen neben Bildchen und sagt – das sind sie. Die üble Mordparole der Rechtsradikalen »Scheel und Brandt an die Wand!« findet in Leuten Epigonen, denen üblicherweise Moral die Stimme salbt. (Soll man es linke Dummheit oder dumme Linkheit nennen? Nein: nur dumm und gemeingefährlich.)

Kipphardt benutzt Wolf Biermann und dessen Theaterparabel »Der Dra-Dra« . . .

Im Programmheft sollte aufgereiht werden, wer in der Bundesrepublik Rang und Namen hat. Wirtschaftsbosse und Politiker, Zeitungsmacher und hochkarätige Steuerhinterzieher, der Bankier neben dem Kirchenfürsten . . .

Jetzt erst, nachdem mich Kipphardt gezwungen hat, meine politischen, auf seiner Abschußliste geführten Gegner – ob sie Strauß, Springer oder Löwenthal heißen – gegen erbärmliche Niedertracht in Schutz zu nehmen, muß gesagt werden, daß außer Kardinal Döpfner und der Verlegerin Anneliese Friedmann, außer Karl Schiller auch Münchens Oberbürgermeister Hans-Jochen Vogel bei Kipphardt angezeigt ist. Denunzianten kennen keine Bedenken.

. . . Wenn Kipphardt vermutet, der unerschrockene Wolf Biermann gäbe ihm mit seinem Stück »Der Dra-Dra« den Freipaß, Lynchjustiz nach historischem Muster zu entfesseln, wenn Kipphardt ferner glaubt, die Freiheit der Kunst lasse sich je nach Bedarf als Alibi strapazieren, dann sei gesagt, daß er als Dramaturg ein Stückeverfälscher und als Schriftsteller ein Nachbar Ziesels geworden ist. Wer hier noch nach intellektuellen Qualitäten sucht, gerät in den schmalen Bereich, der zwischen Josef Goebbels und Eduard von Schnitzler offen geblieben ist . . .

Zu Recht hat sich der Intendant der Kammerspiele geweigert, die schon angedruckte Liste ins Programmheft aufzunehmen. Zwei leere Seiten sprachen für sich. Kipphardts Hexenjagd wurde abgeblasen – Springers Kesseltreiben geht weiter.

(30. 4. 1971)

Heinar Kipphardt:

. . . Den Beweis sieht Grass in einem nicht von mir stammenden, nicht von mir angeregten und nicht veröffentlichten Beitrag, der für das Programmheft zur Uraufführung von Biermanns DRA-DRA von der Redaktion vorgeschlagen und hausintern diskutiert worden ist . . .

Es handelte sich um zwei Photoseiten mit 24 Köpfen aus Wirtschaft, Politik und Meinungsbildung, die der Redaktion und der am Stück arbeitenden Gruppe eine signifikante Auswahl für Kapitalherrschaft und deren Interessensvertretung in der Bundesrepublik schienen. (Drachen und Drachenbrut im Sinne der Parabel des Stükkes.) Diese beiden Seiten standen im Zusammenhang mit einem kommentierenden Aufsatz von Dr. Hatry, und zu den Photos sollte der folgende Text stehen: »Die auf dieser und noch einer Seite abgebildeten Personen sind eine denkbare Auswahl von Drachen im Sinne des Stückes. Sie sind austauschbar. Nicht die Personen, ihre Funktionen sind wichtig.«

278

Das ist die Hexenjagd, die Lynchjustiz nach historischem Muster, die Hetze, die zum Mord führen kann, die Grass, aus Springers Schleswig-Holstein zurückgekehrt, dringlich niederzukämpfen hatte ...

Grass hat die Aufführung leider nicht gesehen, deretwegen er mich einen Stückeverfälscher nennt. Aber er hat auch das Programmheft nicht gelesen, denn sonst hätte er gesehen, daß die Interpretation des Stückes mit den Ansichten Biermanns übereinstimmt. Sie ist von Heyme mit Biermann entwickelt worden, und Biermann hat sich dazu in einem *Spiegel*-Interview geäußert, das Grass wohl auch nicht gelesen hat. Bedauerlicherweise scheint er auch das Stück nicht gelesen zu haben, sonst wäre er auf der ersten Seite auf diese Anmerkung gestoßen:

»Diese Drachentöterschau braucht Regisseure und Schauspieler, die nicht schon selber zur Drachenbrut gehören. Revolutionäre Künstler werden sich nicht damit bescheiden, dieses Stück gegen alle möglichen Drachen der Welt zu spielen, sondern werden es gegen ihren eigenen Drachen in Szene setzen.«

Wie kommt es nun aber, daß Günter Grass von allen zugänglichen Materialien nur die nicht zugänglichen Photoseiten gelesen hat? Kommt er ganz allein auf so abseitige Lektüre? Oder gibt es da vielleicht Interessenten, die ihn inspiriert haben, die nicht so sehr an fremden wie an eigenen Abschußlisten interessiert sind, um in Grassens Jargon zu reden, und die nicht noch Jahre warten wollen, bis die ersehnte und schon erwählte Ruhe in die Kammerspiele zurückkehrt? Grass erklärt seine Abstinenz gegenüber zugänglichen Informationen lakonisch: »Zurück aus Schleswig-Holstein, finde ich beschämendes Material.« Wieso findet er? Von wem? Hat er seine Informanten laufen? In den Kammerspielen? Ist er das Verfassungsschutzamt? Und wenn, warum sind seine Informanten so schlecht? Die soll er wechseln ...

Grass kämpft immerzu gegen Springer. Aber kann man das gut, wenn man in dessen Kategorien denkt? Grass sieht wie Springer die Rechts- und die Linksradikalen spiegelverkehrt. Marxisten sind für ihn wie für Springer mit Diktatur und Stalinismus abqualifiziert. Da gibt es für ihn wie für Springer Rechts- und Linksfaschismus. Und wie Springer ist er gegen jede Gewalt, besonders gegen jede revolutionäre. Die konterrevolutionäre Gewalt bemerkt er wie Springer nicht. Wie will er bei diesen Übereinstimmungen gegen Springer kämpfen? Da muß er doch mal ein paar Büchlein lesen.

(10. 5. 1971. – Es handelte sich um die Uraufführung des ›Dra-Dra‹ in den Münchner Kammerspielen.)

Gerhard Zwerenz   Der Herr will wieder Blut fließen sehen

H. G. von Studnitz, der schon den Nazis durch antisemitische Hetze zu Diensten gewesen ist, forderte am 24. Oktober 1971 in der »Welt am Sonntag« die deutschen Linken und Intellektuellen ausdrücklich auf, gegen Mißstände in der Welt nicht mehr lediglich zu protestieren, sondern zur Waffe zu greifen. Die Ungeheuerlichkeit dieses Aufrufs zum Blutvergießen kann nicht durch jenen Anteil von Demagogie, den man dem zweifellos von pathologischem Haß auf alle Sozialisten besessenen Publizisten unterstellen muß, entschuldigt werden. Herr von Studnitz sucht tatsächlich zu Krieg und Bürgerkrieg aufzustacheln und deutsche Bürger zur Teilnahme an gerade von Sozialisten nicht gewollten Gewalttaten zu provozieren, damit sie getötet werden oder Justizorganen in die Hände fallen. Die demagogische Absicht wird noch dadurch unterstrichen, daß der Aufruf ausgerechnet kurz nach dem Schußwechsel erfolgte, dessen Opfer ein Hamburger Polizist wurde ...

Die Hetze einer Presse, die schon einmal einen labilen jungen Mann zum Attentat auf Rudi Dutschke verführte, kann, was jedenfalls nicht auszuschließen ist, wiederum labile Menschen zum Waffengebrauch animieren, zumal Herr von Studnitz ausdrücklich und mehrfach dazu auffordert. Sehen wir von der Geschmacklosigkeit ab, die darin besteht, daß der ehemalige Antisemit und jetzige Springer-Publizist den heutigen Linken jene Deutschen zum Vorbild empfiehlt, die im Spanischen Bürgerkrieg gegen Franco kämpften, so bleibt immer noch das Enthüllende: Von den damaligen Genossen, die gegen den Franco-Faschismus aufstanden, überlebten nur wenige, und sie erhalten, im Gegensatz zu den Spanienkämpfern der faschistischen Legion Condor, keinen Pfennig Rente ... Dieser Mann ist der intellektuellen Auseinandersetzung offensichtlich unfähig, und so sucht er die Linke zu selbstliquidatorischen Waffengängen zu provozieren. Der Herr will wohl wieder einmal Blut fließen sehen.

Wir fordern die zuständigen Behörden und insbesondere Innenminister Genscher auf, gegen den Schreibtischtäter von Studnitz nach Recht und Gesetz vorzugehen. Entweder ist der Kriegspropagandist so senil, daß er die Tragweite seiner Mordhetze nicht mehr erkennt, und dann soll er sich pensionieren lassen. Oder er ist für seine Schreibtischhetze voll verantwortlich, und dann müßte er abgeurteilt werden, bevor seine Aufforderungen zu Gewalttaten noch befolgt werden können.

(27. 10. 1971; zusammen mit Karsten D. Voigt)

Günter Wallraff *Einige Erfahrungen mit den Schwierigkeiten beim Veröffentlichen der Wirklichkeit hinter Fabrikmauern*

Pressefreiheit sei in der Bundesrepublik »die Freiheit von zweihundert reichen Leuten, ihre Meinung zu verbreiten«. Das Zitat stammt von einem des Kommunismus Unverdächtigen, dem konservativ-liberalen Publizisten Paul Sethe, der u. a. für die FAZ und die »Welt« schrieb.

Im Grundgesetz Artikel 5 wird die Pressefreiheit garantiert. – Und das Bundesverfassungsgericht hat dieses Grundrecht dahin interpretiert, daß Pressefreiheit bedeute: »Bestand einer relativ großen Zahl von selbständigen und nach ihrer Tendenz, politischen Färbung oder weltanschaulichen Grundhaltung miteinander konkurrierenden Presseerzeugnissen.« Sieht man dagegen, daß allein 50 Prozent der Arbeiter infolge zermürbender, geisttötender Industriearbeit und aufgrund einseitig verteilter Bildungsprivilegien der Suggestion der

»Bild«-Zeitung erliegen, weiß man, daß es mit der »Pressefreiheit« meist nicht weit her ist.

Die Macht des Springer-Konzerns findet ihren Ausdruck nicht allein durch Anwendung oder Mißbrauch von Macht, sondern bezeichnenderweise spricht man hier bereits von »Macht durch Verzicht auf Einsatz von Macht«, von den Konzern-Bossen gebührend als Akt der Großzügigkeit herausgestellt – die Nichtaufnahme lokaler Anzeigen in den Westberliner Ausgaben der »Welt« und der »Hör zu!«, die Nichtverbreitung von »Bild am Sonntag« in Westberlin und vor allem die Auftragserteilung von »Bild«-Druck an andere Zeitungsdruckereien ... Das Urteil von Sebastian Haffner ist nicht übertrieben: »Schon heute lebt jede noch existierende Zeitung in Deutschland sozusagen von Springers Gnaden – und weiß es; es dürfte keine mehr geben, der er nicht, wenn er es darauf anlegte, so oder so das Lebenslicht ausblasen könnte.«

Gleichzeitig werden die Möglichkeiten, solcher Abhängigkeit und Uniformierung wirksam entgegenzutreten, immer mehr eingeschränkt. Gewerkschaftsorganisationen und Journalistenverbände verweisen auf die »Einengung und Verschlechterung des journalistischen Arbeitsmarktes« wie auch auf die »schwindende Freiheit und Unabhängigkeit der journalistischen Arbeit« im Gefolge der Pressekonzentration ...

Bei den meisten Organen der Massenpresse ist der Verkaufspreis weit unter den Herstellerpreis gesunken, so daß Zeitungen nur noch durch Anzeigeneinnahmen bestehen können und Großkonzerne durch gemeinsame Anzeigenpolitik über Auflagenhöhe und Bedeutung und letztlich über den Bestand der einzelnen Blätter zu entscheiden in der Lage sind. Der »Spiegel« müßte mehr als das Doppelte kosten, wenn er ohne Anzeigen auskommen wollte. Vor dem Krieg rechnete man noch mit einem Erlös von 65 % aus dem Vertrieb; heute müssen die Anzeigen etwa diesen Anteil hereinbringen (bei Illustrierten beträgt er im Schnitt 80 %) ...

Insgesamt kann man sagen: Die Pressefreiheit des Journalisten hat spätestens da ihre Grenzen, wo die Interessen der Großanzeigenkunden beginnen. Auf jeden Fall gilt: Solange die Existenz einer Zeitung von ihrem Anzeigenaufkommen abhängt, wird es ein Organ, das die Interessen seiner Inserenten vertritt, leichter haben als eines, das sie bekämpft ...

Die Pressereaktionen auf eine in »Pardon« veröffentlichte Reportage [über bewaffneten Werkschutz] bestanden in großaufgemachten Dementis der von mir namentlich genannten Firmen. Besonders in den engeren Einflußgebieten der Unternehmen (Ruhrgebiet, Hannover, Kassel) sprachen die Kommentare der Tageszeitungen fast ausschließlich zugunsten der Großanzeigenkunden. Der Einfluß der Industrie erstreckt sich genauso in die von der Satzung her »öffentlich-rechtlichen Anstalten« Rundfunk und Fernsehen hinein. Bis jetzt hatte jeder umfassende kritische Bericht von mir zur Folge, daß kein zweiter in derselben Anstalt gebracht werden konnte. Die Vertreter der Industrie in den Programmbeiräten oder direkter Einfluß auf den Intendanten sorgten dafür. Ein in Auftrag gegebenes und angenommenes Fernsehspiel fürs Zweite Deutsche Fernsehen wurde zwei Tage vor Produktionsbeginn abgesetzt, weil die Industrie über Programmdirektor Viehhöfer Protest anmeldete. Die bereits engagierten Schauspieler, Bühnenbildner, der Regisseur und ich als Autor erhielten volle Honorarsätze: unterdrückte Meinungsfreiheit wurde großzügig honoriert. Daß diese »Panne« überhaupt passierte, lag an der Risikobereitschaft eines einzelnen Redakteurs.

Normalerweise passieren derartige »Pannen« jedoch nicht, da die verantwortlichen Redakteure – wenn sie sich privat auch noch so progressiv und links gebärden – Vorsicht und Anpassungsfähigkeit unter Beweis stellen und in einer Art verinnerlichter Selbstzensur dem Autor vorher klarmachen, was in ihrem Sender möglich ist und was nicht. Dann werden gern »künstlerische Kriterien« herbeibemüht, um eine konkrete Fallschilderung zu verhindern, die die Klassenstruktur dieser Gesellschaft sichtbar macht und Mißstände nicht als zufällige Einzelfälle, sondern als Zustände erkennbar werden läßt und die Verantwortung letztlich nicht dem Schicksal, sondern Machtpositionen und politischen Verhältnissen zuschreibt.

Die Narrenfreiheit und Alibifunktion, die man mir als »Schriftsteller« von Fall zu Fall noch bereit ist zuzugestehen, hört auf, sobald ich den Deckmantel des Literaten ablege und die Spielwiese »Kunst und Literatur« verlasse ... Da ist es auf einem Terrain, wo sonst »Fakten zählen«, plötzlich nicht mehr möglich, die Fakten aufzuzählen. Da werden, wo es um die Unantastbarkeit des zusammengehäuften, unkontrollierbaren und zum politischen Machtfaktor gewordenen Privatbesitzes geht, nur gleichgesinnte und ehrerbietige Journalisten an die heiligen Kühe der Nation herangelassen: Einem erzreaktionären Matthias Walden wird die Fernsehwürdigung des reaktionären Konzernbesitzers Oetker aufgetragen, und er schafft es, dem Volk den stockkonservativen, NPD-nahen Feudalherrn als sympathisch und harmlos vorzustellen; eine sich von Besitz und edlen Umgangsformen blenden lassende Harpprecht-Gattin wird Springer ins Imperium geschickt und siehe, sie findet ihn bescheiden, gerecht und gut in ihrer Fernsehdarbietung. Es mag einem kritischen Journalisten im Fernsehen oder in der Presse die Möglichkeit belassen sein, eine Behörde oder einen Politiker heftig zu attackieren, gegenüber einem mittleren Privatunternehmen hört die Kritikfähigkeit meist auf ...

In zunehmendem Maße wird Journalismus Anschlußstelle zur Werbung, und viele Journalisten verändern sich dann auch folgerichtig in dieses Ressort. (1971)

Radikale im öffentlichen Dienst

Heinrich Böll   *Freies Geleit für Ulrike Meinhof?*

Wo die Polizeibehörden ermitteln, vermuten, kombinieren, ist »Bild« schon bedeutend weiter: »Bild« weiß. Dicke Überschriften auf der Titelseite der (Kölner) Ausgabe vom 23. 12. 71: »Baader-Meinhof-Gruppe mordet weiter« ...

Es kann kein Zweifel bestehen: Ulrike Meinhof hat dieser Gesellschaft den Krieg erklärt, sie weiß, was sie tut und getan hat, aber wer könnte ihr sagen, was sie jetzt tun sollte? Soll sie sich wirklich stellen, mit der Aussicht, als die klassische rote Hexe in den Siedetopf der Demagogie zu geraten?

»Bild«, ganz und gar vorweihnachtlich gestimmt, weiß ja schon: »Baader-Meinhof-Gruppe mordet weiter.« ...

Ich kann nicht annehmen, daß Polizeibehörden und zuständige Minister über Helfershelfer wie »Bild« glücklich sein können – oder sollten sie's doch sein? Ich kann nicht begreifen, daß irgendein Politiker einem solchen Blatt noch ein Interview gibt. Das ist nicht mehr kryptofaschistisch, nicht mehr faschistoid, das ist nackter Faschismus, Verhetzung, Lüge, Dreck.

Diese Form der Demagogie wäre nicht einmal gerechtfertigt, wenn sich die Vermutungen der Kaiserslauterer Polizei als zutreffend herausstellen sollten. In jeder Erscheinungsform von Rechtsstaat hat jeder Verdächtige ein Recht, daß, wenn man schon einen bloßen Verdacht publizieren darf, betont wird, daß er nur verdächtigt wird.

Die Überschrift »Baader-Meinhof-Gruppe mordet weiter« ist eine Aufforderung zur Lynchjustiz. Millionen, für die »Bild« die einzige Informationsquelle ist, werden auf diese Weise mit verfälschten Informationen versorgt. Man hat ja wohl genug von den Verdächtigten oder nur verdächtig Aussehenden des Herrn XY Zimmermann gehört ...

Ich wiederhole: Kein Zweifel – Ulrike Meinhof lebt im Kriegszustand mit dieser Gesellschaft. Jedermann konnte ihre Leitartikel lesen, jedermann kann inzwischen das Manifest lesen, das nach dem Untertauchen der Gruppe geschrieben ist. Es ist inzwischen ein Krieg von 6 gegen 60 000 000. Ein sinnloser Krieg, nicht nur nach meiner Meinung, nicht nur generell, auch im Sinne des publizierten Konzeptes.

Ich halte es für psychologisch aussichtslos, Kleinbürgern, Arbeitern, Angestellten, Beamten (auch Polizeibeamten), die vom Erlebnis zweier totaler Inflationen geschreckt sind, ihren relativen Wohlstand ausreden zu wollen, wenn man ihnen nicht erst einmal ausführlich und nationalökonomisch exakt darlegt, wie fürchterlich »gleich« die Chancen bei der Währungsreform waren. Und hat je einer die jüngeren Polizeibeamten darüber informiert, auf dem Hintergrund welcher Polizei*geschichte* die ihren tatsächlich schweren Beruf ausüben, oder sind die jungen Juristen alle darüber informiert, auf dem Hintergrund welcher Rechts*geschichte* sie ihren Beruf ausüben?

... Für einen so abscheulichen Satrapen wie Baldur von Schirach, der einige Millionen junger Deutscher in die verschiedensten Todesarten trieb und zu den verschiedensten Mordarten ermutigte, sogar für ihn gab es Gnade. Ulrike Meinhof muß damit rechnen, sich einer totalen Gnadenlosigkeit ausgeliefert zu sehen. Baldur von Schirach hat nicht so lange gesessen, wie Ulrike Meinhof sitzen müßte. Haben die Polizeibeamten, Juristen, Publizisten je bedacht, daß alle Mitglieder der Gruppe um Ulrike Meinhof, alle, praktische Sozialarbeit getan haben und Einblick in die Verhältnisse genommen, die möglicherweise zu dieser Kriegserklärung geführt haben? Schließlich gibt es ein Buch im Wagenbach Verlag, Titel: »Bambule«, Verfasserin: Ulrike Marie Meinhof. Lesenswert, aufschlußreich – als Film immer noch nicht gesendet.

Wieviel junge Polizeibeamte und Juristen wissen noch, welche Kriegsverbrecher, rechtmäßig verurteilt, auf Anraten Konrad Adenauers heimlich aus den Gefängnissen entlassen worden und nie wieder zurückbeordert worden sind? Auch das gehört zu unserer Rechtsgeschichte und läßt Ausdrücke wie Klassenjustiz so gerechtfertigt erscheinen wie eine Theorie des Strafvollzugs der politischen Opportunität.

Ulrike Meinhof und der Rest ihrer Gruppe haben keinerlei Chance, irgend jemand politisch opportun zu erscheinen. Äußerste Linke, äußerste Rechte, linke und rechte Mitte, Konservative und Progressive aller Schattierungen, sie alle kennen keine Parteien mehr, sie sind dann nur noch Deutsche und sich einig, einig, wenn sie endlich in ihre deutsche Schwatzgenüßlichkeit zurückfallen, sich ungestört ihrem Fraktionschinesisch ergeben können, wenn geschehen sollte, was nicht geschehen darf; wenn man eines Tages lesen würde, daß auch Ulrike Meinhof, später Grashof, dann Baader und Gudrun Ensslin als »erledigt« zu betrachten sind. Erledigt wie Petra Schelm, Georg von Rauch und der Polizeibeamte Norbert Schmid. Erledigt, vom Tisch, wie man so hübsch sagt, und aus dem deutschen Gemüt, mag's sich noch so links dünken.

Man wird das uralte Gesabbere hören. Es mußte ja so kommen. Schade, aber ich hab's ja immer gesagt. Diese ganze verfluchte nachträgliche Rechthaberei, wie sie Eltern mißratenen Kindern hinterherbeten. Und dann kann man weiter seine verschiedenen Gebetsmühlen drehen. Man hat ja recht gehabt, man hat's ja immer gewußt, und es mußte ja so kommen. Paulinchen war allein zu Haus.

Muß es so kommen? Will Ulrike Meinhof, daß es so kommt? Will sie Gnade oder wenigstens freies Geleit. Selbst wenn sie keines von beiden will, einer muß es ihr anbieten. Dieser Prozeß muß stattfinden, er muß der lebenden Ulrike Meinhof gemacht werden, in Gegenwart der Weltöffentlichkeit. Sonst ist nicht nur sie und der Rest ihrer Gruppe verloren, es wird auch weiter stinken in der deutschen Publizistik, es wird weiter stinken in der deutschen Rechtsgeschichte.

Haben alle, die einmal verfolgt waren, von denen einige im Parlament sitzen, der eine oder andere in der Regierung, haben sie alle vergessen, was es bedeutet, verfolgt und gehetzt zu sein. Wer von ihnen weiß schon, was es bedeutet, in einem Rechtsstaat gehetzt zu werden von »Bild«, das eine weitaus höhere Auflage hat, als der »Stürmer« sie gehabt hat?

Waren nicht auch sie, die ehemals Verfolgten, einmal erklärte Gegner eines Systems, und haben sie vergessen, was sich hinter dem reizenden Terminus »Auf der Flucht erschossen« verbarg? Wollen sie in dieser überreizten Situation, in dieser gegenseitigen Verhetzung, die Entscheidung ganz allein den Polizeibeamten überlassen, die verstört und überarbeitet sind und – hier mag's angebracht sein – auf eine psychologisch gefährliche Weise frustriert?

Weiß keiner mehr, was es bedeutet, einer gnadenlosen Gesellschaft gegenüberzustehen? Wollen die ehemals Verfolgten die verschiedenen Qualitäten des Verfolgtseins gegeneinander ausspielen und ernsthaft die Termini »kriminell« und »politisch« in absoluter Reinheit voneinander scheiden, einer Gruppe gegenüber, die ihre Erfahrungen unter Asozialen und Kriminellen gesammelt hat, und auf dem Hintergrund einer Rechtsgeschichte, wo das Stehlen einer Mohrrübe schon als kriminell galt, wenn ein Pole, Russe oder Jude sie stahl? Das wäre weit unter einem Denkniveau, wie es unter verantwortlichen Politikern üblich sein sollte.

Ulrike Meinhof will möglicherweise keine Gnade, wahrscheinlich erwartet sie von dieser Gesellschaft kein Recht. Trotzdem sollte man ihr freies Geleit bieten, einen öffentlichen Prozeß, und man sollte auch Herrn Springer öffentlich den Prozeß machen, wegen Volksverhetzung.

Die inzwischen längst nicht mehr so jungen Pragmatiker, die allerorts in wichtigen beratenden Funktionen sitzen, manche von ihnen mitten in der politischen Verantwortung; sie, die gelegentlich Plattheit und Pragmatismus aufs gröblichste miteinander verwechseln; die so mühelos und schmerzlos vom Faschismus in die freiheitlich demokratische Grundordnung übergewechselt haben oder worden sind; sie waren bis 1945 zu gläubig oder zu dumm, um nachdenklich zu werden. Sie waren »desillusioniert«, ein bißchen reumütig, sehr rasch bekehrt, und ihre Schmerzen waren nicht viel mehr als ein bißchen Hitlerjugendwehwehchen.

Diese gelegentlich etwas glattzüngigen Mechaniker, die alles so gut und das meiste besser wissen und nun im Vollgefühl ihrer Etabliertheit hin und wieder mit gelinder Wehmut sich nach Ideologie sehnen (wie nach einem Parfüm, das ihnen fehlt in ihrer absoluten Geruchlosigkeit), ist es ihnen nicht ein bißchen zu leicht geworden und gemacht worden, haben sie nicht ein bißchen zu wenig Ideologie, Weltanschauung, Metaphysik in Erinnerung, als daß sie begreifen könnten, was sie nie erfahren haben: was es bedeutet: verfolgt und gehetzt zu sein, ständig auf der Flucht? Als Politischer, als Krimineller, und als »Krimineller«?

Wollen sie, daß ihre freiheitlich demokratische Grundordnung gnadenloser ist als irgendein historischer Feudalismus, in dem es wenigstens Freistätten gab, auch für Mörder, und erst recht für Räuber? Soll ihre freiheitlich demokratische Grundordnung sich als so unfehlbar darstellen, daß keiner sie in Frage stellen darf? Unfehlbarer als alle Päpste zusammen je waren? Ich weiß, das sind viele Fragen, aber fragen dürfen wird man ja noch.

(10. 1. 1972. – Aus den Antworten der Springer-Presse: »Gemeinschaftswerk Karl-Eduard von Schnitzlers und Joseph Goebbels«, »Faschismus wäre, wenn PEN-Präsident Böll auf seinem Posten verharrte«, »böllernder Schreibtischhelfer«, »miese Charakterkombination von Haß, Lüge, Hetze«, »von den Bölls und Brückners droht der Demokratie langfristig die größere Gefahr.« – Die Hetze steigerte sich bis zur Bundestagsdebatte über die innere Sicherheit am 7. 6. 1972, in der gleichlautende Formulierungen gebraucht wurden. Dies veranlaßte über 100 Autoren im Juli 1972 eine Solidaritätserklärung für Böll abzugeben: »Die Gruppe um Andreas Baader und Ulrike Meinhof ist zerschlagen. Aber die Treibjagd geht weiter. Nicht auf einen Brandstifter oder Bombenleger, sondern auf den Schriftsteller Heinrich Böll, der es gewagt hat, öffentlich vor den gefährlichen Folgen der demagogischen Berichterstattung und Panikmache der Springer-Presse zu warnen.

Durch bewußte Verdrehungen wurde Heinrich Böll in den Folgemonaten unterstellt, ein offenkundiger Sympathisant der Baader-Meinhof-Gruppe und geistiger Mittäter zu sein, Gewaltakte zu akzeptieren und als Helfershelfer sich mehr schuldig gemacht zu haben als die Terroristen selbst.

Die Empörung über die Terrorakte der Baader-Meinhof-Gruppe dienen einem Teil der Presse, bestimmten Fernsehkommentatoren und Politikern im Bundestag als Alibi, um eine unabhängige Kritik pauschal zu diskriminieren. Man sagt Böll und meint alle kritischen Intellektuellen, die in der Bundesrepublik leben.

Wir sind mit Heinrich Böll der Meinung, daß durch die Unterstellungen, Verdächtigungen und Diffamierungen, die den Zweck verfolgen, unbequeme Stimmen einzuschüchtern, ein Hetz-Klima entsteht, das die demokratische Meinungsfreiheit in der Bundesrepublik gefährdet und ihrem Ansehen in der Welt großen Schaden zufügt.«)

Gegen den ›Radikalenerlaß‹

Das PEN-Zentrum Bundesrepublik Deutschland protestiert gegen die ›Grundsätze zur Frage der verfassungsfeindlichen Kräfte im öffentlichen Dienst‹ des Bundes und der Länder vom 28. 2. 1972, von denen eine ständig steigende Anzahl kritischer junger Lehrer betroffen wird. Ebenso betroffen sind unsere Kollegen, Wissenschaftler, Schriftsteller und Journalisten, denen in der Folge dieses Beschlusses zunehmend die Mitarbeit im Rundfunk, im Fernsehen und in der Presse erschwert wird.

Diese ›Grundsätze‹ verstoßen gegen Punkt 4 der PEN-Charta, außerdem gegen von der Verfassung garantierte Grundrechte der BRD. Im Artikel 18 des Grundgesetzes der BRD heißt es: ›Wer die Freiheit der Meinungsäußerung, insbesondere . . . die Lehrfreiheit . . . zum Kampf gegen die freiheitliche demokratische Grundordnung mißbraucht, verwirkt diese Grundrechte. Die Verwirkung und ihr Ausmaß werden durch das Bundesverfassungsgericht ausgesprochen.‹

Die Maßnahmen von Kultusministern und Landesschulräten (Entlassung, Verweigerung der Übernahme ins Beamtenverhältnis) gegenüber Personen, die im Verdacht stehen, ›links‹ zu sein, sind demzufolge ungesetzlich. Der Beschluß der Ministerpräsidentenkonferenz verletzt die der Exekutive klar gesetzte Verfassungsschranke. Das PEN-Zentrum Bundesrepublik Deutschland fordert Bund und Länder auf, die ›Grundsätze‹ sofort zurückzunehmen und die Diskriminierung der betroffenen Personen aufzuheben.

(8. 4. 1972)

Erich Fried *Deutsche Volksfahndung 1972*

Ein ganzes Volk
soll Polizeidienste leisten
unbezahlt
aber nicht unbelohnt
Der Präsident des Bundeskriminalamts
Dr. Horst Herold
nennt das »unsere
Volksfahndung«
Was kündigt er an
mit so einem
klangvollen
Wort?

Wenn das Wort
Volksfahndung
nicht
von Horst Herold stammte
von wem
könnte es stammen?
aus welcher Kulturepoche?
was bedeutet der Klang
eines solchen Wortes?
ist es ein reiner
oder ein unreiner
Zufall?

An das Präsidium des Bundestags

Die unterzeichneten deutschen Schriftsteller warnen vor einer abermaligen Zerstörung der Keime einer freiheitlich demokratischen Grundordnung in Deutschland unter dem Vorwand ihrer Verteidigung. Die Verfolgung von definierbaren Straftaten wie Bombenanschlägen und sonstigem Terror ist eine Sache, die Diskriminierung politischer Gesinnungen, die nicht wie der Nazismus sich selbst außerhalb der Grenzen menschlicher Gesittung stellen, ist eine vollständig andere. Das Grundgesetz, um dessen Wahrung es den Wortführern dieser Diskriminierung vermeintlich oder angeblich geht, untersagt sie. Artikel 3 des Grundgesetzes, wonach niemand wegen seiner *politischen Anschauungen* bevorzugt oder benachteiligt werden darf, nimmt radikale demokratische Positionen nicht aus. Er verpflichtet keinen Staatsbürger zu Gesinnungen, die sich selbst für gemäßigt halten. Zu erinnern ist an die französischen Radicaux, die in einem Land, das die Demokratie nicht zu importieren hatte, generationenlang Regierungspartei waren.

Die Handhabung eines inhaltlich unbestimmten Radikalismusbegriffs ist verfassungswidrig. Wie die Praxis zeigt, dient sie in der Bundesrepublik fast ausschließlich zur einseitigen Diskriminierung linker Staatsbürger, während alte und neue Nazis unbehindert die Staatsapparate durchwuchern. Dieser Vorgang hat in Deutschland ominöse historische Beispiele. Die Zusammenarbeit zwischen dem Exekutivapparat des Staates und den rechtsextremen Verschwörern gegen unsere erste Demokratie brachte Hitler ans Staatsruder. Immer noch wird hierzulande wie damals der Staat mit der Exekutive verwechselt und damit der Grundsatz der Gewaltenteilung mißachtet.

Alfred Andersch, Reinhard Baumgart, Ernst Bloch, Walter Jens, Uwe Johnson, Heinar Kipphardt, Wolfgang Koeppen, Dieter Lattmann, Peter de Mendelssohn, Paul Schallück, Ulrich Sonnemann, Eckart Spoo, Thaddäus Troll, Günter Wallraff.

(14. 6. 1972)

Hellmut Gollwitzer   *Lehrstück Chile*

Spätestens jetzt kann jeder wissen, was *Klassenkampf* ist: immer zuerst der Klassenkampf von oben, der Klassenkampf der Privilegierten, zäh entschlossen zu jeder Brutalität, zu jedem Rechtsbruch, zu jedem Massaker, auch zur Abschaffung der Demokratie, wenn sie nicht mehr zur Sicherung der Klassenherrschaft taugt. Klassenkampf wird nicht begonnen von irgendwelchen böswilligen Rädelsführern, nicht von den Sozialisten, er ist von oben her ständig im Gange, mit den verschiedensten Methoden, unblutigen und, wenn es sein muß, mit blutigen. Klassenkampf von unten ist Gegengewalt der Unterdrückten. Wer euch nach eurer Stellung zur Gewalt fragt, den fragt zuerst, wie er es mit der Gewalt von oben hält, und wenn er ins Stottern kommt, lacht ihm ins Gesicht!

»Wer Kapitalismus sagt, muß auch Faschismus sagen«, – so Max Horkheimer in seinen klaren Tagen. D. h. nicht, wie oft gleich unterstellt wird, Kapitalismus führe notwendig zum Faschismus; es heißt aber wohl: Kapitalismus greift notwendig zum Faschismus, wenn die Lage für ihn gefährlich wird. Vor zwei Jahren schrieb Leo Guiliani in Le Monde (25. 7. 1971): »Die liberale Demokratie ist das Gesicht, das die besitzenden Klassen zeigen, wenn sie keine Angst haben, der Faschismus jenes, das sie zeigen, wenn sie Angst haben.« Die feinen Herren bei uns – Karl Carstens sei nur als Typ genannt – ereifern sich wegen der Bedrängnis einiger Intellektueller in der Sowjetunion und fordern sogar, daß der Grundsatz der Nichteinmischung, der ihnen bei Thieu und Portugal so heilig ist, um Sacharows willen zurückgestellt wird. Daß sie dabei nur ihr antikommunistisches Süppchen kochen wollen, zeigt sich daran, wie schnurzegal ihnen die Intellektuellen und Arbeiter in den Gefängnissen der Natoländer Griechenland und Türkei sind, und zeigt sich jetzt an ihrer Zustimmung zum Putsch in Chile. Wenn sie die Wahl haben zwischen einer parlamentarischen Demokratie, die zum Sozialismus führt, und einer faschistischen Diktatur, die den Sozialismus verhindert, dann wählen sie den Faschismus. Das ist die wahre Parallele zwischen heute und 1933. Darum soll jeder wissen, was von der Verfassungstreue kapitalistischer Verfassungshüter zu halten ist. Radikalenerlaß und Berufsverbote sind nicht Maßnahmen zum Schutze der freiheitlich-demokratischen Grundordnung, sondern erste Schritte zu ihrer Abschaffung, wenn's gefährlich wird.

(14. 9. 1973; Rede in Berlin)

Martin Walser   *Offener Brief an den Ersten Sekretär des ZK der SED Honecker*

Ich begreife nicht, welches Interesse die DDR daran haben konnte, Willy Brandt in eine Situation zu bringen, in der ein Mann mit seinen Nerven zurücktreten mußte. Können Sie mir sagen, wer bei Ihnen verantwortlich ist für Herrn Guillaume? Haben Sie selber gewußt, was Herr Guillaume in Bonn tut? Wenn Ihnen diese Frage zu naiv ist, stelle ich sie so: Können Sie verantworten, was Sie da duldeten (oder anzettelten)? Können Sie das vor den Werktätigen der DDR verantworten?

... Ich kenne das von der gekräuselten Oberlippe ausgehende Lächeln mancher Genossen, wenn sie sehen, daß man die BRD mit allem Drum und Dran ernst nimmt. Diese Genossen meinen offenbar, daß der Sozialismus in der BRD *irgendwie* verwirklicht wird, aber daß er ganz sicher nicht Schritt für Schritt zum Beispiel über die Mitbestimmung zur Selbstbestimmung entwickelt werden muß. Alle möglichen Krisen-Express-Vorstellungen, rote und weiße Gewitterphantasien scheinen ihnen befriedigender zu sein als der gar nicht endlose und durchaus flott begehbare Weg, der seit 1969 hier immer vorstellbarer wird. Wie auch immer man darüber denkt, eines hätte klar sein müssen: Zum Sozialismus führt hier kein Weg an der Sozialdemokratie vorbei; sowenig wie in Frankreich, in England, Österreich usw. Diese SPD ist eine Hoffnung wert. Und gegen diese SPD läßt die DDR-Regierung diesen gemeinen Tiefschlag austeilen. So unterstützt ihr uns. Danke.

... Es ist dies Kabinettspolitik im anrüchigsten Sinn. Die DDR-Regierung hat sich dieser geradezu monarchistisch wirkenden Verschwörungspraxis schuldig gemacht. Ich bin ganz sicher, daß die Bevölkerung der DDR Willy Brandt so ungern gehen sieht wie der größte Teil der BRD-Bevölkerung. Ich bin ganz sicher, daß, jenseits der unentbehrlichen Formalisierung der Politik, die zwei deutschen Bevölkerungen immer noch ein historisch Lebendiges sind, ein System kommunizierender Röhren zumindest: des einen Erfolg freut den andern; des anderen Mißerfolg betrübt den einen. Und umgekehrt. Ich glaube, ein Materialist macht sich lächerlich, wenn er Gesellschaften in die Luft gründen will, in der die Bezeichnungen schwanken. Die großen Leistungen und Erfolge der DDR beim Aufbau des Sozialismus sind gerade unter der Regierung Brandt bei uns zum erstenmal von allen zur Kenntnis genommen und gewürdigt worden. Wir dachten aber, daß in der DDR die pure, oft einfach ausgedacht wirkende Feindseligkeit gegenüber der BRD auch allmählich einer neuen Einschätzung weichen würde. Es hätte ja klar werden können, daß wir 1. nicht auf die Zustimmung der Bankdirektoren warten, um unseren Sozialismus zu entwickeln; 2. daß die Entwicklung zum Sozialismus nicht patentierbar und als Lizenz und Know-how exportierbar ist; 3. daß die Entwicklung der BRD seit 1969 auch der DDR nützte: und, übrigens, der Erhaltung des Friedens!

So. Und jetzt erklären Sie mir bitte, warum Sie den Mann, dessen Verdienst diese Entwicklung vor allem war, warum Sie den so leichtfertig gefährdeten? Wenn Sie etwas tun wollen in dieser verwirkten Situation, dann lassen Sie, bitte, *öffentlich* werden, wer in der DDR schuldig ist an diesem Fernlenkspiel, an dieser Außenpolitik-Intrige ekelhafter Art. Nennen Sie den beiden deutschen Staaten den Intriganten? Wir haben ein Recht darauf, da er uns alle geschädigt hat. Und wenn Sie es selber wären, Genosse Honecker – was ich sowenig glauben mag, wie Willy Brandt glauben möchte, daß die DDR ausgerechnet gegen ihn so hoch intrigierte –, wenn Sie es aber aus Treue zum nichts als harten Kurs gewesen sein sollten, dann wäre der größte Dienst, den Sie der Entwicklung der beiden deutschen Staaten tun könnten, Ihr Rücktritt.

(13. 5. 1974)

Weil die USA
den Krieg in Vietnam
nicht gewinnen könnten,
steht jetzt in der Zeitung
sollten sie ihn aufgeben.
Gewännen sie ihn,
heißt das,
dürften sie ihn führen.

(*Martin Walser*, 1974)

Walter Jens *Wir Extremisten*

... Machen wir einander nichts vor. Es hat in unserem Land, von Lessing bis zu Heinrich Mann, von Forster bis zu Brecht zwar Literaten gegeben, die ihr Handwerk als ein politisches Handwerk verstanden; aber eine Tradition aufklärerischer, realitätsbestimmter und realitätsbestimmender Literatur gibt es nicht: Wenn wir's nicht wüßten, dann erfahren wir's jetzt – in einem Augenblick, wo, im Zeichen des Neokonservatismus, Literatur wieder einmal auf »Dichtung« reduziert werden soll. Dichtung als Alibi, als Kulturausweis, als schöner Schein und holde Irrealität. Kunst, an der man sich ergötzen könne nach des Tages Last. Kunst, wie sie der Streichquartettspieler Heydrich verstand oder der Wachmann von Auschwitz, in dessen Wohnzimmer die Uta von Naumburg hing, neben dem Dürerschen Hasen. Das Gütezeichen der Poesie als Siegel einer Politik, die nicht gestört werden will. Dichtung als absicherndes Element einer Emanzipation verhindernden Praxis: diesem Versuch, uns in Dienst zu nehmen, muß unser Widerstand gelten.

Ein Widerstand freilich, der nur dann erfolgreich sein wird, wenn wir dreierlei nie aus den Augen verlieren.

Wir dürfen, zum ersten, nicht wehleidig sein: Selbst der infamste Angriff – Böll und Walser als Helfershelfer der Anarchisten – ehrt uns mehr als der Applaus, den man denjenigen zollt, die nichts als Hofnarren sind; Kabarettisten, deren Aussagen politische Relevanz nur im Sinne der Herrschenden haben; als Alibi, daß Meinungsfreiheit regiert. Ein Siemens-Konzern, der vor Gericht gehen muß, bestätigt die Wirksamkeit von Literatur. Ein Konzern, der Delius durch den Bundesverband der Deutschen Industrie auszeichnen läßt, bescheinigt, daß Poesie einflußlos ist. Dies ist das eine.

Das zweite: Wir Schriftsteller, die wir uns als bürgerliche Demokraten verstehen, sollten die Behauptung unserer Gegner, daß wir radikal seien, nicht als Beschimpfung, sondern als Ehrenerklärung verstehen. Jawohl, wir sind radikal, radikal im Denken und radikal in der Absage an die Gewalt. Wir verweisen darauf, daß mit dem Begriff »radikal« jene republikanischen Autoren ausgezeichnet wurden, die, statt nur Symptome zu heilen, dem Übel an die Wurzel gehen wollten. »Daher muß eigentlich ein jeder, welcher die Unvollkommenheit eines gegebenen Zustands erkennt und auf Heilung desselben sinnt, ein Radikaler sein.« Das ist kein Zitat aus einem sozialistischen Pamphlet, das ist ein Zitat aus Brockhaus' Conversationslexicon von 1836. Heute freilich klingt's anders; aber daß es anders klingt, zeigt nur, in welchem Umfang interessierte Kreise dabei sind, jene fortschrittlichen Elemente bürgerlicher Überlieferung zu verleugnen, die zu betonen unsere, der Schriftsteller, Aufgabe ist.

Nicht gegen uns, sondern gegen die immer mächtiger werdende

Reaktion in diesem Land spricht es doch wohl, wenn Anno 1974 Parolen als »ultralinks« und »radikal« eingestuft werden, die in Wahrheit zum Topen-Arsenal des republikanischen Liberalismus gehören. Ist es unsere Schuld, die Schuld der Schriftsteller, daß sich die Präambel des Ahlener Programms heute ausnimmt, als hätte einer der unseren, der Schriftsteller Karl Marx, sie geschrieben? Haben wir zu verantworten, daß ein Satz wie dieser: »Nur die Association der Besitzlosen kann bewirken, daß Menschen aufhören, bloße Maschinen anderer zu sein. Die lebendige Arbeit darf nicht länger dem toten Capital untertan sein« – heute als klassenkämpferische Sentenz verhöhnt würde? Dabei wurde es 1849 geschrieben und stammt von einem Mediziner, der zugleich ein großer Schriftsteller war: von Rudolf Virchow...

Und nun der letzte Punkt: Eine solche Tradition ernst zu nehmen, heißt aber auch, sie nicht museal zu verwalten, sondern sie zu einem Element der Beunruhigung umzufunktionieren. »Das Thema der Kunst ist«, sagt Brecht, »daß die Welt aus den Fugen ist.« Das heißt, unter dem Aspekt des *cui bono,* jene Widerborstigkeit, jene subversiv wirkende Fremdheit und jenen Überschuß im Blochschen Sinn zu betonen, der Poesie zu einem Politikum macht.

Es heißt: Literatur als eine Bewältigung von Wirklichkeit zu begreifen, der es gelingen kann, mit Hilfe einer gesellschaftlich definierten, aber auch Gesellschaft transzendierenden Phantasie, Alternativen zum Bestehenden aufzuweisen und konventionelle Erfahrung in Frage zu stellen.

Es heißt aber auch – und vor allem! –, Literatur in den Dienst derer zu stellen, die sie mit neuem und frischem Blick anschauen und in Frage stellen können, derjenigen also, die man, obwohl sie Arbeit geben, als Arbeitnehmer bezeichnet.

Es heißt, sich an die These Rosa Luxemburgs zu erinnern, daß der Sozialismus keine »Messer-und-Gabel-Frage« sei und daß nicht zuletzt die Arbeiter ein Interesse daran hätten, die Kunst in Gemeinbesitz zu überführen.

Es heißt: Literatur zu demokratisieren.

... Es heißt aber auch: die bürgerlichen Freiheiten, Freiheit der Rede und Schrift, zu verteidigen, die unverzichtbar sind und für die, man denke an den Prager Frühling, nicht zuletzt die Arbeiter mehr als einmal auf die Straße gegangen sind.

Und es heißt schließlich und sehr konkret: Als Gewerkschaftler unter Gewerkschaftlern denen unsere Hilfe anzubieten, die sich, wie wir, die Frage vorlegen, was wohl der Grund sein mag, daß es in unserem Lande zwar eine Bundeswehrhochschule gibt, aber keine Gewerkschaftshochschule und warum in Harzburg eine Akademie für Führungskräfte der Wirtschaft besteht, während von einem effizienten Gegenmodell (einem Modell, an dessen Formierung wir Schriftsteller mitwirken könnten) bis jetzt nichts bekannt ist. An

Möglichkeiten, zur Alphabetisierung der Bevölkerung beizutragen (wie Enzensberger das einmal genannt hat), ist wahrlich kein Mangel, und niemand braucht zu fürchten, daß er bei diesem Versuch, Literatur demokratisch zu transformieren, zum Funktionär werden müßte.

(November 1974; Rede vor dem Schriftstellerkongreß in Frankfurt.)

Peter Schneider *Ein Gedächtnisprotokoll*

Frage: Beginnen wir gleich mit einer Rede, die Sie anläßlich des sogenannten Springer-Hearings ...

Antwort: Ich möchte Sie bitten, das Gespräch zu protokollieren, ich möchte hinterher das Protokoll sehen und gegebenenfalls unterzeichnen.

Frage: Wir fertigen Notizen von diesem Gespräch an, aber nur zum eigenen Gebrauch ... Sie benützen auffallend häufig das Wort »die Herrschenden«, »die herrschende Klasse«. Bitte erklären Sie uns, was Sie damit meinen.

Antwort: Der Begriff »Herrschende« bezeichnet diejenigen, die in einem Staat die Macht ausüben.

Frage: Wer ist das, bitte?

Antwort: Das wissen Sie doch so gut wie ich: das sind die Eigentümer der Produktionsmittel, die Parteien ...

Frage: Meinen Sie die Bundestagsabgeordneten oder die Vorstände?

Antwort: Diejenigen, die die Macht ausüben.

Frage: Und wer sind die Beherrschten?

Antwort: Diejenigen, die nicht die Macht haben.

Frage: Wer ist das bitte?

Antwort: Diejenigen, die nicht durch Besitz oder Amt an der Ausübung der Macht beteiligt sind, die Arbeiter, die Lehrer, die Krankenschwestern ...

Frage: Ich frage Sie deswegen, weil Sie ja vielleicht auch mich zu den »Herrschenden« zählen.

Antwort: Darüber kann ich nichts sagen, ich kenne Sie ja gar nicht.

Frage: Das ist keine Frage des persönlichen Kennens. Sie wissen, daß Sie als Beamter Ihrem Vorgesetzten gegenüber zur Loyalität verpflichtet sind.

Antwort: Ja.

Frage: Sind Sie der Meinung, daß z. B. der Schulsenator zu den Herrschenden gehört?

Antwort: Das kommt darauf an, welche Politik er macht.

Frage: Sie haben in einer anderen Rede den Satz geäußert: »Wenn das Feuer, das Springer an allen Ecken und Enden schürt, eines Tages auf sein Hochhaus übergreift, dann soll er uns nicht anklagen, daß wir es gelegt hätten«. Sie haben mit diesem Satz eine Entwicklung vorweggenommen, die ja dann tatsächlich eingetreten ist. Ich will nicht sagen, daß Sie das beabsichtigt haben, aber inzwischen ist ja wirklich das Haus Springers in Sylt angezündet worden, es gab eine Explosion im Springerhaus in Hamburg. Sind Ihnen nachträglich nicht Bedenken gegen diese Formulierung gekommen?

Antwort: Wenn Sie den Satz in seinem Zusammenhang lassen (voraus geht der Satz: »wenn ein Haus in Flammen steht und jemand kommt herein und schreit ›Feuer‹, dann passiert es, daß der erwachte Besitzer denjenigen, der ihn geweckt hat, mit dem Brandstifter verwechselt«), dann ist klar, daß es sich hier um ein Bild handelt, mit dem ich die damals massenhafte Unzufriedenheit mit der Springerhetze gegen die Studenten ausdrücken wollte. Und so ist dieser Satz auch von allen verstanden worden.

Frage: In Ihrem soeben erschienenen »Lenz« drücken Sie sich anders aus, aber Sie meinen das Gleiche. Da heißt es nämlich: . . . »das Hochhaus des Verlegers sackt brennend in sich zusammen.«

Antwort: Wenn Sie zitieren, dann bitte wörtlich: an diesen Satz kann ich mich nun ziemlich genau erinnern, weil ich ihn erst vor kurzem geschrieben habe und er heißt: »dann wieder die alte kindische Vorstellung: das Hochhaus des Verlegers sackt brennend in sich zusammen.« Die Vorstellung wird also kritisiert. Außerdem heißt der Mann, von dem da die Rede ist, Lenz.

Frage: Noch einmal zurück zu dem Satz von den Volksvertretern, die das Volk nicht vertreten. Würden Sie uns das bitte erläutern?

Antwort: Dieser Satz bezieht sich auf die Kampagne der Bildzeitung wegen der Erhöhung der Telefongebühren. Damals führte die Bildzeitung eine Kampagne gegen die Erhöhung der Telefongebühren durch, die unter anderem dazu führte, daß das Parlament vorzeitig aus den Ferien zurückkehrte, das, obwohl nachweislich der größte Teil der Bildleser damals gar kein Telefon besaß. Ich wollte an diesem Beispiel klarmachen, wie die Bildzeitung die Massen für die Interessen des Springerkonzerns mobilisiert und in diesem Zusammenhang ist das Wort von den Volksvertretern, die das Volk nicht vertreten und von dem Bonner Bildleserparlament gefallen.

Frage: Sie wollen uns doch nicht weismachen, daß Sie das nur auf diesen Fall beziehen. Sie wollen doch an dem Beispiel etwas allgemeines klarmachen! Sie meinen doch das System!

Antwort: Ich habe diese Ausdrücke hier nur auf diesen Fall angewandt, wenn Sie etwas anderes darunter verstehen, müßten Sie mir das nachweisen.

Frage: Ich finde Ihre Ausführungen nicht überzeugend.

(1974. – Der Autor hatte sich für den Westberliner Schuldienst beworben; das Gedächtnisprotokoll hält eines der ›Einstellungsgespräche‹ fest, die mit ihm geführt wurden, um seine ›Verfassungstreue‹ zu überprüfen.)
Heinrich Böll schrieb zum gleichen Thema anläßlich des zuerst beschlagnahmten, dann nach einer ›Gemeinschaftsausgabe‹ hunderter von Autoren freigegeben – d. h. freigegeben, nicht ohne den Trikont-Verlag zu bestrafen – Buches von Bommi Baumann ›Wie alles anfing‹:

Heinrich Böll   *Radikale und Extremisten*

Der »Radikalenerlaß« oder »Extremistenbeschluß«, diese Schändlichkeiten, werden ja Hunderte, vielleicht Tausende von Jugendlichen, die nicht nur im »öffentlichen Dienst«, sondern aufgrund kursierender schwarzer Listen auch in der Privatwirtschaft untragbar geworden sind, in den Untergrund treiben – und was sie dort ausbrüten, was sie möglicherweise anrichten werden, das mögen die Parteien verantworten, die solche Erlasse und Beschlüsse »tragen«. Da wird noch manches zu »tragen« sein. durch diese Beschlüsse und Erlasse werden Radikale, Extremisten, potentielle Terroristen eher ausgebrütet als verhindert. Es wird für Leitartikler und Kolumnisten der einschlägigen Presse Stoff genug geben. Vielleicht braucht man ihn, muß man Extremisten auf diese Weise züchten, um immer härtere Gesetze durchzubringen. Der *legal* in den Untergrund Verwiesene wird ganz andere Formen, Inhalte, ganz neue Frustrationen entwickeln als die vielen, die – wie Michael Baumann – von vornherein die Illegalität gewählt haben. Ihnen kann er nicht Vorbild sein, sie wollten ja legal arbeiten, am gesellschaftlichen Leben teilnehmen. Mag sein, daß einige von ihnen sich eines Tages Dregger und Carstens als Vorbilder an die Wände hängen.
Gewalttätig geworden, und das *bewußt*, ist auch Baumann erst nach der Erschießung Ohnesorgs, nach dem Attentat auf Dutschke. Und: Es muß immer wieder gesagt, kann nicht oft genug wiederholt werden: durch die Hetze der Springer-Presse, speziell in Berlin, wo sie den Markt beherrscht und den Markt, den sie nicht beherrscht, einschüchtert. Eines Tages wird wohl eine Forschungsgruppe diese Entwicklung von Schlagzeilengewalt und Gegenwart Schritt für Schritt, Tag für Tag nachzeichnen. Man kann die Gewalt, an der Michael Baumann teilgehabt hat, nicht aus diesem Zusammenhang von Hetze, Denunziation, Aufheizung der öffentlichen Stimmung lösen. Mag Michael Baumann, wenn er gefaßt wird, zur Verantwortung gezogen werden, wie das geschriebene Gesetz es befiehlt. Die noch ungeschriebenen Gesetze gegen Volksverhetzung, permanente Provokation, für die gibt es noch keinen Richter.

Hermann Peter Piwitt   *Die Basis des Überbaus der Basis*

In der BRD glauben im Moment Millionen Menschen, daß »sozialistische Experimente« schuld seien an dem, was Wirtschaftskrise genannt wird. Und damit immer weniger Zeitungen das Gegenteil beweisen können, werden immer mehr von ihnen im Konkurrenzkampf besiegt und der SPD als Leiche in den Keller gelegt. Daß es sich bei der sogenannten Wirtschaftskrise um die zweite große Entscheidungsschlacht nach dem Krieg handelt, die die Eigentümer der Produktionsmittel gegeneinander führen um die Werte, die die abhängig Arbeitenden geschaffen haben – das wissen Nannen und Augstein so gut wie Bucerius und Springer; aber selbst Gewerkschaftszeitungen bringen heute, Anfang 1975, nur vereinzelt die ganze Beweislast auf den Tisch. Auf der einen Seite achttausend eingegangene Firmen, davon mehr als 90 % Klein- und Mittelbetriebe – auf der anderen Seite zahlten – laut »Wirtschaftswoche« vom 17. 1. – die hundert größten Konzerne der BRD 1974 15 % mehr Dividende aus als im Jahre zuvor. Aber wer erfährt das schon? Das Wahnsystem, das als *öffentliche Meinung* in den Köpfen eingerichtet wird, ist dabei, ein geschlossenes zu werden ...

Lohnforderungen, will man uns erzählen, gefährden aber nicht nur die Preisstabilität, sondern auch die Arbeitsplätze. Wie Arbeitslosigkeit entsteht, dafür ein Beispiel aus der Autoindustrie: Im Jahr 1966 produzierten 57 000 Beschäftigte der Adam Opel AG 662 384 Fahrzeuge. Davon hatte der Konzern einen Bilanzgewinn von 111 Millionen DM, wovon 55 Millionen als Dividende zu General Motors in die USA flossen. Dann wurde entlassen, investiert, rationalisiert. Ergebnis: 1973 produzierten 51 000 Opel-Beschäftigte 874 300 Autos, was einen Bilanzgewinn von 307 Millionen brachte, wovon 254 Millionen als Dividende nach Detroit gingen. Mit einer um mehr als 10 % verringerten Belegschaft wurden also fast ein Drittel mehr Autos gebaut und gleichzeitig die Kapazitäten so aufgebläht, daß sie inzwischen 1,1 Millionen Wagen ausspucken können. Die Folgen, heute? Kurzarbeit und erneute Massenentlassungen; und das, obwohl Opel – laut »Wirtschaftswoche« vom 17. 1. – mit 352 Millionen 1974 hinter IBM den höchsten offen ausgewiesenen Jahresüberschuß verbucht hat ...

»Was ist die Politik mit dem Kapital als Souverän? Ein Schauspiel chinesischer Schattenbilder, ein Totentanz.« Wie alt muß die SPD noch werden, ehe sie begreift, was Proudhon seinerzeit schrieb? Jetzt schlagen die enttäuschten Illusionen gerade der Jugend zurück, und wie immer trifft es »die Politik«, die »Schattenspiele«, nicht den »Souverän«. Kleinlaut bekennt Finanzminister Apel: »Es hat keinen Zweck, an der Wirtschaftsform, wie wir sie haben, vorbeiregieren zu wollen.« Wäre man doch schon vor fünf Jahren so ehrlich gewesen! Dann hätte man nicht erst die ganze Innung blamiert, und der »Spiegel« brauchte heute nicht zu schreiben, daß links Scheiße und *out* sei ...

Soweit die Basis. Kann man sich da noch wundern über den Zustand des Überbaus, in dem eben das Wort »Tendenzwende« umgeht? ...

Ein Fest für Lord Chandos nach jeder zyklischen Krise? Wieso und woher eigentlich so enttäuscht, Herrschaften? Die demokratischen Minderheiten im Land, die unbeirrt zur Stelle sind, wo immer es um Arbeitnehmer-Rechte, um Preise, Mieten oder von Abriß bedrohte Wohnviertel geht – waren sie je weniger kompromittiert, je wählbarer als heute? Und decken nicht sozialistische Ziele mehr denn je die Interessen der Menschen ab? Zumal heute, wo die Linke neben ihren revolutionären Zielen immer mehr konservative, bewahrende

Funktionen wahrnehmen muß, während sich das Kapital, im Namen des »Fortschritts« durch den tollwütigsten technologischen und industriellen Raubbau an Mensch und Natur verwertet? Die Bürger, denen ein altstädtisches Wohnviertel oder ein Naherholungsgebiet zerstört wird, der Krämer, der einem Milieu-verödenden Supermarkt weichen muß, der Bauer, dessen Betrieb im Würgegriff von Lebensmittelkonzernen dahinsiecht: sie alle sind vom Konservatismus kapitalistischer Prägung längst in Stich gelassen und angewiesen mehr denn je auf sozialistische Politik.

(1975)

Alfred Andersch   *Artikel 3 (3)*

1
niemand darf wegen
seines geschlechtes
seiner abstammung
seiner rasse
seiner sprache
seiner heimat und herkunft
seines glaubens
seiner religiösen oder
politischen
anschauungen
benachteiligt oder
bevorzugt werden.

2
ein volk von
ex nazis
und ihren
mitläufern
betreibt schon wieder
seinen lieblingssport
die hetzjagd auf
kommunisten
sozialisten
humanisten
dissidenten
linke.

3
wer rechts ist
grinst.

4
beispielsweise
wird eine partei zugelassen
damit man
die existenz
ihrer mitglieder
zerstören kann

eigentlich waren
die nazis
ehrlicher

zugegeben
die neue methode ist
cleverer

5
dreißig jahre später
gibt es wieder
sagen wir
zehntausend
die verhören
die neue gestapo

wehrt euch
vielleicht gibt es zeitungen
die eine rubrik einrichten
jeden tag in einem kasten
eine visage
die fotografie einer fresse
die verhört
mit namen
beruf
adresse
sowie
in den meisten fällen
mitgliedsnummer der
nsdap

dann selbstverständlich
keine gewalt
sondern
geht hin
und zeichnet
die wohnungstüre
das haus
des folterers
mit hakenkreuzen

ich garantiere euch
der wird es sich überlegen
ob er noch einmal
verhört

der läuft zu
seinem boss
und sagt
sorry boss
die machen mich
dingfest
der wird mir
zu gefährlich
dem geht der
arsch mit grundeis

hört auf zu winseln
wehrt euch
die beste verteidigung ist
der angriff
(clausewitz)

6

als die nazis
während des krieges
in dänemark
den judenstern einführen wollten

trug der könig von dänemark
bei seinem nächsten ausritt
den gelben stern
auf seiner uniform

warum legen
der scheel
der schmidt
der willibrandt
der genscher
der maihofer
nicht den
judenstern an
wenn sie
beim frühstück lesen
daß man schon wieder

eine lehrerin
gefoltert hat

ah ich vergesse
daß sie eine solche meldung
mit der lupe
suchen müßten

wie wär's denn
bundesdeutsche zeitungen
wenn ihr
den deutschen dissidenten
wenigstens ein zehntel des raums
einräumen würdet
den ihr
den russischen
widmet
doch zieht ihr es vor
aus dem glashaus
mit steinen zu schmeißen

die splitter im fremden
anstatt den balken im eigenen
auge zu sehn.

7

das neue kz
ist schon errichtet

die radikalen sind ausgeschlossen
vom öffentlichen dienst
also eingeschlossen
ins lager
das errichtet wird
für den gedanken an
die veränderung
öffentlichen dienstes

die gesellschaft
ist wieder geteilt
in wächter
und bewachte
wie gehabt

ein geruch breitet sich aus
der geruch einer maschine
die gas erzeugt

(1976. Von der Presse wurde dies Gedicht, wie üblich, sofort zu einem »umstrittenen« gemacht, so stellte Günter Rühle z. B. in der FAZ die Frage: »Wo ist eine
Lehrerin gefoltert, wie einst die Gestapo folterte?« Andersch antwortete darauf:
»Dort und so: die junge Lehrerin, in *jedem* bisher bekanntgewordenen Fall eine beruflich erstklassig beurteilte Person, hört zunächst gerüchtweise, später auch von Amts
wegen, daß sie ein ›Fall‹ ist, der Fall einer möglichen Verfassungsfeindin, der überprüft werden muß. (Sie ist niemals eine Feindin der Verfassung, sie hat keine ›extremistischen‹ Ansichten, sie wünscht nichts weiter als die Veränderung der bestehenden
Gesellschaftsordnung, und das ist nach der Verfassung der Bundesrepublik kein verbotener Wunsch.) Bis zum Verhör vergehen Wochen, Monate. (Die Verhörer sind
überlastet – man denke: eine halbe Million ›Fälle‹!) In dieser Zeit weiß sie, daß sie
entlassen werden wird, wenn das Verhör schlecht für sie verläuft. Endlich findet es
statt. Es ist, in *jedem* bisher bekanntgewordenen Fall, hochnotpeinlich, niederträchtig,

eine heimtückische und feige Terrorszene. (Wo jede Menge von Beweisen dafür, in hunderten von Berichten, Fallstudien, Verhörprotokollen, Prozessen und Protesten nachgelesen werden kann, wissen Sie, Rühle! Nicht in Ihrer Zeitung natürlich.) Dem Verhör folgt die Bestrafung, aber erst nach weiteren qualvollen Wochen, Monaten, bis die Gehetzte endlich erfährt, daß sie die Schule zu verlassen hat. Über den Rest schweigen wir besser, nicht wahr, Rühle?

Oder wollen Sie jetzt noch immer behaupten, es handle sich bei solchen Prozeduren nicht um Folterungen? Bestehen Sie weiter darauf, es gäbe einen Unterschied zwischen der geistigen und seelischen Folterung und derjenigen mit dem Ochsenziemer?«)

Peter Paul Zahl   *Im Namen des Volkes*

am 24. Mai 1974
verurteilte mich
das volk
– drei richter
und sechs geschworene –

zu vier Jahren
freiheitsentzug

am 12. März 1976
verurteilte
mich das volk

– nach der reform
nur noch drei richter
und zwei geschworene –

in gleicher sache
zu fünfzehn jahren
freiheitsentzug

ich finde
das sollen
die völker
unter sich ausmachen

und mich
da rauslassen.

(1976. – Erich Fried: »Zahl ist wirklich für ein und dieselbe Straftat zweimal verurteilt worden ... Der Richter, der Zahl zu 15 Jahren verurteilte, sagte, man müsse in diesem Fall eines Staatsfeindes, der noch in der Haft revolutionäre Literatur geschrieben habe, ein Exempel statuieren. Er könne den Angeklagten für seine Straftaten zu vier bis fünfzehn Jahren verurteilen: ›In diesem Fall muß man den Strafrahmen voll ausschöpfen.‹ Nicht schöpferisches, sondern ausschöpferisches Deutsch.«)

Nach verschiedenen – vergeblichen – Initiativen zahlreicher Schriftsteller und des ›Verbandes deutscher Schriftsteller‹ für P. P. Zahl erläuterte *Bernt Engelmann* – wiederum vergeblich – der nordrhein-westfälischen Ministerin Dr. Donnepp nochmals den Fall in einem Brief vom 3. Juni 1978 und verglich ihn mit eigenen Erfahrungen als in der Nazi-Zeit Verfolgter:

Bernt Engelmann   *Der Unterschied zwischen damals und heute*

Vorausgeschickt sei, daß sich Herr Zahl auch meiner Meinung nach zweifellos strafbar gemacht hat, als er am 14. Dezember 1972 bei dem Versuch, sich seiner Festnahme durch Flucht zu entziehen, auf Polizisten schoß und einen davon erheblich verletzte. Dieses damalige Verhalten des Herrn Zahl wird von mir durchaus nicht gebilligt. Ich war selbst einmal, damals noch etwas jünger, als es Herr Zahl bei seiner Tat gewesen ist, in einer ganz ähnlichen Lage wie er, nur mit dem Unterschied, daß ich objektiv ein Widerstands- und Notwehrrecht für mich hätte in Anspruch nehmen können. Wenn ich dennoch damals nicht geschossen habe, so lag dies teils daran, daß ich nicht in Panik war wie Herr Zahl, teils an meiner unüberwindlichen Abneigung gegen Blutvergießen und rohe Gewalt. Übrigens, auch Herr Zahl wollte, wie er schon wenige Augenblicke später ganz spontan erklärt hat, den Polizisten nicht verletzen, sondern nur ihn und die anderen Beamten von weiterer Verfolgung abhalten. Er ist selbst beschossen und erheblich verletzt worden; er hat seine Tat aufrichtig bedauert.

Dies ändert nichts daran, daß ich sein damaliges Verhalten mißbillige, muß dem allerdings hinzufügen, daß ich auch die Höhe der Strafe, die das Gericht nach erneuter Hauptverhandlung ausgesprochen hat, unangemessen finde. Fünfzehn Jahre Freiheitsentzug gegen einen bis dahin Unbestraften zu beantragen, hatte ja auch der Staatsanwalt nicht für erforderlich gehalten. Nach meinem Rechtsgefühl wären, bei Abwägung aller Umstände, weniger als ein Drittel der verhängten Strafe und Aussetzung des Vollzugs zur Bewährung angemessen gewesen. Wenn ich aber bedenke, wie die Richter des Landes NRW jenen Gestapobeamten bestraft haben, auf den ich seinerzeit nicht schießen wollte und dem, wie sich in der Hauptverhandlung zeigte, eine Vielzahl abscheulicher Gewaltverbrechen nachzuweisen war, so hätte Herr Zahl in Relation zu jenem Fall nur zu einer sehr kurzen, durch die erlittene U-Haft längst verbüßten Freiheitsstrafe verurteilt werden dürfen und sofort auf freien Fuß gesetzt werden müssen.

Zum ›Datenschutz‹

Das PEN-Zentrum Bundesrepublik Deutschland appelliert an den neugewählten Bundestag und die Bundesregierung, über das jüngst verabschiedete unbefriedigende Bundesdatenschutzgesetz hinaus zusätzliche rechtliche Sicherungen zu schaffen. Sie müßten zum Ziel haben, den einzelnen Bürger, aber auch ganze Bevölkerungsgruppen vor unkontrollierbarer Informationsmanipulation zu bewahren und eine Verhaltenssteuerung durch den Einsatz von Computer-Informationssystemen zu verhindern, die praktisch zu weitgehender Anpassung und daher zu Freiheitsverlust führt.

Die Legitimation für diese Forderung leitet das PEN-Zentrum daher ab, daß der ungeregelte Zugang zu gespeicherten Daten bei Bibliotheken sowie die mögliche Abrufung von Personendaten durch den Verfassungsschutz die Freiheit der Information und damit auch die ungehinderte Kommunikation zwischen Literatur und Leser beeinträchtigen.

Im einzelnen fordert der PEN: a) Die Herstellung von sogenannten ›Persönlichkeitsprofilen‹ – Bürgersteckbriefen – mit Hilfe der Datenverbundsysteme ist zu untersagen. b) Einmal erhobene Personendaten sind nach festzulegenden Fristen aus dem elektronischen Speicher zu löschen, damit die ›Gnade des Vergessens‹ auch künftig erhalten bleibt. c) Personendaten dürfen durch den Verfassungsschutz und andere ›Geheimdienste‹ nur innerhalb gesetzlich geregelter Ermittlungsverfahren abgerufen werden. Eine Kontrolle von außen ist vorzusehen. d) Personendaten aus dem Bereich des politischen und religiösen Bekenntnisses dürfen für die elektronische Datenverarbeitung nicht erhoben und verwertet werden. e) Personendaten, die von staatlichen Stellen erhoben wurden und in Computern gespeichert sind, dürfen von nicht-staatlichen Stellen weder abgerufen noch für wirtschaftliche Zwecke verwendet werden. Das PEN-Zentrum appelliert außerdem an alle Verantwortlichen in Bund und Bundesländern, das bundeseinheitliche Personenkennzeichen (PK) nicht im Rahmen des geplanten Bundesmeldegesetzes oder über einen anderen Weg einzuführen, weil dieses absolute Identifikationsmerkmal (zwölf unverwechselbare Ziffern) die maschinelle Herstellung der ›Persönlichkeitsprofile‹ in hohem Maße begünstigt. Gleichzeitig verweist der PEN auf die Entscheidung des Rechtsausschusses im 7. Bundestag, wonach das bundeseinheitliche Personenkennzeichen nicht mit unserer Verfassung, dem Grundgesetz, vereinbar sei.

(November 1976)

Günter Grass *Denkzettel nach der Wahl*

Nach dem Rücktritt von Willy Brandt 1974 wurde die Politik der sozialliberalen Koalition glanzlos. Bei aller notwendigen Versachlichung ging ihr die Perspektive verloren. Der Überschwang rasch wechselnder utopischer Vorstellungen, die zu Beginn der siebziger Jahre allerlei Resolutionspapiere billig gemacht hatten, schlug um in pragmatische Engsicht und Sprachlosigkeit allen Problemen gegenüber, die sich nicht kurzerhand über den ökonomischen Leisten schlagen ließen. Ängste, die innerhalb der Gesellschaft, oberflächlich datiert durch die Erdölkrise (und nicht nur in der Bundesrepublik) aufkamen, Zukunftsängste, Existenzängste, Überfluß-, Überdruß-Ängste blieben unbenannt oder wurden als irrationale Ärgernisse abgetan und der demagogischen Auslegung geradezu freigegeben ...
So stellten sich SPD und FDP schlecht vorbereitet und – trotz aller Leistung – unterbewertet einem politischen Gegner, der inzwischen zwar keine Alternative entwickelt, aber organisatorisch aufgeholt hatte und entschlossen war, den Wahlkampf ohne Bedenken zu führen. Verschreckt reagierten die Sozialdemokraten auf die böse Nötigungsformel »Freiheit oder/statt Sozialismus«. Erst relativ spät, als die Diffamierung des Demokratischen Sozialismus ihre Anfangswirkung getan hatte, sich nun aber abzunutzen begann und zudem die Freidemokraten in ein engeres Verhältnis zur SPD rückten, entschloß sich die Koalition zu kämpfen, wurde das Verhältnis von Freiheit und Sozialismus überzeugend belegt, stolperten die Unionsparteien über jenen dicken Knüppel, den zu schwingen sie ausgezogen waren.
Das Wahlergebnis der Bundestagswahl vom 3. Oktober 1976 spiegelt auf realistische Weise das politische Kräfteverhältnis in der Bundesrepublik, bestätigt historisch gewachsene Strukturen und wird, weil es realistisch ist, anhaltend Gefahr laufen, von den Regierungsparteien und der Opposition verkannt zu werden. Knapp, mit nur 10 Mandaten Mehrheit, behauptete die sozialliberale Regierung ihre

Position; knapp verfehlten die Unionsparteien ihr Wahlziel: die absolute Mehrheit. Nach dem dritten mißlungenen Anlauf der CDU und CSU für sich alleine die politische Macht zurückzugewinnen, nachdem auch der letzte linkssozialdemokratische Wunschtraum von einer möglichen SPD-Alleinregierung zerstoben ist, und weil sich die FDP nach mehreren Zerreißproben von ihrer Wählerbasis her zu einer eindeutig liberalen Partei entwickelt hat, sollte feststehen, daß zur Zeit in der Bundesrepublik Deutschland einzig die sozialliberale Parteienkonstellation regierungsfähig ist; also wird der politische Begriff »sozialliberal« in Zukunft vor den konventionellen Begriffen christdemokratisch, sozialdemokratisch, freidemokratisch an Bedeutung gewinnen ...

Der Praxis der Radikalenerlasse und der Notstand der Jugendarbeitslosigkeit (sowie das latente Bedürfnis junger Menschen, zur Opposition gehören und gegen die Regierenden stimmen zu wollen) haben das Jungwählerpotential der beiden Reformparteien zusammenschrumpfen lassen. Die vordringliche Beseitigung der Jugendarbeitslosigkeit und die Rückkehr zur liberalen Rechtspraxis sind deshalb Voraussetzungen für neuerliches Vertrauen; allerdings wird die junge Generation, so wie sie mehrheitlich immer noch wählt, mehr erwarten, als eine bloß pragmatisch orientierte Politik zu leisten vermag.

Nach der Wahl sind alle ein bißchen klüger. Werden sie es bleiben? Oder werden wieder einmal die politischen Alltagsereignisse dominieren und alle schmerzhaft gewonnenen Erkenntnisse unter Bergen eilfertiger Papiere verkommen lassen?

(November 1976)

Arnfrid Astel   *Keine Wanze*

Der Innenminister
ist keine Wanze.
Er bricht zwar
die Verfassung
durch Lauschangriffe,
aber deshalb ist er
doch keine Wanze,
du lächerlicher kleiner
Staatsbürger mit dem
Grundgesetz unterm Arm.   (1977)

Gegen die Ausbürgerung Wolf Biermanns

Wolf Biermann war und ist ein unbequemer Dichter – das hat er mit vielen Dichtern der Vergangenheit gemein. Unser sozialistischer Staat, eingedenk des Wortes aus Marxens ›18 Brumaire‹, demzufolge die proletarische Revolution sich unablässig selbst kritisiert, müßte im Gegensatz zu anachronistischen Gesellschaftsformen eine solche Unbequemlichkeit gelassen nachdenkend ertragen können. Wir identifizieren uns nicht mit jedem Wort und jeder Handlung Wolf Biermanns und distanzieren uns von den Versuchen, die Vorgänge um Biermann gegen die DDR zu mißbrauchen. Biermann selbst hat nie, auch nicht in Köln, Zweifel darüber gelassen, für welchen der beiden deutschen Staaten er bei aller Kritik eintritt. Wir protestieren gegen seine Ausbürgerung und bitten darum, die beschlossenen Maßnahmen zu überdenken.

Sarah Kirsch, Christa Wolf, Erich Arendt, Jurek Becker, Volker Braun, Franz Fühmann, Stephan Hermlin, Stefan Heym, Günter Kunert, Heiner Müller, Rolf Schneider, Gerhard Wolf.

(17. 11. 1976. – Fast alle bedeutenden Schriftsteller der DDR schlossen sich dieser Resolution an; viele von ihnen wurden in der Folge gemaßregelt oder ebenfalls ›ausgebürgert‹.

Auch in der BRD und im Ausland setzten sich viele Kollegen für Biermann ein; als Beispiel stehe hier Peter Weiss: »Wir, die wir uns als Freunde der DDR ansehen, die wir, trotz der Mißhelligkeiten, wie sie auch zwischen uns und der DDR aufgekommen sind, festhalten wollen an dem wertvollen Arbeitsaustausch mit diesem Land, können nur aufs neue darauf aufmerksam machen, wie wichtig es für die Vitalität einer Kultur ist, daß sie auch ihre scharfen und bösen Zungen zur Sprache kommen läßt. Die DDR ist stark genug, um ihren heftigsten, expressionistischsten Kritiker dulden zu können.

Biermann hat dem lange unterdrückten Streit nun seine Öffentlichkeit gegeben, es wäre besser gewesen, hätte er diesen Streit im Kreise seiner Eigenen ausfechten dürfen. Doch nun ist er draußen, im anderen Deutschland, das er nicht für das bessere hält.

Ich wende mich an die Beschlußfasser in der DDR: Nehmt eure Entscheidung der Aberkennung seiner Staatsbürgerschaft zurück!«)

1979 zog Rolf Schneider eine Bilanz der ›Kultur-Affairen‹:

Es war kaum zwei Jahre nach Gründung des Staates DDR, daß es dem Dichter Brecht einfiel, gemeinsam mit seinem Freunde Dessau eine Oper zu schreiben, »Das Verhör des Lukullus«. Es kam zur Premiere, und es kam zum Skandal, da die in Text und Musik enthaltene Aufforderung zum dialektischen Denken des Pazifismus verdächtigt wurde; außerdem argwöhnte man Formalistisches, das war zu jener Zeit eine ästhetische Krankheit zum Tode. Während die Oper mit verändertem Inhalt und Titel später noch an die Öffentlichkeit geriet, widerfuhr Brechts Adaption des »Urfaust« solches nicht: als Häresie wider ein Heiligtum namens Goethe wurde sie unter Schmähungen indiziert.

1951 wurde ein Brecht-Schüler, Horst Bienek, verhaftet und zu 25 Jahren Arbeitslager verurteilt, von denen er vier verbüßte. Er lebt seither als angesehener Lyriker und Erzähler in München.

Der literarische Fall des Jahres 1953 war jener eines Nichtliteraten. Hanns Eisler, Komponist der DDR-Hymne, hatte sich ein Opernlibretto geschrieben, »Johann Faustus«. Der Titelheld wurde in der Kritik qualifiziert als »Renegat nach dem Typus Slansky, Rajk oder Tito«, damals eine politische Krankheit zum Tode. Eisler zog seinen Text zurück; einer der bedeutendsten Komponisten des 20. Jahrhunderts sah sich um die Möglichkeit gebracht, seine einzige Oper zu schreiben.

Das Jahr 1956 war das Jahr der Essayisten. Der ungarische Literaturhistoriker Georg Lukács, bei dem eine ganze Generation von DDR-Germanisten das Denken erlernt hatte, war fortan ein Revisionist. Der Leipziger Philosoph Ernst Bloch, bei dem eine ganze Generation von DDR-Philosophen das Denken erlernt hatte, wurde emeritiert; nach 1961 lehrte er in Tübingen. Der Leipziger Literarhistoriker Hans Mayer, bei dem eine andere Generation von DDR-Germanisten das Denken erlernt hatte, wurde kulturpolitischer Fehler bezichtigt; er lehrte ab 1963 in Hannover. Wolfgang Harich aber, ein Herausgeber von Heinrich Heine und Rudolf Haym, sah sich für zehn Jahre ins Zuchthaus getan.

1960 schrieb der Dramatiker Peter Hacks eine Komödie, »Die Sorgen und die Macht«. 1962 hatte sie die dritte Fassung und eine Premiere erreicht. Die Premiere wurde ein Skandal, und die Inszenierung verschwand.

1961 schrieb der Dramatiker Heiner Müller ein Stück, »Die Umsiedlerin«, um es von einem Studententheater aufführen zu lassen. Die Produktion wurde kassiert. Heiner Müller mußte den Schriftstellerverband verlassen und lebte für einige Jahre am Rande des wirtschaftlichen Minimums.

1963 gab es den Fall des Schriftstellers Stephan Hermlin. Er hatte auf einer öffentlichen Veranstaltung mehrere junge Poeten vorgestellt, die er für begabt hielt, darunter Sarah Kirsch, Volker Braun und Wolf Biermann. Hermlin wurde hart kritisiert, gelobte keinerlei Besserung und verlor sein Amt in der Akademie der Künste.

Im selben Jahre gab es noch den Fall des Lyrikers Peter Huchel. Er hatte bis 1962 die wohl wichtigste Literaturrevue aller Deutschländer redigiert, »Sinn und Form«, und wurde dafür als elitär gescholten. Huchel wollte jetzt das Land verlassen, was ihm nach acht Jahren, 1971, auch gelang.

1965 wurde eine andere Komödie von Peter Hacks uraufgeführt, »Moritz Tassow«. Man bescheinigte dem Stück Obszönität von europäischem Kaliber, das war damals eine sittliche Krankheit zum Tode; die Produktion verschwand. Das Jahr 1965 brachte außerdem die Fälle Stefan Heym, Günter Kunert und Wolf Biermann. Allen dreien wurden Fehler der Kunst und der Politik vorgeworfen. Die Schriftstellerin Christa Wolf widersprach öffentlich, ohne Resultat.

Sie war dann, gemeinsam mit dem Lyriker Kunze, der Fall des Jahres 1969; den Anlaß bot eines ihrer Prosabücher, »Nachdenken über Christa T.«. Von letzterem kann man inzwischen auch in der DDR vernehmen, daß es eigentlich bedeutend sei.

Darauf begann die bisher längste Zeit ohne Fälle, umfassend insgesamt sieben angenehme, auch höchst produktive Jahre. Sie endete mit dem November 1976, mit der sogenannten Affäre Biermann, deren Einzelheiten noch allgemein im Gedächtnis sind.

Der knirschende Sand im Getriebe

Alfred Andersch   *Welche Aufgabe hat der*
Schriftsteller heute?

Ist Kunst nichts weiter als reine Individualisierung, sozusagen eine Privatangelegenheit?

Diese Frage ist nicht einfach dadurch zu beantworten, daß man sie ablehnt und erklärt, ein Schriftsteller, der sich nur mit seinen privaten Problemen beschäftigt, sei für die Gesellschaft unwesentlich und unnötig. Denn erstens können die Zeitgenossen sehr oft nicht erkennen, daß ein Schriftsteller, der anscheinend nur »kleine«, private Fragen behandelt, in Wirklichkeit sich die zentralen Fragen seiner Zeit stellt, und zweitens wissen wir heute, daß auch im Mittelalter, einer Zeit, die ganz und gar vom öffentlichen Auftrag lebte, diejenigen Künstler die bedeutendsten waren, in deren Werk eine persönliche Handschrift lebt, individuelles Leiden sichtbar wird.

Ich meine aber, daß der öffentliche Auftrag, dieser Wunsch der Gesellschaft an den Künstler, daß er sich dem kollektiven Problem stelle, dennoch von jedem Schriftsteller erfüllt wird, der diese Berufsbezeichnung überhaupt verdient. Der öffentliche Auftrag ist nämlich ein Wesen von besonderer Art, er ist die Zeit selbst, in welcher der Schriftsteller lebt, und noch keiner hat sich seiner Zeit entziehen können durch Flucht in das Private. Dies ist ein Allgemeinplatz, banal: ich versuche, ihn etwas weniger banal zu fassen, indem ich sage, daß der Schriftsteller, was immer er auch schreibt, auf Lackmuspapier schreibt, das in einer Säureflüssigkeit rot wird. Die Zeit, auf der er geschrieben hat, schlägt durch, mag er auch das Geschriebene für so zeitlos halten, wie er will.

Besitzt der öffentliche Auftrag an den Schriftsteller heute einen bestimmten, konkreten Inhalt? Ich vermute, ja. Ich komme immer stärker zu der Überzeugung, daß wir Schriftsteller uns der Aufgabe, an einer Welt des Friedens mitzuarbeiten, nicht entziehen können.

Ich lebe in einer Welt, die von der Fiktion des Krieges lebt. Damit will ich nicht sagen, daß diese Welt den Krieg wirklich will. Sie hat aber ein umfassendes ideologisches System geschaffen, in dem die Annahme eines gegen sie gerichteten Angriffskrieges einer anderen Welt als selbstverständliche Voraussetzung allen Denkens gilt. Dieses System durchdringt alle Lebensvorgänge. Es ist der Antikommunismus. Wenn man von dem Klasseninteresse absieht, der ihn am Leben hält, so ist der Antikommunismus, als psychisches Phänomen, der klinische Fall einer Verfolgungsneurose. Der vom Verfolgungswahn besessene Mensch baut sich ein umfassendes Feindbild auf, in dem alle Vorgänge, auch die harmlosesten, als Konfigurationen des Feindes auftreten; das weltgeschichtliche Großbeispiel des Auftretens einer solchen Geisteskrankheit wird immer Hitlers Antisemitismus bleiben. Die manischen Züge am Antikommunismus sind es, die ihn so gefährlich machen. Sie verhindern, daß der Westen im Kommunismus ganz einfach nur einen Vorschlag erblickt, wie man das menschliche Leben auf dieser Erde human fortführen kann. Ich persönlich glaube, daß es angesichts der Entwicklung, welche der sogenannte Fortschritt genommen hat, nur im Sozialismus fortgeführt werden kann. Aber ich kann mir vorstellen, daß auf einen Vorschlag mit einem Gegenvorschlag geantwortet wird, mit einem Denken aus Vernunft, mit gemeinsamen sachlichen Überlegungen, mit dem Gespräch. An die Stelle solcher Erwägungen setzt der Antikommunismus die Rüstung, die Vorbereitung des Krieges. Übrigens wird er nicht an einem Krieg, sondern an seiner Rüstung zugrunde gehen, so, wie der manische Mensch nicht in einer Aktion, sondern in dem katatonischen Zustand der Erstarrung endet.

So wäre denn der öffentliche Auftrag an den Schriftsteller klar: er wird gebeten, am Frieden mitzuwirken. Selbstverständlich kann er schreiben, was er will, das Papier, auf dem er schreibt, wird sich ja auf alle Fälle rot färben, aber besser wäre es schon, wenn er sich von Anfang an entschlösse, mit seinen Wörtern den Frieden zu stiften. Denn ein neuer Krieg, das wissen wir, würde ja die Erinnerung an alle Bücher dieser Welt auslöschen. (März 1977)

Günter Kunert *Wahrheit, Abstriche, Flugsand*

Der Theorie nach kulminiert alle vorangegangene Menschheitsgeschichte in der sozialistischen Gesellschaft, in welcher einstige Sehnsüchte und Bedürfnisse und Träume sowohl erfüllt als aufgehoben sind. Mit einem Satz: die Utopie ist prinzipiell realisiert; das Leben kann nur *noch* besser, *noch* schöner, *noch* reicher, *noch* vielfältiger werden. Doch die Verwirklichung im Reiche der euphorisch ignorierten Notwendigkeiten und falsch eingeschätzten massiven Realitäten bringt es mit sich, daß die Gegebenheiten sich häufig als die stärkeren erweisen und zu dominieren beginnen. Das bedeutet, da das Ideal nicht ohne Abstriche umgesetzt werden kann, daß die rapide zunehmende Anzahl von Abstrichen tabuiert wird. Und nun kommt der Schriftsteller daher, für den ausgerechnet das Spannungsverhältnis von Ideal und Wirklichkeit ein Grundelement seiner Intentionen darstellt, und an ihm und seinem Werk wird die Kluft deutlich.

Es ist eine Lust am Aussprechen der Wahrheit. Und es hängt von dieser Lust unausweichlich das Gelingen jedes Werkes ab, weil sie, die Lust, allein die Inspiration schafft und trägt – nicht der »gesellschaftliche Auftrag«, nicht das »Studium der Klassiker«, nicht eine tümelnde »Volksverbundenheit«. Ein Schriftsteller ohne Inspiration erzeugt Flugsand. Diese lebens- und schreibensnötige Lust an der Wahrheit kollidiert prompt mit der Unlust an der Wahrheit.

Die Geschichte ist objektiv eine Geschichte von Zwängen und daß sie je enden ein Köhlerglaube, aber – und das ist der irritierende Antagonismus, der, um die Zwänge als aufgehoben auszugeben, zu grotesken Verrenkungen verführt – zugleich beweist ihr Fortbestehen, wie weit wir von jenem Gesellschaftszustand entfernt sind, den uns Dr. Marx als Allheilmittel empfohlen hat. Weil nicht sein kann, was nicht sein darf, erhöht sich fortwährend der Aufwand, eine Realität aus dem allgemeinen Bewußtsein zu verdrängen, die allerdings ihrer Ursprungsidee kaum entspricht. Aus dieser Situation heraus entwickelt man eine Wirklichkeitsallergie, auf die eine Zeile aus Brechts »Lob des Zweifels« zutrifft: »Sie glauben nicht den Fakten, sie glauben nur sich. Im Notfall müssen die Fakten dran glauben ...« – in einer bestimmten Interpretationsweise nämlich.

Zu dieser intentionalen Divergenz gesellt sich eine des Bewußtseins; das des Schriftstellers ist existentiell und kritisch disponiert, das andere jedoch affirmativ und funktional, so daß zwischen diesen beiden Bewußtseinsarten ein Dialog selbst bei gutem Willen fast unmöglich scheint. Ein Beispiel dafür liefert die Formel von den »verschiedenen Handschriften« der Künstler. Von Seiten der Formulierer impliziert sie stillschweigend, daß alle eigentlich denselben Text schrieben und etwas Auflockerung guttäte, indessen auf Seiten der Künstler, da die Formel als metaphorische Lizenz für kontrastreiche Vielfalt des Denkens und Erkennens verstanden wurde, sogleich das Selbstverständnis provozierte, das offizielle Bewußtsein nicht mehr als verbindlich geltend zu betrachten. Aber die Formel ergab sich ja gerade aus der Fehlannahme eines grundsätzlich einheitlichen Bewußtseins.

Eine verzwickte Geschichte, die jedoch auf keiner »Plattform« und in keiner Organisation und auch nicht in der Partei, der ich ja sehr lange angehörte, *zur Sprache* kam, weil diese, wie ich fürchte, zur Terminologie reduziert die Fähigkeit eingebüßt hat, kompliziertere Sachverhalte adäquat zu behandeln.

Diese Sprache ist sowohl verkrüppelt wie verknüppelt: einen dieser Sprachknüppel erwähnst Du selber: das Adjektiv »konterrevolutionär«. Die Anwendung dieses Adjektivs dient nicht – wie Du ganz richtig bemerkt hast – der Feststellung eines Tatbestandes, wozu bestenfalls ein ordentliches Gericht legitimiert wäre, sondern ist nur Mittel der Verteufelung. Du hast ja in den Vereinigten Staaten während der McCarthy-Ära erlebt, welches Ergebnis der Anwurf »kommunistisch« zu sein bewirkte – im übrigen ebenfalls nicht von normalen Gerichten, wohl aber von einem »Ausschuß«, der keinerlei exekutive Kompetenz besaß, als »Schlagwort« im wahrsten Wortsinne gebraucht. Nämlich in der gleichen Absicht, den solcherart Bezeichneten, in seinem Menschentum herabzusetzen und ihm damit den Gleichheitsstatus als Mensch zu entziehen, weil mit der Bezeichnung ein nahezu physischer Akt von Dehumanisierung verbunden ist, der die weitere »Behandlung des Falles« erleichtert ...

Die Unterdrückung von Kritik, dem einzigen Korrektiv für die Funktionsfähigkeit von Gesellschaften – es gäbe keine bürgerliche mehr ohne sie – und die absolute Begriffsstutzigkeit für den erforderlichen Widerspruch, diesen Prüfstein der eigenen Theorie und Praxis, sie haben im Laufe von Jahren dazu geführt, daß jede abweichende Ansicht eo ipso als ein mit der »Waffe des Worts« vollzogenes Attentat gewertet wird. Darum wird der Weggang von Künstlern (nach dem amerikanischen Prinzip »love it or leave it«) als schmerzlose Amputation erkrankter Glieder (der Gesellschaft) angesehen. Man reißt sich auf gut biblisch das Auge aus, das einen ärgert. Die Marxsche Bemerkung, daß die Entwicklung nur durch Widersprüche vorangehe, ist ganz wörtlich zu nehmen. Ein Denken, dem sich keine Hürde mehr in den Weg stellt, muß verflachen. Doch noch etwas geht verloren: Mit dem Weggang integrer Künstler schwindet mehr und mehr die moralische Legitimation.Wie oft denke ich an den großen deutschen Dichter Peter Huchel, und was ihm geschah, ehe er davonging. So etwas ist nicht zu vergessen. Die Entwürdigung von Menschen, und davon gibt es keine Absolution, schließt *alle* Beteiligten gleichermaßen ein.

(5. 8. 1977. – Offener Brief an Joachim Seyppel, der einen ›Offenen Brief an Jurek Becker‹ geschrieben hatte, mit dem er ihn bat, die DDR nicht zu verlassen.)

Heiner Müller schrieb am 19. 9. 1977 zum gleichen Thema:

Die Generation der heute Dreißigjährigen in der DDR hat den Sozialismus nicht als Hoffnung auf das *Andere* erfahren, sondern als deformierte Realität. Nicht das Drama des Zweiten Weltkriegs, sondern die Farce der *Stellvertreterkriege* (gegen Jazz und Lyrik, Haare und Bärte, Jeans und Beat, Ringelsocken und Guevara-Poster, Brecht und Dialektik). Nicht die wirklichen Klassenkämpfe, sondern ihr Pathos, durch die Zwänge der Leistungsgesellschaft zunehmend ausgehöhlt. Nicht die große Literatur des Sozialismus, sondern die Grimasse seiner Kulturpolitik: den verzweifelten Rückgriff unqualifizierter Funktionäre auf das 19. Jahrhundert, als der Gegner noch »gesund« war, die andere zählebige *Kinderkrankheit* der sozialistischen Frühgeburt. (Ein Staat, der sich als revolutionär versteht, muß zu seinem ersten Bedürfnis die Kritik der Bedürfnisse machen. Aber solange die Leitung vorwiegend von oben nach unten Strom führt, wird das Verdikt immer wieder gerade auf neue Bedürfnisse fallen.)

Die Wunde der offenen Grenze. Das Weiterbluten unter dem Notverband. Prag nicht als Trauma, sondern als das Ende eines Traumas. Ein Ende, mit dem der Beginn eines anderen gesetzt war, das nicht mehr im Bewußtsein angesiedelt ist, sondern in die Existenz greift.

Den Utopismus der Opposition. Von Harich, der inzwischen zum Endkampf um die ewigen Werte der Menschheit angetreten ist, über Biermann, der immer noch die

Auferstehung eines Kommunismus herbeisingen will, der nur noch im *Manifest* umgeht, zu Havemann, eingesperrt in seinen Traum von der Rückgewinnung der Jungfernschaft für den Sozialismus in einem dritten Brautbett unter südlichem Himmel.

›Der deutsche Herbst‹

(Am 5. 9. 1977 wurde der Präsident des Bundesverbandes der Deutschen Industrie, Hanns Martin Schleyer entführt, um Gefangene der ›Roten Armee Fraktion‹ freizupressen; Schleyer wird sechs Wochen später, nach der Ablehnung des Gefangenenaustauschs, von den Entführern ermordet. – Im September beginnt der »deutsche Herbst« – die öffentliche Hetze gegen alle ›Sympathisanten‹, darunter auch zahlreiche Schriftsteller, denen ›intellektuelle Beihilfe‹ vorgeworfen wird. Im folgenden einige Erklärungen:)

An die Entführer von Hanns-Martin Schleyer

Wir appellieren an die Entführer von Hanns-Martin Schleyer: Seien Sie sich klar, daß weiteres Töten alles vernichtet, was Sie erreichen wollen und unabsehbare Folgen für unser ganzes Land haben wird. Auch für Ihre Freunde in den Gefängnissen. Lassen Sie Menschlichkeit über Ihre Planung siegen und geben Sie das mörderische Tauschgeschäft von Menschenleben gegen Menschenleben auf.

Heinrich Albertz, Heinrich Böll, Hellmut Gollwitzer, Kurt Scharf

(12. 9. 1977; zahlreiche andere Autoren wandten sich mit ähnlichen Aufrufen an die Entführer.)

Bernt Engelmann   *Noch ist dies auch unsere Republik*

Die Mordhetze in der Weimarer Republik ging vom Hugenberg-Pressekonzern und von völkischen Blättern in Bayern aus. Auch daran hat sich wenig geändert, nur die Namen haben gewechselt. Allerdings besteht ein Unterschied zwischen damals und heute: Einst haben die Hetzer von rechts die Republik geschmäht, die Demokratie verhöhnt und deren Fahne in den Schmutz gezogen. Heute legt noch die letzte Ratte, die sich, Morgenluft witternd, aus dem schwarzbraunen Untergrund hervorwagt, rasch noch ein schwarzrotgoldnes Schärpchen an und beruft sich, während sie sie schon gierig benagt, auf die freiheitlich-demokratische Grundordnung. Doch für diese Grundordnung, für Humanisierung und Liberalität, für mehr Toleranz und Gerechtigkeit, haben wir, die deutschen Schriftsteller – das muß einmal gesagt werden – wahrlich mehr getan als unsere Verleumder, auch als die meisten derer, die uns jetzt Verweise und Belehrungen erteilen. Es gibt keinen Berufsstand, der in der Vergangenheit mehr für die deutsche Demokratie geleistet und mehr unter den Feinden der Freiheit gelitten hat als die deutschen Schriftsteller. Die allermeisten unserer älteren Kollegen waren entschiedene Gegner jener Nazis, für die sich ein Herr Strauß als Referent für braune Weltanschauung und sogenannte »wehrgeistige Führung« betätigt hat, für die jener Herr Hicks, der heute in Springers »Welt« Intellektuellenhetze betreibt, damals noch fleißig Judenhetze betrieb. Der Zufall will es, daß der Verband deutscher Schriftsteller gegenwärtig in mir einen der wenigen Überlebenden jener Vernichtungslager zum Vorsitzenden hat, in die gemäß besagter Nazi-Weltanschauung die Opfer von Hetze und Verleumdung eingesperrt wurden. Ich bin daher erfahren in Terror, allerdings als ein ihn Erleidender. Als aktive Terroristen standen uns damals die Angehörigen einer kriminellen Vereinigung gegenüber. Verblüffenderweise sitzen heute von den ehemaligen Führern dieser Terroristengruppe – ich muß wohl sagen: -bande – nur wenige hinter Gittern, etliche im Bundestag, und zwar just bei jener Fraktion, die jetzt die schlimmsten Verleumder und Scharfmacher stellt, ja, wo einige Herren den Terrorismus am liebsten wieder mit staatlichem Terror beantworten möchten. Ich weiß, es ist unfein, an diese Zusammenhänge zu erinnern. Ich tue es dennoch, weil ich zornig bin. Wenn man meine Kolleginnen und Kollegen systematisch verleumdet – von Amery bis Zwerenz reicht die Liste der letzten Wochen –; wenn weder Luise Rinser noch Heinrich Böll vor Verteufelung sicher sind; wenn Westentaschen-McCarthys vom Schlage eines Abg. Dr. Günter Müller über Literatur richten wollen; wenn schon die Wadenbeißer gegen uns lospreschen dürfen – wie jener Peter Hornung, der zur Gaudi der bayerischen Provinzpresse ausgerechnet meinem Freund Heinar Kipphardt, von weiteren geschätzten Kollegen und von mir selbst ganz zu schweigen, einen virtuosen Umgang nicht mit der Sprache, nein, mit Maschinenpistolen anzudichten wagt, packt mich eben Zorn. Er richtet sich weniger gegen die Giftspritzer selbst als gegen deren Auftraggeber, vor allem aber gegen jene, die dazu schweigen, wo sie entschiedensten Protest erheben müßten.

Wir, die deutschen Schriftsteller, werden unsere Verantwortung nicht so vergessen, wie es viele Politiker jetzt tun. Wer der terroristischen Gewalt, die wir verabscheuen, unsere rechtsstaatliche Ordnung opfern will; wer die Aufhebung der Grundrechte fordert und nach Vorbeugehaft, Folter, Geiselerschießungen und »kurzem Prozeß« schreit, der wird weiter auf unseren entschlossenen Widerstand stoßen. Wir lassen uns durch die Verleumdungswelle nicht einschüchtern. Noch ist dies auch unsere Republik, mit allen ihren Fehlern, die zu kritisieren wir als unsere Pflicht erachten, wobei sich für uns die Frage nicht stellt, wie sympathisch diese Kritik den anderen ist, sondern nur, ob sie berechtigt genannt werden darf.

(Oktober 1977; Plädoyer auf der Pressekonferenz des Verbandes deutscher Schriftsteller während der Buchmesse.)

Ingeborg Drewitz *Wider die Unausrottbarkeit der Folter*

Warum sind die Intellektuellen so kritisch geworden, daß heute in aller Öffentlichkeit die Lüge verbreitet werden kann, sie seien die Väter des politischen Terrors?

Haben sie nicht von der Spiegelaffäre an deutlich gemacht, daß unter dem Deckmantel der Verfassung die Verfassung geschwächt wird? Haben sie nicht auf Verschleierung von Nazi-Verbrechen hingewiesen? Haben sie nicht die moralische Schuld, die die Bündnispolitik vor allem im Vietnam-Krieg eingebracht hat, aufgezeigt?

Sind sie etwa Väter des Terrors, weil sie das Weiterdenken der Marx'schen Analyse, ihre Überprüfung auf Anwendbarkeit, gefordert und gefördert haben, d. h. auch die emotionsfreie Auseinandersetzung mit dem realen Sozialismus? Sind sie Väter des Terrors, weil einige wenige ihrer Schüler vom Denken in die bewaffnete Aktion überwechselten (die sie nicht gelehrt hatten) und straffällig oder straftatenverdächtig wurden? Sind sie Väter des Terrors, weil diese politisch motivierten Straftäter oder Straftatverdächtigen Mängel der Untersuchungshaft, der Vollzugshaft zur Sprache brachten, die auch die Stummen in den Haftanstalten, die immerhin rund 40 000 Inhaftierten in der Bundesrepublik betrafen?

Und wie sieht es in den Justizvollzugsanstalten der Bundesrepublik aus? Natürlich ist nirgendwo Folter verordnet und ist der reformierte Strafvollzug zumindest ein mutiger Versuch, das so leicht aufbrechende Rache-Motiv in der Praxis des Vollzugs auszuklammern, den Inhaftierten Möglichkeiten zur Sozialisierung zu geben. Isolationszellen sind Zellen, in die die Häftlinge in Ausnahmesituationen gebracht werden (Tobsuchtsanfälle, totale Depression). Dennoch ist durch die Überdehnung der Verfahrenszeiten (die nicht nur die politisch motivierten Strafverdächtigen trifft) für viele Häftlinge die Zeit der Untersuchungshaft mit ihrer weitgehenden Isolierung überlang, wird fast das Stadium der Folter durch Isolierung erreicht, ist aber auch die ärztliche Versorgung Schwerkranker längst nicht überall auch nur annähernd ausreichend, und sind in der Inhaftierungspraxis für die politisch motivierten Strafverdächtigen und Straftäter langanhaltende Isolierungen und Ermüdungsmaßnahmen (begründet mit der Sorge um das Leben der Betroffenen) praktiziert worden.

Im Nachhinein – von der Terrorszene dieses Jahres aus – lassen sich diese Maßnahmen scheinbar rechtfertigen. Dabei wird ausgelassen, wie sich Maßnahmen und Reaktionen der Inhaftierten wechselseitig gesteigert und auf die Szene draußen gewirkt haben.

Das feststellen heißt den Versuch machen, mit aller Nüchternheit das Übergreifen des internationalen Terrorismus auf die Bundesre-

publik zu überprüfen, die Wurzeln der Eskalation der Gewalt bloß-
zulegen. Die Anfänge der Protestbewegung der Jugend waren zutiefst moralisch. Aber während in den USA die Anti-Vietnam-
Kriegsdemonstrationen auf die Haltung der Öffentlichkeit gewirkt
haben, wurde in der Bundesrepublik schon Mitte der 60er Jahre mit
der Verächtlichungmachung des Jugendprotestes reagiert.

Es gibt keine andere Abwehr der Folter als das Einstehen der kritischen Intellektuellen in aller Welt für einander und *für jeden,* der
gefoltert wird. Denn Folter dient noch immer nur dem Herauszwin-
gen der Wahrheit, die den Mächtigen nicht zupaß ist. Folter
hat nichts mit der Urteilsfindung über Straftaten zu tun sondern gilt
den anders Gesonnenen, denen mit einer anderen Wahrheit als der
im jeweiligen Staat praktizierten.

(26. 10. 1977. – Rede vor amnesty international)

Max Frisch *Wie unschuldig sind wir?*

Alle, die als terroristische Täter auf der Fahndungsliste stehen
oder im Gefängnis sind, gehören der jungen Generation an. Was heißt
das? Und viele von ihnen sind weiblichen Geschlechts. Zwei von vier
Menschen, die in Stammheim ihr Ende gefunden haben – und auch
wenn wir ihre Taten als Mord verurteilen müssen, bestehe ich auf der
Bezeichnung: Menschen –, sind Töchter von Pastoren gewesen, also
herangewachsen unter moralischen Imperativen, die eigentlich für uns
alle gelten.

Nimmt jemand sie ernst, diese Imperative, so machen sie empfindlich auf Unrecht, zum Beispiel Napalm-Genocid in Vietnam, und die
Gelassenheit der Pharisäer kann jemanden entsetzen. Was solche
Menschen, Moralisten also, ihrerseits zu Gewalttätern hat werden
lassen, die Frage ist unerwünscht, da sie zwar nicht zu einer Rechtfertigung von Morden führen kann, jedoch zur Frage: Wie unschuldig ist unsere Gesellschaft an der Wiederkunft des Terrorismus?...
Wie unschuldig sind wir an der Wiederkunft des Terrorismus oder
schuldig – nicht als Sympathisanten, was wir als Reformdemokra-
ten ja nie haben sein können, sondern als Biedermänner schuldig
durch familiären und institutionalisierten Unverstand gegenüber
einer ganzen Generation?

Ich frage: Wieviel Wirkungsraum wurde dieser Generation eingeräumt, um ihre Epoche zu gestalten, zusammen mit den Vätern? Das
rührende Signal, das die Hippies damals gegeben haben, und dann,
schon ärgerlicher, die Gammler, sie schon eine Perversion der Sehnsucht nach einem neuen und eigenen Seindürfen, dann die Drogen-
sucht, die Selbstvernichtung, haben wir all das nicht gesehen?

Und dazu das andere Ärgernis: An den Hochschulen die junge

Linke, hauptsächlich Bürgerkinder, bald abgeblockt von beiden Seiten, theoriewütig und für die Arbeiterschaft unverständlich. Wieviel Wirkungsraum wurde ihnen eingeräumt, um Erfahrung zu machen im Staat, um das Potential ihrer Erwartungen einzubringen in die Praxis, so daß sie sich mit dem Staat, der daraus entsteht und fragwürdig wäre wie jeder Staat, hätten identifizieren können? Erwartet wurde ihre Unterwerfung, geblieben ist im Extrem: die Resignation, verbunden mit Karriere, die Glaubensverlust und damit Selbstverlust niemals aufhebt, und die Paranoia der Terroristen.

Mindestens eines dieser beiden Phänomene wird die Polizei, wie verstärkt auch immer, und spezialisiert und volksverbunden durch Telefonabhören bis an die Grenzen des Rechtsstaats, nicht aus der Welt schaffen: die Resignation. Außer der Einladung zum fröhlichen Konsum als Voraussetzung für Wirtschaftswachstum, was finden sie denn vor, welches Ziel über die eigene Person hinaus, welchen Daseinsinn? – Ich rede nicht von der Bundesrepublik im besonderen. Demokratie (gesetzt den Fall, man wolle sie nicht nur retten, sondern man wolle sie herstellen, das aber bedeutet: mehr Demokratie) wäre ein Ziel über die eigene Konsumperson hinaus. Wiederherstellung der Politik: Daß Politik mehr sei als die Fortsetzung des Geschäfts mit anderen Mitteln, Politik als Entwurf (sagen wir schlicht:) eines Zusammenlebens der Menschen, das Menschwerdung fördert und, im Gegensatz zur Profitschlacht aller gegen alle, Lebenswerte stiftet.

(17. 11. 1977; Rede vor dem SPD-Parteitag)

Keine Atommülldeponie in Gorleben und anderswo

Die Energiedebatte im Bundestag, die wieder einmal vor fast leeren Bänken stattfand, hat gezeigt, daß wir nicht länger auf die Einsicht von Regierung und Opposition in den Irrsinn ihrer eigenen Energiepolitik hoffen können. Die Fronten im Deutschen Bundestag verlaufen heute nicht mehr zwischen Befürwortern und Gegnern der Atomenergie, sondern zwischen denen, die den Bau weiterer Kernkraftwerke von der Lösung der Entsorgungsfrage abhängig machen, und denen, die sofort und ohne Rücksicht auf Verluste mit dem Bau beginnen wollen.

So oder so nimmt die in Gorleben geplante zentrale Atommülldeponie und Wiederaufbereitungsanlage dabei eine Schlüsselstellung ein: In Gorleben wird darüber entschieden, ob die Bundesrepublik bis zum Jahre 1984 in einen Atomstaat umgewandelt werden soll, in dem zusammen mit den letzten Rückzugsgebieten der Natur auch der letzte noch verbliebene Rest von Lebensqualität beseitigt werden wird.

Wenn es nach dem Willen der Atomindustrie und ihrer politischen Interessenvertreter in Bonn und Hannover geht, dann wird spätestens nach der niedersächsischen Landtagswahl 1978 in Gorleben mit dem Bau begonnen; geologische Bedenken, in jüngster Zeit aktualisiert durch das Einbruchsbeben am Ostrand der Lüneburger Heide, werden dabei ebenso rücksichtslos vom Tisch gewischt wie die Proteste besorgter Anwohner, die um das Leben und die Gesundheit ihrer Kinder bangen. Die Atommächtigen haben Gorleben zum Schauplatz ausersehen für die größte Kraftprobe zwischen Gegnern der Kernenergie und der geballten Macht von Staat und Industrie, welche die Bundesrepublik, nach Wyhl, Brokdorf und Grohnde, bisher erlebt hat.

In den kommenden Monaten und Jahren werden mehr und mehr Menschen begreifen, daß Gorleben nicht irgendwo im niedersächsischen Zonenrandgebiet liegt, sondern vor ihrer eigenen Haustür. Vom Bau der Wiederaufbereitungsanlage und dem dadurch erzwungenen Ausbau der Kernkraftkapazität auf 20 000 bis 30 000 Megawatt ist jeder einzelne unmittelbar betroffen: Die Auswirkungen reichen vom Verlust des Arbeitsplatzes, der zunehmend energiefressenden Maschinen zum Opfer fallen wird, bis zu Lauschangriffen des Verfassungsschutzes auf die Privat- und Intimsphäre, die jederzeit, wie im Fall Traube, als »übergesetzlicher Notstand« gerechtfertigt werden können.

Um dieser Entwicklung frühzeitig Einhalt zu gebieten, muß sich der bundesweite Widerstand der Bürgerinitiativen verstärkt auf Gorleben konzentrieren. Zugleich sollen hier, unter dem Motto »Wiederaufforstung statt Wiederaufbereitung«, neue Formen des gewaltfreien Widerstandes praktiziert werden.

Wir wollen ernstmachen mit der wichtigen Forderung, Energie zu sparen. Wir wollen zusammen mit alternativen Technologien auch soziale Alternativen entwickeln. Und wir wollen der radioaktiven Arbeitsbeschaffung der Plutoniumindustrie entgegentreten, indem wir selbst versuchen werden, Arbeitsplätze zu schaffen, punktuell und dezentralisiert, orientiert am Bedarf der einheimischen Bevölkerung:
– Energiegenossenschaften in kleinen, überschaubaren Einheiten (Betrieb, Gemeinde), die einen Teil der Energie, die sie verbrauchen, auf schonende Weise selbst erzeugen (Biogas, Recycling, Nutzung von Müll und Abwärme);
– Baufirmen und Handwerksbetriebe, die neue »sanfte« Technologien für den Hausgebrauch herstellen (Sonnenkollektoren, Wärmepumpen, Windräder usw.);
– Landwirtschaftliche Betriebe, die sich auf biologischen Anbau spezialisieren (ohne traditionelle Anbauweisen zu verketzern) und neue Formen gesunder Ernährung entwickeln;
– Kindergärten und Kinderdörfer, in denen gesunde und behinderte Kinder gemeinsam aufwachsen und den Umgang miteinander lernen;
– neue Möglichkeiten der Freizeitgestaltung: gesunde Ferien, die den

Alltagsstreß nicht durch Urlaubsstreß ersetzen; Gesundheit nicht als mechanisches Trimm-Dich-Produkt, sondern als Ausdruck körperlich-seelischen Wohlbefindens;

– mobile Kulturzentren nach dem Vorbild der Volkshochschule Wyhler Wald, in denen nicht nur Argumente gegen Atomanlagen vermittelt werden, sondern auch wissenschaftliche und künstlerische Interessen und Kenntnisse.

Für alle diese Vorhaben werden derzeit die Voraussetzungen geschaffen durch die Verpachtung des vorgesehenen Baugeländes an die örtliche Bürgerinitiative, die hier technische und soziale Alternativen zur Atomindustrie exemplarisch erproben will: Durch sinnvolle Nutzung von Sonne, Wind und Wasser soll der verbrannte Wald von Gorleben modellhaft umgestaltet werden. Gleichzeitig wird in Gartow ein Zentrum für die geplante Volkshochschule und in Nienwalde die erste Biogasgenossenschaft gegründet.

Um auch nur einen Bruchteil unserer Ideen zu verwirklichen, brauchen wir moralische und finanzielle Unterstützung, nicht nur von Institutionen und Verbänden, sondern auch von Einzelnen. Jeder Interessierte kann mithelfen, indem er seine Ferien in unserem Landkreis verbringt, mit der Bevölkerung hier und zu Hause über die Gefahren der Wiederaufbereitungsanlage diskutiert, auf dem Baugelände Bäume pflanzt oder einfach nur Geld spendet.

Wir glauben, daß gerade der Landkreis Lüchow-Dannenberg mit seiner intakten Ökologie, seiner organisch gewachsenen, dezentralisierten Wirtschaft und mit seinen ausgedehnten Natur- und Landschaftsschutzgebieten ideale Voraussetzungen dafür bietet.

Es geht uns nicht darum, im Zonenrandgebiet eine günstige Infrastruktur für die Plutoniumindustrie zu schaffen, sondern ihre Ansiedlung in Gorleben und anderswo moralisch und politisch unmöglich zu machen.

(September 1977. Wurde von zahlreichen Autoren unterzeichnet, darunter Wolf Biermann, Nicolas Born, Hans Christoph Buch, Günter Grass, Max von der Grün, Walter Mossmann, Peter Schneider, Gerhard Zwerenz u. a.)

Für einen anderen Nationalfeiertag

Wir, die Unterzeichner dieses Aufrufes, fordern alle Bürger der Bundesrepublik Deutschland und der Deutschen Demokratischen Republik auf, den 18. März als Nationalfeiertag zu begehen. – Am 18. März 1848 besiegten in Berlin die Arbeiter und Bürger im Straßen- und Barrikadenkampf die Truppen des preußischen Königs. Die Arbeiter und Bürger hatten friedlich für demokratische Rechte demonstriert und vor allem Presse- und Versammlungsfreiheit gefordert. Die Obrigkeit versuchte, die Demonstrationen und Kundgebungen aufzulösen und eröffnete das Feuer auf die Demonstranten. Ein erbitterter und blutiger Kampf entbrannte. Mit größter Entschlossenheit trat das Volk für seine gerechte Sache ein. Soldaten begannen, die Befehle ihrer Offiziere zu verweigern, und es kam zu Verbrüderungen mit dem Volk. Am 19. März kapitulierten die Truppen des Königs offiziell, und der König selbst wurde gezwungen, sein Haupt vor den 150 Gefallenen des Volkes zu entblößen, die man in blumengeschmückten Särgen vor das Schloß getragen hatte . . .

Wir schlagen vor, den 17. Juni als gesetzlichen Feiertag abzuschaffen und statt dessen den 18. März zum gesetzlichen Feiertag zu erklären und schon für den kommenden 18. März hüben und drüben Veranstaltungen und Treffen zu machen, auf denen über die Bedeutung des Kampfes für Demokratie und Einheit gesprochen und das kulturelle Erbe der Märzrevolution gepflegt wird.

(1978; unterzeichnet von zahlreichen Autoren, u. a. Ingeborg Drewitz, Martin Walser)

Max von der Grün   *1978*

Preissteigerungen und Arbeitslosigkeit wird Gewerkschaften und Arbeitern angelastet, die einen stellen zu hohe Forderungen, die anderen drücken sich vor der Arbeit. Nach Studenten und Gastarbeitern hat man wieder einen Sündenbock gefunden: den Arbeitslosen.

Die Mentalität in unseren Betrieben wird weitgehend geprägt von der Angst um den Verlust des Arbeitsplatzes, das bringt Furcht, Arschkriecherei und Verlust der individuellen Würde. Jeder Hanswurst, der zum Vorarbeiter aufgestiegen ist in der betrieblichen Hierarchie, kann heute frech den Finger erheben und zu unliebsamen Zeitgenossen sagen: Wenn es Dir nicht paßt, Du kannst gehen. Er darf sicher sein, dafür von oben belobigt zu werden, sie entscheiden, wie früher Kapos, über Existenz oder Nichtexistenz, über Selbstachtung oder Verzweiflung.

Unternehmen heuern Privatdetektive an – sie haben derzeit Hochkonjunktur –, um unliebsam aufgefallene Arbeiter und Angestellte auszuspionieren, ob sie vielleicht nicht doch einmal an einer »Rote-Punkt-Aktion« teilgenommen haben, Gesinnungsschnüffelei ist nicht nur an der Tagesordnung bei denen, die sich um eine Stelle im Staatsdienst bewerben, der Staat hat den Unternehmern vorexerziert, wie man es machen muß, um zum Ergebnis zu kommen: Es ist wieder Ruhe im Lande.

Nein, diese Herren sollen sich nicht so sicher sein, diese Jugend wird ihnen eines Tages das alles um die Ohren hauen und dann genügt die Rechtfertigung nicht mehr, die immer die Rechtfertigung derer war, die Menschen zwangen, sich zu erniedrigen, um zu leben: Das haben wir nicht gewollt.

Doch, das habt ihr gewollt, das habt ihr immer gewollt.

Aufruf zur Unterstützung des Russell-Tribunals

Das dritte Internationale Russell-Tribunal wird sich mit den Verhältnissen in der Bundesrepublik Deutschland beschäftigen, weil sich die Anzeichen mehren, daß in diesem Lande Menschenrechte in Gefahr sind. Sollte sich der Verdacht bewahrheiten, daß in der BRD die Grund- und Menschenrechte verletzt werden, dann wäre dies ein Tatbestand von schwerwiegender Bedeutung, nicht nur für die Bürger der Bundesrepublik.

Das Russell-Tribunal wird sich insbesondere mit der Untersuchung folgender Fragen befassen:

– Wird Bürgern in der Bundesrepublik aufgrund ihrer politischen Überzeugung das Recht verwehrt, ihren Beruf auszuüben?

– Wird durch straf-, zivilrechtliche Bestimmungen und durch außerrechtliche Maßnahmen Zensur ausgeübt?

– Werden Grund- und Menschenrechte im Zusammenhang von Strafverfahren ausgehöhlt oder eliminiert?

Politiker der Bundesrepublik werfen dem Russell-Tribunal vor, es versuche eine unzulässige Einmischung vom Ausland her in die westdeutsche Politik, es beabsichtige, die Bundesrepublik zu diffamieren und es stelle das westdeutsche politische System auf eine Stufe mit Unrechtsstaaten. Tatsächlich heißt es demgegenüber in der Gründungserklärung des Tribunals: ».. . Das erste Internationale Russell-Tribunal wurde 1966 einberufen, um Kriegsverbrechen in Vietnam zu untersuchen. Das zweite Internationale Russell-Tribunal wurde 1973 einberufen, um Menschenrechtsverletzungen in Lateinamerika zu untersuchen. Ergebnisse und Wertungen dieser Tribunale wurden in der Öffentlichkeit mit großer Sorgfalt geprüft und international als begründet angesehen. Das dritte Tribunal beschäftigt sich mit Problemen, die von denen der ersten beiden sehr verschieden sind: mit denen einer politischen Demokratie. Es wird hierbei vom gleichen Wunsch wie die beiden vorangegangenen Tribunale getragen, überall für die Menschenrechte einzutreten, und es wird sich der gleichen Prüfung durch die öffentliche Meinung unterziehen . . . Das Tribunal weist ausdrücklich darauf hin, daß es nicht nur Beschwerden über Verletzungen von Menschenrechten hören, sondern auch diejenigen einladen wird, ihren Standpunkt vorzutragen, die beschuldigt werden, für solche Menschenrechtsverletzungen verantwortlich zu sein . . .«

Der Einsatz für die Verwirklichung der Menschenrechte und das Aufdecken aller Formen der Verletzung von Freiheitsrechten sind nicht erst dann angebracht, wenn der Status der Rechtsstaatlichkeit schon verlassen ist; Warnungen und Widerstand kämen dann zu spät. Darum begrüßen und unterstützen wir das Russell-Tribunal, das untersuchen soll, ob und inwieweit Freiheitsrechte in der Bundesrepublik verletzt werden.

Dieses Russell-Tribunal hat entgegen seinen Vorgängern nicht die Aufgabe, verbrecherische Machenschaften autoritärer und halbfaschistischer Systeme bekanntzumachen und anzuklagen. Im Falle der Bundesrepublik muß es vielmehr darum gehen, einen Rechtsstaat, der die republikanischen Freiheiten und Menschenrechte in seiner Verfassung verankert hat, vor dem Abgleiten zu bewahren. Es gilt hier also, den Anfängen zu wehren.

Eine Verkenzerung oder eine globale Verurteilung der Bundesrepublik liegt nicht in der Absicht des Russell-Tribunals. Gerade aufgrund der Erfahrungen der deutschen Geschichte muß aber bedacht werden, daß die Gefahren, die der Demokratie in der Bundesrepublik drohen, schleichend und gleitend kommen. Demgemäß darf nicht biedermännisch gewartet werden, bis der bereits schwelende Brand offen ausgebrochen ist.

In der Einrichtung des Russell-Tribunals drückt sich auch aus, daß die Sorge, die wir über den Rückgang der demokratischen Entwicklung der Bundesrepublik empfinden, von vielen Menschen im westlichen Ausland geteilt wird. Bei der ökonomischen und politischen Bedeutung der Bundesrepublik im heutigen Europa und angesichts der historischen Vergangenheit kann den anderen europäischen Völkern die Entwicklung in der Bundesrepublik nicht gleichgültig sein. Westeuropäer vertreten ihre legitimen eigenen Interessen, wenn sie sich u. a. in der Form dieses Tribunals mit den Angelegenheiten der Bundesrepublik beschäftigen. Wir können nicht in nationalstaatlicher Beschränkung die Bundesrepublik als eine Insel betrachten, die nur ihre eigenen Staatsangehörigen angeht.

Aus diesen Gründen fordern wir dazu auf, die Freiheitsrechte in Betrieb und Büro, in den Schulen und Hochschulen, in der öffentlichen Verwaltung und in den Medien zu bewahren und zu verteidigen. Das Russell-Tribunal ist ein Beitrag hierzu. Damit die Freiheitsrechte, die jedem gelten, erhalten und verwirklicht werden, genügt in der Tat eine »innerlich kühle, distanzierte Haltung« nicht. Es kommt darauf an, sich für diese Rechte zu engagieren!

(März 1978; es folgen die Namen einiger hundert Gewerkschaftler, Juristen, Architekten, Schauspieler, Künstler, Schriftsteller.)

Zur Verjährung von NS-Verbrechen

Leopold Ahlsen:

Eins der wenigen humanen Institute unseres Rechts den Nazis posthum in den Rachen werfen? Auch Täter sind Opfer: der Gesellschaft, Erziehung, Zeit; Bartsch sowie Höß. Das wichtigste ist: das Entstehen der Bedingungen hindern, künstlich erhaltene Pseudoaktualität dient dem nicht. Rückt der Nazismus in historische Distanz, macht uns das vielleicht ehrlicher.

Arnfrid Astel:

Der Massenmord, dessen Verheimlichung gescheitert ist, schreit nach Rache. Handlanger eines verbrecherischen Staates sollen nun wieder von einem Staat bestraft werden, der inzwischen sanftere Verbrechen begeht, etwa im Bundeskriminalamt. Mich persönlich interessiert mehr die Veränderung eines derart gleichschaltbaren Bewußtseins. Deshalb unterstütze ich zum Beispiel das Russell-Tribunal.

Richard Hey:

1965 war ich dafür, daß Kriegsverbrechen und Völkermord sowie Organisation und Ausführung von Morden in und mithilfe von Konzentrationslagern ebenso verjähren sollten wie Morde aus Habgier, Eifersucht, Rache etc. Thomas Dehlers leidenschaftliche Rede im Bundestag hatte mich überzeugt: Recht zu finden und zu sprechen nach mehr als zwanzig Jahren würde schwer, wenn nicht unmöglich sein; die Verurteilung einiger weniger könne nicht stellvertretend alle entsühnen, deren Ja-Stimmen die Morde ermöglicht hatten; sie müßten, als Konsequenz der von ihnen verantworteten, zumindest geduldeten Geschichte, und damit nicht noch mehr Recht verletzt werde, es auf sich nehmen, fortan Tür an Tür mit den von ihnen selbst produzierten unerkannten Mördern zu leben. Dies, wenn ich Dehler richtig verstand, als eine Art Sühne-Arbeit.

Damit ist es nichts geworden. Im Gegenteil. ›Der Schoß blieb fruchtbar noch, aus dem dies kroch.‹ Ich will die wirre Anmaßung, die Triefäugigkeit, den Zynismus alter und neuer Nazis heutzutage nicht überwerten. Aber sie machen sich schon wieder an die von hilflosen Erwachsenen ungenügend informierten Jugendlichen heran. Und die Justiz nimmt die neuen braunen Krüppel kaum ernst, läßt sie ungeschoren. Sie, die unter anderem auch dafür verantwortlich sind, daß zwei Millionen deutsche Arbeitslose auf den Schlachtfeldern Europas und Afrikas beseitigt wurden, genießen in einer Zeit, in der wieder Arbeitslosigkeit und Ängste jeder Art drohen, noch oder von neuem Ansehen. Die Vernichtung von Menschen in der Vergangenheit wird weniger wichtig genommen als ein Eigentumsdelikt in der Gegenwart. Aber ich glaube kaum, daß unsere Gesellschaft an Eigentumsdelikten zugrunde gehen wird. Mit Sicherheit wird sie an der Geringschätzung menschlichen Lebens zugrunde gehen.

Ich habe also meine Meinung geändert. Ich bin gegen die Verjährung von Mord, auch wenn es nach über dreißig Jahren schwer, wenn nicht unmöglich ist, Recht zu finden und zu sprechen.

Luise Rinser:

Ein Teil des deutschen Volkes hat Verbrechen begangen, ein anderer Teil wieder hat weggesehen als dies geschah, so entstand die deutsche Kollektivneurose.

Daß es dieses Phänomen gibt zeigte sich bei der Vorführung des Holocaust-Films. Nicht Rache an denen, die diese Verbrechen begangen haben, ist das Motiv für die Ablehnung der Verjährung, sondern die Erfahrung, daß nur die Aufarbeitung dieser Epoche der deutschen Geschichte uns von der Kollektivneurose befreien kann.

Alice Schwarzer:

Wichtig scheint mir, daß diejenigen, die wie ich gegen die Verjährung von Naziverbrechen sind, unterscheiden: Ich bin keine Anhängerin einer Rachejustiz und von daher selbstverständlich generell für Verjährung von Mord. Ich denke allerdings, daß die besondere Dimension der Nazi-Verbrechen auch juristisch eine Ausnahme rechtfertigen und lasse mich da auch nicht formaljuristisch abspeisen. Es ist politisch falsch und feige, einfach alles in einen Topf zu werfen und sich so wieder einmal davor zu drücken, sich dem Problem zu stellen: und zwar auf allen Ebenen, also auch juristisch!

Martin Walser:

Mir fällt repräsentatives Denken schwer. Was mir selber widerstrebt, kann ich nicht durch Verallgemeinerung für alle wünschen. Den Sinn von Strafe vermag ich nicht zu begreifen. Ich halte es für einen Rückfall in hinter uns Liegendes, wenn jemand glaubt, durch Strafe Genugtuung finden zu können. Ein Verbrechen kann, glaube ich, nur dann sozialisiert werden, wenn der Täter zur Einsicht gebracht werden kann, daß es ein Verbrechen war. Die Strafe scheint mir ein Mittel zu sein, den Täter folgenlos zu entlasten. Er hat das Gefühl, er habe gebüßt, die Tat bleibt erst recht seine Tat, er kann dazu stehen, er hat ehrlich dafür bezahlt.

Ich bin dafür, daß Verbrechen – gleich welcher Art – verjähren. Der Versuch, die Ermordung der Juden nicht verjähren zu lassen, ist der Versuch, Taten, die auf uns allen liegen, auf wenige zu schieben.

(Februar 1979; aus einer Umfrage)

Klaus Stiller   *Von der falschen Meinung*

In Berlin lebten vier junge Leute. Denen wurde vorgeworfen, sie hätten eine falsche Meinung verbreitet. Vielleicht war es nicht ihre eigene Meinung. Doch haben sie diese gedruckt und veröffentlicht. Und so entstand der Eindruck, es wäre ihre eigene Meinung. Schon früher hatten sie oftmals verschiedene Meinungen gedruckt und veröffentlicht, und auch jene früheren Meinungen waren vielleicht nicht ihre Meinungen gewesen. Aber jetzt, ausgerechnet jetzt hatten sie etwas gedruckt, was ihnen zum Schaden gereichen konnte: eine falsche Meinung.

Nun, solang die vier jungen Leute ihre falsche Meinung für sich behielten, war alles halb so tragisch. Als sie jedoch eines Tages darangingen, ihre unerlaubten Gedanken – in völliger Verkennung der Weltlage – auch noch zu drucken, damit das Volk auch *ihre* Meinung nachlesen könne, da zerbrach der Krug, der so lange zum Brunnen gegangen, in viertausend kleine Scherben, und vierhunderttausend Zeitungsleser konnten andertags in der Zeitung lesen, daß es nur *eine* richtige Meinung gibt und nicht zwei, drei, vier oder gar vierhunderttausend. Und die vierhunderttausend Zeitungsleser dachten, daß deswegen auch eine einzige Zeitung restlos genügt, nämlich die Zeitung, wo eine derartige Wahrheit zu lesen war.

Was wir uns schon gedacht hatten, ist passiert: Die vier jungen Leute wurden verhaftet und ins Gefängnis gesperrt, wo sie noch immer auf Aburteilung warten. Vom Richter freilich erhoffen sie weiterhin Recht, denn dieser ist ein studierter Mann und weiß, daß *alle* Meinungen erlaubt sind, sogar im Märchen, und daß jeder Mensch natürlich die Freiheit hat, eine ganz falsche Meinung zu haben. Außerdem ist der Richter ein besonnener Zeitungsleser, der die hohe Kunst beherrscht, zwischen den Zeilen zu lesen. Nein, er wird die vier jungen Leute auf keinen Fall verurteilen. Bloß wegen einer falschen Meinung ... wo kämen wir da hin!

Ja, ich glaube sogar, der Richter hätte, wenn es nach ihm ginge, die Vier längst auf freien Fuß gesetzt, doch befürchtet er heimlich, daß sie fliehen könnten, bevor er sie freisprechen kann, und daß sie dann ihre falsche Meinung mitnehmen würden, hinaus in alle Welt.

Frage mich niemand nach der wahren Meinung der vier Unglücklichen. Ihre Worte haben mich nicht erreicht. Ich weiß nur, daß ihre Meinung äußerst falsch gewesen sein muß, oder besser gesagt: fabelhaft falsch. Sonst wäre ja nichts dabei, wenn sie damit fliehen würden, irgendwohin – –

(1978. – Der Richter – es handelt sich um den Agitdruckerprozeß in Westberlin – *war* ein ›besonnener Zeitungsleser‹; er verurteilte alle vier Drucker zu 12 resp. 9 Monaten Gefängnis ohne Bewährung. *Walter Jens* kommentierte das Urteil:
Gericht und Staatsanwaltschaft haben die Stirn zu behaupten, die Verteidigung, mitsamt den von ihr benannten Sachverständigen, sei den Beweis schuldig geblieben, daß die Artikel aus dem Umkreis der RAF tatsächlich durch eine Fülle von Gegenartikeln konterkariert worden seien. Ja, können sie denn nicht lesen, die Herren? Oder wollen sie nicht? »Das Liquidierungsdenken hat mit Revolution, Befreiung und Autonomie nichts zu tun. Es gibt keine revolutionäre Blutspur.« Oder – bei Gott ein Satz, der zum Nachdenken reizt nach dem Prozeß: »Hätten wir wirklich Faschismus hier, dann würde es so etwas wie das ›Info‹ längst nicht mehr geben.«
Die Brille aufgesetzt, Herr Staatsanwalt – von wegen nicht konterkariert! Lernen Sie endlich wieder zu lesen, meine Herren Richter – von wegen: Beweis schuldig geblieben!
Und dafür werden nun – nach der Maxime: Die Autoren kennen wir nicht, eine Redaktion gibt es nicht, nehmen wir also die Drucker, die haben immerhin eine Adresse – und dafür werden ehrenwerte junge Menschen mit Gefängnis bestraft! Dafür – nur weil Justiz-Personen nicht lesen können – werden Existenzen vernichtet, und die Meinungsfreiheit dazu. Verhältnismäßigkeit, ein Grundsatz von Verfassungsrang: Larifari! Und ein Exempel statuiert – an den Schwächsten!
Der Artikel unserer Verfassung: Begraben liegt er im Kammergerichts-Gebäude von Moabit. Begraben unter Stuck und Panzerglas.)

Begraben unter Panzerglas ist die Verfassung auch in den Haftbedingungen – ›sensorische Isolation‹ in Einzelzellen – vieler politischer Gefangener.
Dazu *Christian Geissler:*

Wer schon jahrelang mit politischen Gefangenen in der BRD zu tun hat, auch mit denen, die sie gefangen halten, weiß, daß in solcher Gefangenschaft es ganz grundsätzlich um jeweils nur eines geht: Die einen müssen, in täglichen, stündlichen Abwehrkämpfen, sich das eigene Selbstverständnis, die eigene Widerstandsidentität erhalten; und die anderen müssen versuchen, im stündlichen Angriff auf eben diese Identität, das politisch-kollektive Selbstbewußtsein der Gefangenen zu zerbrechen. Für die ›Innere Sicherheit‹; sehr wohl auch für die eigene.

Denn so wie vor Jahrhunderten Hexen und Hexer bei einer zutiefst irrational durchdressierten Herrschaft Grauen ausgelöst haben mit einem Selbstverständnis, das sich durch nichts mehr zügeln lassen wollte – zügellos souverän, spöttisch, zauberisch eigenmächtig, finster lustig geil bei sich selbst –, so graust es heute die Herren der Autogesellschaft vor dem sicheren Umgang mit Kofferklappen. Denn es sind ja gar nicht die Waffen, die Logistik, die Toten, die bei der Herrschaft Entsetzen auslösen. Das ist Heuchelei. Die oben haben längst die furchtbarsten Waffen, die kälteste Logik, die Massen von toten Menschen auf ihrem Konto.

Nein: Was sie entsetzt, ist das Gesicht, die Selbstbestimmung, die eigene Hand. Denn all das ist oben längst furchtbar dahin. Nur Masken noch. Nur noch fremde Produktionsbestimmung. Nur noch, spurlos, der Gummihandschuh.

So wird gegen die hiesigen politischen Gefangenen nicht aus Sicherheits- und Ordnungsgründen eine tödliche Haftform praktiziert, sondern, erschüttert von den ersten Bewegungen einer weltweit aufkommenden Autonomie, die selbst unter Todesdrohung nicht von sich abläßt, wehrt sich eine fremdbestimmte Apparatelite gegen die Entdeckung ihrer Schande, gegen die Entdeckung ihrer selbst, gegen die Entdeckung ihrer schändlichen Wirklichkeit, ihrer Leblosigkeit.

Und furchtbarer dann noch dies: Nicht einmal das geschieht klar aus Absicht, aktiv nach Plan, sondern zwanghaft, unter den Zwängen der Fremde, im Selbstlauf einer gesellschaftlichen Apparatur, die man aufgebaut, der man irgendwann einmal zugestimmt hatte aus Angst vor der Gewalt des Eigenen, aus Angst vor den gewaltigen, immer auch unberechenbaren Freiheitskräften, Selbstbestimmungsleidenschaften des Menschen. Und wer diese Leidenschaft, ich sage: Würde des Menschen nicht aufgeben will, der muß weg, der muß vernichtet werden, damit weiterhin weltweit der Unsinn gegen den Menschen profitabel funktioniert.

Das ist die Lebensgefahr, in der der politische Gefangene in der BRD sich heute befindet. (Herbst 1978)

Stephan Hermlin   *In den Kämpfen dieser Zeit*

Einigemale in letzter Zeit hörte man den Tadel an die Adresse mancher Schriftsteller, sie verstünden nicht, was »machbar« sei. Aber um das jeweils »Machbare« wird nicht erst seit heute oder gestern gestritten. Was bedeutet der Konflikt zwischen den Schriftstellern Luther und Münzer, zwischen Mehrheitssozialisten und Spartakus, zwischen Republikanern und Anarchisten im Katalonien des Jahres 1937 anderes als den Streit um das Machbare. Es handelt sich da um eine der wichtigsten Fragen, aber sie ist eine Frage für und an den Politiker. Ich bin keiner und kann keiner sein. In einem der scheinbar so simplen, in ihrer Stille wahrhaft markerschütternden Gedichte von Wilhelm Müller, die Schubert komponierte, heißt es:

Ihr lacht wohl über den Träumer,
Der Blumen im Winter sah.

Es ist ein altes Problem. Es ist das Vorrecht der Dichter, vernunftlos zu träumen. Es ist das Vorrecht der Vernünftigen, sie zu verlachen. Aber die Träume gehen weiter, unbeschadet des Gelächters, das um sie her erschallt; wir finden sie überall in der Weltkunst, sie spiegeln die Träume wieder, die die unvernünftige und schutzlose Menschheit seit Jahrtausenden träumt und in denen sie Blumen im Winter sieht.

In den Kämpfen der Zeit erblickt der Schriftsteller die Zeit selbst zuweilen als einen Verbündeten, als ein hohes Segel, unter dem er mitgerissen in die Zukunft fährt. Es sind glückliche Momente; ich habe sie erlebt. Aber die Zeit kann ein anderes, ein mehrdeutiges, ein gefährliches Antlitz zeigen. Wir leben in einer Epoche, in der neue Bedrohungen die alten, noch nicht gebannten übergipfeln. Es kann geschehen, daß dem Schriftsteller von überallher der Ruf entgegenklingt, er sei unbequem, überflüssig, er halte die Leute von der wirklichen Arbeit ab. Auch für diese Stunden sollte er vorbereitet sein. Was mich angeht, so will ich es mit Grillparzer halten und seinem Vierzeiler:

Will unsere Zeit mich bestreiten,
Ich lasse es ruhig geschehn.
Ich komme aus anderen Zeiten
Und hoffe, in andre zu gehn.

(30. 5. 1978)

Robert Jungk *Der Atomstaat*

Mit der technischen Nutzbarmachung der Kernspaltung wurde der Sprung in eine ganz neue Dimension der Gewalt gewagt. Zuerst richtete sie sich nur gegen militärische Gegner. Heute gefährdet sie die eigenen Bürger. Denn »Atome für den Frieden« unterscheiden sich prinzipiell nicht von »Atomen für den Krieg«. Die erklärte Absicht, sie nur zu konstruktiven Zwecken zu benutzen, ändert nichts an dem lebensfeindlichen Charakter der neuen Energie. Die Bemühungen, diese Risiken zu beherrschen, können die Gefährdungen nur zu einem Teil steuern. Selbst die Befürworter müssen zugeben, daß es niemals gelingen wird, sie ganz auszuschließen. Der je nach Einstellung als kleiner oder größer anzusehende Rest von Unsicherheit birgt unter Umständen solch immenses Unheil, daß jeder bis dahin vielleicht gewonnene Nutzen daneben verblassen muß.

Nicht nur würde eine durch technisches Versagen, menschliche Unzulänglichkeit oder böswillige Einwirkung hervorgerufene Atomkatastrophe unmittelbar größten Schaden stiften, sondern über Jahrzehnte, Jahrhunderte, unter Umständen sogar Jahrtausende weiterwirken. Dieser Griff in die Zukunft, die Angst vor den Folgeschäden der außer Kontrolle geratenen Kernkraft wird zur größten denkbaren Belastung der Menschheit: sei es als Giftspur, die unauslöschlich bleibt, sei es auch nur als Schatten einer Sorge, die niemals weichen wird.

Solch dunkle Möglichkeiten müssen auch den Befürwortern der Atomindustrie bekannt sein. Sie sind allerdings überzeugt, sich und ihre Mitbürger schützen zu können, indem sie Sicherheitsmaßnahmen einführen, wie sie es nie zuvor gab. Müßte dieser Schutz nur technischer Natur sein, dann wäre er vor allem ein Problem der Ingenieure und – wegen seiner besonders hohen Kosten – der Ökonomen. Aber diese Erfindung der Menschen muß ja zudem so streng wie keine andere vor den Menschen selbst bewahrt werden: vor ihren Irrtümern, ihren Schwächen, ihrem Ärger, ihrer List, ihrer Machtgier, ihrem Haß. Wollte man versuchen, die Kernkraftanlagen dagegen völlig immun zu machen, so wäre die unausweichliche Folge ein Leben voll Verboten, Überprüfungen und Zwängen, die in der Größe der unbedingt zu vermeidenden Gefahren ihre Rechtfertigung suchen würden. . . .

Man wird mit Sicherheit den Einwand erheben, über diese Problematik müsse ohne Emotionen geschrieben und gesprochen werden. Das ist die heutige Version der biedermeierlichen Beschwichtigung: »Ruhe ist die erste Bürgerpflicht.« Wer den Ungeheuerlichkeiten, die der Eintritt in die Plutoniumzukunft mit sich bringen muß, nur mit kühlem Verstand, ohne Mitgefühl, Furcht und Erregung begegnet, wirkt an ihrer Verharmlosung mit. Es gibt Situationen, in denen die Kraft der Gefühle mithelfen muß, einer Entwicklung zu steuern und das zu verhindern, was nüchterne, aber falsche Berechnung in Gang gesetzt hat. . . .

Nur wer sich Illusionen über die nukleare Zukunft hingibt, kann alle Gefahren des Mißbrauchs ausschließen. Die Vision von der perfekten inneren Sicherheit ist ein pures Wunschgebilde. Vielleicht wird es im Namen dieser unerreichbaren Vorstellung gelingen, die Atomindustrie-Staaten in Konzentrationslager zu verwandeln, aber Gewißheit gegen den Einsatz nuklearer Erpressung und Gewalt kann selbst dann niemand geben. Man darf ja in diesem Zusammenhang nicht nur an Erpressungsversuche von außen denken, man muß auch Putschversuche von innen ins Kalkül ziehen. In Garnisons-Gesellschaften ist die Chance innerer Auseinandersetzungen zwischen rivalisierenden Einheiten stets zu befürchten. Irgendwann einmal wird irgendeine mit dem nuklearen »Objektschutz« betraute Wachmannschaft mit dem »letzten Mittel« drohen. Wer kann solch mächtige Kontrolleure noch wirksam kontrollieren? In harten Regimes mit harten Machern an den Hebeln der Macht werden die Sicherheitsrisiken nur anfangs geringer, mit der Zeit aber erfahrungsgemäß größer. Der »harte Weg« der Tyrannen hat noch stets ins Unglück geführt. Diesmal könnte es eine nicht mehr gutzumachende Katastrophe sein. (1977)

Klaus Wagenbach   *Editorische Nachnotiz*

Bei einem so umfangreichen und – soweit ich sehe – erstmaligen Versuch, den (man kann es kaum anders sagen:) Zusammenstoß zwischen deutschen Schriftstellern und ihrem Staat seit 1945 zu dokumentieren, bedarf es einiger Erläuterungen der Prinzipien der Auswahl.

Vorerst: Viele Texte mußten gekürzt werden, wenn überhaupt die Breite der Auseinandersetzung gezeigt werden sollte. Es ist selbstverständlich, daß diese Kürzungen (sie wurden jeweils durch drei Punkte gekennzeichnet) die entscheidenden Argumentationen der Autoren zu berücksichtigen versuchten. Außerdem versuchte die Auswahl, nicht nur die Facetten jeder größeren politischen Auseinandersetzung (im Text und auch in den Fußnoten) nachzuzeichnen, sondern auch den Umfang des politischen Engagements der einzelnen Autoren festzuhalten.

Zweitens: Die Auswahl widersteht der Versuchung, den öffentlichen Disput zu planen, das heißt jedem Jahr eine abgemessene Textmenge zuzuteilen, vielmehr versucht sie gerade, in der historischen Wellenbewegung förmlich mitzuschwimmen. Wenn es, zum Beispiel, in der Mitte der fünfziger Jahre fast völlig an öffentlichen politischen Erklärungen deutscher Schriftsteller fehlt oder wenn es keine öffentlichen Erklärungen (west-)deutscher Schriftsteller zum KPD-Verbot gibt, so deckt die Anthologie diese Tatsache nicht zu, sondern legt sie offen.

Drittens: Zwei ›Gewichtungen‹ seien zugegeben. Die etwas leichtere der letzten Jahre zugunsten der frühen Nachkriegszeit, deren entferntere Winkel etwas stärker ausgeleuchtet werden sollten. Außerdem wurden die politischen Äußerungen der ostdeutschen Schriftsteller nur in der frühen Zeit zureichend dokumentiert; das hängt auch damit zusammen, daß die spätere Auseinandersetzung der DDR-Schriftsteller mit ihrem Staat fast nur in Form ›ästhetischer‹ Diskussionen stattfindet; dahinter stehen natürlich auch politische Grundhaltungen – wie dann der erste breite und prinzipielle Konflikt anläßlich der Biermann-Ausbürgerung zeigt –, aber die Darstellung solcher Haltungen verlangt ein eigenes Buch. Festzuhalten bleibt freilich, daß Schriftsteller in Ost und West von den politisch Machtausübenden mit Vorliebe als Pinscher angesehen werden und daß politischen Äußerungen westdeutscher Autoren von den öffentlichen Meinungsverwaltern mit Vorliebe ästhetische Qualitäten abgesprochen werden – dies ist auch der Grund, warum in die Anthologie die wichtigsten Gedichte aufgenommen wurden, die sich solche Behandlung gefallen lassen mußten.

Zur Textgestaltung: Als Vorlage wurde in der Regel der erste Abdruck gewählt, also die Form der authentischen politischen Eilpost für den Tagesgebrauch, die oft nicht aufnahmefähig oder häufig veränderungsbedürftig ist für Zwecke von klassischen Gesamtausgaben. Im Quellenverzeichnis werden diese Erstdrucke zuerst genannt, danach erst die zugänglicheren Nachdrucke in Sammelbänden oder Gesamtausgaben. Bei zahlreichen Texten und Manifesten mußte sogar auf die originale Manuskriptfassung zurückgegriffen werden, weil sie in den Tageszeitungen überwiegend nur zitiert oder kontaminiert, kurz: versaubeutelt wiedergegeben wurden. Dadurch enthält diese Sammlung überraschender Weise manche Stücke, die – obwohl öffentlich gesprochen oder für die Öffentlichkeit geschrieben – hier zum erstenmal im Druck erscheinen.

Dieses Jubiläumsquartheft ist natürlich hauptsächlich für junge Leser bestimmt. Sie werden, hoffe ich, mit Interesse und Zustimmung feststellen, daß deutschen Schriftstellern seit Jahrzehnten *die* Themen polemikwürdig waren, die es auch ihnen sind: Der Kampf gegen Nazismus, Militarismus und Antisemitismus (von der Harlan-Debatte über den ›Grünwalder Kreis‹ bis zur Diskussion über die Verjährung), die Frage der nationalen und kulturellen Identität, der Widerstand gegen Zensur, Bevormundung und Kriminalisierung (vom ›Schmutz- und Schundgesetz‹ über die ›Spiegel‹-Affaire bis zum § 88a). Ihnen zur Ermunterung wurden auch die Erklärungen zur Atomenergie – sei es in militärischer oder ›friedlicher‹ Nutzung – etwas ausführlicher dokumentiert.

Widmen möchte ich dieses Quartheft meiner Frau Katia und meinem Vater Joseph. Katia hat vom ersten bis zum hundertsten Quartheft nicht nur die äußere Gestalt der Bücher, sondern auch die Kontinuität des Programms mitverantwortet, vertreten und verteidigt. Diese Widmung ist also nur ein öffentlicher Dank – die Freunde wissen ohnehin, wie sehr Katias Arbeit und Heiterkeit den Verlag bestimmt. Die Widmung an meinen Vater ist ein Dank für seine politische und moralische Haltung: Er, ein katholischer Liberaler, der den Nazis keinen Finger reichte und nach dem Krieg als Kommunalbeamter den von ihnen hinterlassenen Dreck wegräumen half, hat mir ganz praktisch vorgeführt, daß es auch in unserm Land bürgerliche Demokraten gibt, deren Erfahrungen und Solidarität wir radikaleren brauchen. Nirgends (schon gar nicht im Grundgesetz) steht festgeschrieben, daß Deutschland auf ewig Privatbesitz der Mitläufer und Technokraten zu sein habe.

Herzlich danken möchte ich schließlich meinen beiden Mitherausgebern, Winfried Stephan, der als unser jüngster Mitherausgeber die Auswahl kritisch korrigierte und ergänzte, und meinem alten ›Tintenfisch‹-Mitstreiter Michael Krüger. Ebenso ausdrücklich möchte ich dem Deutschen Literaturarchiv in Marbach für eine mehrwöchige Gastfreundschaft und vielfältige archivarische Hilfe danken.

Danksagung

Wir danken folgenden Personen und Archiven, die dem Verlag mit Rat, Hinweisen und Materialien geholfen haben:

Günter Abel, Reinhard Baumgart, Horst Brandstätter, Peter Brückner, Hans Christoph Buch, Ingeborg Drewitz, Hubert Fichte, Tilman Fichter, Erich Fried, Franz Fühmann, Hermann Glaser, Stephan Hermlin, Uwe Johnson, Heinar Kipphardt, Wolfgang Koeppen, Gabriele Kronenberg, Hanspeter Krüger, Günter Kunert, Siegfried Lenz, Eva Michel, Ernst Piper, Hermann Peter Piwitt, Galina Rave, Hans Werner Richter, Luise Rinser, Klaus Roehler, Peter Rühmkorf, Erika Runge, Heinz Saueressig, Peter Schneider, Franz Schonauer, Hannes Schwenger, Barbara Stieß, Helga Steinhilber, Renate Steinmann, Angela Tieger, Klaus Völker, Martin Walser, Gerhard Zwerenz.

Deutsches Literaturarchiv, Marbach; Frankfurter Rundschau, Frankfurt am Main; Frankfurter Allgemeine Zeitung, Frankfurt am Main; PEN-Zentrum, Darmstadt; Der Spiegel, Hamburg; Süddeutsche Zeitung, München; Verband deutscher Schriftsteller, Berlin; Die Zeit, Hamburg.

Und: den freundlichen Kollegen Armin Abmeier, Heiner Kohl, Stephan Lehmann, Detlev Pawlik, Gottfried Rother, Bert Schlender, Jörg Wallenstein, H. U. Zbinden und Heinz Zirk.

Wir danken den Autoren und Rechtsinhabern für die freundliche Genehmigung des Abdrucks. Im folgenden Verzeichnis werden die jeweiligen Lizenzgeber für die Texte in Klammern hinter dem Autorennamen genannt, die genauen bibliographischen Nachweise finden sich im Quellenverzeichnis (›Zu den Beiträgen‹). Fehlt der Hinweis auf einen Lizenzgeber, so wurde die Druckgenehmigung direkt vom Autor erteilt. Bei einigen Autoren konnten wir den heutigen Rechtsinhaber nicht ermitteln; sie werden gebeten, den Verlag zu benachrichtigen.

Ilse Aichinger – Günter Anders – Alfred Andersch (Diogenes Verlag Zürich und Autor) – Stefan Andres – Arnfrid Astel – Rudolf Augstein (Der Spiegel Hamburg) – Ingeborg Bachmann (Piper Verlag München) – Reinhard Baumgart – Johannes R. Becher (Aufbau Verlag Berlin) – Jürgen Becker – Gottfried Benn (Limes Verlag München) – Wolf Biermann (Kiepenheuer & Witsch Verlag Köln) – Ernst Bloch – Johannes Bobrowski (Wagenbach Verlag Berlin) – Heinrich Böll (Kiepenheuer & Witsch Verlag Köln) – Wolfgang Borchert (Rowohlt Verlag Reinbek) – Nicolas Born (Kiepenheuer & Witsch Verlag Köln) – Volker Braun – Bertolt Brecht (Suhrkamp Verlag Frankfurt/Main) – Peter Brückner – Paul Celan (DVA Stuttgart) – Heinz von Cramer – Walter Dirks – Alfred Döblin (Walter Verlag Olten und Freiburg und Erbengemeinschaft Döblin) – Ingeborg Drewitz – Axel Eggebrecht – Günter Eich (Suhrkamp Verlag Frankfurt/ Main) – Bernt Engelmann – Hans Magnus Enzensberger (Suhrkamp Verlag Frankfurt/Main und Autor) – Lion Feuchtwanger (Aufbau Verlag Berlin) – Hubert Fichte – Erich Fried (Wagenbach Verlag Berlin und Autor) – Max Frisch (Suhrkamp Verlag Frankfurt/Main) – Günter Bruno Fuchs (Wagenbach Verlag Berlin) – Franz Fühmann (Suhrkamp Verlag Frankfurt/Main) – Christian Geissler – Hellmut Gollwitzer – Oskar Maria Graf (Süddeutscher Verlag München) – Günter Grass (Luchterhand Verlag Neuwied) – Max von der Grün (Luchterhand Verlag Neuwied) – Peter Härtling – Peter Handke (Suhrkamp Verlag Frankfurt/Main) – Manfred Hausmann – Helmut Heissenbüttel – Günter Herburger – Stephan Hermlin (Wagenbach Verlag Berlin und Autor) – Hermann Hesse (Suhrkamp Verlag Frankfurt/Main) – Stefan Heym (Bertelsmann Verlag München) – Rolf Hochhuth (Rowohlt Verlag Reinbek) – Ricarda Huch – Peter Huchel – Hans Henny Jahnn (Hoffmann und Campe Verlag Hamburg) – Walter Jens – Uwe Johnson (Suhrkamp Verlag Frankfurt/Main) – Ernst Jünger – Robert Jungk (Kindler Verlag München und Autor) – Erich Kästner (Atrium Verlag Zürich) – Marie Luise Kaschnitz (Insel Verlag Frankfurt am Main) – Heinar Kipphardt – Wolfgang Koeppen (Suhrkamp Verlag Frankfurt am Main und Autor) – Eugen Kogon – Walter Kolbenhoff – Karl Krolow – Günter Kunert (Carl Hanser Verlag München und Autor) – Kurt Kusenberg – Elisabeth Langgässer (Claassen Verlag Düsseldorf) – Siegfried Lenz – Reinhard Lettau – Thomas Mann (S. Fischer Verlag Frankfurt/Main) – Christoph Meckel – Ulrike Marie Meinhof (Klaus Rainer Röhl Hamburg) – Walter von Molo – Heiner Müller – Robert Neumann – Hans Erich Nossack – Ernst Penzoldt – Hermann Peter Piwitt (Rowohlt Verlag Reinbek) – Theodor Plievier – Erik Reger – Hans Werner Richter – Werner Riegel – Luise Rinser – Peter Rühmkorf (Rowohlt Verlag Reinbek und Autor) – Arno Schmidt – Peter Schneider – Reinhold Schneider – Rolf Schneider – Robert Wolfgang Schnell – Wolfdietrich Schnurre – Anna Seghers (Akademie Verlag Berlin) – Klaus Stiller – Peter Suhrkamp – Frank Thiess – Volker von Törne (Wagenbach Verlag Berlin) – Fritz von Unruh – Karl Valentin (Piper Verlag München) – Günter Wallraff – Martin Walser (Suhrkamp Verlag und Autor) – Günter Weisenborn – Peter Weiss (Suhrkamp Verlag Frankfurt/ Main) – Franz Werfel – Ernst Wiechert – Gabriele Wohmann – Friedrich Wolf (Aufbau Verlag Berlin) – Peter Paul Zahl (Rotbuch Verlag Berlin) – Carl Zuckmayer – Arnold Zweig (Aufbau Verlag Berlin) – Gerhard Zwerenz.

Zeittafel

1945

8. Mai: Kapitulation

17. Juli bis 2. August: Potsdamer Konferenz; Unterzeichnung des Potsdamter Abkommens (Verschiebung der polnischen Grenzen; Ausweisung der deutschen Bevölkerung aus den Ostgebieten.)

1. August: Die »Frankfurter Rundschau« erscheint als erste, nicht von den Besatzungsmächten herausgegebene Tageszeitung

1946

21./22. April: Vereinigungsparteitag von SPD und KPD in der sowjetisch besetzten Zone

1. Mai: »Literaturreinigungsgesetz« (Kontrollratsbeschluß Nr. 4): alle öffentlichen Büchereien, Buchhandlungen und Verlage haben Bücher abzuliefern, die »Nationalsozialismus, Rassenlehre und Aggressionspläne« propagieren

Oktober: Verkündung der Urteile im Nürnberger Hauptkriegsverbrecherprozeß

November: Volksabstimmung in Hessen über die Verstaatlichung zahlreicher Industriezweige (72 % stimmen zu)

1947

Juni: Die USA legen den Marshall-Plan (Kredite und Zuschüsse zum Wiederaufbau) vor

November: Der ›Kulturbund für die demokratische Erneuerung Deutschlands‹ wird im amerikanischen und britischen Sektor Berlins verboten

1948

21. Juni: Währungsreform in den drei Westzonen. Zwei Tage später wird Westberlin in die Währungsreform einbezogen; am 26. Juni Beginn der Blockade und Luftbrücke (bis 5. Mai 1949)

1949

8. April: Zusammenschluß der drei Westzonen zur Trizone

23. Mai: Verkündung des Grundgesetzes der BRD

14. August: Erste Wahlen zum Deutschen Bundestag (Ergebnis: CDU 31,0 %; SPD 29,2 %; LPD, später FDP 11,9 %; KPD 5,7 %)

12. September: Theodor Heuss wird zum ersten Bundespräsidenten gewählt; drei Tage später Konrad Adenauer zum ersten Bundeskanzler

7. Oktober: Gründung der DDR; am 11. 10. wird Wilhelm Pieck zum Präsidenten, einen Tag später Otto Grotewohl zum Ministerpräsidenten der DDR gewählt

Oktober: Gründung des Deutschen Gewerkschaftsbundes

1950

8. Februar: Bildung des ›Ministeriums für Staatssicherheit‹ in der DDR

25. Juni: Beginn des Korea-Kriegs (Waffenstillstand am 27. 7. 1953)

3. August: Gesetz zur Gründung des Verfassungsschutzes

31. August: Bundesinnenminister Gustav Heinemann kündigt wegen schwerwiegender Differenzen in der Frage der Wiederaufrüstung seinen Rücktritt (9. 10.) an

26. Oktober: Das ›Amt Blank‹ übernimmt die Organisation der Wiederaufrüstung

1951

30. Januar: Der DDR-Ministerpräsident schlägt zur Wiederherstellung der deutschen Einheit die Bildung eines ›gesamtdeutschen Rates‹ vor

6. März: Änderung des Besatzungsstatuts – der BRD wird eine selbständige Außenpolitik zugebilligt

24. April: Eine Volksbefragung zur Frage der Wiederaufrüstung wird von der Bundesregierung verboten

26. Juni: Die Bundesregierung verbietet die Jugendorganisation der KPD (FDJ)

26. Juli: Die Bundesregierung verbietet die ›Vereinigung der Verfolgten des Naziregimes‹; ihre Arbeit sei »gegen die verfassungsmäßige Ordnung gerichtet«

1952

10. März: Note der Sowjetunion zur Deutschlandfrage mit dem Angebot der Wiedervereinigung; der Notenaustausch der Alliierten bleibt ohne Ergebnis

11. Mai: Philipp Müller in Essen erschossen

26. Mai: Unterzeichnung des ›Deutschlandvertrages‹: Ablösung des ›Besatzungsstatuts‹ der westlichen Alliierten; die BRD wird souverän

24. Juni: Die erste Ausgabe der ›Bild-Zeitung‹ erscheint

9. Juli: Annahme des Betriebsverfassungsgesetzes (gegen die Stimmen der SPD und KPD), das die Mitbestimmung auf die Montanindustrie einschränkt

1953

18. März: Gegen die Stimmen von SPD und KPD nimmt der Bundestag den Vertrag über die Gründung der ›Europäischen Verteidigungsgemeinschaft‹ an

17. Juni: Aufstand in der DDR

6. September: Wahlen zum Bundestag (Ergebnis: CDU 45,2 %; SPD 28,8 %; FDP 9,5 %; BHE 5,9 %; DP 3,3 %; KPD 2,2 %); Konrad Adenauer wird wieder Bundeskanzler

27. Oktober: Hans Globke, maßgeblich an den nazistischen Rassegesetzen beteiligt, wird Staatssekretär im Bundeskanzleramt

1954

23. Oktober: Pariser Verträge: Die BRD wird in die Westeuropäische Union aufgenommen, ihr Beitritt zur NATO (am 9. 5. 1955 vollzogen) beschlossen

29. November/2. Dezember: Ostblockkonferenz in Moskau: Angebot freier gesamtdeutscher Wahlen gegen den Verzicht auf die Wiederbewaffnung der BRD

1955

25. Januar: Die Sowjetunion erklärt den Kriegszustand mit Deutschland für beendet

29. Januar: Paulskirchenversammlung; ›Deutsches Manifest‹

7. Juni: Theodor Blank wird erster Verteidigungsminister der BRD

September: Besuch Adenauers in der Sowjetunion; Aufnahme diplomatischer Beziehungen

20. Oktober: Gründung eines Ministeriums für Atomfragen

7. Dezember: Bundesaußenminister Heinrich von Brentano erläutert die ›Hallstein-Doktrin‹: Die BRD unterhält keine diplomatischen Beziehungen zu Staaten, die gleichzeitig mit der DDR diplomatische Beziehungen unterhalten

1956

2. Januar: Die ersten Einheiten der Bundeswehr werden aufgestellt

18. Januar: DDR-Volkskammer nimmt Gesetz über die Schaffung der »Nationalen Volksarmee« an

7. Juli: Allgemeine Wehrpflicht in der BRD

17. August: KPD wird vom Bundesverfassungsgericht als verfassungsfeindlich verboten

Oktober: Aufstand in Ungarn; ›Suezkrise‹

1957

1. Januar: Saarland wird Bundesland der BRD

26. März: Verträge von Rom (EWG)

12. April: Göttinger Erklärung der Atomwissenschaftler

15. September: In den sogenannten ›Adenauer-Wahlen‹ erringt die CDU die absolute Mehrheit (Ergebnis: CDU 50,2 %; SPD 31,8 %; FDP 7,7 %; BHE 4,6 %)

1958

20. Januar: Adenauer lehnt in einem Schreiben an den Vorsitzenden des Ministerrats der Sowjetunion dessen Vorschlag einer Konföderation beider deutscher Staaten als Vorstufe einer Wiedervereinigung ab

10. März: Gründung des Arbeitsausschusses ›Kampf dem Atomtod‹

25. März: Bundestag beschließt Atomwaffenausrüstung der Bundeswehr

30. Juli: Bundesverfassungsgericht erklärt eine Volksabstimmung über die Atomwaffenausrüstung der Bundeswehr für verfassungswidrig

1959

1. Juli: Nachdem Konrad Adenauer seine Kandidatur drei Wochen vor der Wahl zurückgezogen hatte, wird Heinrich Lübke Bundespräsident

1960

Sommer: SED erklärt Kollektivierung der Landwirtschaft für abgeschlossen; starke Zunahme der Flucht aus der DDR

20. Juli: SPD bricht alle Kontakte zum SDS ab

Juli: Manifest von 121 französischen Intellektuellen zum Algerien-Krieg mit der Aufforderung der Wehrdienstverweigerung

1961

13. August: Die DDR baut eine Mauer durch Berlin

17. September: In den Wahlen zum Bundestag verliert die CDU die absolute Mehrheit (Ergebnis: CDU 45,4 %; SPD 36,2 %; FDP 12,8 %); Konrad Adenauer Bundeskanzler

1962

Oktober: Kuba-Krise

26. Oktober: In einer Nacht-und-Nebel-Aktion werden die Redaktionsräume des ›Spiegel‹ besetzt und durchsucht

1963

16. Oktober: Konrad Adenauer tritt zurück; Ludwig Erhard wird Bundeskanzler

1964

Sommer: Massiver Eingriff der USA in den Vietnam-Krieg (der erst am 30. 4. 1975 beendet wird)

1965

25. März: Verlängerung der Verjährungsfrist für NS-Verbrechen durch den Bundestag

19. September: Wahlen zum Bundestag (Ergebnis: CDU 47,5 %; SPD 39,3 %; FDP 9,5 %); Ludwig Erhard wird Bundeskanzler

1966

1. Dezember: Bildung der ›Großen Koalition‹ aus SPD und CDU; Bundeskanzler wird Kurt Georg Kiesinger, Außenminister Willy Brandt

1967

2. Juni: Benno Ohnesorg von der Westberliner Polizei während des Staatsbesuchs des Schahs von Persien erschossen

1968

11. April: Attentat auf Rudi Dutschke; Aktionen gegen den Springer-Konzern

10. Mai: Beginn des ›Pariser Mai‹

30. Mai: Bundestag verabschiedet Notstandsgesetze

21. August: Invasion der Tschechoslowakei

26. September: DKP als neue Partei gegründet

November: Beate Klarsfeld ohrfeigt Bundeskanzler Kiesinger wegen seiner nazistischen Vergangenheit

1969

5. März: Gustav Heinemann zum Bundespräsidenten gewählt
September: Streikwelle, vor allem in der Stahlindustrie
28. September: Wahlen zum Bundestag (Ergebnis: CDU 46,1 %; SPD 42,7 %; FDP 5,8 %); Willy Brandt wird Bundeskanzler und bildet eine SPD/FDP-Koalitionsregierung

1970

19. März: Bundeskanzler Willy Brandt und DDR-Ministerpräsident Willi Stoph treffen sich in Erfurt
14. Mai: Andreas Baader wird in Westberlin aus dem Gefängnis befreit; Gründung der ›Roten Armee Fraktion‹
7. Dezember: Unterzeichnung des Vertrages zwischen Polen und der BRD

1971

17. Dezember: Unterzeichnung des Transitabkommens mit der DDR

1972

28. Januar: Die Ministerpräsidenten der Länder der BRD beschließen den sogenannten ›Radikalenerlaß‹
19. November: Vorgezogene Wahlen zum Bundestag (Ergebnis: CDU 44,9 %; SPD 45,8 %; FDP 8,4 %); Willy Brandt wird Bundeskanzler
21. Dezember: Unterzeichnung des ›Grundlagenvertrages‹ zwischen BRD und DDR

1973

August: Höhepunkt der Streikwelle in Stahl- und Autoindustrie (Ford, Köln)
1. November: Bundesregierung verhängt Anwerbestopp für Ausländer

1974

6. Mai: Guillaume-Affaire. Willy Brandt tritt zurück; Helmut Schmidt wird Bundeskanzler
15. Mai: Walter Scheel zum Bundespräsidenten gewählt

1975

23. Februar: In Wyhl wird der Bauplatz des geplanten Kernkraftwerks besetzt
21. Mai: Beginn des Stammheimer Prozesses gegen Mitglieder der RAF

1976

1. Mai: Zahlreiche neue Zensurgesetze treten in Kraft (§88a u. a.)
3. Oktober: Wahlen zum Bundestag (Ergebnis: CDU 48,6 %; SPD 42,6 %; FDP 7,9 %); Helmut Schmidt wird Bundeskanzler
14. November: Heftige Auseinandersetzungen um den Bauplatz des KKW Brokdorf

1977

27. Januar: Bundestag beschließt ›Bundesdatenschutzgesetz‹
27. Februar: Bundesinnenminister Werner Maihofer bestätigt ›Lauschangriff‹ auf den Atomwissenschaftler Klaus Traube
5. September: Entführung (und spätere Ermordung) des Arbeitgeberpräsidenten Hanns-Martin Schleyer

1978

29. März: Beginn des 3. Internationalen Russel-Tribunals in der BRD

1979

April: Erneute Debatte über die Verjährung von NS-Verbrechen im Bundestag; umfangreiche öffentliche Demonstrationen gegen Kernkraftenergie in der Folge des Unfalls im US-KKW Harrisburg
23. Mai: Karl Carstens zum Bundespräsidenten gewählt

Zu den Beiträgen

Öde Gegend mit Menschen

Thomas Mann Deutsche Hörer!: Rundfunkrede BBC, 10. 5. 45; in ›Gesammelte Werke‹, Bd. XI, Reden und Aufsätze 3, Frankfurt/Main (S. Fischer) 1960, S. 1121. – *Paul Celan* Todesfuge: geschrieben 1945; in ›Mohn und Gedächtnis‹, Stuttgart (DVA) 1952, S. 37. – *Marie Luise Kaschnitz* Von der Schuld: ›Wandlung‹, Jg. 1, 1945/46, S. 143. – *Stephan Hermlin* Aus dem Lande: in der Zeitschrift ›Traits‹, Lausanne, Oktober 1945; der Aufsatz wurde uns vom Autor zur Verfügung gestellt und erscheint hier zum ersten Mal in der deutschen Originalfassung. – *Franz Werfel* An das deutsche Volk: ›Bayerische Landeszeitung‹, 25. 5. 1945. – *Leitsätze des Kulturbundes:* ›Aufbau‹, November 1945. – *Alfred Döblin* Als ich wiederkam: aus ›Abschied und Wiederkehr‹, in: ›Die Zeitlupe‹, Olten und Freiburg (Walter) 1962, S. 202. – *Carl Zuckmayer* Mit travel-order: in ›Städte 1945. Berichte und Bekenntnisse‹, Hg. Ingeborg Drewitz, Düsseldorf (Diederichs) 1970, S. 125. – *Robert Wolfgang Schnell* Wuppertal 1945: in ›Städte 1945‹. (ebenda) S. 64. – *Hans Erich Nossack* Aus einem Brief an Hermann Kasack vom 30. 11. 1945, nach: ›Als der Krieg zu Ende war‹, Katalog zu einer Ausstellung des Deutschen Literaturarchivs im Schiller-Nationalmuseum Marbach a. N., Hg. von Berhard Zeller, zusammengestellt von Gerhard Hay, Hartmut Rambaldo, Joachim W. Storck unter Mitarbeit von Ingrid Kußmaul und Harald Böck, 1973, S. 91. – *Friedrich Wolf* Zur Eröffnung des Nürnberger Prozesses: ›Aufbau‹, Dezember 1945. – *Alfred Andersch* Notwendige Aussage: ›Der Ruf‹, 15. 8. 1946. – *Erik Reger* Das Weltgericht in Nürnberg: ›Aufbau‹, Januar 1946. – *Erich Kästner* Ist Politik eine Kunst?: ›Die Neue Zeitung‹, 21. 12. 45; in: Gesammelte Schriften, Bd. 5, Vermischte Beiträge, Zürich (Atrium), Berlin (Dressler), Köln (Kiepenheuer & Witsch) 1959, S. 334. – *Ernst Wiechert* An die Jugend!: ›Aufbau‹, November 1945. – *Manfred Hausmann* Jugend: ›Aufbau‹, Juli 1946. – *Johannes R. Becher* Deutsches Bekenntnis: ›Aufbau‹, November 1945. – *Ilse Aichinger* Aufruf zum Mißtrauen: ›Plan‹, Heft 8, Juli 1946. – *Wolfdietrich Schnurre* Unterm Fallbeil der Freiheit, geschrieben 1946: in ›Schreibtisch unter freiem Himmel‹, Olten und Freiburg (Walter) 1964, S. 11.

Rückkehr zu den Dagebliebenen?

Günther Weisenborn Wir bitten um Eure Rückkehr!: ›Der Autor‹, Zeitschrift des Schutzverbandes deutscher Autoren, April 1947. – *Alfred Andersch* Aufruf an die Hochschullehrer: ›Der Ruf‹, 1. 1. 1947. – *Walter von Molo* Offener Brief: ›Münchner Zeitung‹, 13. 8. 1945. – *Frank Thiess* ›Münchner Zeitung‹, 18. 8. 1945. – *Thomas Mann* Offener Brief: ›Aufbau‹ (New York), 28. 9. 1945, danach ›Augsburger Anzeiger‹, 12. 10. 1945. In: Gesammelte Werke, Bd. XII, Reden und Aufsätze 4, S. 953 unter dem Titel: Warum ich nicht nach Deutschland zurückgehe. – *Thomas Mann* Erneute Antwort: Rundfunkrede BBC, 30. 12. 45, danach ›Frankfurter Rundschau‹, 11. 1. 46. In: Gesammelte Werke, Bd. XIII, Nachträge, S. 743. – *Frank Thiess:* ›Ruhr Zeitung‹, 5. 1. 1946. – *Erich Kästner* Betrachtungen eines Unpolitischen: ›Die Neue Zeitung‹, 14. 1. 46. In: Gesammelte Schriften, Bd. 5, S. 342. – *Thomas Mann* aus der ›Ansprache im Goethejahr‹: Gesammelte Werke, Bd. XI, Reden und Aufsätze 3, S. 481. – *Hermann Hesse* Brief: ›National-Zeitung Basel‹, 26. 4. 1946; danach in ›Krieg und Frieden‹, 1946. Gesammelte Werke, Bd. 10, Betrachtungen, Aus den Gedenkblättern, Rundbriefe, Politische Betrachtungen. Frankfurt/Main (Suhrkamp) 1970. – *Luise Rinser* Antwort an Hermann Hesse: Nach dem Manuskript; der Brief wurde uns von der Autorin zur Verfügung gestellt.

Zonen, Staaten, Einheit

Alfred Andersch Das junge Europa: ›Der Ruf‹, 15. 8. 1946. – *Walter Dirks* Europa, Arbeiter, Christen: ›Frankfurter Hefte‹, April 1946, unter dem Titel ›Die zweite Republik‹. – *Hans Werner Richter* Die Wandlung des Sozialismus: ›Der Ruf‹, 1. 11. 1946. – *Eugen Kogon* Die deutsche Revolution: ›Frankfurter Hefte‹, Juli 1946. –

Hans Werner Richter Die östliche Grenzfrage: ›Der Ruf‹, 1. 12. 1946. – *Redaktion ›Der Ruf‹* Eine Kardinalfrage: ›Der Ruf‹, 1. 12. 1946. – *Alfred Andersch* Die freie deutsche Republik: ›Der Ruf‹, 1. 12. 1946. – *Hans Werner Richter* Die versäumte Evolution: ›Der Ruf‹, 15. 1. 1947. – *Alfred Döblin* Illusionen: Rundfunkbeitrag im Südwestfunk, 20. 4. 1947. Der Text erscheint hier – mit freundlicher Genehmigung des Walter-Verlags und der Erbengemeinschaft Döblin – zum ersten Mal nach dem Typoskript (Deutsches Literatur-Archiv, Marbach). – *Johannes R. Becher* Bitte um Zulassung eines deutschen PEN: ›Der Autor‹, September/Oktober 1947. – *Resolution des bayerischen Schriftstellerverbandes:* nach ›Der Schriftsteller‹, Jg. 1, Heft 1, 1947. – *Ricarda Huch* Nationalgefühl?: ›Ost und West‹, Oktober 1947. – *Axel Eggebrecht* Kritik und Verbindlichkeit: ›Ost und West‹, Oktober 1947. – *Drei Manifeste des Deutschen Schriftstellerkongresses 1947:* nach ›Der Autor‹ November 1947. – *Elisabeth Langgässer* Zwei Formen der Anpassung: Aus der Rede zum Kongreß ›Schriftsteller unter der Hitler-Diktatur‹: ›Ost und West‹, Oktober 1947. – *Wolfgang Borchert* Dann gibt es nur eins!: ›Das Gesamtwerk‹, Hamburg (Rowohlt) 1949, S. 318. – *Johannes R. Becher* Offener Brief an die UNESCO: ›Aufbau‹, Dezember 1947. – *Fritz von Unruh* Rede an die Deutschen: Frankfurt/Main (Verlag der Frankfurter Hefte) 1948. – *Theodor Plievier* Wille zur Freiheit: ›Die Neue Zeitung‹, 23. 5. 1948. – *Karl Valentin* Die Geldentwertung: ›Sturzflüge im Zuschauerraum‹, Der gesammelten Werke anderer Teil, München (Piper) 1969, S. 77. – *Arnold Zweig* Spaltgeist: ›Aufbau‹, März 1949. – *Thomas Mann* Fremdherrschaft: Aus der ›Ansprache im Goethejahr‹, ›Gesammelte Werke‹, Bd. XI, Reden und Aufsätze 3, S. 481. – *Arnold Zweig* An den US-Militärkommandanten: in ›Ost und West‹, März 1949.

Wiederkehr des alten Wahren

Reinhold Schneider Verantwortung für den Frieden: ›Aufbau‹, Mai 1949. – *Walter Kolbenhoff* Kompromiß-Christentum: Aus einem ›Offenen Brief‹ an Elisabeth Langgässer in ›Ost und West‹, Oktober 1949. – *Ernst Jünger* Beschränktes Personal: Aus dem Vorwort zu Hans Speidels ›Invasion 1944‹, Tübingen (Wunderlich) 1949. – *PEN-Zentrum* Gegen das ›Schmutz- und Schundgesetz‹: nach der vom PEN-Zentrum zur Verfügung gestellten Originalvorlage. – *Erich Kästner* Der trojanische Wallach: erschien Anfang 1950 in der ›Münchner Illustrierten‹, ›Gesammelte Schriften‹, Bd. 5, S. 184. – *Stefan Andres* Warum nicht ein anderes Gesetz?: ›Das literarische Deutschland‹, 5. 12. 1950. – *Luise Rinser, Hans Erich Nossack, Günther Weisenborn, Wolfgang Koeppen:* nach ›Die Literatur‹, 15. 10. 1952. – *PEN-Zentrum* Erklärung: nach der Originalvorlage. – *Arnold Zweig* Die Funktion des Schriftstellers: ›Aufbau‹, März 1950. – *Manifest des ›Kongresses für kulturelle Freiheit‹:* ›Der Monat‹, Heft 22/23, 1949/50. – *Bertolt Brecht* Offener Brief an den ›Kongreß‹: in ›Gesammelte Werke‹, Bd. 20, Zu Politik und Gesellschaft, Frankfurt/Main (Suhrkamp) 1967, S. 315. – *Alfred Andersch* Skandal der deutschen Reklame: Aus der Zeitschrift ›Hier und Heute‹, 12. 1. 1951. – *Thomas Mann* Aberglauben und free enterprise: Aus ›Meine Zeit‹ in ›Gesammelte Werke‹, Bd. XI, Reden und Aufsätze 3, S. 302. – *Gustav Heinemann* Deutsche Sicherheit: ›Deutsche Universitätszeitung‹, 3. 11. 1950. – *Stephan Hermlin* Wir wollen zusammenhalten: ›Aufbau‹, Februar 1951. – *Arnold Zweig* Die Stunde der Deutschen: ›Aufbau‹, März 1951. – *Lion Feuchtwanger* Jeder Deutsche: ›Aufbau‹, März 1951. – *Hans Henny Jahnn* Was sagen die Lehrer?: ›Aufbau‹, März 1951; unter dem Titel ›Für den totalen Frieden‹. – *Ernst Penzoldt* Mangel an Phantasie: ›Aufbau‹, April 1951. – *Reinhold Schneider* Das Schwert der Apostel: Aus der Anthologie ›Worte wider Waffen‹, Hg. Georg Schwarz/Johannes Tralow, München (Weismann) 1951. – *Bertolt Brecht* Aus dem ›Herrnburger Bericht‹: ›Neues Deutschland‹, 22. 7. 1951. – *Kurt Kusenberg* Und wenn wir leben wollten?: Aus ›Worte wider Waffen‹, a. a. O. – *Reinhold Schneider* In Freiheit und Verantwortung: ›Aufbau‹, Dezember 1951. – *Bertolt Brecht* Offener Brief und einige Antworten: ›Gesammelte Werke‹, Bd. 19, Zur Literatur und Kunst 2, S. 495. – *Erich Kästner* Offener Brief an Freiburger Studenten: geschrieben 1952, in ›Gesammelte Schriften‹, Bd. 5, S. 208. – *Peter Huchel* Die gemeinsamen Anliegen: ›Aufbau‹, März 1952. – *Manifest der Akademie der Künste Ost-*

berlin: ›Aufbau‹, April 1952. – *Johannes R. Becher* Mord in Essen: ›Gesammelte Werke‹, Bd. 6, Berlin (Aufbau) 1973, S. 275. – *Anna Seghers* Rede in Wien 1952: Aus der Essay-Sammlung ›Über Kunstwerk und Wirklichkeit‹, Bd. III, Für den Frieden der Welt, Berlin (Akademie) 1971, S. 100. – *Günter Eich* Träume: Aus dem Hörspielband ›Träume‹, Frankfurt/Main (Suhrkamp) 1953, S. 189. Geschrieben 1951; die beiden Schlußzeilen wurden 1953 hinzugefügt. – *Wolfgang Koeppen* Das Treibhaus: Aus dem Roman ›Das Treibhaus‹, Stuttgart (Scherz & Goverts) 1953; hier zitiert nach der Suhrkamp-Taschenbuchausgabe, S. 186.

Politik der Stärke

Kuba Wie ich mich schäme: nach Konrad Franke, ›Die Literatur der Deutschen Demokratischen Republik‹, München (Kindler) 1974, S. 112. – *Bertolt Brecht* Die Lösung: ›Gesammelte Werke‹, Bd. 10, Gedichte 3, S. 1009; Anmerkungen zum 17. Juni: ›Gesammelte Werke‹, Bd. 20, Zur Politik und Gesellschaft, S. 326. – *Stefan Heym* 5 Tage im Juni: aus dem Kapitel 61 des Romans ›5 Tage im Juni‹, München (Bertelsmann) 1974. – *Anna Seghers* Appell an die Schriftsteller: ›Über Kunstwerk und Wirklichkeit‹, a. a. O., S. 105. – *Thomas Mann* Gegen die Wiederaufrüstung Westdeutschlands: ›Gesammelte Werke‹, Bd. XIII, Nachträge, Frankfurt/Main (S. Fischer) 1974, S. 805. Eine Übersetzung aus dem Französischen erschien Ende 1954 im ›Aufbau‹; in der Bundesrepublik erschien der Aufsatz zum ersten Mal im Band ›Nachträge‹ der ›Gesammelten Werke‹. – *Erich Kästner* Ein politischer Eilbrief: ›Gesammelte Schriften‹, Bd. 5, S. 514. – *Karl Krolow* Politisch: ›Wind und Zeit‹, Stuttgart (DVA) 1954. – *Erklärung des PEN-Zentrums:* nach der Originalvorlage. – *Stephan Hermlin* In diesem Mai 1955: ›Aufbau‹, April 1955. – *Werner Riegel* Notizen im Mai: Aus der 1955 zusammen mit Peter Rühmkorf herausgegebenen Zeitschrift ›Zwischen den Kriegen‹. – *Gottfried Benn* Berlin: ›Neue Deutsche Hefte‹, November 1955; als Diskussionsbeitrag während der Berliner Festwochen 1955; danach ›Gesammelte Werke in 4 Bd.‹, Bd. IV, Wiesbaden u. München (Limes) 1960 ff., S. 350 unter dem Titel ›Berlin zwischen Ost und West‹. – *Deutsches Manifest:* nach der Originalbroschüre zur Kundgebung in der Paulskirche. – *Bertolt Brecht* Gegen die Pariser Verträge: ›Gesammelte Werke‹, Bd. 20, Zu Politik und Gesellschaft, S. 342. – *Peter Rühmkorf* Anode: 1956 entstanden; in ›Gesammelte Gedichte‹, Reinbek (Rowohlt) 1976. – *Erich Kästner* Heinrich Heine und wir: ›Gesammelte Schriften‹, Bd. 5, S. 529. – *Hans Werner Richter* Mißbrauch der Legalität: ›Die Kultur‹, April 1956. – *Erklärung des PEN-Zentrums:* nach der Originalvorlage. – *Hans Werner Richter* Zur Bildung des ›Grünwalder Kreises‹: ›Die Kultur‹, März 1956. – *Bertolt Brecht* Offener Brief an den Deutschen Bundestag Bonn: ›Gesammelte Werke‹, Bd. 20, Zu Politik und Gesellschaft, S. 349. – *Peter Suhrkamp* Brief an von Brentano: ›Politische Studien‹, Heft 87, Juli 1957. – *Peter Rühmkorf* Und sie bewegt sich doch: ›Studentenkurier‹, Juli/August 1956; unter dem Pseudonym Johannes Fontara. – *Werner Riegel* Das Kalumet rauchen: ›Studentenkurier‹, Juli/August 1956; unter dem Pseudonym John Frieder.

Der Kampf gegen die Bombe

Stephan Hermlin Die Vögel und der Test: ›Gedichte und Prosa‹, Berlin (Wagenbach) 1965, S. 36; 1957 geschrieben. – *Göttinger Erklärung der Atomwissenschaftler:* nach Hans Karl Rupp ›Außerparlamentarische Opposition in der Ära Adenauer: Der Kampf gegen die Atombewaffnung in den fünfziger Jahren‹, Köln (Pahl-Rugenstein) 1970, S. 24. – *Kurt Hiller* Telegramm an Adenauer: ›Studentenkurier‹, Mai 1957. – *Peter Rühmkorf* Dämonokratie: ›Studentenkurier‹, Mai 1957. – *Ingeborg Bachmann* Freies Geleit: ›Werke‹, Bd. 1, München (Piper) 1978, S. 161; Erstsendung im SDR 14. 6. 1957. – *Frauen gegen Atombewaffnung:* nach ›Deutschen Universitätszeitung‹, November 1957. – *Hans Henny Jahnn* Thesen gegen Atomrüstung: ›Studentenkurier‹, September 1957. – *Resolution:* ›Studentenkurier‹, September 1957. – *Kampf dem Atomtod* und *Gegen die atomare Bewaffnung:* nach den Flugblättern. – *Hans Werner Richter* Schweigen bedeutet Mitschuld: ›Die Kultur‹, April 1958. – *Hans Henny Jahnn* Am Abgrund: ›Vorwärts‹, 25. 4. 1958. – *Erich Kästner* Neues vom Tage: Kästners Rede in ›Die Kultur‹, Mai 1958; das Epigramm am

Schluß der Rede auch in ›Gesammelte Schriften‹, Bd. 1, S. 285. – *Hans Magnus Enzensberger* Neue Vorschläge: ›Konkret‹, Juli 1958. – *Günther Weisenborn* Das Göttinger Manifest: Aus der ›Göttinger Kantate‹, Berlin (Arani) 1958. – *Robert Jungk* Die Treue zur Menschheit: ›Die Kultur‹, Februar 1959. – *Günther Anders* An den Studentenkongreß: ›Konkret‹, Januar 1959. – *Stefan Andres* Rede zum Ostermarsch: ›Konkret‹, April 1960. – *Wir werden nicht Ruhe geben . . .:* ›Konkret‹, September 1961.

Das Adenauer-Syndrom

Wolfdietrich Schnurre Was von uns hätte verhindert werden müssen: ›Schreibtisch unter freiem Himmel‹, Olten und Freiburg (Walter) 1964, S. 119; aus einem Vortrag ›An die Jugend Westdeutschlands‹, September 1963. – *Ernst Bloch* Zum Verbot der KPD: ›Aufbau‹, September 1956. – *Zwei Manifeste zum Aufstand in Ungarn 1956 mit Erklärungen:* ›Die Kultur‹, Dezember 1956. – *Hans Magnus Enzensberger* bildzeitung: ›Verteidigung der Wölfe‹, Frankfurt/Main (Suhrkamp) 1957. – *Peter Rühmkorf* Links liegen gelassen: ›Konkret‹, Februar 1958; unter dem Pseudonym Johannes Fontara. – *Christoph Meckel* Hymne: ›Nebelhörner‹, Stuttgart (DVA) 1959; entstanden 1958. – *Robert Jungk* Zur Wiederbelebung der sozialen Phantasie: ›Die Kultur‹, Januar 1959. – *Kasimir Edschmid* Zwei Monate im Jahr 1959: Aus ›Ich lebe in der Bundesrepublik‹, Hg. Wolfgang Weyrauch, München (List) 1960. – *Gerhard Zwerenz* Weder Gott noch Teufel: Aus dem Essayband ›Wider die deutschen Tabus‹, München (List) 1962, S. 90; geschrieben 1959. – *Wolfgang Koeppen* Wahn: ›Ich lebe in der Bundesrepublik‹, Hg. Wolfgang Weyrauch, München (List) 1960. – *Martin Walser* Skizze zu einem Vorwurf: ›Ich lebe in der Bundesrepublik‹, Hg. Wolfgang Weyrauch, München (List) 1960. – *Heinz von Cramer* Selbstkontrolle und Selbstzensur: ›Die Kultur‹, September 1960. – *Erklärungen zum ›Manifest der 121‹:* ›Die Kultur‹, Dezember 1960; der Text von *Friedrich Sieburg* in ›Frankfurter Allgemeine Zeitung‹, 15. 11. 1960. – *Für die Lehrfreiheit:* ›Konkret‹, November 1960. – *Gegen ein ›Adenauer-Fernsehen‹:* ›Konkret‹, Dezember 1960. – *Robert Neumann* Bei Nacht und Nebel, mit Erklärungen: ›Die Kultur‹, Februar 1960. – *Hans Magnus Enzensberger* Beschwerde: ›Einzelheiten‹, Frankfurt/Main (Suhrkamp) 1962, S. 203; geschrieben 1960.

Die Mauer durch Berlin

Rudolf Augstein Geht Berlin verloren?: ›Der Spiegel‹, 12. 7. 1961; unter dem Pseudonym Jens Daniel. – *Günter Grass/Wolfdietrich Schnurre* Offener Brief: ›Die Mauer oder Der 13. August‹, Hg. Hans Werner Richter, Reinbek (Rowohlt) 1961. – *Günter Grass* Brief an Anna Seghers: ›Die Zeit‹, 18. 8. 1961. – Die Antworten und Kommentare von *Stephan Hermlin, Franz Fühmann, Erwin Strittmatter, Bruno Apitz, Paul Wiens* und *Wolf Jobst Siedler, der Offene Brief an den Präsidenten der UNO* sowie die Polemiken von *Heinrich Böll* (auch in ›Werke‹, Essayistische Schriften und Reden, Bd. 1), *Peter Rühmkorf, Marcel Reich-Ranicki, Hans Magnus Enzensberger, Ernst Bloch* und *Walter Jens* nach ›Die Mauer‹, a. a. O., S. 471. – *Hans-Ulrich Klose* Mauer mit Schuß: ›Konkret‹, August 1962.

Ein Abgrund an Landesverrat

Martin Walser Wahlrede auf geliehenem Podest: ›Die Alternative oder Brauchen wir eine neue Regierung?‹, Hg. Martin Walser, Reinbek (Rowohlt) 1961. – *Siegfried Lenz* Die Politik der Entmutigung: ›Die Alternative oder Brauchen wir eine neue Regierung?‹, a. a. O. – *Christian Geissler* An alle Eichhörnchen: ›Konkret‹, März 1962. – *Umfrage zu den Notstandsgesetzen:* nach ›Konkret‹, November 1962. – *Manifest für den ›Spiegel‹:* nach ›Die Gruppe 47‹, Hg. Reinhard Lettau, Neuwied (Luchterhand) 1967, S. 458; im folgenden als ›Lettau, Gruppe 47‹ zitiert. – *Rudolf Krämer-Badoni* Narren der Nation?: ›Die Welt‹, 31. 10. 1962. – *Dieter Wellershof* ›Narren der Nation?‹: ›Die Welt‹, 10. 11. 1962. – *Hans Werner Richter* Die ›sogenannten militärischen Geheimnisse‹: nach dem Originaltext für dpa vom 7. 11. 1962. – *Telegramm des PEN-Zentrums:* nach der Originalvorlage. – *Kongreß ›Freiheit der Kultur‹* Telegramm an Lübke: nach dem Originaltext für dpa vom 10. 11.

1962. – *Martin Walser* Ja und Aber: ›Pardon‹, November 1962. – *Rudolf Augstein* Von der Verantwortung eines Ministers: ›Der Spiegel‹, 14. 11. 1962.

Formierte Gesellschaft

Oskar Maria Graf Was mich abhält zurückzukehren: nach Wolfgang Dietz/Helmut F. Pfanner ›Beschreibung eines Volksschriftstellers‹, München (Annedore Leber Verlag) 1974, S. 47; 1962 geschrieben. – *Erich Fried* Warum ich nicht in der Bundesrepublik lebe: Aus ›Ich lebe nicht in der Bundesrepublik‹, Hg. Hermann Kesten München (List) 1964. – *Johannes Bobrowski* Fortgeführte Überlegungen: ›Der Mahner‹, Berlin (Wagenbach) 1968; geschrieben 1962. – *Gerhard Zwerenz* Brief an Berliner Studenten: ›Wider die deutschen Tabus‹, a. a. O, S. 40. – *Arno Schmidt* Wahrheit?: ›Die Zeit‹, 19. 7. 1963. – *Günter Kunert* Interfragmentarium: ›Verkündigung des Wetters‹, München (Hanser) 1966. – *Alexander Abuschs* Anmerkungen: nach ›Der Sonntag‹, Heft 6, 1963. – *Franz Fühmann* Nicht alle Wege: ›Erfahrungen und Widersprüche‹, Frankfurt/Main (Suhrkamp) 1976, S. 5. – *Volker Braun* Über das Deutsche Gespräch zu Leipzig: ›Konkret‹, Januar 1965. – *Stephan Hermlin* Gegen den Dogmatismus: ›Lektüre‹, Frankfurt/Main (Suhrkamp) 1974. – *Erklärung zum Krieg in Vietnam* Lettau, ›Gruppe 47‹, a. a. O., S. 459. – *Peter Weiss* Notwendige Entscheidung: ›Rapporte 2‹, Frankfurt/Main (Suhrkamp) 1971; unter dem Titel ›Zehn Arbeitspunkte eines Autors in der geteilten Welt‹ zuerst in ›Dagens Nyheter‹, Stockholm, 1. 9. 1965. – *Christian Geissler* Generale: ›Konkret‹, Oktober 1965. – *Gabriele Wohmann* Wörter mit Temperatur: in ›Gegen den Tod. Stimmen deutscher Schriftsteller gegen die Atombombe‹, Hg. Gudrun Ensslin/Bernward Vesper-Triangel, Stuttgart-Bad Cannstatt (studio Stuttgart) 1965, S. 103. – *Günter Grass* Gesamtdeutscher März: ›Ausgefragt‹, Gedichte, Neuwied (Luchterhand) 1967; zuerst in ›Plädoyer für eine neue Regierung oder Keine Alternative‹, Hg. Hans Werner Richter, Reinbek (Rowohlt) 1965. – *Helmut Heissenbüttel* Ödipuskomplex: ›Plädoyer für eine neue Regierung‹, a. a. O. – *Robert Havemann* Nach zwanzig Jahren: ›Plädoyer für eine neue Regierung‹, a. a. O. – *Peter Weiss* Unter dem Hirseberg: ›Plädoyer für eine neue Regierung‹, a. a. O., danach in ›Rapporte 2‹, Frankfurt/Main (Suhrkamp) 1971, S. 7. – *Hubert Fichte* Gewitzheit oder moralischer Mut: in ›Plädoyer für eine neue Regierung‹, a. a. O. – *Rolf Hochhuth* Klassenkampf: in ›Plädoyer für eine neue Regierung‹, a. a. O. – *Ludwig Erhards* Sprüche nach ›Der Spiegel‹ 21. 7. 1965. – *Erklärung zur Bundestagswahl 1965:* nach ›Konkret‹, Juli 1965. – ›*Wahlkontor deutscher Schriftsteller*‹: nach einem vom ehemaligen Leiter des Wahlkontors, Klaus Roehler, aufbewahrten und dem ehemaligen Schatzmeister des Wahlkontors, Klaus Wagenbach, freundlicherweise zur Verfügung gestellten Leitz-Ordner.

Bananenrepublik?

Ulrike Marie Meinhof Vietnam und Deutschland: ›Konkret‹, Januar 1966. – *Wolfgang Neuss u. a.* Aufruf: nach ›Freie Universität Berlin‹, Dokumentation, Berlin (FU Berlin) 1975, Teil IV, S. 55. – *Wolfgang Neuss/Peter Weiss* Gespräch über die Wiedervereinigung: ›Konkret‹, April 1966. – *Erich Fried* Gleichheit Brüderlichkeit: Aus ›und Vietnam und‹, Berlin (Wagenbach) 1966. – *Martin Walser* Praktiker, Weltfremde und Vietnam: ›Kursbuch‹ 9 (1967). – *Walter Jens* Der Schriftsteller und die Politik: Aus ›Schnittpunkte‹, Hg. Dieter Hildebrandt, Berlin(Propyläen) 1966, S. 147. – *Hans Magnus Enzensberger* Notstand: ›Notstand der Demokratie. Materialien zum Kongreß vom 30. 10. 1966‹, Frankfurt/Main (EVA) 1967, S. 188. – *Ernst Bloch* Rede gegen die Notstandsgesetze: ›Notstand der Demokratie‹, a. a. O., S. 185. – *Heinrich Böll* Die Freiheit der Kunst: ›Die Zeit‹, 30. 9. 1966; in ›Gesammelte Werke‹, Essayistische Schriften und Reden II, S. 288. – *Peter Brückner* Zur Eröffnung des Republikanischen Clubs: nach dem Originalmanuskript. – *Uwe Johnson* Über eine Haltung des Protestierens: zuerst in ›Kursbuch‹ 9 (1967), danach in ›Berliner Sachen‹, Frankfurt/Main (Suhrkamp) 1975, S. 95. – *Peter Härtling* Helmut Schmidt: ›Schriftsteller testen Politikertexte‹, München (Scherz) 1967, S. 89. – *Peter Schneider* Kein Verkehr: aus der ›Rede an die deutschen Leser und ihre Schriftsteller‹ in ›Ansprachen‹, Berlin (Wagenbach) 1970. – *Reinhard Lettau* Von der Servilität der Presse: nach ›Tintenfisch 1‹, Hg. Michael Krüger/Klaus Wagenbach, Berlin (Wagenbach) 1968, S. 10.

Außerparlamentarische Opposition

Erklärung zum Tod von Benno Ohnesorg: nach ›Der 2. Juni‹, Köln (Pahl-Rugenstein) 1967, S. 94. – *Christian Geissler* Rede in München: ›Der 2. Juni‹, a. a. O., S. 83. – *Peter Handke* Bemerkungen zu einem Gerichtsurteil: ›Ich bin ein Bewohner des Elfenbeinturms‹, Frankfurt/Main (Suhrkamp) 1972, S. 161. – *Günter Grass* Faschistische Methoden: ›Günter Grass – Dokumente zur politischen Wirkung‹, Hg. Heinz Ludwig Arnold/Franz Josef Görtz, München (Edition Text und Kritik) 1971, S. 331, unter dem Titel: ›Erklärung in der Sendung Panorama‹. – *Gegen das Monopol von Axel Springer:* nach ›Tintenfisch 1‹, a. a. O., S. 94. – *Günter Eich* Sammlerglück: zuerst in ›Tintenfisch 1‹, danach in ›Maulwürfe‹, Frankfurt/Main (Suhrkamp) 1968. – *Günter Bruno Fuchs* Vorfälle in der Innenstadt: ›Zwischen Kopf und Kragen‹, Berlin (Wagenbach) 1967. – *Kommune I* Flugblatt: in ›Freie Universität Berlin‹, Dokumentation, Hg. Fichter/Lönnendonker, Berlin (FU Berlin) 1975, S. 442. – Die Erklärungen von *Alexander Kluge* und *Peter Szondi* sind nach dem Original zitiert, die Erklärung *Reinhard Baumgarts* wurde – mit einiger Verspätung – als Leserbrief in der ›Süddeutschen Zeitung‹ vom 18. 1. 1971 abgedruckt. – *Marie Luise Kaschnitz* Brandsatz: ›Steht noch dahin‹, Frankfurt/Main (Insel) 1971. – *Hans Magnus Enzensberger* Klare Entscheidungen: ›Über Hans Magnus Enzensberger‹, Hg. Joachim Schickel, Frankfurt/Main (Suhrkamp) 1970, S. 225. – Die Antworten von *Jürgen Becker, Paul Celan, Erich Fried, Günter Grass, Helmut Heissenbüttel, Günter Herburger, Rolf Hochhuth, Reinhard Lettau und Martin Walser* erschienen in einer ›Spiegel-Dokumentation‹, Hg. Walter Busse, Hamburg 1968. – *Zur Internationalen Vietnam-Konferenz:* ›Der Kampf des vietnamesischen Volkes und die Globalstrategie des Imperialismus‹, Berlin (Internationales Nachrichten- und Forschungsinstitut – INFI) 1968: ebenso die Rede von *Erich Fried.* – *Günter Grass* Menschenjagd: ›Blickpunkt‹, März 1968. – *Nicolas Born* Berliner Para-Phrasen: ›Wo mir der Kopf steht‹, Köln (Kiepenheuer & Witsch) 1970; geschrieben 1968. – *Appell an den Berliner Senat:* ›Die Zeit‹, 8. 3. 1968. – *Wolf Biermann* Drei Kugeln auf Rudi Dutschke: ›Mit Marx- und Engelszungen‹, Berlin (Wagenbach) 1968, S. 73. – *Ingeborg Drewitz* Telegramm nach der Originalvorlage.

Mehr Demokratie wagen?

Rolf Hochhuth Die Sprache der Sozialdemokraten: ›Krieg und Klassenkrieg‹, Reinbek (Rowohlt) 1971, S. 130. – *Erklärung gegen die ›Vorbeugehaft‹:* nach einem Flugblatt. – *Luise Rinser* Wir haben schon einmal geschlafen: ›Deutsche Volkszeitung‹, 12. 7. 1968. – *Peter Handke* Monopol-Sozialismus: ›Ich bin ein Bewohner des Elfenbeinturms‹, Frankfurt/Main (Suhrkamp) 1972, S. 163; geschrieben 1968. – *Volker von Törne* Lied vom Terroristen Karl Heinz Pawla: ›Tintenfisch 2‹, Hg. Michael Krüger/Klaus Wagenbach, Berlin (Wagenbach) 1969, S. 43; danach in Volker von Törne ›Kopfüberhals‹, Berlin (Wagenbach) 1979, S. 21. – *Heinrich Böll* Blumen für Beate Klarsfeld: ›Die Zeit‹, 10. 1. 1969; danach in ›Gesammelte Werke‹, Essavistische Schriften und Reden II, a. a. O., S. 345. – *Günter Grass* Prügelgewohnte SPD: ›Stuttgarter Nachrichten‹, 10. 5. 1969. – *Heinrich Böll* Einigkeit der Einzelgänger: ›Süddeutsche Zeitung‹, 23. 11. 1970; danach ›Gesammelte Werke‹, Essayistische Schriften und Reden II, a. a. O., S. 482. – *Siegfried Lenz* Verlorenes Land: nach einer Broschüre, die uns der Autor zur Verfügung stellte. – *PEN-Zentrum* Erklärung zu den Ostverträgen: nach der Originalvorlage. – *Kollegendiskussion: Günter Grass* in ›Süddeutsche Zeitung‹, 30. 4. 1971; *Heinar Kipphardt:* ›Süddeutsche Zeitung‹, 10. 5. 1971. – *Gerhard Zwerenz* Der Herr will wieder Blut fließen sehen: Leserbrief in ›Frankfurter Rundschau‹, 27. 10. 1971. – *Günter Wallraff* Die Wirklichkeit hinter Fabrikmauern: ›Die Tabus der bundesdeutschen Presse‹, Hg. Eckart Spoo, München (Hanser) 1971.

Radikale im öffentlichen Dienst

Heinrich Böll Freies Geleit für Ulrike Meinhof?: Zuerst in ›Der Spiegel‹, 10. 1.

1972, danach in ›Gesammelte Werke‹, Essayistische Schriften und Reden II, a. a. O., S. 542. – *Solidarität mit Heinrich Böll:* nach ›Basler Nationalzeitung‹, 10. 7. 1972. – *Gegen den* ›*Radikalenerlaß‹:* nach der Originalvorlage. – *Erich Fried* Deutsche Volksfahndung 1972: ›Die Freiheit den Mund aufzumachen‹, Berlin (Wagenbach) 1972. – *An das Präsidium des Bundestages:* ›Frankfurter Rundschau‹, 14. 6. 1972. – *Hellmut Gollwitzer* Lehrstück Chile: ›Tintenfisch 7‹, Hg. Michael Krüger/Klaus Wagenbach, Berlin (Wagenbach) 1974, S. 33. – *Martin Walser* Offener Brief an Erich Honecker: ›Der Spiegel‹, 13. 5. 1974. – *Walter Jens* Wir Extremisten: ›Die Zeit‹, 23. 11. 1974, danach ›Republikanische Reden‹, München (Kindler) 1976, S. 76. – *Peter Schneider* Ein Gedächtnisprotokoll: nach den Aufzeichnungen des Autors. – *Heinrich Böll* Radikale und Extremisten: ›VS Vertraulich‹, Hg. Bernt Engelmann, München (Goldmann) 1978, S. 184 und ›Gesammelte Werke‹, Essayistische Schriften und Reden III, a. a. O., S. 318, unter dem Titel: ›Stimme aus dem Untergrund‹. – *Hermann Peter Piwitt* Die Basis des Überbaus der Basis: ›Boccherini und andere Bürgerpflichten‹, Reinbek (Rowohlt) 1976, S. 11. – *Alfred Andersch* Artikel 3 (3): ›Empört Euch, der Himmel ist blau‹, Zürich (Diogenes) 1977. – *Peter Paul Zahl* Im Namen des Volkes: ›Alle Türen offen‹, Berlin (Rotbuch) 1977. – *Erich Frieds* Anmerkung zum Urteil gegen P. P. Zahl: Am Beispiel P. P. Zahl, Hg. Initiativgruppe P. P. Zahl, Frankfurt (SOVA), o. J. – *Bernt Engelmanns* Brief an die Justizministerin des Landes Nordrhein-Westfalen: in ›VS-Vertraulich‹, Bd. 2, a. a. O., S. 50. – *PEN-Zentrum* Zum Datenschutz: nach der Originalvorlage. – *Günter Grass* Denkzettel nach der Wahl: ›Denkzettel‹, Neuwied (Luchterhand) 1978, S. 225. – *Arnfrid Astel* Keine Wanze: ›Neues (& altes) vom Rechtsstaat & von mir‹, Frankfurt/Main (2001) 1978, S. 130. – *Gegen die Ausbürgerung Wolf Biermanns:* ›Frankfurter Rundschau‹, 23. 11. 1976; die Erklärung von *Peter Weiss,* in ›Frankfurter Allgemeine Zeitung‹, 19. 11. 1976. – *Rolf Schneider* Bilanz der ›Kultur-Affairen‹ der DDR: ›Die Zeit‹, 23. 2. 1979.

Der knirschende Sand im Getriebe

Alfred Andersch Welche Aufgaben hat der Schriftsteller heute?: ›Neue Deutsche Literatur‹, März 1977. – *Günter Kunert* Wahrheit, Abstriche, Flugsand: ›Die Zeit‹, 5. 8. 1977, Titel vom Hg. – *Heiner Müller* Aus einer Rezension des Buches ›Kargo‹ von Thomas Brasch, in ›Der Spiegel‹, 19. 9. 1977. – *An die Entführer von Hanns Martin Schleyer:* nach ›Frankfurter Rundschau‹, 12. 9. 1977. – *Bernt Engelmann* Noch ist dies auch unsere Republik: ›VS – Vertraulich‹, a. a. O., S. 101; unter dem Titel ›Den Nutznießern des Terrors die Suppe versalzen‹. – *Ingeborg Drewitz* Wider die Unausrottbarkeit der Folter: nach dem uns von der Autorin zur Verfügung gestellten Originalmanuskript. – *Max Frisch* Wie unschuldig sind wir?: in ›VS – Vertraulich‹, Bd. 2, a. a. O., S. 141, unter dem Titel ›Die Zukunft gehört der Angst‹. – *Keine Atommülldeponie in Gorleben:* nach einem Flugblatt. – *Aufruf der Aktion 18. März Nationalfeiertag:* nach einem Informationsblatt der ›Aktion 18. März Nationalfeiertag in beiden deutschen Staaten. Schirmherrschaft Ingeborg Drewitz und Heinrich Albertz‹, Berlin 1978. – *Max von der Grün* 1978: ›Max von der Grün. Materialienbuch‹, Hg. Stephan Reinhardt, Neuwied (Luchterhand) 1978, S. 29. – *Aufruf zur Unterstützung des Russell-Tribunals:* Anzeige in der ›Frankfurter Rundschau‹, 29. 3. 1978. – *Antworten auf die Umfrage zur Verjährung von NS-Verbrechen:* aus einer Broschüre des ›Pressedienst Demokratische Initiative‹, München 1979. – *Klaus Stiller* Von der falschen Meinung: ›Tintenfisch 15‹, Hg. Hans Christoph Buch, Berlin (Wagenbach) 1978, S. 106. – *Walter Jens* Zur Verurteilung der Agit-Drucker: ›Stern‹, 15. 3. 1979. – *Christian Geissler* Zu den Haftbedingungen der politischen Gefangenen: Rede in Hamburg 1978, nach dem Manuskript. – *Stephan Hermlin* In den Kämpfen dieser Zeit: ›Tintenfisch 14‹, Hg. Michael Krüger, Berlin (Wagenbach) 1978, S. 32. – *Robert Jungk* Der Atomstaat: aus dem Vorwort zu Jungks gleichnamigem Buch, München (Kindler) 1977.

Quarthefte

Das Quartheft 100 macht eine Ausnahme vom Prinzip der Quarthefte, nur *Erstausgaben* zeitgenössischer Literatur zu veröffentlichen; es ist *auch* als Dank an die Leser und Freunde der Quarthefte gedacht. Der folgende Katalog gibt einen Überblick über die lieferbaren Titel.

Kurt Wolff *Autoren/Bücher/Abenteuer. Erinnerungen eines Verlegers*
Wie kommen Verleger und Autoren zusammen? Und wie kommen sie auseinander? Abenteuer des Verlegens. Mit Daten und Bibliographie.
»Schönste und sachlichste postume Hommage à Wolff.«   *FAZ*
Quartheft 1. Mit Abbildungen. 120 Seiten, DM 7.80

Christoph Meckel *Tullipan. Erzählung*
Tullipan, eine Kunstfigur, besucht seinen Erfinder, nimmt, was er braucht, besetzt ein Scheißhaus, feiert Feste und verschwindet.
»Die Frage nach der Verantwortung des Schriftstellers gegenüber seinen Empfindungen und gegenüber der Gesellschaft ist in der gegenwärtigen Dichtung selten in eine so konsequente und überzeugende poetische Allegorie gebracht worden.«   *Die Zeit*
Quartheft 2. Mit zwei Zeichnungen des Autors. 84 Seiten, DM 7.80

Ingeborg Bachmann *Ein Ort für Zufälle. Prosa*
Der Bericht über die Zufälle in einer beschädigten Stadt: Berlin.
»Eine geistige Ortsbestimmung ersten Ranges.«   *Die Bücherkommentare*
Quartheft 6. Mit 13 Zeichnungen von Günter Grass. 72 Seiten, DM 7.80

Stephan Hermlin *Gedichte und Prosa*
Eine Auswahl aus dem Werk des DDR-Schriftstellers: 17 Balladen und Gedichte sowie die Erzählungen »Die Zeit der Einsamkeit« und »Arkadien«.
»Es kann kein Zweifel bestehen, daß wir es mit wichtigen Dokumenten der deutschen Literatur zwischen 1945 und 1950 zu tun haben. Für diese das Frühwerk in den Vordergrund stellende Auswahl dürfen wir Wagenbach dankbar sein.«   *Die Zeit*
Quartheft 8. Mit einer Zeichnung von Hans Erni. 84 Seiten, DM 7.80

Erich Fried *und Vietnam und. 41 Gedichte*
Gedichte gegen einen Krieg im Namen der Freiheit.
»Hier kann das von den Meinungstrusts zum Analphabeten zweiten Grades herabgewürdigte Landeskind zum zweiten Male das Lesen lernen.«   *Peter Rühmkorf*
Quartheft 14. 72 Seiten, DM 9.80

Stephan Hermlin *Zeit der Gemeinsamkeit / In einer besseren Welt*
Eine Erzählung über den Warschauer Gettoaufstand und ein Nekrolog auf den verratenen Widerstandskämpfer Hermann R.
»Die schönste deutsche Prosa seit Jahren. Hat man sich einmal der Ausdruckskraft und Strenge des Hermlinschen Stils gefügt, kann man sich auch nicht mehr den Inhalten seiner Kunst verschließen.«   *National-Zeitung Basel*
Quartheft 16. Zwei Erzählungen. 72 Seiten, DM 7.80

Johannes Bobrowski *Wetterzeichen. Gedichte*
Der dritte Lyrikband des DDR-Schriftstellers: Gedichte aus den Jahren 1956-1965, darunter auch die, denen die »Gruppe 47« ihren Preis verlieh.
»Wieder überzeugt die Verbindung von detailgenauer Bildhaftigkeit und einer strengen, harten Sprache, die Verbindung einer ebenso realistischen wie zeichenhaft-symbolischen Bildwelt mit einer alle Allgemeinheiten und Ungenauigkeiten erstickenden Verfügung.«   *Hessischer Rundfunk*
Quartheft 19. Mit einem Faksimile. 84 Seiten, DM 9.80

Giorgio Manganelli *Niederauffahrt*

Aus dem Italienischen von Toni Kienlechner
Eines der großen Bücher der gegenwärtigen italienischen Literatur: Ein Monolog über die absteigende Natur des Menschen, Entrückungen und Abschiede.
»Der begabteste, finsterste und geheimnisvollste Autor der jungen italienischen Literatur.« *Die Weltwoche*
»Ein Hadesbuch für Unerschrockene, denen Alptraumpoesie eine schlaflose Nacht wert ist.« *Süddeutsche Zeitung*
Quartheft 20/21. Prosa. 144 Seiten, DM 9.80

Walter Höllerer/Renate von Mangoldt *Außerhalb der Saison*

Poeme und Fotos zur Unzeit über die Grundlage allen Bierdurstes: Hopfengärten im Winter.
»Im Gerüst der Hopfenstangen wird das Gerippe unseres demokratischen Systems transparent. Konsequent zielt Höllerer auf den Gitter- und Gefängnischarakter unserer Ordnung. Ausgezeichnet die Fotos von Renate von Mangoldt.« *Tagebuch Wien*
Quartheft 24. Drei Gedichte und neunzehn Fotos. 72 Seiten, DM 7.80

Jakov Lind *Angst und Hunger. Zwei Hörspiele*

Vom Zwitscherer, der zu wenig fragt und nacheinander seinen Körper verliert, und vom großen Fresser Karnak, den der Tod zum gewöhnlichen Esser macht.
»Der Schock, den Angst und Hunger hinterlassen, ist heilsam vor allem in Hinblick auf eine Hörspielästhetik, die ihre Aufgabe darin zu sehen scheint, den Hörer zum Träumen im Dämmerschein statt zum Staunen und Nachdenken zu bringen.« *FAZ*
Quartheft 26. 72 Seiten, DM 7.80

Tintenfisch 1 *Jahrbuch für Literatur 1968*

Herausgegeben von Michael Krüger und Klaus Wagenbach. – Aus dem Inhalt: Reinhard Lettau, Von der Servilität der Presse. Peter Rühmkorf, Das Gedicht als Lügendetektor. Peter Bichsel, Des Schweizers Schweiz. Hans Magnus Enzensberger, Rede vom Heizer Hieronymus. Erklärung deutscher Schriftsteller zu Springer. Hans Christoph Buch, striptease. Uwe Johnson, Über eine Haltung des Protestierens. Peter Handke, ratschläge für einen amoklauf. Wolfdietrich Schnurre, Eine Berichtigung. Otto Jägersberg, Die Beerdigung eines alten Rheinländers.
»Eine rundum gelungene Ernte, die Herausgeber dokumentieren nicht nur das Engagement der Literaten, sondern zugleich, was es bedingt: den gesellschaftlichen Gesamtzustand.« *Der Spiegel*
Quartheft 27. Mit Bibliografie aller Erstdrucke. 120 Seiten, DM 9.80

Marina Zwetajewa *Gedichte*

Aus dem Russischen von Christa Reinig. – Die erste deutsche Ausgabe der schon früh von Achmatowa, Mandelstam und Pasternak anerkannten großen russischen Autorin (1892-1941).
»Wagenbach fand in Christa Reinig eine sehr gute Interpretin. Eine Übertragung, welche die Essenz des Originals bewahrt. Diese Gedichte zeigen die souveräne Sprachbehandlung, die formale Kühnheit, die lyrische Ausdruckskraft, die sensible Verwundbarkeit der Künstlerin, ihre fast visionäre Phantasie.« *Hess. Rundfunk*
Quartheft 28. 72 Seiten, DM 7.80

Johannes Bobrowski *Der Mahner. Prosa aus dem Nachlaß*

Acht Erzählungen aus den letzten Lebensjahren und drei kurze Betrachtungen über Städtebau, Deutschland und über Kommunismus und Antikommunismus.
»Johannes Bobrowski: Unerkannt noch vom großen Publikum in seinem doppelten Vaterland und doch ein Autor von Weltniveau.« *Het Parool*
Quartheft 29. Mit Anmerkungen. 72 Seiten, DM 7.80

Volker von Törne *Wolfspelz. Gedichte, Lieder, Montagen*
40 Gedichte und ein Poem: vom braven Mann, von Wilhelm Weitling, Hölderlin und
Fritz Teufel. Erinnerungen an Oberlehrer, Lieder beim Zeitungslesen.
»Ohne gelehrte oder geheimnisvolle Attitüde, deutlich, gelegentlich drastisch, an
Rede und Redensartlichem orientiert; sehr lesenswert.« *Bücherei u. Bildung*
Quartheft 30. Mit Graphiken von Peter Schwandt. 72 Seiten, DM 7.80

Wolf Biermann *Mit Marx- und Engelszungen. Gedichte und Lieder*
37 Texte in vier Abteilungen: Gedichte, Hetzlieder gegen den Krieg und Lobpreisung
des Friedens; Von mir und meiner Dicken; Balladen und Lieder.
»In der Mischung der Sprachebenen hat Biermann heute in der deutschen Literatur
kaum seinesgleichen. Vulgäres Geschimpfe und hohe Satire, Tradition der politischen
Rhetorik und Tonfall der – scheinbar – gemütlichen Kneipenfrieden.« *Süddt. Zeitg.*
Quartheft 31. Mit Noten zu allen Liedern. 84 Seiten, DM 9.80

Johannes Schenk *Zwiebeln und Präsidenten. Gedichte*
Melancholische und lustige Gedichte über Freunde ohne Dach, Ecken und den merk-
würdigen Zustand »Viel zu tun«.
»An den politischen Themen bewährt sich Schenks vollkommen sinnliche Schreib-
weise am deutlichsten: das wird nie abstrakte Argumentation, bleibt immer Geschichte.« *Abendzeitung*
Quartheft 33. 60 Seiten, DM 7.80

Christoph Meckel *Eine Seite aus dem Paradiesbuch. Hörspiel*
Träume in einem Haus am Meer: Von einer Familie, der verrückten Tante, dem apo-
kalyptischen Kutscher, Postschiff und Mister Overdrive im Schornstein.
»Diese Gedanken- und Wortspiele kommen unverkrampft und leicht daher, nicht zu
vergessen das Quentchen Selbstironie, das der Phantasiewelt Meckels schon seit je
so überaus gut gestanden hat.« *FAZ*
Quartheft 36. Mit vier Zeichnungen des Autors. 72 Seiten, DM 7.80

Tintenfisch 3 *Jahrbuch für Literatur 1970*
Herausgegeben von Michael Krüger und Klaus Wagenbach. – Aus dem Inhalt: Heinz
Kahlau, Für Heiterkeit. Thomas Bernhard, Drei Ereignisse. Reinhard Baumgart,
Sechs Thesen über Literatur und Politik. Peter Schneider, Brief an die herrschende
Klasse. Peter O. Chotjewitz, Vom gemachten und ungemachten Mann. Peter Handke,
Die Tautologien der Justiz. Christian Enzensberger, Zwei Diskurse über eine neue
Philologie. Wolf Biermann, So soll es sein.
»Ein vorzüglich zusammengestellter Band, der dem Leser nicht feindlich gegenüber-
tritt, sondern sein kritisches Vermögen in Bewegung setzen will.« *NDR*
Quartheft 39. Mit Bibliografie aller Erstdrucke. 120 Seiten, DM 9.80

Giorgio Manganelli *Omegabet. Prosa*
Aus dem Italienischen von Toni Kienlechner. Ein Manual, mit allen Möglichkeiten des
Reisens und allen Daten eines zum Tode führenden Labyrinths.
»Es gibt eine Grenze des Denkens, wo das Denken seinen Ernst nicht mehr erträgt.
An dieser Grenze beginnt Manganellis unernster Kommentar.« *Frankfurter Hefte*
Quartheft 40/41. 132 Seiten, DM 9.80

Stephan Hermlin *Scardanelli. Ein Hörspiel*
Ein »Studiosus mit falschem Freiheitssinn«, der sich »eine schönere Gesellschaft als
nur die ehern-bürgerliche« vorstellen kann, geht fort von den Leuten.
»Hermlin stellt sich die Frage: Was muß einem Menschen zustoßen, daß er in einen
solchen Zustand der geistigen Regression zurückfällt? Der Grundkonflikt ist der Zu-
sammenprall eines kritischen Bewußtseins mit der herrschenden Unfreiheit.« *Frankfurter Rundschau*
Quartheft 42. Frontispiz von J. G. Schreiner. 60 Seiten, DM 7.80

Aimé Césaire   *Ein Sturm. Stück für ein schwarzes Theater*

Césaire verwendet den Stoff Shakespeares als politisches Material: Prospero, der Weiße, nimmt sich das Land des schwarzen Caliban.

»Aus dem exotisch bunten und streckenweise auch ein wenig wirren Traumspiel Shakespeares wird durch Césaire ein finsterer Alptraum; das unbeschwerte Märchen verwandelt sich in ein höchst zeitgemäßes Lehrstück.« *Frankfurter Rundschau* Quartheft 43. Aus dem Französischen von Monika Kind. 72 Seiten, DM 7.80

Wolf Biermann   *Der Dra-Dra. Die große Drachentöterschau*

Die alte Geschichte vom Drachen, mit viel Theaterklamauk: Ja-Schreier und Duckmäuser, Stadtschützer und innere Emigranten. Dem Helden, einem gewissen Folk, bleiben nur die Tiere als Mitkämpfer, und die proletarische List. Quartheft 45/46. Noten und Illustrationen. 144 Seiten, DM 14.80

Tintenfisch 4   *Jahrbuch für Literatur 1971*

Herausgegeben von Michael Krüger und Klaus Wagenbach. – Aus dem Inhalt: Martin Walser, Kapitalismus gegen Demokratie. Hermann Peter Piwitt, Frühschoppen. Günter B. Fuchs, Reiseplan für Westberliner. Bernd Jentzsch, Es poltert. Klaus Meschkat, Wie zeitgemäß ist Lenin? Volker Braun, Fragen eines Arbeiters während der Revolution. Franz J. Degenhardt, Verteidigung eines Sozialdemokraten vorm Fabriktor.

»Der Tintenfisch spiegelt seit 1968 die Strömungen einer Literatur, die sich als Alternative zur Freizeitkultur betrachtet. Ursprünglich aus einer Mangelsituation begründet, ist der Anspruch des Tintenfisches immer dezidierter politisch geworden.« *Frankfurter Rundschau* Quartheft 49. Mit Bibliografie aller Erstausgaben. 120 Seiten, DM 9.80

Kurt Bartsch   *Die Lachmaschine. Gedichte, Songs, Prosafragment*

Gedichte aus der DDR, die Spaß machen, kurz sind und verständlich: ihr Klassenbewußtsein ist bodenständig. – Das Prosafragment »Wadzek« handelt von einem neuerlichen Gang über den Alexanderplatz in Ostberlin. Quartheft 50. Mit einer Zeichnung des Autors. 72 Seiten, DM 7.80

Hartmut Lange   *Die Ermordung des Aias. Ein Diskurs*

Dieses Parabelstück setzt die Auseinandersetzung zwischen Erben und Epigonen der russischen Revolution vor den Toren Trojas fort: Aias (Trotzki) und Odysseus (Stalin) streiten um die Waffen des toten Achill (Lenin) und um die Strategie, mit der Troja, die Festung des Kapitals, erobert werden soll. Quartheft 51. 72 Seiten, DM 7.80

Benno Meyer-Wehlack   *Modderkrebse. Stück über einen Bau*

Über diejenigen, die im letzten Dreck stecken. Nicht »krasse Mißstände« werden beschrieben, sondern die gewöhnliche Maloche auf dem Bau.

»Die Beschränkung des Stückes, das Vermeiden von privatistischen oder privat-psychologischen Querelen zentrieren das Ganze auf jene Informationen, die als allgemein verbindliche Handhabung in den Arbeitsauseinandersetzungen zur Geltung kommen könnten.« *FAZ* Quartheft 52. Mitarbeit Irena Vrkljan. 72 Seiten, DM 7.80

Floh de Cologne   *Profitgeier und andere Vögel. Agitationstexte*

Das Textbuch der bekanntesten politischen Beat-Gruppe der Bundesrepublik.

»Der extremen Formen der Propaganda verpflichtete Band sucht sich jedes Blatt vom Mund fernzuhalten.« *Mitteilungen des deutschen Germanistenverbandes* Quartheft 53. Mit zahlreichen Abbildungen. 84 Seiten, DM 7.80

Peter Rühmkorf   *Lombard gibt den Letzten. Theaterstück*

Wirtschaftlicher Konkurrenzkampf am Beispiel zweier Gastwirte: »Gipfel-Willy« kontra »Ritzen-Kurt« – Bergetablissement und Talkneipe auf der Ebene des Profits. »In dem Schauspiel geht es um das ›Wirtschaftsleben‹, wenn auch nicht ums klassische. Das Stück enthält eine Reihe prachtvoller Rollen und stellt Peter Rühmkorfs Fähigkeit zu pointiertem Dialog unter Beweis.«   *Westdeutscher Rundfunk*
Quartheft 54. 84 Seiten, DM 7.80

Tintenfisch 5   *Jahrbuch für Literatur 1972*

Herausgegeben von Michael Krüger und Klaus Wagenbach. – Aus dem Inhalt: Heinrich Böll, Gewalt durch Information. Günter Wallraff, Schwierigkeiten beim Veröffentlichen der Wahrheit hinter Fabrikmauern. Walter Kempowski, 1944. Peter Rühmkorf, 1945. Helga M. Novak, Palisaden. F. C. Delius, Helmut Horten. Rolf Hochhuth, 800 000 Obdachlose. Günter Kunert, In Erwägung dessen.
»Dieses Buch ist parteiisch und macht keinen Hehl daraus, es läßt auch Autoren zu Wort kommen, die anderswo kein Forum mehr finden.«   *Hessischer Rundfunk*
Quartheft 55. Mit Bibliografie aller Erstausgaben. 120 Seiten, DM 9.80

Klaus Stiller   *Tagebuch eines Weihbischofs. Prosa*

Das erfundene Tagebuch eines deutschen katholischen Mannes, der als Offizier in Hitlers Armee Befehle zur Geiselerschießung weitergab und nach dem Krieg Weihbischof wurde: Ein Wegweiser in den Untergrund katholischer Glaubenspraxis.
»Ein Protokoll der Irrationalismen zwischen Glauben und tatsächlichem Verhalten, Ideologie und Selbstbewußtsein.«   *Die Zeit*
Quartheft 56. Mit Zeitungsfaksimiles. 84 Seiten, DM 7.80

Wolfgang Deichsel   *Frankenstein. Aus dem Leben der Angestellten*

In diesen 57 Szenen über die Normalität geht es dem bürgerlichen Heldenleben an den Kopf. Frankenstein heute, das heißt: An den Leuten wird so lange gedreht, bis sie durchdrehen: sie werden so lange ab- und angestellt, bis sie begeistert auf das Fieberthermometer des Kapitalismus starren.
»›Sie können denken was sie wollen, sie denken doch nicht, was sie wollen‹: Der parierende Mensch in der Zwangsjacke der Gesellschaft.«   *Frankfurter Rundschau*
Quartheft 57. Mit Abbildungen. 80 Seiten, DM 9.80

Erich Fried   *Die Freiheit den Mund aufzumachen. Gedichte*

Gedichte von der Freiheit weniger im allgemeinen als im Einzelfall: Wer hat die Freiheit, was wievielen Leuten zu sagen.
»Fried kennt seine bescheidenen Möglichkeiten, die Dinge unserer Welt bessern zu können: Das macht ihn sehr sympathisch.«   *Westdeutsche Allgemeine*
Quartheft 58. 72 Seiten, DM 9.80

Wolf Biermann   *Für meine Genossen. Hetzlieder, Gedichte, Balladen*

Der dritte Gedichtband Biermanns, geordnet nach Kategorien des Strafgesetzbuches.
»Gedichte eines frei und kritisch nach Ost und West blickenden Kommunisten, Lieder von großer Bitterkeit und großer Hoffnung.«   *Evangelischer Buchberater*
Quartheft 62. Mit Noten für alle Lieder. 96 Seiten, DM 9.80

Wolf Biermann   *Deutschland. Ein Wintermärchen. Poem*

400 Strophen mit und ohne Heine. Biermanns Reise geht von Ost Oben nach West Unten: Vom Bahnhof Friedrichstraße an Mutters Küchentisch, von der Neuen Wache in die Hamburger Kanalisation.
»Dialektische Lyrik ist der Begriff, der Biermanns Lieder am besten bezeichnet. Es handelt sich um eine Dialektik, die in allem, was existiert, den Widerspruch entdeckt, und aus diesem Widerspruch lebt.«   *FAZ*
Quartheft 63. Mit Noten. 72 Seiten, DM 9.80

Gustav Ernst *Am Kehlkopf. Vier Geschichten und ein Stück*

Beispiele einer neuen Literatur, die politische Entschiedenheit mit sprachlicher Schönheit verbindet. Ernst beschreibt die widersprüchlichen Beziehungen zwischen Unterdrückern und Unterdrückten, ordentlichen und gemeinen Leuten.

»Entfremdung führt Ernst mit seinem ersten Prosastück dieses Bandes vor. Dieses Stück Prosa gehört wohl sprachlich zum Schönsten, das in den letzten Jahren entstanden ist.« *Neue Politik*

Quartheft 64. 84 Seiten, DM 7.80

Tintenfisch 6 *Jahrbuch für Literatur 1973*

Herausgegeben von Michael Krüger und Klaus Wagenbach. – Aus dem Inhalt: Max Maetz, blekboint. Michael Scharang, Zur Technik der Dokumentation. Günter Wallraff, Wirkungen in der Praxis. Franz Hohler, Der Preßlufthammer und das Ei. Klaus Hoffer, Die Heinzelmännchen. Reinhard Lettau, Versuchtes Bildnis des Landsmannes Uwe Bremer. Renate Rasp, Verhaltensmaßregeln.

»Die Erfindung der Herausgeber, literarische Texte durch Zeitungsausschnitte, Auszüge aus politischen Reden u. a. Texten zum Thema zu ergänzen, hat auch in diesem Band wieder den Effekt, daß literarische Texte durchgängig hoher Qualität neben Zeugnisse der politischen und gesellschaftlichen Wirklichkeit zu stehen kommen.« *NDR*

Quartheft 66. Mit Bibliografie aller Erstdrucke. 120 Seiten, DM 9.80

Tintenfisch 7 *Jahrbuch für Literatur 1974*

Herausgegeben von Michael Krüger und Klaus Wagenbach. – Aus dem Inhalt: Adolf Endler, Schaschlyk. Johannes Schenk, Neruda. Wolfdietrich Schnurre, Papa redet Mist. Reinhard Lettau, Frühstück. Elke Erb, Miniaturen. Alexander Kluge, Hunger.

»Was da auf nur 108 Seiten zusammengetragen wurde, ist ein Querschnitt durch wichtige Bereiche der Gegenwartsliteratur und schafft in nicht wenigen Fällen jenes Lesevergnügen, das nachdenklich machenden und gleichzeitig ästhetisch befriedigenden Texten entspringt.« *dpa-Buchbrief*

Quartheft 68. Mit Bibliografie aller Erstdrucke. 120 Seiten, DM 9.80

Peter Rühmkorf *Die Handwerker kommen. Ein Familiendrama*

»Dieses Familiendrama zeichnet sich durch eine festgespannte Komposition aus, die in den verschiedenen Handlungsphasen und Situationen die Entmenschlichung vor allem auf komisch-enthüllende Weise registriert. Graphiken aus ›Brehms Tierleben‹ illustrieren auf sinnvolle Weise diese komisch-traurige Burleske.« *Deutsche Bücher*

Quartheft 69. 82 Seiten, DM 7.80

Rainer Kirsch *Kopien nach Originalen. 4 Portraits aus der DDR*

»Weshalb immer die orthodoxe Literaturkritik der DDR seinen poetischen Texten ›Verlust an Wirklichkeit‹ vorgeworfen haben mag . . ., in seinem neuesten Band jedenfalls handelt es sich um Reportagen, die sowohl vom Inhalt wie durch die Form ein Stück gesellschaftlicher Wirklichkeit zu dokumentieren versuchen.« *Radio Bremen*

Quartheft 70. 96 Seiten, DM 7.80

Werner Kofler *Guggile: vom Bravsein und vom Schweinigeln*

Eine Materialsammlung aus der Provinz. Die totale Autobiographie einer Jugend in Kärnten: sex and crime. Wie man aufwächst im Dumpfen und unter Dampf.

»Ich kenne keinen Text der neuen autobiographischen Welle, dessen Informationsgehalt so hoch ist und der bei strikter Konzentration auf die eigene Erfahrung so authentisch und spannend etwas zeigt, das diese Erfahrung doch auch zugänglich macht: objektive Muster sozialer Programmierung.« *Hessischer Rundfunk*

Quartheft 72. 96 Seiten, DM 9.80

Tintenfisch 8   *Jahrbuch für Literatur 1975*

Herausgegeben von Michael Krüger und Klaus Wagenbach. Aus dem Inhalt: Bernt Engelmann, Radikale im öffentlichen Dienst. Peter Huchel, Begegnung. Wolfgang Koeppen, Angst. Heinrich Böll, Was heißt radikal? Günter Herburger, Schwäbische Mafia.

»Zur literarischen Lage der Nation finden die Herausgeber bittere Worte: ›Ein Gespenst geht um in Europa: die Langeweile.‹ Immer diese Problemwälzereien! Kann denn Literatur nicht mal nett sein? Heiter? Ermunternd? Aber freilich, ein Tintenfisch ist doch etwas zum Genießen!«   *Hessischer Rundfunk*
Quartheft 73. 120 Seiten, DM 9.80

Adolf Endler   *Nackt mit Brille. Gedichte*

Witzige und zivile Gedichte über die Exotik des Alltags: Aufenthaltspapiere, Himmelstapezierer, Selbstverpflichtung, Laubenpieper, Beifall vom Kunstamt.

»Endler greift mit seinen Gedichten reale Vorgänge auf, setzt sie um mit seiner ganzen Subjektivität, also mit seiner Haltung zu Mensch und Staat, und gewinnt so einen neuen Realismus, sie sind Poesie und Wirklichkeit zugleich.« *Max von der Grün*
Quartheft 74. 60 Seiten, DM 7.80

Erich Fried   *Fast alles Mögliche*

Wahre Geschichten und gültige Lügen. 25 Erzählungen. Ihr Thema: was in der Welt, in ihrer Spiegelung im Kopf und in unsern Versuchen, etwas davon durch Worte kenntlich zu machen, möglich ist.

»Diese Geschichten des engagierten Lyrikers weisen Fried auch als Prosaautor von Format aus.«   *Informationsdienst*
Quartheft 75/76. 144 Seiten, DM 14.80

Hans Christoph Buch   *Aus der Neuen Welt*

Nachrichten und Geschichten. Geschichten aus einem imaginären Amerika – vom Verschwinden eines Kavallerieregiments im Indianerland bis zu heutigen Geschäftigkeiten. Die amerikanische Wirklichkeit wird zum Mythos, der Mythos zur Wirklichkeit.

»Buchs Texte haben nicht die Wucht und erheben nicht den Totalitäts-Anspruch, den Autoren hierzulande meist im Sinn haben. Seine Texte lesen sich vielmehr wie Etüden; sie sind locker geschrieben, gehen spielerisch mit ihrem Inhalt um.«   *WDR*
Quartheft 77. 96 Seiten, DM 7.80

Heinar Kipphardt   *Leben des schizophrenen Dichters Alexander M.*

Ein Film. Das Textbuch eines berühmten Films: Alexander, ein »aufgegebener Fall«, produziert sich, er dichtet – eine »Wunschmaschine«. In 82 Stationen erzählt Kipphardt die Geschichte des ICH. Wie es stumm gemacht wird, wie es gegenredet.

»Wer Augen hat zu sehen, der sieht: die Fragwürdigkeit von Normen und Wertvorstellungen; er erkennt: die Wirklichkeit der Zustände und die Wahrheit ihrer Deutungen.«   *Deutsches Pfarrerblatt*
Quartheft 78. 96 Seiten, DM 9.80

Tintenfisch 9   *Jahrbuch: Deutsche Literatur 1976*

Herausgegeben von Michael Krüger und Klaus Wagenbach. Aus dem Inhalt: Klaus Stiller, Traumberuf Verfassungsfeind. Heinrich Böll, Die Angst der Deutschen und die Angst vor den Deutschen. Peter Weiss, Die Ästhetik des Widerstandes. Peter Rühmkorf, Vormärz. Nicolas Born, Stilleben einer Horrorwelt. Ernst Jandl, nacht.

»Der Fisch, der Wässerchen trübt. Auf die Gefahr hin, den Unwillen von Oberschulämtern und Kultusministerien zu erregen: Ich kenne keine andere Anthologie von Texten deutschsprachiger Gegenwartsliteratur, in der sich so viel brauchbares Material für Aufsätze und Diskussionen fände.«   *FAZ*
Quartheft 79. 128 Seiten, DM 9.80

Tintenfisch 10   *Thema: Regionalismus*

Herausgegeben von Lars Gustafsson. Aus dem Inhalt: Robert Jungk, Fünf Thesen über eine mögliche Wende. Lothar Baier, Mein Okzitanien. Jan Myrdal, Über die Elektrifizierung Dagarns. Thomas Lehner, Einige Sätze über das Elsaß.

»Ein Grund-Buch für alle, die sich ein Bild vom Regionalismus machen oder/und es anderen vermitteln wollen.«   *Frankfurter Hefte*
Quartheft 80. 128 Seiten, DM 9.80

Elke Erb   *Einer schreit: Nicht!*

Geschichten und Gedichte. Der Erstling einer DDR-Autorin: Gedankengedichte, Traumprosa, Kopflangereien. Sie stehen nicht mit beiden Beinen fett im Realismus, sondern handeln zögernd von den Gleichgewichtsstörungen in der Welt.

»Elke Erb beschreibt zumeist Alltägliches, spannend auch durch hohe Sprachkunst, in deren Disziplin etwa an Kleist oder, vice versa, auch an Kunert gemahnend: Das Alltägliche gewinnt allgemeine Bedeutung.«   *Nürnberger Nachrichten*
Quartheft 81. 80 Seiten, DM 7.80

Wolf Biermann   *Die Drahtharfe*

Balladen, Gedichte, Lieder. Der erste Band Biermanns, in neuer Ausstattung.
»Wenn das Wort ›Parteilichkeit‹ einen nicht administrativen Sinn haben soll, gibt es wenige Dichter, die so parteilich sind wie Wolf Biermann.«   *Tagebuch*
Quartheft 82. Mit Noten. 84 Seiten, DM 9.80

Erich Fried   *Beine der größeren Lügen/Nebenfeinde/Gegengift*

Drei Gedichtsammlungen. Die Ausgabe macht drei der bekanntesten Gedichtbände wieder zugänglich: Das deutsche politische Gedicht der letzten Jahre ist ohne Erich Fried nicht vorstellbar.

»Die Sammlung ist geeignet, als aufschlußreiches Beispiel engagierter zeitgenössischer Dichtung Leser zu gewinnen.«   *Info-Dienst für Bibliotheken*
Quartheft 83. 168 Seiten, DM 14.80

Johannes Bobrowski   *Mäusefest und andere Erzählungen*

Inhalt: Mäusefest. Lipmanns Leib. Rainfarn. Im Guckkasten: Galiani. In Fingals Haus. Dunkel und wenig Licht. De homine publico tractatus. Interieur. Ich will fortgehen. Das Käuzchen. In eine Hauptstadt verschlagen.

»Diese subtilen Neuinterpretationen angeblich alltäglicher Leute und Begebenheiten überzeugen vollständig.«   *Times Literary Supplement*
Quartheft 84. 84 Seiten, DM 9.80

Tintenfisch 11   *Jahrbuch für Literatur 1977*

Herausgegeben von Klaus Wagenbach. Aus dem Inhalt: Peter Paul Zahl, Seifenoper. Walter Boehlich, Juden sind berührbar. H. M. Enzensberger, Vorschlag zum Schutze der Jugend vor den Erzeugnissen der Poesie. Hubert Fichte, Zur Gewalt. Dieter Forte, Warum keiner Kritiken liest. Paul Wühr, Grüß Gott.

»Jahrbücher können oft eine quälend-langweilige Lektüre sein. Wenn aber der Berliner Verleger K. W. am Werke [haha!] ist, kann sich der Leser immer auf einiges gefaßt machen.«   *Norddeutscher Rundfunk*
Quartheft 85. 128 Seiten, DM 9.80

Johannes Schenk   *Zittern. Gedichte*

»Marginale Teile der künstlerisch aufgeschlossenen Intelligenz verfügen über ausreichende ästhetische Sensibilität und Bildung, um mehr oder weniger regelmäßig Gedichte zu lesen und dabei Neuerungen zu schätzen. Schenk geht mit Verve über diese Skrupel hinweg und kann sich ihnen doch nicht ganz entziehen. Seine Gedichte sind prall von Konkretheit.«   *Frankfurter Rundschau*
Quartheft 86. 80 Seiten, DM 8.80

Tintenfisch 12   *Thema: Natur*

Oder: Warum ein Gespräch über Bäume heute kein Verbrechen mehr ist. – Herausgegeben von Hans Christoph Buch.

Eine Sammlung von spannend lesbaren Berichten, Glossen und Gedichten, die sämtlich um die mutwillige Zerstörung unserer natürlichen Umwelt kreisen und zu Umkehr und Besinnung aufrufen. Nüchterne Schilderungen und kritische Thesen wechseln mit literarischen Beiträgen, die betroffen machen.«   *Iring Fetscher*
Quartheft 87. 128 Seiten, DM 9.80

Brendan Behan   *Die Geisel und andere Stücke*

Sämtliche Stücke des bedeutenden irischen Dramatikers: aufsässig, blasphemisch und von ordinärer Grazie.

»Fotos, historische und sachliche Hinweise sowie eine kurze Bibliographie runden den Band ab, dem es gelingt, einen Autor relativ erschöpfend, dabei überschaubar und preiswert vorzustellen.«   *Linzer Theaterzeitung*
Quartheft 88, 212 Seiten, DM 17.80

Breyten Breytenbach   *Kreuz des Südens, schwarzer Brand*

Gedichte gegen die Unterdrückung und die »Apartheid« in Südafrika.

»In der nackten Analyse des südafrikanischen Alltags zeigt Breytenbach, daß es angesichts des Vorsterschen Apartheid-Grauens ›bestimmt keinen Sinn‹ hat, ›seinen Kopf in die Literatur zu stecken‹. Er geht zur kalten Attacke über.«   *Basler Ztg.*
Quartheft 89. 96 Seiten, DM 9.80

Erich Fried   *Die bunten Getüme*

Gedichte über Ungetüme und die Ungeheuer unserer Zeit: eine Einmischung ins Handgemenge der täglichen Umstände – gegen Versteinerung und Entfremdung.

»Die 70 Gedichte enthalten reichlich Zündstoff: die Gegenwart mit ihren politischen und sozialen Verhältnissen, sie ist Frieds Ausgangspunkt.«   *ekz-Info-Dienst*
Quartheft 90. 80 Seiten, DM 9.80

Tintenfisch 13   *Thema: Alltag des Wahnsinns*

Herausgegeben von Hans-Jürgen Heinrichs, Michael Krüger, Klaus Wagenbach. Ein Themen-Tintenfisch zum Verhältnis von Schizophrenie, Produktivität und Normalität.

»Dokumente, literarische Texte, theoretische Abhandlungen, Dossiers: ein Band, der den Wahnsinn unter dem Aspekt der Produktion betrachtet.«   *Basler Magazin*
Quartheft 91. 128 Seiten, DM 9.80

Giorgio Manganelli   *Unschluß (Sconclusione)*

Aus dem Italienischen von Iris Schnebel-Kaschnitz

Ein Haus. Draußen: Der große Regen. Drinnen der Verwalter mit Vater, Bruder, drei Müttern und den Subexistentiellen.

»Bei Manganelli versagen die traditionellen Werkzeuge der Literaturkritik ihren Dienst; wir sind gut beraten, alles auf den Kopf zu stellen, dann ergeben sich möglicherweise Perspektiven, die Manganelli und seiner Auffassung von Literatur gerecht werden.«   *Deutschlandfunk*
Quartheft 92. 144 Seiten, DM 16.80

Werner Kofler   *Ida H. – Eine Krankengeschichte*

»Kofler bleibt zum Glück nicht bei dem stehen, was schon von anderen geschrieben worden ist. Seine Beschreibung zielt nicht nur auf Verständnis, sondern Kofler dokumentiert darüberhinaus die grundlegenden Aporien, also das ganze Elend der Psychiatrie, das eben vor allem das ihrer Patienten ist.«   *Frankfurter Rundschau*
Quartheft 93. 160 Seiten, DM 14.80

349

Tintenfisch 14   *Jahrbuch: Deutsche Literatur 1978*
Herausgegeben von Michael Krüger
Heinrich Böll, Höflichkeit bei Gesetzesübertretungen. Alexander Kluge, Hiebe nach
rechts und links. Stephan Hermlin, Rede vor dem Schriftstellerkongreß. Martin Wal-
ser, Zum Tode von Bloch. Karl Heinz Bohrer, Die Macht des Bildes.
»Man müßte ihn erfinden, wenn es ihn nicht gäbe: den Tintenfisch.«   *päd. extra*
Quartheft 94. 128 Seiten, DM 9.80

Robert Wolfgang Schnell   *Die heitere Freiheit und Gleichheit*
Vier Geschichten von der festen Bindung. Mit Graphiken des Autors
»Die Geschichten sind nicht gerade von der liebenswürdigen und übersichtlichen Art,
gemeinsam ist ihnen das bezeichnende skurrile Detail.«   *FAZ*
Quartheft 95. 80 Seiten, DM 9.80

Pier Paolo Pasolini   *Freibeuterschriften*
Die Zerstörung des Einzelnen durch die Konsumgesellschaft. Aufsätze, Polemiken.
»Beim Lesen dieser Artikel kam mir der Gedanke, daß Pasolini darin möglicherweise viel direkter als in den Filmen sagen konnte, was er zu sagen hatte. Der objektive historische Vorgang, den er beschreibt, ist derselbe, mit dem Horkheimer und
Adorno sich in der ›Dialektik der Aufklärung‹ befassen. Dieser Vorgang wird aber
von Pasolini aus einer eigenen Mythologie heraus stärker im Licht subjektiver Erfahrung, nicht dialektisch gedeutet.«   *Filmkritik*
Quartheft 96. 144 Seiten, DM 14.80

Tintenfisch 15   *Thema: Deutschland*
Das Kind mit den zwei Köpfen. Herausgegeben von Hans Christoph Buch
Aus dem Inhalt: Adolf Dresen, Emigranten im eigenen Land. Carl Amery, Der Für-
stenclub. Lars Gustafsson, Die Allemande. Reinhard Lettau, Deutschland als Aus-
land.
»Der Untertitel zeigt die Marschroute: den Widersprüchen dieser Nation an die
Wurzeln zu gehen. Gestern wie heute, hüben wie ›drüben‹, oben wie unten. Billige
Beckmesserei betreibt keiner der Autoren.«   *Abendzeitung*
Quartheft 97. 144 Seiten, DM 9.80

Volker von Törne   *Kopfüberhals. Gedichte*
Nach zehn Jahren tritt Törne wieder mit einem neuen Gedichtband auf, um »als
Conferencier und Pausenclown Poesie ans Kinn zu haun«.
»Villon, Heine, Brecht. Man merkt, daß Törne ihre Gedichte gründlich gelesen hat.
Aber er ist kein Nachahmer und kein Denkmalspfleger. Er macht aus dem, was er
bei den Vorbildern fand, etwas Eigenes.«   *Südwestfunk*
Quartheft 98. Mit Grafiken von Natascha Ungeheuer. 80 Seiten, DM 9.80

Tintenfisch 16   *Literatur in Österreich*
Rot, ich weiß, rot. Herausgegeben von Gustav Ernst und Klaus Wagenbach. – Rot-
weißrot, die österreichischen Nationalfarben, ergeben sie eine Nationalliteratur? Oder
ist das so ungewiß, wie Ernst Jandl es ironisiert hat: Rot, ich weiß, rot?
Aus dem Inhalt: Gert Jonke, Festansprache. Michael Scharang, Vom Mann, der gleich
alle Fliegen mit einem Schlag treffen wollte. Michael Siegert, Wie die österreichische
Bourgeoisie ihren Schoß dem preußischen Säbel öffnet. Und viele weitere Gedichte und
Erzählungen – und drei Dossiers.
Quartheft 99. 128 Seiten, DM 9.80

Vaterland, Muttersprache
Deutsche Schriftsteller und ihr Staat seit 1945. – Zusammengestellt von Klaus Wagenbach, Winfried Stephan und Michael Krüger
Quartheft 100. 352 Seiten, DM 12.80
. . . und diesen Band halten Sie gerade in der Hand

WAGENBACHS TASCHENBÜCHEREI

Franz Kafka. In der Strafkolonie Eine Geschichte aus dem Jahre 1914. Mit Materialien, Chronik und Anmerkungen von Klaus Wagenbach. WAT 1. 96 Seiten. DM 5,-

Faust. Ein deutscher Mann Die Geburt einer Legende und ihr Fortleben in den Köpfen. Lesebuch von Klaus Völker. WAT 2. 192 Seiten. DM 8,50

1848/49: Bürgerkrieg in Baden Chronik einer verlorenen Revolution. Zusammengestellt von Wolfgang Dreßen. WAT 3. 160 Seiten. DM 7,50

Länderkunde: Indonesien Die Menschen, das Land, die Kultur und was die holländischen Räuber daraus gemacht haben. Von Einar Schlereth. WAT 4. 128 Seiten. DM 5,50

Schlaraffenland, nimms in die Hand! Kochbuch für Gesellschaften. Von Peter Fischer. WAT 5. 224 Seiten. DM 10,-

Peter Brückner, ». . . bewahre uns Gott in Deutschland vor irgendeiner Revolution!« Die Ermordung des Staatsrats v. Kotzebue durch den Studenten Sand im Jahr 1819. Über Hochschulreformen. WAT 6. 128 Seiten. DM 6,50

Auf dem Langen Marsch Die Wende in der chinesischen Revolution, von Teilnehmern erzählt. Hrsg. Dietmar Albrecht und Dirk Betke. WAT 7. 160 Seiten. DM 7,-

Die Geschichte des Docktor Frankenstein und seines Mord-Monsters oder die Allgewalt der Liebe. Zusammengeschnitten und herausgegeben von Susanne Foerster. WAT 8. 128 Seiten. DM 5,−

Babeuf. Der Krieg zwischen Reich und Arm Artikel, Reden, Briefe. Kommentiert von Peter Fischer. WAT 9. 128 Seiten. DM 6,-

William Beckford: Die Geschichte des Kalifen Vathek Ein Schauerroman aus dem britischen Empire. Kommentare von Gisela Dischner. WAT 10. 192 Seiten. DM 7,50

1886, Haymarket Die deutschen Anarchisten von Chicago, Lebensläufe, Reden. Herausgegeben von Horst Karasek. WAT 11. 192 Seiten. DM 8,50

Jonas Geist Versuch das **Holstentor zu Lübeck** im Geiste etwas anzuheben. WAT 12. 144 Seiten. DM 6,50

Die Schlacht unter dem Regenbogen. Frankenhausen 1525, ein Lehrstück aus dem Bauernkrieg. Von Ludwig Fischer. WAT 13. 192 Seiten. DM 8,50

Zapata Barbara Beck und Horst Kurnitzky: Bilder aus der mexikanischen Revolution. WAT 14. 160 Seiten. DM 7,50

Weißer Lotus, Rote Bärte Geheimgesellschaften in China. Zur Vorgeschichte der Revolution. Ein Dossier von Jean Chesneaux. WAT 15. 192 Seiten. DM 8,-

Die Kommune der Wiedertäufer. Münster 1534. Von Horst Karasek. WAT 16. 160 Seiten. DM 7,50

Grand Guignol Das blutige Theater Frankreichs. Zusammengestellt von Caroline Neubaur und Karin Kersten. WAT 17. 128 Seiten. DM 6,50

131 expressionistische Gedichte. Hrsg. Peter Rühmkorf. WAT 18. 160 Seiten. DM 7,50

Peter O. Chotjewitz/Aldo De Jaco, Die Briganten Aus dem Leben süditalienischer Rebellen. WAT 19. 192 Seiten. DM 7,50

Die Scheidung von San Domingo Wie die Negersklaven von Haiti Robespierre beim Wort nahmen. Dokumentation von Hans Christoph Buch. WAT 20. 192 Seiten. DM 8,-

GRIPS-Theater. Geschichte, Dokumente und Modell eines Kindertheaters. Hrsg. Volker Ludwig u. a. WAT 21. 192 Seiten. DM 8,50

Erich Mühsam: Fanal. Ausgewählte Aufsätze und Gedichte (1905-1932). Hrsg. Kurt Kreiler. WAT 22. 192 Seiten. DM 8,50

Albert Soboul, Kurze Geschichte der Französischen Revolution. Ihre Ereignisse, Ursachen und Folgen. WAT 23. 160 Seiten. DM 7,50

Der Automaten-Mensch. E.T.A. Hoffmanns Erzählung vom »Sandmann«, auseinandergenommen und zusammengesetzt von Lienhard Wawrzyn. WAT 24. 160 Seiten. DM 7,50

Frauenhäuser. Gewalt in der Ehe, und was Frauen dagegen tun. Hrsg. Sarah Haffner. WAT 25. 224 Seiten. DM 11,-

Corrado Stajano: Der Staatsfeind. Leben und Tod des Anarchisten Serantini. Aus dem Italienischen von P. O. Chotjewitz. WAT 26. 160 Seiten. DM 7,50

80 Barockgedichte Hrsg. Herbert Heckmann. WAT 27. 128 Seiten. DM 7,50